PP 02106043 4

D0784310

UNIVERSITY OF PORTSMOUTH LIBRARY

CLASS NUMBER

346. 43033 SPI

LOCATION

Die Stiftungsinitiative der deutschen Wirtschaft steht für zwei aufeinander bezogene Ziele: Sie suchte den internationalen Rechtsfrieden für deutsche Unternehmen durch humanitäre Leistungen an ehemalige Zwangsarbeiter und andere Opfer des NS-Regimes herzustellen und ihn auf Dauer für die deutsche Wirtschaft insgesamt zu sichern. Die vorliegende Monographie stellt die Entstehungsgeschichte der Stiftungsinitiative, den Verlauf und die Ergebnisse der internationalen Verhandlungen aus der Sicht der Gründungsunternehmen dar. Sie erläutert den historischen Hintergrund und skizziert die juristische Problematik. Eine Chronik sowie ein Anhang mit den wichtigsten Dokumenten runden das Buch ab.

Susanne-Sophia Spiliotis, geboren 1965, studierte Geschichte, Philosophie und politische Wissenschaften in Athen, München, Freiburg i. Br. und in Berlin; 1998 Dr. phil. an der FU Berlin; nach Lehrtätigkeit an der FU ist die Autorin seit 2000 Leiterin der Forschung im Arbeitsstab der Stiftungsinitiative der deutschen Wirtschaft »Erinnerung, Verantwortung und Zukunft«, Berlin.

Unsere Adresse im Internet: www.fischer-tb.de

Susanne-Sophia Spiliotis

Verantwortung und Rechtsfrieden
Die Stiftungsinitiative der deutschen Wirtschaft

WITHDRAWN

UNIVERSITY OF PORTSMOUTH LIBRARY

UNIVERSITY OF
PORTSMOUTH
LIBRARY

0210643

Fischer Taschenbuch Verlag

Originalausgabe
Veröffentlicht im Fischer Taschenbuch Verlag,
einem Unternehmen der S. Fischer Verlag GmbH,
Frankfurt am Main, April 2003

© 2003 Fischer Taschenbuch Verlag
in der S. Fischer Verlag GmbH, Frankfurt am Main
Alle Rechte vorbehalten
Redaktion: Walter H. Pehle
Satz: Pinkuin Satz und Datentechnik, Berlin
Druck und Bindung: Clausen & Bosse, Leck
Printed in Germany
ISBN 3-596-16044-8

Dem Andenken meines Vaters

Διότι εν πολλή σοφία είναι πολλή λύπη
και όστις προσθέτει γνώσιν, προσθέτει πόνον

Denn wo viel Weisheit ist, da ist viel Grämen,
und wer viel lernt, der muß viel leiden
Prediger I, 18

UNIVERSITY OF PORTSMOUTH LIBRARY
WITHDRAWN

Inhalt

Vorwort

Über die internationalen Verhandlungen in den Jahren 1999 und 2000, die schließlich zur Gründung der Stiftung »Erinnerung, Verantwortung und Zukunft« führten, berichteten die Medien jeweils breit. Dabei wurden in der Regel nur einzelne Aspekte des langwierigen und schwierigen Weges beleuchtet und oft harsche Kritik – vor allem an der deutschen Wirtschaft – geübt: Die Wirtschaft sei kleinlich und zögerlich, sie stelle ihr Interesse an Rechtssicherheit über die notwendige Entschädigung der Opfer, sie brauche zu lange, um das geschuldete Geld endlich zusammenzubringen. Die Verhandlungsführer der Bundesrepublik Deutschland und der Vereinigten Staaten erschienen als Treiber, die Wirtschaft als Getriebene, für die viele Medien wenig Verständnis aufbrachten.

Die während der und nach den Verhandlungen an der deutschen Wirtschaft geübte Kritik hat vielfach ein Bild in der Öffentlichkeit entstehen lassen, das die beteiligten Personen und ihre Rollen nicht oder nur eingeschränkt widerspiegelt: so z. B. die Klägeranwälte mit ihrem teilweise fragwürdigen Verhalten, die Vertreter der vielen Staaten, nicht staatlichen Verbände, Organisationen und der Wirtschaft. Die Stiftungsinitiative der deutschen Wirtschaft hat deshalb Frau Dr. Susanne-Sophia Spiliotis damit beauftragt, die Geschichte dieses einmaligen Projektes aufzuarbeiten.

Frau Spiliotis war an den Verhandlungen nicht beteiligt, hat aber die Stiftungsinitiative schon in einem frühen Stadium begleitet. Sie hatte Zugang zu allen Dokumenten des Büros der Stiftungsinitiative und in breitem Umfang auch zu den Akten von Gründungsunternehmen. Darüber hinaus hat sie mit allen Mitgliedern des Koordinationskreises und der Rechtsarbeitsgruppe der Stiftungsinitiative intensive Gespräche geführt. Für Gespräche standen auch Vorstandsvorsitzende der Gründungsunternehmen zur Verfügung.

Die Autorin hat die in den Gesprächen mitgeteilten Tatsachen weitestgehend in den Dokumenten verifiziert. Dennoch bleiben manche Erinnerungen, die nicht in Schriftstücken festgehalten sind und denen die Subjektivität des Gesprächspartners anhaften mag. Für die Richtigkeit der mitgeteilten Tatsachen und die Vollständigkeit der zugänglich gemachten Dokumente trägt letztlich der Gesprächspartner die Verantwortung. Die wissenschaftliche Umsetzung und Bewertung ist dagegen die eigenständige Arbeit der Verfasserin dieses Buches. Schlussfolgerungen und Meinungen der Autorin sind als solche kenntlich gemacht und können von denen der Stiftungsinitiative und den für die Stiftungsinitiative handelnden Personen durchaus abweichen. Wir sind dankbar, dass sich Frau Spiliotis der schwierigen Arbeit unterzogen hat.

Nicht vergessen werden darf, dass die Initiative zur Gründung der Stiftung »Erinnerung, Verantwortung und Zukunft« von einer relativ kleinen Gruppe deutscher Unternehmen ausging, die später als die Stiftungsinitiative bezeichnet wurden. Mehr als 6500 deutsche Firmen haben schließlich zur Stiftungsinitiative beigetragen und gemeinsam die 5 Mrd. DM und 100 Mio. DM an Zinsen aufgebracht, die in den Verhandlungen zugesagt worden waren. Ein so hoher Betrag auf freiwilliger Basis ist als Solidarleistung einer Volkswirtschaft nach unserem Wissen noch nie und in keinem anderen Land zusammengetragen worden. Die Rolle der Gründungsunternehmen, die ihre ursprünglich zugesagten Beiträge deutlich aufgestockt haben, um eine damals noch bestehende Lücke zu füllen, sei dabei besonders hervorgehoben.

Sicher ist es etwas Außergewöhnliches, dass sich die Wirtschaft eines Landes zu ihrer Verantwortung für die Verwobenheit in ein vergangenes Unrechtssystem bekennt und bereit ist, für überlebende Opfer Mittel zur Verfügung zu stellen, obwohl die heutigen Entscheidungsträger schon aus Altersgründen keine persönliche Schuld treffen kann und viele der beitragenden Unternehmen erst nach dem Ende des Unrechtsregimes gegründet worden sind.

Neben dem Handeln aus humanitärer und historischer Verantwortung kam der Schaffung von Rechtsfrieden als einem essenziellen Ziel der deutschen Wirtschaft große Bedeutung zu. Dies betraf ein moralisches, aber auch ein rechtliches und politisches Problem, denn bei Lage der Dinge hätten das amerikanische Rechtssystem mit seinen Sammelklagen (*class actions*) und die faktischen Drohungen gegen deutsche Unternehmen zu einer großen Belastung für deutsche Unternehmen und die deutsch-amerikanischen Wirtschaftsbeziehungen führen können. Rechtsfrieden im Sinne des Schutzes vor gerichtlicher Inanspruchnahme, vor administrativen und legislativen Eingriffen oder Sanktionen konnte nur mit Hilfe der Regierungen betroffener Länder erzielt werden. Deshalb war die Stiftungsinitiative der deutschen Wirtschaft dankbar, dass die deutsche Bundesregierung unter Bundeskanzler Gerhard Schröder die notwendige Unterstützung gegeben hat.

Die Verbindung der von der Wirtschaft ausgehenden Stiftungsinitiative mit der unabhängig davon angedachten Bundesstiftung zur weiteren Aufarbeitung nationalsozialistischen Unrechts hat die Verhandlungen und den erzielten Abschluss deutlich erleichtert.

Die Verhandlungen waren zeitaufwendig. Bedrückend war, dass die Abweisung bzw. Erledigung eines Teils der anhängigen Klagen in den Vereinigten Staaten so lange Zeit in Anspruch genommen hat. Um eine möglichst schnelle Hilfe für die Opfer zu ermöglichen, übergab die Stiftungsinitiative vorzeitig ihre Mittel an die Bundesstiftung, obwohl die Klagen auch heute noch nicht vollständig abgeschlossen sind. Deprimierend war die Zeitdauer der Verhandlungen zwischen der Stiftung, der *ICHEIC (International Commission on Holocaust Era Insurance Claims)* und dem Gesamtverband der Deutschen Versicherungswirtschaft e.V., die erst mehr als zwei Jahre nach Unterzeichnung der Berliner Vereinbarungen und bei weiteren Leistungen der Versicherungsunternehmen, die im Stiftungsgesetz nicht vorgesehen waren, im Oktober 2002 zum Abschluss gebracht werden konnten.

Dennoch meine ich, dass alle Beteiligten mit Erleichterung und vielleicht auch etwas Stolz auf die schließlich erzielten Ergebnisse blicken können. Inzwischen haben mehr als eine Million überlebender Opfer Leistungen erhalten. Der Zukunftsfonds, der gegen die Gefahren von Menschenrechtsverletzungen sensibilisieren soll und der Völkerverständigung dient, hat seine wichtige Arbeit aufgenommen.

Ich möchte allen danken, die zum Gelingen der Stiftungsinitiative beigetragen haben: den Gründungsunternehmen und ihren Vorstandsvorsitzenden, den Mitgliedern des Koordinationskreises, der Rechtsarbeitsgruppe, des Arbeitskreises, den Mitarbeitern im Büro der Stiftungsinitiative und in den Firmen. Außerhalb der Stiftungsinitiative gilt unser besonderer Dank Bundeskanzler Gerhard Schröder und dem damaligen US-Präsidenten Bill Clinton, den beteiligten Ministern und den Verhandlungsführern der deutschen Seite, Bodo Hombach und Otto Graf Lambsdorff, sowie Stuart E. Eizenstat auf US-Seite. Mein Dank gilt aber auch den Vertretern des Deutschen Bundestages, die sich in die Arbeit eingebracht haben, den Mitarbeitern der Ministerien und den Verhandlungsdelegationen, die sich an den Verhandlungen mit positiven Beiträgen beteiligt haben.

Dr. Manfred Gentz
Stiftungsinitiative der deutschen Wirtschaft
»Erinnerung, Verantwortung und Zukunft«

Eine persönliche Bemerkung

»Wissen Sie – ich habe meine Mutter zuletzt hinter dem Stacheldraht gesehen« – persönliche Schicksale aus dem Schmerz des Jahrhunderts. Es
waren Überlebende, die diese Worte an mich richteten, als drängende Appelle an die Stiftungsinitiative, in deren Berliner Verbindungsbüro ich seit
Februar 2000 tätig war. »Unsere Zeit läuft ab« – und der nächste Anruf
galt wieder einem deutschen Unternehmen mit dem Ziel, es als teilnehmende Firma zu gewinnen, um Geld zu sammeln. Die persönlich geschil-
derte Wirklichkeit des Krieges und der Verfolgung kontrastierte so nahezu täglich die Diskussion um Verantwortung, Schuld, Geld und
Rechtsfrieden: Strukturelemente ökonomischer Humanität heute.
Die Bandbreite der Reaktionen auf unsere Bitten und Aufforderungen
war denkbar groß. Sie reichte von spontanen Zusagen aus einem Gefühl
der Schuld, ohne schuld zu sein bis zur vehementen, oft karikaturreifen
Ablehnung nach dem Motto, »zum zoin müast eich an grössan Deppn
suacha ois wia mi«, um bösartige Antworten und sogar Drohungen beiseite zu lassen. Wir freuten uns über jede Zusage, diskutierten jede Absage, empörten uns, wenn klar war, dass dieses oder jenes Unternehmen
Zwangsarbeiter beschäftigt hatte und dennoch nicht oder nur mit einem
Almosen mitmachen wollte. Die Arbeit führte so nicht selten zu emotionalen Belastungen, die aufgehoben wurden, sobald wir, was häufig vor-
kam, mit Briefen oder Telefonaten der Betroffenen selbst konfrontiert
wurden, mit individuellem Leid. Dann wussten wir, wofür wir uns enga-
gierten, dass es Sinn machte, was wir taten.
Es gibt eine kaum zu überbrückende Spannung zwischen dem Schicksal
des Einzelnen und der kühlen Logik, die herrscht, wenn es gilt, eine Problematik zu bewältigen, die in ihren Dimensionen weit über das individuelle Leid hinausragt, weil historische, politische, juristische und ökonomische Faktoren als handlungsleitende Strukturen zwingend werden.
Ihr begegnete ich während der Arbeit an diesem Buch wieder. In dem
Bewusstsein, dass diese Spannung nicht aufzulösen ist, entschied ich

mich dafür, strikt die strukturellen Aspekte der Verhandlungsgeschichte zu beleuchten und so, wie für Historiker üblich, für die Darstellung vom Los des Einzelnen zu abstrahieren – ein ständiger Balanceakt, der mehr als schwierig war.

Meinen Kollegen im Büro der Stiftungsinitiative, die mich dabei unterstützten, gilt mein aufrichtiger Dank, allen voran Gerhard Wahl, Frank Seyffert, Marc Senger und Katja Raetzke, ebenso Julia Daubmann (DaimlerChrysler).

Das Buch wäre ohne die vielen Gespräche mit Protagonisten der Stiftungsinitiative nicht entstanden. Ihnen allen möchte ich an dieser Stelle für Ihre Offenheit und das gezeigte Vertrauen herzlich danken, vor allem Dr. Manfred Gentz.

Zwei Menschen, die mich auf dem Weg dieses Buches begleitet und mir durch ihre Präsenz und ihr kritisches Wort geholfen haben, bin ich in ganz besonderer Weise verbunden. Dr. Karin Retzlaff stellte mir immer wieder wichtige Fragen, die mir in der Analyse des gesamten Verhandlungsgeschehens enorm weiterhalfen. Dr. Stephan Wernicke hat mir am Ende den Blick für das Ganze ermöglicht. Mit ihm stehe ich am Beginn eines langen Gesprächs.

Berlin, im Dezember 2002
Susanne-Sophia Spiliotis

Die Stiftungsinitiative der deutschen Wirtschaft – Humanitärer Anspruch und Wunsch nach Rechtsfrieden

»Zwangsarbeiter« versus »deutsche Wirtschaft«: Häufig wurde die Stiftungsinitiative in der öffentlichen Wahrnehmung in die Perspektive dieses Konflikts gerückt. Das ist falsch. Die Stiftungsinitiative der deutschen Wirtschaft stand nie in Opposition zu den Menschen, die während der Zeit des Nationalsozialismus Leid erfahren hatten. Es galt ihr vielmehr, in Anerkennung des erlittenen Schicksals der Betroffenen zu denken und zu handeln. Jedoch fügte sich die »Zwangsarbeiterentschädigung« allzu schnell in ein Spannungsgefüge internationaler politischer, rechtlicher und ökonomischer Interessen, in dem Gegensätze zu überbrücken waren, die mit den Opfern selbst letztlich nichts zu tun hatten, deren Belange gar teilweise ignorierten.

Dieses übergeordnete Spannungsgefüge von Wirtschaft, Politik, Recht und Moral aus einer Innenansicht zu beschreiben nimmt sich das vorliegende Buch zum Ziel. Es zeigt, auf welche Weise eine Solidaraktion deutscher Unternehmen vornehmlich zu Gunsten ehemaliger Zwangsarbeiter am Ende des 20. Jahrhunderts zum Gegenstand schwieriger internationaler, von den USA dominierten Verhandlungen wurde. Es beschreibt die Strategien der Teilnehmer, allen voran der deutschen Wirtschaft, und rückt die unterschiedlichen Prämissen in den jeweiligen historisch-juristischen Kontext. Es erläutert die politischen Anstrengungen der US- und der Bundesregierung sowie der deutschen Wirtschaft, für deutsche Unternehmen dauerhaft und umfassend Schutz vor Klagen und Sanktionen im Zusammenhang mit NS-Unrecht und Zweitem Weltkrieg, vor allem in den USA, zu erlangen und damit Rechtsfrieden zu sichern. Schließlich werden auch die Schwierigkeiten nicht ausgespart, die für die Stiftungsinitiative damit verbunden waren, im Namen der deutschen Wirtschaft 5 Mrd. DM aufzubringen, um ihrer Verpflichtung zur hälftigen Finanzierung der mit ihrer Hilfe gegründeten, aber nicht mit ihr identischen Stiftung »Erinnerung, Verantwortung und Zukunft« nachzukommen. Und nicht zuletzt versucht die Darstellung eine Antwort zu geben auf die immer wieder gestellte Frage des »Warum so spät?«

Zu beurteilen, ob die Stiftung »Erinnerung, Verantwortung und Zukunft« in ihrer Verbindung von moralischem Anspruch und handfesten wirtschaftlichen wie politischen Interessen als janusgesichtiger Hybrid oder als vernünftiger Kompromiss zu deuten sein wird, ist dagegen nicht Aufgabe dieses Buches. Vielmehr gewährt es zum ersten Mal einen Einblick in die Entscheidungsprozesse der Stiftungsinitiative auf dem langen Weg zu dem internationalen Vertragswerk, in das die Stiftung eingebettet ist. Aus zahlreichen Gesprächen mit Protagonisten der Stiftungsinitiative, auf der Grundlage einschlägiger Akten einzelner Gründungsunternehmen sowie des Bundesverbandes der deutschen Industrie und insbesondere aus den Memoranda und Verhandlungsprotokollen der internationalen Anwaltssozietät Wilmer, Cutler & Pickering, die als Beraterin der Stiftungsinitiative fungierte, fügen sich viele Einzelfacetten zu einer Gesamtsicht auf Beweggründe wie Agenda der Wirtschaft. Die komplementären Akten der Regierungsseite werden diese Innenansicht aufgrund gesetzlicher Sperrfristen erst in dreißig Jahren ergänzen können. Eine Gesamtdarstellung, die neben der deutschen Seite auch die übrigen Teilnehmer des komplexen Verhandlungsgeschehens in gleicher Tiefenschärfe berücksichtigt, wird also noch zu schreiben sein. Doch kann die Innenansicht der Stiftungsinitiative bereits jetzt einen dazu notwendigen Baustein liefern.

Der historische Beginn dessen, was zum Anliegen der Stiftungsinitiative wurde, liegt in furchtbaren Schicksalen begründet: Während des Zweiten Weltkriegs mussten 12 Millionen Menschen aus dem besetzten Europa in der Kriegswirtschaft des Großdeutschen Reichs arbeiten: verschleppte Zivilisten aus dem Osten, Arbeitnehmer aus dem Westen, die oft freiwillig kamen, später aber an der Rückkehr in ihre Heimat gehindert wurden, Kriegsgefangene und KZ-Häftlinge. Im allgemeinen Sprachgebrauch fallen sie alle trotz unterschiedlicher Lebens- und Arbeitsbedingungen unter einen einzigen Begriff: »Zwangsarbeiter«.

Rechtlich wie rassenideologisch diskriminiert und zumeist in Lagern isoliert, kamen Zwangsarbeiter in allen Wirtschaftsbereichen zum Einsatz, auf Bauernhöfen wie in der Rüstungsindustrie, in Haushalten wie im Handwerk. Sie arbeiteten für die Privatwirtschaft ebenso wie für SS-Betriebe, Kommunen oder kirchliche Einrichtungen. Spätestens seit 1941 war die deutsche Landwirtschaft ganz auf Zwangsarbeiter angewiesen. Mit der Ausweitung des Kriegsgeschehens ersetzten ausländische Kräfte zunehmend die zur Front abkommandierten Deutschen auch in der Industrie. Im Juli 1944 stellten so rund 5,7 Millionen zivile Fremdarbeiter, über 1,9 Millionen Kriegsgefangene und mehr als 400 000 KZ-Häftlinge rund ein Viertel des Arbeitskräftepotentials im Deutschen Reich.[1]

Gefangen im nahtlosen Geflecht eines menschenverachtenden Systems erhielten sie nur bedingt Lohn. Er wurde nach rassisch-ideologischen Kriterien gestuft und besteuert. Durch Abzüge für »Unterkunft und Verpflegung« sowie weitere Sonderabgaben minderte sich das Wenige je nach Kategorie oft so weit, dass unter dem Strich nichts übrig blieb. Am Ende der Skala rangierten die sowjetischen Zivilarbeiter, so genannte »Ostarbeiter«. KZ-Häftlinge und »Arbeitsjuden« fielen selbst aus diesem Raster. Für sie sah das NS-Regime in den letzten Kriegsjahren »Vernichtung durch Arbeit« vor.

Die Unternehmen hatten Zwangsarbeit zu bezahlen – im Rahmen der rigiden NS-Lohnpolitik an die Fremdarbeiter direkt, im Falle der Kriegsgefangenen und Häftlinge an den NS-Staat. Von angemessener Entlohnung wird dabei kaum jemand sprechen wollen. Schlechte Behandlung verordnete der Staat nicht. Hunger und Drangsalierung waren an der Tagesordnung, obgleich Handlungsspielräume bestanden. Einzelne Unternehmen haben sie zu Gunsten der Zwangsarbeiter ausgeschöpft, andere nicht.

Die Massendeportationen ausländischer Zivilisten und die menschenunwürdigen Bedingungen des Zwangsarbeitereinsatzes gehörten zu den Hauptanklagepunkten in den Nürnberger Prozessen. Der Generalbevollmächtigte für den Arbeitseinsatz, Fritz Sauckel, wurde ebenso zum Tode verurteilt wie Oswald Pohl, der als Chef des SS-Wirtschafts-Verwaltungshauptamtes für die Ausbeutung der KZ-Häftlinge verantwortlich war. Führende Vertreter der Rüstungsindustrie erhielten Haftstrafen.

Auf die Frage nach der Entschädigung für millionenfache Zwangsarbeit hielt die internationale Politik Antworten parat, die unter den Umständen des Ost-West-Konflikts einer anderen Logik folgten als jener individueller Gerechtigkeit. In den Nachkriegsrechnungen war ein materieller Ausgleich für dieses jahrelang erduldete Leid praktisch suspendiert.

50 Jahre später brachten Klagen in Deutschland und in den USA gegen den deutschen Staat wie gegen deutsche Großunternehmen der Automobil-, Chemie- und Stahlindustrie das Los der Zwangsarbeiter einer brei-

ten Öffentlichkeit wieder in Erinnerung. Zur gleichen Zeit wurden in den USA deutsche, aber auch andere europäische Versicherungsunternehmen und Kreditinstitute aufgrund ihrer Einbindung in die nationalsozialistische Enteignung jüdischer Vermögenswerte verklagt oder mit Sanktionen bedroht.

Ende der 90er Jahre stand so die deutsche Wirtschaft wegen Unrechts aus der NS-Zeit in den USA am Pranger. Die geltend gemachten Entschädigungsansprüche hielten die beklagten Firmen allerdings für nicht justiziabel. Gleichwohl fassten sie den Entschluss, den Rechtsstreit nicht »auszusitzen«. Mit der Initiative zu einer Stiftung, aus der vor allem ehemalige Zwangsarbeiter, aber auch andere NS-Geschädigtengruppen humanitäre Leistungen erhalten sollten, schlugen sie neue Wege ein mit dem Ziel, Rechtsfrieden zu schaffen.

Die historische Darstellung dieser Stiftungsinitiative folgt in vier Hauptkapiteln dem chronologischen Gang der Ereignisse: Von der Entstehung (1998) über die internationalen Verhandlungen (1999–2000) und die Umsetzung der Ergebnisse (2000–2001) bis zum Rückblick auf Leistung und Teilnehmerstruktur dieser präzedenzlosen Solidaraktion deutscher Unternehmen. Die Binnengliederung orientiert sich an den Problem- und Weichenstellungen, die für die Fortschritte und Stagnationen in den jeweiligen Etappen maßgeblich waren. Durch diesen chronologisch-problemorientierten Zugriff wird die Dynamik nachvollziehbar, die den Gesamtprozess aus der Spannung gegensätzlicher Ausgangspositionen bestimmte und ihn immer wieder auf seine politischen Prämissen zurückführte. Personalisiert wurde die Spannungslage durch das maßgebliche »Verhandlungsdreieck«: Stuart E. Eizenstat, US-Verhandlungsführer, Otto Graf Lambsdorff und vor ihm kurze Zeit Bodo Hombach für die Bundesregierung sowie Manfred Gentz, Finanzvorstand von DaimlerChrysler und Sprecher der Stiftungsinitiative.

Wo es galt, die zentrale Bedeutung einzelner Problemkomplexe für das Gesamtgeschehen deutlich zu machen, wie z. B. die Frage der Rechtssicherheit für deutsche Unternehmen oder die besondere vermögensrechtliche Thematik, rückt die Darstellung sie mit gebotener Genauigkeit in die jeweiligen Zusammenhänge. Anderes wird dagegen auf Skizzenformat gestrafft, etwa die Frage, wie die schließlich zugrunde gelegte Zahl der noch lebenden ehemaligen Zwangsarbeiter von etwa einer Million Menschen geschätzt wurde, welche Wirkung die Geschichtspolitik der

Clinton-Administration auf den Gang der Restitutionsbestrebungen in Europa in den 90er Jahren hatte oder inwiefern die innerjüdische Debatte über den Anspruch, für die ermordeten Juden Europas zu sprechen und deren erbenloses Eigentum einzufordern, die Verhandlungen zur Stiftung beeinflusste. Wie detailliert oder thesenhaft ein Gegenstand in diesem Buch erörtert wurde, hing davon ab, wie weit er für das Verständnis der Stiftungsinitiative und des Umfeldes, in dem sie sich bewegte, von Bedeutung war. Was nur am Rande erwähnt wurde, muss indes nicht peripher sein. Nicht die vielfältigen Aspekte substanziell zu würdigen, sondern sie in ihrer Funktionalität für die Stiftungsinitiative zu beleuchten, gab den Ausschlag für die Dichte der Darstellung.

Ein Wort zur Bedeutung der Quellen für die Darstellung: Die Stiftungsinitiative und andere Gesprächspartner stellten vielfältige Informationen zur Verfügung. Es gab jedoch Grenzen: Zentrale Entscheidungen fielen oft informell, blieben nahezu geheim und wie nicht untypisch für derart sensible Politikbereiche undokumentiert. Ihre Faktizität kann deshalb nur selten adäquat dargestellt, ihre präzise Wirkungsmacht nur vermutet werden. Ihre Dokumentation bleibt größtenteils den Memoiren der Beteiligten vorbehalten, wobei sich schon jetzt Widersprüche abzeichnen. Die Berichte etwa zum Inhalt des emotional geführten Gesprächs der Verhandlungsführer kurz vor der Unterzeichnung der Berliner Abkommen am 17. Juli 2000 (vgl. Seite 157 f.) lassen offen, ob Eizenstat für ihn überraschend mit einem »final insult«, einer »invective, few American officials have ever heard from a negotiator in a friendly country, particularly one from the private sector«[2] empfangen, oder ob ihm nicht lediglich in klaren Worten seine, den Aussagen der Stiftungsinitiative zufolge, in wesentlichen Punkten absprachewidrige Vertragsgestaltung vorgehalten wurde.

Eine Chronik am Ende des Buches ordnet die politischen, gesetzgeberischen und prozessualen Wegmarken nach ihrer zeitlichen Reihenfolge und flicht die Sammelaktivitäten der Stiftungsinitiative ein. Diese tabellarische Übersicht dient ergänzend der raschen Orientierung in einem Themenfeld, das an politischer Aktualität gewann, seit das Europäische Parlament 1986 einen neuen Anstoß für eine übergreifende Lösung bei der Entschädigung von Zwangsarbeit zu geben versucht hatte, ein Anstoß, der jedoch erst mit der öffentlichen Resonanz auf die US-Sammelklagen in der zweiten Hälfte der 90er Jahre Ergebnisse zeitigte.

Entstehung im Rückblick

Am 16. Februar 1999 traten Bundeskanzler Gerhard Schröder und Spitzenvertreter der deutschen Wirtschaft, Rolf-Ernst Breuer (Deutsche Bank AG), Gerhard Cromme (Krupp-Konzern) und Heinrich von Pierer (Siemens AG), in Bonn vor die Presse, um Ungewöhnliches, noch nicht Dagewesenes bekannt zu geben.[3]

Zwölf führende deutsche Unternehmen – die Allianz AG, BASF AG, Bayer AG, BMW AG, DaimlerChrysler AG, Deutsche Bank AG, Degussa-Hüls AG, Dresdner Bank AG, Fried.Krupp AG Hoesch-Krupp, Hoechst AG, Siemens AG und Volkswagen AG[4] – planten eine gemeinsame Initiative zur Gründung einer Stiftung, als »Antwort auf die Einbindung deutscher Unternehmen in die Bereiche der Zwangsarbeiter-Beschäftigung, der Arisierung und anderen Unrechts aus der Zeit der NS-Herrschaft«. Aus Mitteln der Wirtschaft sollte in freiwilliger Ergänzung zur staatlichen Wiedergutmachungspolitik ein »humanitärer Fonds zugunsten ehemaliger Zwangsarbeiter in der Wirtschaft und anderer NS-Geschädigtengruppen« eingerichtet werden, um bedürftigen Betroffenen ungeachtet ihrer Nationalität und Religion »kooperativ, fair und unbürokratisch« zu helfen. Als gleichgewichtiges Pendant war eine auf Dauer angelegte »Zukunftsstiftung« vorgesehen, aus deren Erträgen Bildungs- und Begegnungsprojekte mit einer »Beziehung zur Veranlassung des Fonds« gefördert werden sollten.

Mit diesem Schritt wollten sie »am Ende des Jahrhunderts ein abschließendes materielles Zeichen setzen, aus Solidarität, Gerechtigkeit und Selbstachtung«. Der Wirtschaftsfonds sollte zugleich Sanktionen und Klagen, insbesondere Sammelklagen in den USA[5], die Grundlage entziehen. Die zwölf »Gründungsunternehmen« knüpften so die Umsetzung ihrer Initiative an den Erfolg zwischenstaatlicher Bemühungen, einschlägige Gerichtsverfahren zu beenden und weitere zu verhindern. Regierungsabkommen, nicht Gerichtsurteile sollten für Rechtssicherheit sorgen. Der Bundeskanzler sicherte hierfür politische Unterstützung zu.

Das hohe Alter der ehemaligen Zwangsarbeiter drängte dazu, die Stiftung rasch ins Werk zu setzen, »möglichst bis zum 1. September 1999«, dem 60. Jahrestag des deutschen Angriffs auf Polen, als sich die Entfesselung nationalsozialistischer Gewalt militärisch nach außen zu richten begann und damit auch die Wirtschaft immer tiefer in den zerstörerischen Sog von Krieg und Ausbeutung geriet.[6]

Dem Ansatz dieser »Stiftungsinitiative« lag die Überzeugung zugrunde, dass die gegen Unternehmen gerichteten Ansprüche im Zusammenhang mit Nationalsozialismus und Zweitem Weltkrieg nicht justiziabel waren, weil der Staat Hauptverursacher des Unrechts gewesen sei. Die Verantwortung der heutigen Unternehmen war daher nicht in juristischen, sondern in moralischen und historischen Kategorien zu fassen. Das Konzept, das freiwillige humanitäre Leistungen mit einer für die Unternehmen befriedigenden Rechtssicherheit verband, stellte so einen »Gegenentwurf« zum Rechtsweg dar. Seine Vorteile lagen auf der Hand. Während langwierige Gerichtsprozesse mit ungewissem Ausgang allenfalls jenen Menschen Leistungen gebracht hätten, die eine existente Firma als konkreten Klagegegner benennen konnten, bot der geplante Wirtschaftsfonds sichere Leistungen für einen wesentlich umfangreicheren Adressatenkreis. Er sollte auch all diejenigen umfassen, die gegen niemanden mehr Klage führen konnten. Denn mehr als fünfzig Jahre nach dem Krieg existierte aufgrund der tiefgreifenden wirtschaftlichen Strukturveränderungen nur noch ein geringer Teil jener überwiegend kleinen und mittelständischen Betriebe, die gleichwohl den Großteil des Millionenheers von Zwangsarbeitern während der nationalsozialistischen Herrschaft beschäftigt hatten.[7]

Die ungleich größere Reichweite sollte durch eine solidarische Anstrengung der deutschen Unternehmen zustande kommen. In der Bereitschaft, ohne Rechtspflicht gleichsam stellvertretend für die deutsche Wirtschaft zu handeln, lag der entscheidende Schritt zum humanitären Akt. Das kollektive Engagement der Unternehmen rechtfertigte und erforderte die politische Unterstützung durch den Staat. Mit Blick auf die, so der Bundeskanzler, »rufschädigenden Kampagnen gegen die deutsche Wirtschaft«[8] in den USA versprach nur eine zwischenstaatliche Übereinkunft mit der US-Regierung den Ausweg aus einer Situation, die auf beiden Seiten des Atlantiks ungeachtet der materiell-rechtlichen Substanz der Sammelklagen als ernste Gefahr für die deutsch-amerikanischen Beziehungen wahrgenommen wurde.

Die Regierungen der USA und Israels betrachteten die Initiative als »positive und mutige Antwort der deutschen Unternehmen auf ihre moralische Verantwortung«.[9] Von Entschlossenheit zeugte die Stiftungsinitiative allemal. Sie nahm eine Option vorweg, die von vielen, schwer berechenbaren Variablen abhing. Würden sich andere Unternehmen für die Stiftungsidee gewinnen lassen? Würden die Regierungen der mittel- und osteuropäischen Staaten, deren Bürger die Hauptempfänger von Stiftungsleistungen wären, positiv reagieren? Und würde schließlich die Gruppe der US-Klägeranwälte einem Lösungsweg zustimmen, der sie letztlich überging und dazu die Aussicht auf profitable Prozessvergleiche zunichte machte?

Der Entscheidung zur Stiftungsinitiative gingen im Kreis der genannten Gründungsunternehmen – im Verlauf des Jahres erweiterte sich der Initiativkreis um die RAG AG, Veba AG, Deutz AG, Commerzbank AG (Mai 1999) und die Robert Bosch GmbH (November 1999) auf 17 Unternehmen – intensive, zum Teil kontroverse Diskussionen voraus. Im Frühjahr 1998 hatten sie unter dem Eindruck steigenden publizistischen und juristischen Drucks nach internen Beratungen und firmenübergreifenden Kontakten begonnen, aus der als für sie prekär wahrgenommenen Situation unternehmenspolitische Konsequenzen zu ziehen.

Ausgangslage

Klagen und Sanktionsdrohungen gegen deutsche Unternehmen im Zusammenhang mit Kriegswirtschaft und NS-Unrecht

1998 waren gegen eine Reihe deutscher Unternehmen, in erster Linie gegen weltbekannte Konzerne, in den USA Einzel-, vor allem aber Sammelklagen[10] anhängig gemacht worden. Die Zuständigkeit US-amerikanischer Gerichte für Klagen gegen deutsche Unternehmen im Zusammenhang mit Nationalsozialismus und Zweitem Weltkrieg leiteten die Klägeranwälte u. a. aus einem Gesetz ab, das der US-Kongress im Jahr des Ausbruchs der Französischen Revolution verabschiedet hatte. Nach dem so genannten *Alien Tort Claims Act* (ATCA) von 1789 konnte die amerikanische Gerichtsbarkeit über Völkerrechtsverletzungen durch fremde Staatsangehörige befinden, wo auch immer sie begangen worden waren. Wenn auch juristisch in den USA selbst umstritten, hatte sich dieses wenig bekannte Gesetz seit den 80er Jahren zu einer schlagkräftigen Waffe in Fällen entwickelt, zu deren Lösung öffentliche Meinung mobilisiert und instrumentalisiert werden konnte.[11]

Die Klagen, getragen von zum Teil rivalisierenden Anwaltskanzleien, stützten sich auf unterschiedlich solide Recherchen. Während etwa Michael Hausfeld, mit seinen Klagen im Namen osteuropäischer ehemaliger Zwangsarbeiter gegen deutsche Industrieunternehmen eine der Schlüsselfiguren auf Seiten der Klägeranwälte, über Monate Historiker beschäftigt hatte, setzte Ed Fagan mit seinen Vorwürfen gegen deutsche Banken vor allem auf medienwirksame Inszenierungen.[12] Die Beschuldigungen aber hatten alle einen gemeinsamen Nenner: Profit der Unternehmen auf Kosten der Opfer. Industriefirmen hatten sich u. a. mit Vorwürfen der ungerechtfertigten Bereicherung auseinander zu setzen und wurden mit Lohn-, Schaden- und Strafschadenersatzansprüchen (*punitive damages*) in Milliardenhöhe konfrontiert. Deutsche Geschäftsbanken wurden der aktiven Rolle bei der »Arisierung« beschuldigt, jener systematischen ökonomischen Ausgrenzung der jüdischen Bevölkerung, die die Nationalsozialisten zunächst im Deutschen Reich, später auch in dem von deutschen Truppen besetzten Europa mit brutaler Konsequenz durchführten. Forderungen wegen »Arisierungsgewinnen«, Geschäften mit Raubgold etc. wurden erhoben und ebenfalls mit bis zu zweistelligen Milliardenbeträgen beziffert.[13] Derart exorbitante Zahlen entbehrten für die Vertreter der beklagten Unternehmen jeglicher Grundlage. Sie erschienen ihnen als Teil eines rechtlich substanzlosen, allein auf öffentliche Wirkung abzielenden Szenarios, dessen kalkulierte Medienwirkung nichtsdestoweniger große Suggestivkraft entfaltete.

Diese Überzeugung teilte auch die Allianz AG. Bereits 1997 war sie zusammen mit 15 weiteren europäischen Versicherungsgesellschaften in den USA mit der Behauptung verklagt worden, sie hätte Versicherungsverträge von Holocaust-Opfern bzw. deren Familien nicht eingehalten und den Erben zustehende Rückkaufwerte oder Versicherungssummen, insbesondere aus Lebensversicherungen, nicht ausbezahlt – Policen seien also unbezahlt.[14] Gegen die Unternehmen der Versicherungswirtschaft, deren Geschäftstätigkeit in den USA einer staatlichen Genehmigung bedarf, richteten sich überdies eine Reihe von Sanktionsdrohungen einzelstaatlicher Aufsichtsbehörden:[15] Falls in den für offen gehaltenen Vermögensfällen keine Abhilfe geschaffen würde, mussten die Unternehmen mit dem Entzug der Lizenz rechnen.

Sanktionen hatten auch Banken zu gewärtigen. Im Zusammenhang mit der für 1999 durch die Deutsche Bank beabsichtigten Übernahme von Banker's Trust, einem der größten US-amerikanischen Finanzdienstleister, zeigten Vertreter einzelstaatlicher Behörden ein besonderes Interesse an der Lösung der Vermögensproblematik aus der »Holocaust-Ära«.[16] Vage Drohungen verfingen allerdings nicht; denn in diesem konkreten Fall war die weitaus zurückhaltendere amerikanische Zentralbank maßgeblich.

Geklagt wurde auch in Deutschland. Gegen Industrieunternehmen wie z. B. Volkswagen oder Siemens (1998), ThyssenKrupp, Robert Bosch oder DaimlerChrysler (1999) waren Zivil- und Arbeitsgerichtsverfahren wegen Zwangsarbeit anhängig. Die Klagewelle erreichte hier Mitte 1999 ihren Höhepunkt, als die Stiftungsinitiative bereits seit einigen Monaten ins Leben gerufen worden war.

Den Entschluss der Unternehmen zu gemeinsamem Vorgehen allein auf Klagen und drohende Sanktionen zurückzuführen, würde allerdings zu kurz greifen. Vielmehr lassen sich Beweggründe nennen, die in die seit Ende der 80er Jahre zunehmende Tendenz eines kritischen Umgangs mit der Unternehmensgeschichte eingebettet waren. Lange vor der klage- und sanktionsbedingten Eskalation schärfte sie das Gehör für Fragen, die den Beitrag der Firmen zu Kriegswirtschaft und NS-System betrafen.

Historische Forschung und Praxisbezug

Die seit 1997/98 angegriffenen, aber auch andere Unternehmen hatten bereits sehr konkretes historisches Wissen um ihr Verhalten während der NS-Zeit und ihre Einbindung in NS-Unrecht erarbeiten lassen und veröffentlicht. Im Zusammenhang mit zahlreichen Gründungsjubiläen, z. B. Daimler-Benz AG (100 Jahre, 1986), Robert Bosch GmbH (100 Jahre, 1986), Volkswagen AG (50 Jahre, 1988), Deutsche Bank AG (125 Jahre, 1995), Siemens AG (150 Jahre, 1997), setzte die unternehmensgeschichtliche Forschung seit Mitte der 80er Jahre neue Akzente. Nationalsozialismus und Kriegswirtschaft wurden dabei nicht länger tabuisiert. Alltagshistorische Fragestellungen, die in der allgemeinen Geschichtswissenschaft en vogue waren und die das Schicksal des Einzelnen in den Mittelpunkt historischen Interesses rückten, eröffneten neue Perspektiven auf die Rolle privater Unternehmen, ihr Handeln und ihre Verantwortlichkeit im Rahmen eines Unrechtssystems, dessen Urheber der NS-Staat war, dessen Stabilisierung sie sich aber zumindest vorhalten lassen mussten. Kein späterer Vertreter der Stiftungsinitiative beschönigte das. In Arbeiten über die auf Kriegswirtschaft umgestellten Industrieunternehmen spielten Zwangsarbeit und die oft unmenschlichen Lebensbedingungen der eingesetzten KZ-Häftlinge, Kriegsgefangenen und Zivilisten eine zentrale Rolle. Diese Forschungen gaben wiederum der Analyse des NS-Systems dadurch weiterführende Impulse, dass sie die etatistische Perspektive, die die Entfaltung dieses Systems aus einer Abfolge bürokratischer Maßnahmen erklärte, durch den Blick auf die Umsetzungswirklichkeit ergänzten und damit einen weiteren Schlüssel zum Verständnis seiner Radikalisierungsdynamik entdeckten.

Aus dem Anspruch, »lückenlos und umfassend« aufzuklären, leiteten die Unternehmen, Betriebsräte und Vorstände gleichermaßen, die Aufgabe ab, »dazu beizutragen, dass nie wieder Unrecht und Gewalt, Rassenhass und Volksverhetzung an die Stelle von Recht und Frieden treten«.[17] In diesem Verständnis förderten einzelne Unternehmen seit Ende der 80er Jahre verstärkt Initiativen der internationalen Jugendbegegnung sowie die wissenschaftliche und künstlerische Auseinandersetzung mit dem Nationalsozialismus im Allgemeinen und mit Zwangsarbeit im Besonderen.[18]

Die Begegnung mit Zeitzeugen nahm einen besonderen Rang ein. Viele Unternehmen stellten im Rahmen von Besuchsprogrammen den Kontakt zu ehemals in ihren Werken eingesetzten Zwangsarbeitern her, um deren Lebensgeschichten als Teil der Unternehmensgeschichte gegenwärtig zu halten.

Die öffentliche Resonanz auf das Thema Zwangsarbeit war bis zur Aktualisierung durch die US-Sammelklagen gleichwohl gering, Pionierstudien über den Einsatz ziviler Fremdarbeiter im Dritten Reich blieben außerhalb der Fachwelt eher unbemerkt.[19]

In vielen Firmen kam die Beschäftigung mit der NS-Vergangenheit erst Mitte der 90er Jahre in Gang. Oft lag das an alten Besitzstrukturen und Loyalitäten, die bis dahin einen offenen Umgang blockierten. Erst der generationsbedingte Wechsel an der Spitze der Unternehmen, der jüngere Manager, die NS-Zeit und Krieg allenfalls als Kleinkinder erlebt hatten, in Führungspositionen brachte, machte in vielen Fällen den Weg frei. Das galt z. B. für die Degussa AG. Sie gab 1997 ein Forschungsprojekt zur Geschichte des Unternehmens als größte Edelmetallscheideanstalt Europas während des Nationalsozialismus in Auftrag und kooperierte mit dem World Jewish Congress, um den Verbleib von Edelmetallen aus jüdischem Besitz zu klären.[20]

Dass unternehmenshistorische Arbeiten als Quelle für Sammelklagen in den USA dienen konnten, kam wohl den wenigsten im Management in den Sinn, zumal kein individuelles Schuldgefühl Fragen nach den Rechtsfolgen von Geschichte nahe legte. Beispiele gibt es genug. Die Klageschriften gegen VW aus dem Jahr 1998 z. B. beruhten zum Teil auf der kurz zuvor erschienenen Studie zur Zwangsarbeit bei Volkswagen und trafen damit einen Konzern, der, wie auch Daimler-Benz, früher als andere dazu bereit gewesen war, sich mit der NS-Zeit auseinander zu setzen.

Die spezifische Praxisrelevanz kritischer Geschichtswissenschaft schlug sich seit Mitte der 90er Jahre in einem zunehmend internationalisierten und politisierten Forschungskontext nieder. Am deutlichsten zeigte sich das in den hitzigen Diskussionen um das so genannte »Raubgold« der Nationalsozialisten, das aus den Zentralbanken der besetzten Länder Europas, aber auch aus konfisziertem Eigentum NS-Verfolgter stammte, bis hin zum eingeschmolzenen Zahngold ermordeter Juden. Sie thematisierten die kriegsverlängernde Funktion der neutralen Staaten, allen voran der Schweiz als Hauptabnehmerin dieses Goldes. Für dessen Devisenwert, so eine der Kernthesen, konnte das Deutsche Reich wichtige Rohstoffe erwerben und damit die Kriegsmaschinerie am Laufen halten. Angestoßen und vorangetrieben wurden diese Diskussionen durch umfangreiche, staatlich initiierte Recherchen in den USA unter der Leitung des damaligen Staatssekretärs im US-Handelsministerium, Stuart E. Eizenstat (Eizenstat-Berichte).[21] Für die Schweiz untersuchten zwei 1996 eingerichtete internationale Kommissionen, die Volcker-Kommission und die Bergier-Kommission, das Verhalten von Schweizer Institutionen im Zusammenhang mit dem Zweiten Weltkrieg. Es ging um den Umgang der Schweizer Banken mit Vermögen NS-Verfolgter, das auf Schweizer Konten deponiert, nach dem Krieg aber nicht an die Berechtigten oder ihre Erben zurückgegeben worden war sowie die Goldgeschäfte der Nationalbank und die Flüchtlingspolitik.[22] Unter dem Eindruck der 1996/97 angestrengten Sammelklagen gegen Schweizer Großbanken im Zusammenhang mit so genannten nachrichtenlosen Konten (*dormant accounts*) strahlten diese Diskussionen mit ihren politischen und diplomatischen Weiterungen intensiv nach Deutschland aus.

Zwei internationale Konferenzen über »Nazi-Gold« (London 1997) bzw. »Vermögenswerte aus der Holocaust-Ära« (Washington 1998) boten schließlich für mehr als 40 Staaten und rund ein Dutzend Nicht-Regierungsorganisationen (NGOs) das Forum, den Verbleib geraubter Kunstwerke, das Problem unbezahlter Versicherungspolicen, allgemein Fragen der so genannten »*Holocaust Era Assets*« zu thematisieren.[23] Von diesen Konferenzen gingen multinationale Initiativen aus, Bildungsprogramme zu Holocaust und Totalitarismus in den Lehrplänen der Schulen zu verankern.[24]

Handlungsorientierte US-Geschichtspolitik

Diese »Geschichtskonjunktur« brachte durch neue Forschungsergebnisse größere Klarheit zu den Sachverhalten, erschöpfte sich aber nicht darin. Vielmehr traten Fragen der Rückerstattung, der Entschädigung, überhaupt praktische Konsequenzen in den Mittelpunkt. Holocaust-bezogene Entschädigungs-, Forschungs- und Bildungsfragen besaßen in der US-Politik seit Mitte der 90er Jahre höchste Priorität.[25] Motor dieser Entwicklung war die Clinton-Administration. Sie mobilisierte ihre politischen und diplomatischen Ressourcen, schuf mit der Benennung diverser Kommissionen und Sonderbeauftragter die personelle Infrastruktur, um das selbstgesetzte Ziel zu realisieren, alle noch offenen Eigentums- und Entschädigungsfragen im Zusammenhang mit dem Holocaust im weitesten Sinne bis zum Ende des Jahrtausends zu lösen – nach der Devise »setting history straight«.[26] Kein US-Präsident vor Bill Clinton hatte sich persönlich mit so großem Nachdruck dafür eingesetzt.

Abgesehen von der Rolle neutraler Staaten, insbesondere der Schweiz, richtete sich das konkrete US-Interesse dabei zunächst auf die ehemals kommunistischen Länder Mittel- und Osteuropas und die Rückgabe NS-Opfern entzogener Vermögenswerte, die nach dem Ende des Krieges dort verstaatlicht worden waren und nun reprivatisiert werden sollten. In erster Linie betraf das privates und kommunales jüdisches Eigentum. Mit der Mission eines *Special Envoy for Property Claims in Central and Eastern Europe* betraute US-Präsident Clinton 1995 Stuart E. Eizenstat.[27] Eizenstat identifizierte sich mit der Aufgabe, »die Untersuchung alter Fakten in neue Realitäten umzuwandeln«.[28] Im Sommer 1999 wurde er außerdem zum *Special Representative of the President and the Secretary of State for Holocaust Issues* ernannt. Eizenstat wurde zur Schlüsselfigur in allen Angelegenheiten der *Holocaust Era Assets*. Bei ihm liefen die Fäden zusammen, er koordinierte alle relevanten Aktivitäten, in die mehrere staatliche und private Institutionen eingebunden waren.[29] Ihm wurde im Juni 1996 James D. Bindenagel als *Special Envoy for Holocaust Issues* zur Seite gestellt, ein Karriere-Diplomat mit großer Deutschland-Erfahrung.

Der US-Kongress stand der Exekutive nicht nach. Mit über einem Dutzend Anhörungen zum Gesamtkomplex der *Holocaust Era Assets* zwischen 1996 und 2001, mit mehreren Gesetzesinitiativen zu Entschädigung, Archivöffnung und Sanktionen gegen europäische Versicherungen, verstärkte er die Stoßrichtung dieser Politik.[30]

Den entscheidenden Anstoß aber, die Thematik ins politische Bewusstsein zu heben und auf die internationale Tagesordnung zu setzen, schrieb Eizenstat einzelnen Personen zu: Edgar Bronfman, dem Präsidenten des World Jewish Congress, dessen Generalsekretär Israel Singer und Exekutivdirektor Elan Steinberg. Ausdrücklich hob er auch US-Senator Alfonse D'Amato als treibende Kraft hervor.[31]

»Die Umwandlung alter Fakten in neue Realitäten«

Fünf inhaltliche Schwerpunkte der US-Geschichtspolitik in der zweiten Hälfte der 90er Jahre kristallisierten heraus: NS-Raubgold und jüdisches Bankvermögen in der Schweiz (seit 1995), Beutekunst und Versicherungspolicen (seit 1997) und schließlich Zwangsarbeit sowie generell Vermögensschäden (seit 1998). Der Fokus richtete sich auf ganz Europa, auf die staatliche Ebene wie auf die Privatwirtschaft.

Solch handlungsorientiertes Interesse konnte sich u. a. auf Forschungsergebnisse beziehen, die durch deutsche Banken auf den Weg gebracht worden waren. Unabhängige Historiker hatten in ihrem Auftrag z. B. Gold-transaktionen während der NS-Zeit oder den Komplex der »Arisierung« untersucht.[32] Die Allianz AG erteilte 1997 den Auftrag, die Geschichte des Unternehmens während der NS-Zeit zu erforschen.[33] Auf die Vorwürfe, Versicherungspolicen seien noch offen, reagierte der Konzern mit einer weltweit geschalteten Hotline, um Anfragen umgehend zu bearbeiten. Zusätzlich ließ er seine Archive extern auf eventuell offene Ansprüche prüfen.[34] Einmal erschüttertes Vertrauen in die langfristige Verlässlichkeit der Geschäftspolitik ließ sich auf diesem Sektor nicht leicht wiederherstellen und konnte gravierende Wettbewerbsnachteile zur Folge haben. Wer wollte schon sein Leben bei einem Unternehmen versichern, dem vorgeworfen wurde, Berechtigten die Auszahlung ihrer Policen jahrzehntelang vorenthalten zu haben? Gerade Unternehmen, die durch einen engen lebensweltlichen Bezug zu Millionen von Kunden lange Außengrenzen besaßen, waren durch diese Art der Anschuldigungen und den daraus resultierenden Vertrauensverlusten wirksam zu treffen.

Während also einschlägige Forschungsergebnisse in den 80er und frühen 90er Jahren überwiegend akademischen Interessen dienten, erlangten sie in der zweiten Hälfte der 90er Jahre zusätzlich praktische Bedeutung. Forciert wurde diese Akzentverschiebung durch zwei damals aufeinander treffende Tendenzen: die handlungsorientierte Geschichtspolitik der US-Regierung und die investitionsorientierte Geschäftspolitik europäischer Konzerne in den USA.[35] Hier liegt eine Teilantwort auf die Frage, weshalb das nicht neue Wissen um die Einbindung privater Unternehmen in NS-Unrecht den Handlungsraum eröffnete, in dem Sammelklagen die ihnen eigene Logik entfalten konnten. Sie fungierten mehr als publizistisches und politisches Instrument denn als Mittel zur Rechtsfindung. Ihre Wirkungsmacht schöpften sie aus der öffentlichen Resonanz auf die Problematik, die sie thematisierten. Standen Menschenrechtsverletzungen zur Debatte, konnten sie auf einen breiten Wertekonsens zählen, als Ausgangspunkt für jede Form der Skandalisierung. Sammelklagen wurden dadurch in der öffentlichen Wahrnehmung vielfach zum Inbegriff verspäteter Gerechtigkeit. Für manche indess waren sie in diesem Kontext nichts anderes als ein Instrument der Erpressung.

Ein weiterer Aspekt, der die Praxisrelevanz historischer Erkenntnis beförderte, kommt hinzu. In dem Maße, wie sich global agierende Konzerne zur »corporate citizenship« bekannten, die sie darauf verpflichtete,

Grundprinzipien gesellschaftlicher Verantwortung, darunter die Achtung der Menschenrechte, in der Unternehmenspraxis zu verankern, forderte der Vorwurf, in der Vergangenheit massiv Menschenrechte verletzt zu haben, bereits um der eigenen Glaubwürdigkeit willen zu einer Reaktion heraus.[36] Um dem gerecht zu werden und Angriffen zu wehren, rekapitulierten die Unternehmen für sich, wie sie in den zurückliegenden Jahrzehnten mit der Entschädigungsproblematik umgegangen waren. Denn das handlungsorientierte Bekenntnis zur historischen Verantwortung war nicht erst das Produkt der Globalisierung, obgleich insbesondere US-Medien zuweilen den Eindruck hervorriefen, Fragen des materiellen Ausgleichs für NS-Unrecht seien erstmals durch die Aktualiät der Sammelklagen zur Sprache gekommen.

Wie hatte sich die deutsche Wirtschaft also in der Vergangenheit diesen Fragen gestellt?

Bestandsaufnahme

In den 50er und 60er Jahren trafen einzelne Industrieunternehmen mit der Conference on Jewish Material Claims Against Germany (Claims Conference)[37] pauschale Abkommen, um in erster Linie jüdische KZ-Häftlinge, die während des Krieges für diese Firmen arbeiten mussten, individuell zu entschädigen. Diese Vereinbarungen kamen teils im Wege eines gerichtlichen Vergleichs zustande, wie bei den IG-Farben i. L.[38] Teils resultierten sie aus außergerichtlichen Verhandlungen. Eine Haftung im juristischen Sinn lehnten die Firmen dabei stets ab. Und selbst mit der Anerkennung moralischer Verantwortung hatten manche damals noch Schwierigkeiten. Im Gegenzug stellte die Claims Conference die Unternehmen von weiteren Ansprüchen jüdischer KZ-Häftlinge aus Zwangsarbeit frei.

Unternehmensleistungen für die Individualentschädigung jüdischer KZ-Häftlinge

IG-Farben i. L. (IV/1958)	30 Mio. DM[39]
Fried. Krupp (XII/1959)	10 Mio. DM
AEG/Telefunken (VIII/1960)	4 Mio. DM
Siemens & Halske (V/1962;XI/1966)	5 Mio. DM/2 Mio. DM
Rheinmetall (1966)	2,5 Mio. DM
Feldmühle Nobel AG/Deutsche Bank (1986)	5 Mio. DM[40]

In den 80er und 90er Jahren verlagerte sich die Zielsetzung einschlägiger Unternehmensleistungen. Jetzt gingen Zahlungen an karitative Einrichtungen, um deren humanitäre Hilfsprogramme für NS-Geschädigte, darunter auch Zwangsarbeiter insbesondere in Osteuropa, zu unterstützen. Die Empfänger dieser Leistungen mussten anders als früher keinen spezifischen Bezug mehr zu den Spenderfirmen haben. Die Daimler-Benz AG stellte so 1988 der Claims Conference 10 Mio. DM zur Verfügung und jeweils weitere 5 Mio. DM dem Roten Kreuz sowie dem Maximilian-Kolbe-Werk[41]. Die Volkswagen AG förderte 1991 mit 12 Mio. DM Projekte mehrerer Trägerorganisationen, die Jugend-, Alten- und Behindertenarbeit sowie Krankenhäuser in Weißrussland, Polen und der Ukraine finanzierten. Die Hamburgische Electricitäts-Werke AG überwies für den Einsatz polnischer KZ-Häftlinge und Zwangsarbeiter während des Zweiten Weltkriegs eine namhafte Summe an die Stiftung »Deutsch-Polnische Aussöhnung« in Warschau[42]. Die Deutsche Bank überließ 1998 der World Jewish Restitution Organisation, einer 1992 gegründeten Schwesterorganisation der Claims Conference, mit rund 2,8 Mio. DM die Hälfte der Erlöse aus dem Verkauf eines Goldbestandes, dessen Herkunft aus NS-Raubgold nicht auszuschließen war. Die andere Hälfte ging an die Stiftung »March of the Living«.[43]

In der Bereitschaft zu pauschalen Leistungen manifestierte sich die kritische Auseinandersetzung mit der eigenen Unternehmensgeschichte während der NS-Zeit. Die Ergebnisse der Forschungsarbeiten sensibilisierten zwar für das individuelle Leid der Opfer einer rüden und menschenverachtenden Politik; Großunternehmen wie mittelständische Betriebe leisteten spontan auch in Einzelfällen materielle Hilfe. Prinzipiell aber kamen individuelle Entschädigungszahlungen nicht in Frage. Entsprechende Anfragen ehemaliger Zwangsarbeiter, die sich seit der zweiten Hälfte der 90er Jahre häuften, wurden stets abgelehnt. Einzelfallgerechtigkeit schien den Unternehmen nicht die richtige Antwort auf eine Problematik zu sein, die in ihren Dimensionen derart weit über den Rahmen des Individuellen hinaus reichte; wenn überhaupt, dann galt ein Lösungsansatz als geboten, der alle noch lebenden Zwangsarbeiter in gleicher Weise berücksichtigte. Bereits deshalb war es letztlich unerheblich, dass damals die gesetzlichen Löhne in der Regel entrichtet worden waren; dem Management der beklagten Firmen war bewusst, dass derartige Aspekte dem Anspruch historischer und moralischer Verantwortung nicht gerecht wurden und vor dem Hintergrund öffentlichen Drucks nicht überzeugten.

Wie war für die Wirtschaft angesichts dieser Bestandsaufnahme Ende der 90er Jahre die rechtliche Ausgangssituation einzuschätzen? In welchem Maß war mit einem Erfolg der Klagen zu rechnen? Hier ist zwischen Industrie und Finanzwirtschaft unter dem Blickwinkel der allgemeinen Reparationsproblematik einerseits und der Wiedergutmachung für NS-Unrecht andererseits zu unterscheiden.

Juristische Sondierungen im Geflecht von Reparationsproblematik und Wiedergutmachung

Die Position der Industrie

Mit den ersten US-Sammelklagen gegen die deutsche Industrie im Frühjahr 1998 reaktivierten die Chefsyndizi der beklagten Automobil-, Stahl- und Chemiekonzerne einen bereits in den 50er Jahren gegründeten Juristenkreis, der sich wiederholt mit Fragen der rechtlichen Verantwortung von Unternehmen für Zwangsarbeit befasst hatte. Ziel war es, gemeinsam die Rechtslage zu sondieren und sich auszutauschen. Der Bundesverband der Deutschen Industrie (BDI) fungierte als Gastgeber regelmäßiger Treffen, an denen schließlich immer mehr Firmen, zeitweilig mehrere Dutzend, teilnahmen, die in den Jahren 1998/99 von Klagen betroffen waren oder ebenfalls mit Prozessen in den USA rechneten.

Die Diskussionen drehten sich anfangs um die Frage, ob private Unternehmen überhaupt für die Beschäftigung von Zwangsarbeitern im Rahmen der Kriegswirtschaft finanziell in die Pflicht genommen werden könnten. Welche rechtlichen Möglichkeiten existierten, um Lohn- und Schadenersatzansprüche mehr als fünfzig Jahre nach Kriegsende gerichtlich gegen die Firmen durchzusetzen?

Die Syndizi waren der Auffassung, dass keine rechtlichen Anspruchsgrundlagen für Klagen gegen Unternehmen bestanden, weil es sich bei dem millionenfach erzwungenen Arbeitseinsatz ausländischer Zivilbevölkerung um Unrecht im Zusammenhang mit Kriegsgeschehen handelte. Nach dem Völkerrecht hafte hierfür allein der Staat als Verursacher. Mit dieser Begründung hatten auch US-amerikanische Zivilgerichte Klagen ehemaliger Zwangsarbeiter gegen in den USA tätige deutsche Unternehmen stets abgewiesen.[44] Der Ausgleich kriegsbedingter Schäden bleibt in der Regel zwischenstaatlichen Reparationsleistungen vorbehalten. Zwangsarbeit und Deportation gelten seit dem Ersten Weltkrieg als völkerrechtswidrig und begründen reparationsrechtliche Ansprüche. Sie können allerdings nicht von den Betroffenen selbst, sondern nur von deren Heimatstaaten geltend gemacht werden. Nach ganz herrschender Meinung gewährt das Völkerrecht als zwischenstaatliches Recht zwar dem Einzelnen internationalen Schutz mittelbar als Angehörigem eines Staates, nicht jedoch unmittelbar als eigenständigem Völkerrechtssubjekt. Somit sind Individualklagen auf Schadenersatz wegen Zwangsarbeit gegen den schädigenden Staat ausgeschlossen. Ehemalige Zwangsarbeiter mussten sich also an ihre eigenen Staaten wenden, wollten sie über diese ihre Forderungen geltend machen.

Die Frage der Entschädigung von Zwangsarbeit hing so unmittelbar mit der völkerrechtlichen Reparationsproblematik zusammen. Um die rechtlichen Konsequenzen zu verstehen, die daraus für die beklagten Unternehmen resultierten, ist ein kurzer historischer Rückblick auf die Entwicklung dieser Problematik nach dem Zweiten Weltkrieg sinnvoll.

Nach 1945 hatte sich die Reparationsfrage unter den Bedingungen des Ost-West-Konflikts zu Lasten der Zwangsarbeiter entwickelt. Auf den Konferenzen von Jalta und Potsdam waren die Alliierten zwar grundsätzlich übereingekommen, dass Deutschland gezwungen werden sollte, »in größtmöglichem Ausmaß für die Verluste und die Leiden, die es den Vereinten Nationen verursacht hat und wofür das deutsche Volk der Verantwortung nicht entgehen kann, Ausgleich zu schaffen«.[45] Der Umfang der Reparationsleistungen aber sollte generell durch Deutschlands Zahlungsfähigkeit, einem letztlich politisch interpretierbaren Kriterium begrenzt sein.[46] Die Alliierten oktroyierten in diesem Rahmen Reparationsleistungen, die grundsätzlich auch für den Ausgleich von Zwangsarbeit in Ansatz gebracht werden konnten.[47] Sie unterschieden dabei östliche und westliche Reparationsmasse.

In der sowjetischen Besatzungszone und den ehemaligen Ostgebieten Deutschlands kam es in größtem Umfang zur Demontage industrieller Infrastruktur. 1953 erklärten die Sowjetunion und Polen einseitig ihren Verzicht auf weitere Reparationen gegenüber ganz Deutschland. Trotz dieses Forderungsverzichts hielt Polen jedoch Ansprüche seiner Angehörigen auf individuelle Entschädigung für Zwangsarbeit während des Zweiten Weltkriegs aufrecht.[48]

Über die westliche Reparationsmasse schlossen die USA, Großbritannien und Frankreich im Januar 1946 mit 15 weiteren Staaten in Paris das Interalliierte Reparationsabkommen (IARA).[49] Neben Demontagen wurde das gesamte deutsche Auslandsvermögen in die Reparationsmasse einbezogen und entsprechend einem von allen Beteiligten vereinbarten Allokationsschlüssel auf die einzelnen Signatarmächte verteilt. Eine Schlussabrechnung über die gesamten Reparationsansprüche, in die auch Leistungen für Zwangsarbeit einbezogen waren, sollte Gegenstand eines Friedensvertrags sein.[50]

Die drei Westalliierten hielten sich, im Unterschied zur Sowjetunion, mit Demontagen und Entnahmen aus laufender Produktion relativ zurück. Unter den Bedingungen des Kalten Krieges schienen hohe Reparationsforderungen gegen die Bundesrepublik deren Option für den Westen und damit den europäischen Wiederaufbau insgesamt gefährden zu können. Das so genannte Londoner Schuldenabkommen von 1953 zwischen den USA, Großbritannien, Frankreich und der Bundesrepublik als Rechtsnachfolgerin des Deutschen Reiches, das zur Wiederherstellung des Kredits die deutschen Auslandsschulden regelte, legte deshalb die »Prüfung der aus dem Zweiten Weltkrieg herrührenden Forderungen (…) bis zu der endgültigen Regelung der Reparationsfrage« auf Eis – unabhängig davon, ob sich die Forderungen gegen das Reich oder gegen im Auftrag des Reichs handelnde Stellen bzw. Personen richteten.[51] Der Zeitpunkt dieser Prüfung blieb offen. Die rechtlichen Voraussetzungen hingegen präzisierte der 1952 unterzeichnete, erst 1955 modifiziert in Kraft getretene Überleitungsvertrag, der das Besatzungsregime in der Bundesrepublik beendete. Danach blieb die Reparationsfrage dem »Friedensvertrag zwischen Deutschland und seinen ehemaligen Gegnern« anheim gestellt, falls sie nicht schon vorher »durch diese Frage betreffende Abkommen geregelt« werden würde.[52] Zu solchen Abkommen kam es nicht.

Nach der Wiedervereinigung betrachtete die Bundesrepublik die Reparationsproblematik »de facto« als »erledigt«. Der 2+4-Vertrag von 1990[53], der die Wiedervereinigung Deutschlands besiegelte, wurde in seiner friedensvertraglichen Eigenqualität von der Bundesrepublik dahingehend interpretiert, dass »ohne formellen Abschluss eines Friedensvertrages (…) der Eintritt der Wiedervereinigung nicht bedeute, dass die Reparationsproblematik noch einmal aufgerollt werden muss«. Zum einen fehlten konkrete, vertraglich vereinbarte Verpflichtungen, wodurch Reparationsforderungen zu begründen wären. Zum anderen entzogen ihnen die Verzichtserklärungen ehemaliger Gegner und »die bereits erbrachten Leistungen Deutschlands 45 Jahre nach Kriegsende« den Boden.[54] Die Reparationsfrage habe ihre Berechtigung verloren – so lautet die Standardformulierung aller Bundesregierungen seit 1990.

Der Ablauf eines halben Jahrhunderts seit Kriegsende und die engen Bande europäischer und transatlantischer Kooperation hatten die internationalen Beziehungen auf eine neue Grundlage gestellt. Die USA schienen mit dieser Sichtweise im Prinzip einverstanden. Der US-Kongress brachte seine Haltung zur Reparationsfrage 1990 daher auf die Formel: »The United States believes that reparations from World War II are no longer an issue on the agenda between Bonn and Washington.«[55] Unter rechtlichen Gesichtspunkten betrachteten die USA diese Frage indes als weiterhin offen.

Kurz, die Bundesregierung und die Syndizi der verklagten Industrieunternehmen stimmten darin überein, dass nach dem Völkerrecht Individualansprüche aus Zwangsarbeit nicht gegeben seien, sie vielmehr von zwischenstaatlichen Reparationsansprüchen absorbiert worden waren.

>

»Soweit während des Zweiten Weltkrieges ausländische Zwangsarbeiter verpflichtet und eingesetzt worden sind, können diese keine direkten Ansprüche gegen den Krieg führenden Staat oder seine Unternehmen geltend machen. Solche Forderungen können nach allgemein anerkannten völkerrechtlichen Grundsätzen nicht von einzelnen Personen und auch nicht gegen einzelne Personen oder privatrechtliche juristische Personen, sondern nur von Staat zu Staat als Reparationsverlangen geltend gemacht werden. Zur Regelung solcher Ansprüche bedarf es völkerrechtlicher Vereinbarungen zwischen den betroffenen Staaten. Deutsche Privatunternehmen können deshalb von ausländischen Zwangsarbeitern nicht in Anspruch genommen werden. Auch deutsche Gesetze sehen solche Ansprüche nicht vor.«

Unterrichtung des Deutschen Bundestages durch die Bundesregierung vom 3. Juni 1996[56]

Diese Rechtsauffassung war allerdings umstritten. Opfervertreter und teilweise die einschlägige deutsche Rechtsprechung verneinten den ausschließlich reparationenrechtlichen Charakter der Zwangsarbeit, begriffen sie vielmehr als entschädigungsfähigen Tatbestand unter den Gesichtspunkten der Staatshaftung bzw. spezifischer NS-Verfolgung.[57] Veranlasst durch Pilotklagen ehemaliger jüdischer Zwangsarbeiter unmittelbar gegen die Bundesrepublik, hatte das Bundesverfassungsgericht 1996 die Diskussion um einklagbare Ansprüche, auch gegen deutsche Unternehmen, angefacht.[58] Die Verfassungsrichter zeigten Handlungsspielräume für den deutschen Gesetzgeber auf, alternativ zum zwischenstaatlichen Reparationsreglement durch innerstaatliches Recht eine auch unmittelbare Grundlage für Individualansprüche aus Zwangsarbeit zu schaffen. Sie knüpften in ihrer Entscheidung an jüngere Entwicklungen im Völkerrecht an, die den Schutz der Menschenrechte erweitern und es zuließen, dem Einzelnen ein eigenes – und nicht länger nur durch Staaten vermitteltes – Recht zu gewähren.[59] Das Bundesverfassungsgericht unterschied demnach zwischen Ansprüchen von Staaten wegen Schädigung ihrer Angehörigen und Ansprüchen der Betroffenen selbst. In der Auffassung, dass die völkerrechtlichen Ansprüche eines Staates einen Anspruch des Einzelnen nicht ausschließen, sofern ihm nationales Recht einen solchen Anspruch jenseits völkerrechtlicher Verpflichtungen gewährt, z. B. durch die entsprechende Entschädigungsgesetzgebung, ging es von einer »Anspruchsparallelität« aus. Sie gelte, stellte das Bundesverfassungsgericht ausdrücklich fest, »auch für etwaige zwischenstaatliche Ansprüche aufgrund von Zwangsarbeit im Zusammenhang mit dem Zweiten Weltkrieg«.[60] Allerdings gestand das Verfassungsgericht dem Gesetzgeber zu, Prioritäten zwischen Entschädigungsleistungen und anderen Staatsaufgaben zu setzen und dabei die wirtschaftliche Lage bzw. die finanzielle Leistungskraft des Staates zu berücksichtigen. Bis dato hatte kein deutsches Parlament eine Rechtsgrundlage für die Entschädigung von Zwangsarbeit als solcher geschaffen, sei es in Form innerstaatlicher Gesetzgebung, sei es auf staatsvertraglicher Ebene.

Kritisch für die Unternehmen war an diesem Beschluss, dass das Dogma der Ausschließlichkeit zwischenstaatlicher Entschädigungsregelungen im Zusammenhang mit Kriegsfolgen angetastet wurde. Denn die jetzt verfassungsrechtlich bekräftigten Handlungsspielräume des nationalen

Gesetzgebers für Ansprüche gegen den Staat konnten theoretisch die Tür auch für Ansprüche gegen Unternehmen einen Spalt breit öffnen. Nach wie vor aber dominierte die Überzeugung, dass Kriegsfolgen exklusiv zwischenstaatlich geregelt werden sollten. Die Syndizi der angegriffenen Unternehmen wussten sich darin mit Völkerrechtsexperten und mit der internationalen Völkerrechtspraxis einig.[61]

Der Juristenkreis der Industrie diskutierte jedoch nicht nur völkerrechtliche Argumente gegen individuelle Entschädigungsforderungen, sondern auch originäre verfahrens- und zivilrechtliche Einwände des US-amerikanischen Rechts, die die Zulässigkeit von Prozessen in den USA in Frage stellten. Die Syndizi bezogen sich auf die fehlende internationale Zuständigkeit amerikanischer Gerichte, über deutsche Unternehmen ohne Geschäftsstandort in den USA Recht zu sprechen (*personal jurisdiction*). Damit verbunden war die Frage, ob für derartige Ansprüche im US-Recht bereits abstrakt ein Rechtsgrund gegeben sein konnte (*subject matter jurisdiction*). Selbst wenn die Gerichte für die Parteien und die Sache eine Zuständigkeit annehmen sollten, hätten sie doch den zwingenden Vorrang deutscher Gerichte zu achten, und zwar wegen deren größerer Orts- und Sachnähe zum Geschehen in Europa 50 Jahre zuvor (z. B. bezüglich der Verfügbarkeit von Beweismitteln), was zu einer Abweisung aufgrund der Doktrin des *forum non conveniens* hätte führen müssen. Ergänzend konnte auch der völkerrechtlich gebotene Respekt vor einer ausländischen Rechtsordnung ins Feld geführt werden (*international comity*), nachdem die Annahme der Zuständigkeit amerikanischer Gerichte für Fälle ohne unmittelbaren Bezug zu den USA den Souveränitätsanspruch dritter Staaten verletzen würde.

Bei den in Deutschland angestrengten Zwangsarbeiterklagen kam ein weiterer Rechtswegaspekt hinzu. Bis zum Sommer 1999 waren Tausende von Verfahren gegen deutsche Unternehmen vor Arbeitsgerichten anhängig gemacht worden. Nach unterschiedlichen Urteilen über die arbeitsgerichtliche Zuständigkeit lehnte sie das Bundesarbeitsgericht letztinstanzlich mit der Begründung ab, dass es sich bei Zwangsarbeit unter rechtlichen Gesichtspunkten nicht um Arbeitsverhältnisse gehandelt habe und dementsprechend die Zivilgerichtsbarkeit zuständig sei.[62]

In den Jahrzehnten zuvor hatte es immer wieder Entschädigungsklagen ehemaliger Zwangsarbeiter gegen Privatfirmen vor bundesdeutschen Zi-

vilgerichten gegeben. Doch waren alle, bis auf eine Ausnahme, rechtskräftig abgewiesen worden.[63]

Die Position der Finanzwirtschaft

Für Kreditinstitute und Versicherungsgesellschaften stellte sich die rechtliche Ausgangslage in Teilen erheblich anders dar. Soweit nicht schon
Reparationsgesichtspunkte Zivilprozessen entgegenstanden, entzog nach
Ansicht der beklagten Finanzunternehmen und der Bundesregierung bereits die alliierte und deutsche Politik der Wiedergutmachung von NS-
Unrecht der letzten 50 Jahre den jetzt in den USA geltend gemachten ver-
mögensrechtlichen Ansprüchen die juristische Grundlage.

Um die Tragweite der Wiedergutmachung für die rechtliche Situation der
beklagten Banken und Versicherungen einzuschätzen, ist auch hier ein
kurzer historischer Rückblick angezeigt.[64]

Die US-Klagen stellten mit dem generellen Vorwurf der ungerechtfertigten Bereicherung an entzogenem jüdischen Vermögen auf einen Un-
rechtszusammenhang ab, der nicht unmittelbar mit dem Kriegsgeschehen zu tun hatte, sondern der in der Ideologie des NS-Regimes wurzelte.
Die Unterscheidung aber von kriegs- und NS-bedingtem Unrecht war für
die materielle Bewältigung der Folgen von Nationalsozialismus und
Zweitem Weltkrieg ausschlaggebend. Während die Prüfung der kriegsbedingten Reparationsforderungen gegen Deutschland bis zu einer späteren friedensvertraglichen Regelung aufgeschoben wurde, entfaltete
sich im Zusammenhang mit NS-Unrecht in den westlichen Besatzungszonen Deutschlands unmittelbar nach Kriegsende unter der begrifflichen
Klammer »Wiedergutmachung« ein umfangreiches legislatives Regel-
werk zur Rückerstattung und Entschädigung. Alliierte Militärgesetze, allen voran das Pioniergesetz No. 59 der Amerikanischen Militärregierung
vom 10. November 1947, legten das rechtliche Fundament für das, was
international als politischer und moralischer Prüfstein für die westdeut-
sche Demokratie galt, als Ausweis der Rückkehr Deutschlands in die
Völkerfamilie.[65]

Die rasche Rückerstattung feststellbarer Vermögensgegenstände an die
Opfer von NS-Verfolgung stand zunächst im Vordergrund. Sie erstreckte
sich auf Sachen ebenso wie auf Rechte (z. B. Grundstücke und Rechte an

Grundstücken, bewegliche Wertgegenstände wie Schmuck, Edelmetalle, Kunstgegenstände, Sammlungen sowie Bankguthaben, Wertpapiere, Versicherungsansprüche und andere Rechte). Bis zum Beginn der 50er Jahre war bereits die Mehrheit aller Fälle auf dem Gebiet der Bundesrepublik durch Rückgabe (Naturalrestitution), Vergleiche, Wert- oder Schadenersatzleistungen abgewickelt worden. Die Währungsumstellung sowie rechtliche Rahmenbedingungen wie z. B. Höchstgrenzen führten dabei zum Teil zu Einbußen. Die Rückerstattungsansprüche richteten sich hauptsächlich gegen die Bundesrepublik als Rechtsnachfolgerin des Deutschen Reiches, die von den Alliierten für die verfolgungsbedingten Vermögensverluste haftbar gemacht wurde.

Die personenbezogene Entschädigung von Opfern rassischer und politischer Verfolgung kam dagegen erst später in Gang. Improvisierte, lokale und kommunale Fürsorgeleistungen traten allmählich hinter Entschädigungsansprüche auf Länderebene zurück. Auch hier kam mit dem am 1. April 1949 in Kraft gesetzten US-zonalen Entschädigungsgesetz der entscheidende Anstoß aus der amerikanischen Zone.

Unter maßgeblichem Einfluss der USA verpflichtete sich die Bundesrepublik im Überleitungsvertrag (1955), die besatzungsrechtlichen Regelungen zur Rückerstattung und Entschädigung für NS-Verfolgte fortzuführen, zu vereinheitlichen und zu ergänzen. Konkret bedeutete dies, die Rückerstattung beschleunigt durchzuführen, rückerstattungsrechtliche Ansprüche gegen das Deutsche Reich zu befriedigen und verfolgungsbedingte Personenschäden angemessen zu entschädigen.

Im Rahmen der Wiedergutmachungsgesetzgebung waren Banken und Versicherungen zu Auskunft und Kooperation mit den Behörden verpflichtet worden. Der endgültige Abschluss der Währungsumstellung Mitte der 70er Jahre zwang die Unternehmen dazu, die letzten, eventuell verbliebenen Reichsmarkguthaben und Wertpapiere dem zuständigen Bundesausgleichsamt anzuzeigen und die entsprechenden Bestände abzugeben.[66] »Nachrichtenlose Konten«, deren eventuelle Guthaben wie in der Schweiz in der Verfügung der Banken geblieben waren, konnte es also bei deutschen Kreditinstituten nicht mehr geben. Für die deutsche Finanzwirtschaft waren damit sämtliche Fälle, soweit die im Einzelnen feststellbaren Vermögenswerte im Geltungsbereich der westdeutschen Rechtsordnung belegen waren, seit Jahrzehnten erledigt.

Wo frühere Eigentümer oder deren Erben nicht mehr lebten bzw. keine

Ansprüche geltend gemacht hatten, waren jüdische Nachfolgeorganisationen aufgrund ihrer Benennung als Rechtsnachfolger durch Militärgesetze in deren Rechtsstellung eingetreten: die Jewish Successor Restitution Organization (JRSO) in der US-Zone, die Jewish Trust Corporation in der britischen und französischen Zone. In den 50er und 60er Jahren schlossen sie eine Reihe von Globalvergleichen mit der Bundesrepublik.[67] Nach der Wiedervereinigung handelte die Claims Conference auf der Basis ihrer Anerkennung als Rechtsnachfolgerin durch den 2+4-Vertrag für die erbenlos gebliebenen Ansprüche im Beitrittsgebiet mit der Bundesrepublik einen globalen Vergleich aus.

Der Claims Conference kommt in der gesamten Wiedergutmachungspolitik eine zentrale Rolle zu. Gemeinsam mit dem 1948 gegründeten Staat Israel hatte sie zu Beginn der 50er Jahre mit der Bundesrepublik Verhandlungen aufgenommen. Im Rahmen des abschließenden Luxemburger Abkommens vom 10. September 1952 sagte die Bundesrepublik Israel 3 Mrd. DM als Eingliederungshilfe für NS-Verfolgte zu (Israel-Vertrag).[68] Darüber hinaus stellte sie der Claims Conference unter Bezug auf die erbenlos gebliebenen Vermögensansprüche in den ehemals deutsch besetzten Gebieten Europas eine Globalentschädigung in Höhe von 450 Mio. DM für die Unterstützung jüdischer NS-Opfer außerhalb Israels zur Verfügung (Haager Protokoll Nr. 2). Ein weiteres Protokoll des Abkommens (Haager Protokoll Nr. 1) verbriefte – und das war entscheidend für die Entwicklung der innerstaatlichen Wiedergutmachungsgesetzgebung – das politische Mandat der Claims Conference, künftig mit der Bundesregierung über die Ausgestaltung der Entschädigung von NS-Verfolgung zu verhandeln.[69] Die vertragliche Autorisierung des jüdischen Dachverbandes schlug sich u. a. in der Lockerung strenger Stichtags- und Wohnsitzvoraussetzungen nieder sowie nach und nach in ergänzenden Härtefallregelungen und Spezialfonds für jüdische NS-Opfer in Westeuropa und – nach der Wiedervereinigung – auch in Osteuropa.[70]

Aus der Sicht der beklagten deutschen Kreditinstitute und Versicherungsunternehmen konnte es also aufgrund der deutschen Wiedergutmachungsgesetzgebung und -abkommen keine Ansprüche aus verfolgungsbedingten Vermögensschäden mehr geben. Vor allem unter Hinweis auf die so genannte *act-of-state* Doktrin, wonach die US-amerikanische Justiz ausländische Hoheitsakte, hier die deutsche Gesetzgebung zur Wiedergutmachung, aus Gründen der Gewaltenteilung inhaltlich nicht auf den Prüfstand stellen durfte, bestritten sie daher die Zulässigkeit von Zivilprozessen vor US-Gerichten bei dieser Art Forderungen.[71]

Zu ergänzen ist, dass die Wiedergutmachung nicht nur für die Finanzwirtschaft, sondern auch für die beklagten Industrieunternehmen eine Rolle spielte. Nach dem Bundesentschädigungsgesetz (1956) hatte Zwangsarbeit in Konzentrationslagern oder unter KZ-haftähnlichen Bedingungen zwar nicht als solche, aber im Zusammenhang mit Freiheitsentzug Entschädigungsansprüche begründet, sodass den Unternehmen für diese Fälle auch unter wiedergutmachungsrechtlichen Aspekten Ansprüche aus Zwangsarbeit nicht gegeben zu sein schienen.[72]

Die Position der Klägeranwälte und die Reaktion der Wirtschaft

Weder wiedergutmachungs- noch reparationsrechtliche Aspekte fielen indes für die Klägeranwälte in den USA ins Gewicht. Für sie ging es um Ansprüche zwischen Privatparteien, um offene Rechnungen zwischen NS-Opfern und deutschen Firmen. Die Klagen wurden als Class Actions, Sammelklagen[73], anhängig gemacht, einem spezifischen Instrument des US-amerikanischen Rechtssystems zur Durchsetzung kollektiver Interessen (*complex litigation*) – für die Firmen mit US-Geschäft keine unbekannte Größe. In Produkthaftungsfällen verfügten einige Unternehmen bereits über einschlägige Erfahrung. Sie kannten die Klippen dieser dem deutschen Rechtsverständnis fremden Verfahrensart.

Class actions – Sammelklagen

In Class Actions klagen einzelne, namentlich benannte Kläger (*named plaintiffs*) stellvertretend für eine ganze Gruppe (*class*), die durch das gleiche Schadensereignis betroffen ist. Während nur die namentlich benannten Kläger formell Parteistellung erlangen, erstreckt sich die Rechtskraft eines Urteils bzw. die Bindungswirkung eines Vergleichs prinzipiell auf das gesamte Kollektiv der »Class«.

Class Actions sind an prozessuale Mindestvoraussetzungen geknüpft: die geltend gemachten Ansprüche müssen für die Class typisch sein (*typicality*), die potentiellen Mitglieder sind von dem Verfahren in Kenntnis zu setzen (*notice*); sie können allerdings durch eine Mitteilung an das Gericht ebenso für ihren Ausschluß aus der Class optieren (*opt out*). Die benannten Kläger und ihre Anwälte müssen die Class fair und angemessen vertreten. Zu Beginn eines Verfahrens prüft das Gericht die Voraussetzungen und verfügt gegebenenfalls die spezielle Beglaubigung der Gruppe (*class certification*). Bei den Sammelklagen gegen deutsche Unternehmen kam es in keinem Fall zu einer solchen »Zertifizierung«.

Üblicherweise enden Class Actions in einem gerichtlich genehmigten Vergleich. Der Weg führt über eine gerichtliche Anhörung, in der die Angemessenheit des Vergleichsangebots (*fairness hearing*) überprüft sowie ein formelles Verfahren für die Bekanntgabe des Vergleichsvorhabens an die Gruppe beschlossen werden muß.

Die heute gültigen Prozeßvorschriften zu den Class Actions (*Rule 23 Federal Rules of Civil Procedure*) hängen eng mit der US-Bürgerrechtsbewegung der 60er Jahre zusammen. Ihre Neufassung sollte die Umsetzung des Civil Rights Act (1964) unterstützen, um auf diese Weise die kollektiven Interessen diskriminierter Bevölkerungsgruppen zu fördern. In den 80er und 90er Jahren fand das für den Ausgleich von Massenschäden (*mass torts*) konzipierte Rechtsmittel in einer Reihe aufsehenerregender Prozesse Anwendung, wie z. B. »Agent Orange« oder »Bhopal«. Die Ausdehnung u. a. auf die Umwelt- und Produkthaftung, das Kapitalmarkt- und Konsumentenrecht war ursprünglich nicht intendiert, wurde jedoch von Klägeranwälten vorangetrieben, die sich auf diese unternehmerisch für sie riskante, aber auch profitable Verfahrensart spezialisierten. Diese Anwälte zielen im allgemeinen nicht auf ein Sachurteil, sondern auf den Abschluß eines Vergleichs im Vorfeld, der ihnen aufgrund einer vorab vereinbarten, prozentualen »Erfolgsbeteiligung« hohe Gewinne verspricht. In bestimmten Konstellationen finden regelrechte Konkurrenzkämpfe großer Anwaltssozietäten um die gerichtliche »Zulassung« ihrer jeweiligen »Class« statt. Die auf Vergleichsabschluß gerichteten *Settlement Class Actions* gelten mittlerweile als eigene Form von Gruppenklagen.

Die rechtswissenschaftliche Literatur betont die rechtspolitische Ergänzungsfunktion der Class Actions, »die Probleme lösen sollen, die der Gesetzgeber nicht anpackt« (Heß, S. 147). Sie konzediert den Klägern die Absicht, die Initiative zu ergreifen, um im Allgemeininteresse Schadenersatz zu erstreiten.

Weiterführende Literatur
Burkhard Heß, Entschädigung für NS-Zwangsarbeit vor US-amerikanischen und deutschen Zivilgerichten, in: Die Aktiengesellschaft 44 (1999), S. 146 f.
Christoph Greiner, Die Class Action im amerikanischen Recht und deutscher Ordre public, Frankfurt 1998

Im Fall der kriegs- und NS-bezogenen Sammelklagen gegen deutsche Unternehmen hätte eine »Class« der Begünstigten nicht rechtssicher definiert werden können. Die erheblichen Abgrenzungsschwierigkeiten ergaben sich u. a. aus den Unterschieden der Einzelschicksale z. B. als Zivilarbeiter oder KZ-Häftling, ihrem oft wechselnden Einsatz in staatlichen Betrieben bzw. in der Privatwirtschaft, den sehr verschiedenen Arbeits- und Lebensbedingungen, der Erbenproblematik und dem internationalen Kreis der Betroffenen. Die unpräzise Definition einer »Class« aber hätte möglicherweise eine ebenso großzügige Handhabung in Fällen präjudiziert, die nichts mit Kriegs- und NS-Folgen zu tun hatten – mit unübersehbaren Folgen.

Die beklagten Industrie- und Finanzunternehmen hielten aus juristischen und historischen Gründen einen Erfolg der Sammelklagen für unwahrscheinlich. Mit der Bundesregierung betrachteten sie die US-Gerichte für nicht zuständig. Prozessvergleiche (*class actions settlements*) schlossen sie daher kategorisch aus.

Die Gemeinschaftsstrategie der im Juristenkreis vertretenen Unternehmen konzentrierte sich deshalb zunächst auf die Kohärenz der Rechtsargumentation, um Widersprüche zu vermeiden. Eine darüber hinausgehende Zusammenarbeit fand über weite Strecken des Jahres 1998 keine Anhänger unter den Syndizi der Industrie. Ansätzen, die Entschädigungsproblematik weniger juristisch zu betrachten, standen sie überwiegend skeptisch gegenüber. Viele Industrievertreter lehnten es zum damaligen Zeitpunkt ab, über eine von den Versicherungen und Banken favorisierte Lösung des Entschädigungskomplexes nachzudenken, die Industrie und Finanzwirtschaft zusammenband. Allerdings besaßen die meisten Unternehmensrepräsentanten durchaus ein Gespür dafür, dass das starke Fundament ihrer Rechtsauffassung sich letzten Endes als nicht ausreichend tragfähig erweisen könnte. Denn eines war für sie gewiss: hier handelte es sich um eine weit über das Juristische hinausgehende Problematik. Überdies verursachten die erhobenen Klagen trotz aller juristischen Fragwürdigkeit beträchtlichen Ärger und Aufwand. Und sie brachten kaum kalkulierbare geschäftliche Risiken mit sich. Es genügte, sich die erheblichen Imageschäden bei langwierigen Prozessen gegen hochbetagte NS-Opfer vor Augen zu führen, die noch dazu das Recht der Geschichte und die Macht der Emotion auf ihrer Seite hatten.

Nirgendwo gelangte die Spannung zwischen Rechtsposition und moralischem Gebot spürbarer zum Ausdruck als auf der begrifflichen Ebene. Das strikt rechtstechnische Verständnis des Begriffs »Anspruch«, das ihn als Synonym für die Möglichkeit einer gerichtlichen Durchsetzung begreift, kollidierte mit der umgangssprachlichen Bedeutung, die jedem Opfer von Unrecht in einem ganz untechnischen Sinn ein Recht auf Entschädigung zubilligt, ohne zuvor nach rechtlichen Anspruchsgrundlagen gefragt zu haben. Diese begriffliche Ambivalenz spielte in der juristischen Diskussion keine Rolle, warf aber im Umfeld der US-Sammelklagen ihre publizistischen und politischen Schatten voraus.

Rechtsfragen waren unter diesen Umständen nicht allein entscheidend, wenn auch für eine Lösung von großem Gewicht. Die seit Jahren in den Firmen geförderte historische Auseinandersetzung mit NS-Unrecht, das im globalen Wettbewerb akzentuierte Verständnis »zivilgesellschaftlicher« Verantwortung von Wirtschaftsunternehmen und die immer schärfer ins Bewusstsein dringende Handlungsorientierung der US-Geschichtspolitik trugen das ihre dazu bei, die Perspektive der betroffenen Firmen früher oder später für außergerichtliche, kollektive Lösungsansätze zu öffnen: »Die Entschädigungsproblematik ist nach unserer Auffassung keine Rechtsfrage, sie hat vielmehr eine politisch-moralische Dimension«, hieß es exemplarisch bei BMW.[74]

Die prozessuale Eigendynamik der US-Sammelklagen zwang gleichwohl zur Auseinandersetzung vor US-Gerichten. Einige Unternehmen fanden allerdings erst nach mehreren Anläufen Anwaltskanzleien in den USA, die angesichts des öffentlichen Meinungsklimas dazu bereit waren, bei Klagen mit Holocaust-Bezug die rechtliche Vertretung zu übernehmen.

»Keine Rechtsfrage« – Lösungsansätze jenseits von Klageverfahren

Auf Vorstandsebene begann man im Laufe des Jahres 1998 mehr und mehr darüber nachzudenken, wie eine »politisch-moralische« Antwort aussehen könnte. Einige Unternehmensvertreter empfanden diese »politische Wende« als ein Nachgeben auf massiven Druck. Diese Art Kritik ließ sich allerdings nicht nur einigen »Hardlinern« in großen Unternehmen zuordnen, sondern fand im industriellen Mittelstand breiten Widerhall. Der BDI als sein Interessenvertreter, der bei den ersten firmenübergreifenden Sondierungsgesprächen noch eine gewisse Rolle spielte, zog aus verbandspolitischen Gründen relativ schnell die Konsequenzen und überließ das dornige Terrain der Großindustrie.

In informellen Kontakten einer Reihe von Industrieunternehmen seit Frühsommer 1998 setzte sich unter dem Eindruck einer zunehmend breiten öffentlichen Debatte die Idee eines Fonds durch, aus dem ehemalige Zwangsarbeiter freiwillige Leistungen erhalten sollten. Diese Idee war nicht neu. Seit Jahren stand sie auf der Tagesordnung der parlamentarischen Opposition von SPD und Bündnis 90/Die Grünen im Bundestag, angeregt durch eine Initiative des Europa-Parlaments in Straßburg 1986, ohne jedoch bei den Unternehmen bzw. der Bundesregierung auf ein positives Echo zu stoßen. Politisches Gewicht erhielt der Fondsvorschlag 1998 durch den damaligen Kanzlerkandidaten der SPD und niedersächsischen Ministerpräsidenten, Gerhard Schröder. Anlässlich einer Reise nach Warschau im Juni 1998 hatte er für den Fall eines SPD-Sieges bei der im September des Jahres bevorstehenden Bundestagswahl seine Unterstützung für eine schnelle und unbürokratische Entschädigung ehemaliger Zwangsarbeiter angekündigt. Ihm schwebte ein Bundesfonds vor, in den alle Unternehmen, die Zwangsarbeiter beschäftigt hatten, einzahlen sollten.

Die Initiative zu den Gesprächen der Industrie lag in den Händen von Manfred Gentz, Finanzvorstand der damaligen Daimler-Benz AG, Michael Jansen, seinerzeit Generalbevollmächtigter der Degussa AG und Tilman Todenhöfer, Geschäftsführer und Arbeitsdirektor der Robert Bosch GmbH. Die so genannte »Dreier-Gruppe« bereitete den Boden für ein Treffen, das Anfang September 1998 in größerer Runde bei Bayer in Leverkusen stattfand und das rückblickend als wichtige Station auf dem Weg zu einer politisch flankierten, alle Wirtschaftssektoren umfassenden Fondslösung betrachtet werden kann.[75] Die Teilnehmer des »Leverkusener Kreises« empfanden die Situation damals hingegen als völlig offen. Trotz vorherrschender Skepsis gab die Mehrheit allerdings einer außergerichtlichen Lösung den Vorzug vor jahrelangem Rechtsstreit mit Klägern, die aufgrund ihres hohen Alters das Ende der Prozesse in vielen Fällen nicht würden erleben können. Die Runde erörterte zwei Grundvarianten: unternehmenseigene Stiftungen sowie Fonds, die die Mittel der Stifterunternehmen bündelten.

Firmenübergreifende Fonds warfen grundsätzliche Fragen auf, die in Leverkusen nur kurz angesprochen wurden, davor und danach aber die konzeptionellen Überlegungen der Wirtschaft bestimmten. Sollten nur jene Zwangsarbeiter berücksichtigt werden, die ehemals bei den Stifterunternehmen eingesetzt waren oder ein größerer Kreis? Wenn ein unternehmensspezifischer Ansatz, wie sollte mit jener Gruppe verfahren werden, die das gleiche Schicksal teilte, deren Firmen jedoch nicht mehr existierten oder die in kommunalen Betrieben, SS-Unternehmen oder in der Landwirtschaft zur Arbeit gezwungen worden war? Viele Zwangsarbeiter wurden bei privaten *und* staatlichen Arbeitgebern eingesetzt, waren hin und her geschoben worden. Kurz, sollten bei humanitären Leistungen historische Zufälle maßgeblich sein können, Zufälle, die indes für Gerichtsverfahren, die man einhellig missbilligte, konstitutiv waren?

Ein Ansatz, der große Teile ehemals Betroffener ausgrenzte, zog unweigerlich neue Ungerechtigkeiten nach sich. Die historische Komplexität von Zwangsarbeit und Kriegswirtschaft sowie der tiefgreifende Strukturwandel der deutschen Wirtschaft seit Kriegsende standen ihm entgegen. Für die Unternehmen war allerdings die Vorstellung, dass ein privater

Fonds der Industrie für Zwangsarbeit schlechthin die Verantwortung übernehmen sollte, inakzeptabel. Eine Fondsvariante, die sich ausschließlich an der Erfahrungswelt der Opfer orientierte und die Grenzen zwischen Privatwirtschaft und Staat außer Acht ließ, stellte diese Grenzen letztlich selbst in Frage. Die »Opferperspektive« auf eine Fondslösung zog daher zwingend die Ergänzung durch den Staat nach sich. Ein allein durch die Privatwirtschaft getragener Fonds hätte sich dagegen auf die in der privaten Industrie eingesetzten Zwangsarbeiter – hier ging man von etwa 200 000–300 000 noch lebenden Personen aus – zu konzentrieren gehabt. Außerdem, so die Überlegungen, mussten die erwartungsgemäß hohen Ausgaben gegenüber Aktionären und Betriebsangehörigen vertretbar bleiben. Schließlich ging es um freiwillige Leistungen der Unternehmen.

Grundsätzlich sollte ein firmenübergreifender Fonds den Einfluss historischer Zufälligkeit soweit wie möglich ausschalten und einem größtmöglichen Kreis von Berechtigten zugänglich sein. Genauere Vorstellungen existierten zu diesem Zeitpunkt, Anfang September 1998, allerdings noch nicht. Allen Beteiligten war jedoch klar, dass jede Bündelung von Firmenmitteln mit Rechtssicherheit für die Unternehmen verbunden sein musste. Dazu bedurfte es angesichts der rechtlichen Situation der Einschaltung des Staates.

Die beklagten Unternehmen konnten davon ausgehen, dass bei einem Wahlsieg der SPD mit politischer Unterstützung durch die neue Bundesregierung zu rechnen war. Dagegen hatte die Regierung von Bundeskanzler Helmut Kohl Vorstöße einzelner Unternehmen stets abgewiegelt. Sie sah keinen Handlungsbedarf, in der Befürchtung andernfalls international weitere »Begehrlichkeiten« zu wecken und dadurch die Reparationsfrage wieder zu eröffnen. Zudem verwies sie auf die staatlichen Leistungen in Höhe von insgesamt 1,5 Mrd. DM, die seit Beginn der 90er Jahre an die Versöhnungsstiftungen in Mittel- und Osteuropa geflossen und NS-Opfern zugedacht waren. Ein großer Teil dieser humanitären Mittel war ehemaligen Zwangsarbeitern mit Beträgen bis zu 1000 DM zugute gekommen. Damit war das Thema Zwangsarbeit in finanzieller und politischer Hinsicht für die Regierung Kohl ad acta gelegt.

Während man im Herbst 1998 in Wirtschaftskreisen über die konkrete Gestalt eines firmen-, möglicherweise auch sektorübergreifenden Kollektivfonds noch nicht nachdenken wollte und seine Verwirklichung ohnehin stark vom Ausgang der Bundestagswahl abhing, gab es für die anderen diskutierten Fondsvarianten zum damaligen Zeitpunkt bereits realisierte Vorbilder.

Firmeneigene Fonds

Der Wolfsburger Automobilkonzern Volkswagen, in dessen Aufsichtsrat Gerhard Schröder als niedersächsischer Ministerpräsident Sitz und Stimme hatte, sicherte dem Kanzlerkandidaten der SPD zu, sich an einem firmenübergreifenden Bundesfonds zur Zwangsarbeiterentschädigung zu beteiligen. Unter dem Eindruck konkreter Klagedrohungen entschloss sich der VW-Konzern jedoch im Juli 1998 zu einem eigenen Weg. Er kündigte einen humanitären Fonds für Individualzahlungen an die ehemals im Werk eingesetzten Zwangsarbeiter an. Im September 1998 zog die Siemens AG mit einem ebenfalls eigenen Humanitären Fonds nach. Das mittelständische Nürnberger Rüstungsunternehmen Diehl hatte sich bereits im Frühjahr 1998 zu diesem Vorgehen entschlossen, bestärkt durch den Rat des damaligen israelischen Botschafters in Deutschland, Avi Primor, auf Vermittlung einer renommierten Düsseldorfer Anwaltskanzlei, der u. a. Otto Graf Lambsdorff angehörte.[76] Die Dresdner Bank zahlte aufgrund ihrer früheren Beteiligung an den Frankfurter Adlerwerken als humanitären Beitrag ca. 80 000 DM an ehemals dort eingesetzte polnische Zwangsarbeiter.[77]

Diese firmenindividuelle Variante gehörte zu den »Minimallösungen«. Trotz kritischer Stimmen in den Reihen der beklagten Unternehmen setzten auch einige andere sie planerisch für den Fall um, dass keine politisch unterstützte, firmenübergreifende Alternative zustande kommen würde. Die Idee einer einzigen Wirtschaftsstiftung statt vieler Einzelfonds fand jedoch im Laufe des Jahres trotz aller Skepsis immer mehr Anhänger. Einzelne Gruppierungen, wie z. B. »Aktion Sühnezeichen« und der Verein »Gegen Vergessen, für Demokratie«, unter der Leitung des SPD-Politikers Hans-Jochen Vogel, traten mit Nachdruck ebenfalls dafür ein. Ein firmenübergreifender Fonds versprach dem lange vernachlässigten, juristisch schwer fassbaren Problem der Entschädigung von NS-Zwangsarbeit in gebührender Weise gerecht zu werden.

Firmenübergreifende Fonds

ICHEIC

Wie eine kollektive Lösung aussehen konnte, zeigte die *International Conference on Holocaust Era Insurance Claims*, kurz ICHEIC.[78] Nach monatelangen Verhandlungen vereinbarten im August 1998 sechs europäische, von US-Sammelklagen betroffene Versicherungskonzerne – die Allianz AG, die schweizerische Winterthur AG und Basler AG, die Zürich-Gruppe, der französische Axa-Konzern sowie die italienische Generali – in einem *Memorandum of Understanding* (MoU) mit dem US-amerikanischen Nationalen Verband der Versicherungskommissare (NAIC) sowie mit Israel und jüdischen Organisationen in den USA, sich zügig mit unbezahlten Versicherungspolicen von Holocaust-Opfern zu befassen. Im Wesentlichen ging es darum, den Prozess der Abwicklung transparent zu gestalten. Auf welche Weise sollte der Überblick über offene Ansprüche geschaffen werden? Wie sollten Ansprüche nachgewiesen, bewertet und bezahlt werden? Neben klar einzelnen Unternehmen zuzuordnenden Policen sollten sowohl erbenlose Ansprüche als auch jene Fälle berücksichtigt werden, in welchen die ursprünglichen Versicherungsfirmen nicht mehr existierten.

Die Allianz hatte sich mit den übrigen MoU-Unternehmen zu weitgehenden Zugeständnissen verpflichtet. Sie erklärte sich z. B. bereit, auch für jene konfiszierten Versicherungspolicen, deren Gegenwert sie aufgrund einschlägiger Verordnungen an den NS-Staat hatte abführen müssen, an denen sie sich also nicht hatte »bereichern« können, Zahlungen zu leisten. Mit Hinweis auf die Wiedergutmachung schloss sie allerdings für den deutschen Markt Ansprüche aus und betonte die humanitäre Motivation, am ICHEIC-Verfahren mitzuwirken, um dadurch dazu beizutragen, Defizite der staatlichen Rückerstattungs- und Entschädigungsleistungen auszugleichen. Die rechtliche Bestandskraft der Wiedergutmachung sollte aber auf keinen Fall angetastet werden. Das sah die Bundesregierung im Übrigen genauso.

Der unmittelbare Anlass, sich auf ICHEIC einzulassen, entstand aus einem ganz anderen, sehr nahe liegenden Grund: die Aufsichtsbehörden einiger US-Bundesstaaten machten die Aussetzung von Sanktionen, wie z. B. sofortigen Lizenzentzug für die in ihrem Bereich tätigen Versicherungsgesellschaften, von einer Mitgliedschaft in der ICHEIC abhängig.[79] Die Macht des Faktischen und die Befürchtung, andernfalls Geschäftsfelder zu beschädigen, zwangen zu Kompromissen.

Im Laufe der Verhandlungen verfestigte sich der Eindruck, dass ICHEIC weniger der raschen Abwicklung von möglicherweise offenen Ansprüchen diente als vielmehr den Interessen einzelner Mitglieder. So bot ICHEIC für die unterschiedlichen Fraktionen der organisierten jüdischen Diaspora ein Forum zur Profilierung. Israel Singer, der Vertreter des World Jewish Congress, der bereits bei der Restitution jüdischen Eigentums in Osteuropa erfolgreich agiert hatte, spielte hier einen beherrschenden Part. Immer stärker fiel auch das Kalkül der in der ICHEIC vertretenen Versicherungskommissare ins Auge. In einigen US-Bundesstaaten wurden sie in diese Ämter gewählt. Durch Aktivitäten zu Gunsten von Holocaust-Opfern und deren Erben hofften sie Stimmen für ihre Wiederwahl zu mobilisieren. Die an Geschäftsexpansion in den USA interessierten europäischen Versicherungsgesellschaften schließlich hielten an ICHEIC fest, weil der kontinuierliche, wenn auch weitgehend frustrierende Verhandlungsprozess die realistische Chance barg, in Zukunft weniger angreifbar zu sein. Die Basler AG kündigte in diesem Sinne folgerichtig mit der Aufgabe ihres US-Geschäfts ihre Mitgliedschaft in der ICHEIC auf.

Die übrigen Unternehmen wollten durch kollektives Engagement den Weg aus einer akuten Problemlage finden. Wie bei Sammelklagen ging es auch bei ICHEIC um eine pauschale Problemlösung. *Class Actions* konnten jedoch, was die Reichweite der Lösung anbelangte, noch einen Schritt weiter gehen. Die Bündelung finanzieller Mittel beklagter Firmen schuf hier die Voraussetzung dafür, die Gesamtheit potentiell beklagbarer Firmen freizustellen. Ein firmenübergreifender Fonds machte so aus den beklagten Unternehmen Stellvertreter ihrer »Gattung«; er setzte dem Kläger- quasi ein Beklagtenkollektiv entgegen.

Der Schweizer Banken Vergleich

Exemplarisch hierfür ist der Fall des so genannten Schweizer Banken Vergleichs. Seit Oktober 1996 waren in New York mehrere Sammelklagen gegen zwei Schweizer Großbanken, UBS und Crédit Suisse, eingereicht worden, u. a. von Melvyn Weiss, einem der prominentesten Vertreter der »*Settlement Class Action Lawyers*« in den USA.[80] Sie richteten sich auf die Auszahlung von Guthaben bzw. die Herausgabe von Vermögenswerten jüdischer Familien, die vor und während des Zweiten Weltkriegs dort Konten und Depots etc. unterhalten hatten. Die Banken, so die Beschuldigung, hätten die Guthaben seither behalten und wiederholte Auskunftsersuchen mit zum Teil fadenscheinigen Begründungen abgelehnt. Unter dem Eindruck teilweise realisierter Boykottdrohungen gegen die Fusionsabsicht der beiden Kreditinstitute kam es schließlich, nach zuvor vergeblichen Vermittlungsbemühungen Stuart Eizenstats und des World Jewish Congress, zu einem Prozessvergleich mit besonderer Reichweite.[81] Im August 1998, zeitgleich mit der Entstehung der ICHEIC, einigten sich die Parteien auf einen Betrag in Höhe von 1,25 Mrd. US-$. Mit dem Vergleich[82] erzielten die Banken eine Regelung, die sie selbst vor künftigen Klagen schützte, die sich darüber hinaus aber auf jene Schweizer Unternehmen erstreckte, die zwar nicht am Vergleich beteiligt waren, aber potentiell von Holocaust-bezogenen Klagen getroffen werden konnten; eventuelle Forderungen an den Schweizer Staat, etwa für dessen Flüchtlingspolitik, und an die Nationalbank, z. B. für deren Goldhandel, wurden ebenfalls hinfällig. Die Versicherungsgesellschaften blieben hingegen zunächst ausgenommen. Der Vergleich kam zustande, ohne dass der zuständige Richter über die Zulässigkeit der Klage entschieden hatte. Nachdem die Sammelklagen und ihre Begleiterscheinungen in Presse und Politik die diplomatischen Beziehungen zwischen den USA und der Schweiz stark belastet hatten, brachte sie der Vergleich zwischen privaten Parteien im Wege eines kollektiven Fonds wieder ins Gleichgewicht.[83]

Diese Variante eines Prozessvergleichs mit quasi kollektiv erweiterter Bindungswirkung auf Beklagtenseite hatte zwar keine Vorbilder, wurde aber zum Modell. Ende der 90er Jahre führten Sammelklagen gegen eine Reihe weiterer europäischer Unternehmen der Finanzwirtschaft mit transnationalem Profil, z. B. gegen österreichische, französische, belgische Banken und niederländische Versicherungen, zu ähnlichen Abschlüssen. Mit der Bündelung ihrer finanziellen Beiträge in einem Fonds erreichten sie einen pauschalen Klageverzicht auch gegenüber anderen, potentiell zu verklagenden Unternehmen.[84] Wie im Schweizer Banken Vergleich sorgten die Fonds für den Ausgleich individueller Forderungen der Opfer und stellten zugleich Mittel für allgemein humanitäre Zwecke, meist der Claims Conference, zur Verfügung.

Der Kollektivansatz fand auch auf zwischenstaatlicher Ebene Anwendung. Im September 1995 trafen die USA und Deutschland ein Abkommen dieser Art, das so genannte *Princz-Settlement*, veranlasst durch Sammelklagen US-amerikanischer ehemaliger Zwangsarbeiter gegen die Bundesrepublik sowie einige deutsche Unternehmen Anfang der 90er Jahre. Ein infolgedessen neu geschaffener Fonds begründete den Verzicht der Begünstigten auf weitere Ansprüche gegen den deutschen Staat.[85] Das Abkommen trat in diesem Fall an die Stelle des Prozessvergleichs. Hier erwies der Kollektivansatz seine Praktikabilität als Problemlösung unterhalb der Schwelle völkerrechtlicher Reparationsleistungen.

Protagonisten des Ansatzes auf US-Seite, die in den Schweizer Banken Vergleich und in die ICHEIC-Verhandlungen involviert waren, sprachen sich bei den seit 1998 gegen deutsche Unternehmen gerichteten Sammelklagen ebenfalls für das Modell aus. Melvyn Weiss z. B. wollte seine Klage gegen VW und andere deutsche Großunternehmen als Anstoß für eine »universelle Lösung« der Zwangsarbeiterproblematik, bei der die Bundesregierung Verantwortung übernehmen müsse, verstanden wissen.[86] Israel Singer hatte im Sommer 1998 zu Degussa, Dresdner Bank und Deutscher Bank Kontakt aufgenommen. Mit Nachdruck verwandte er sich für eine große moralische Geste der deutschen Wirtschaft am Ende des Jahrhunderts. Stuart Eizenstat schließlich, der später die US-Regierung in den internationalen Verhandlungen zur Stiftungsinitiative vertrat, strich immer wieder den Vorbildcharakter des Schweizer Banken Vergleichs heraus. Wie Singer appellierte er an das damals allgegenwärtige »Millennium«-Gefühl als Ansporn für eine Pauschalregelung, die die Interessen aller Seiten abschließend miteinander in Einklang bringen sollte.

Im Spätsommer 1998 deutete so bereits vieles auf eine kollektive Lösung. In den USA wurde sie forciert durch Sammelklagen, deren skandalisierender Tenor mit der Medienberichterstattung über den Atlantik schwappte und die hiesigen Appelle an die moralische Verantwortung der Unternehmen aus der bisherigen Nische politischer und bürgerschaftlicher Initiativen auf die Bühne einer zunehmend breiten und kritischen Öffentlichkeit hob. Die Resonanz der Medien transformierte die Klagen in eine öffentliche Anklage und trug damit dem Kalkül der Klägeranwälte Rechnung. Dagegen fiel kaum auf, wie stark das »Kollektivkonzept« in der handlungsorientierten Geschichtspolitik der US-Regierung verankert war und Eizenstats »Umwandlung alter Fakten in neue Realitäten« fortschreitend Form angenommen hatte. In diesem Meinungsklima näherten sich die Spitzenvertreter der deutschen Wirtschaft immer weiter der Idee eines firmenübergreifenden Fonds an. Am 28. September 1998 trug die SPD den Sieg bei den Bundestagswahlen davon. Die Chancen, für einen »Versöhnungsfonds der deutschen Wirtschaft« jetzt Rückendeckung durch die Politik zu erhalten, standen gut. Über Walther Leisler-Kiep trat man an den künftigen Regierungschef heran.

Der »Versöhnungsfonds der deutschen Wirtschaft« im Zentrum zwischenstaatlich gesicherten Rechtsfriedens

Der designierte Bundeskanzler war bereit, zügig zu handeln. Nach mehreren Spitzentreffen mit Vertretern beklagter Großunternehmen signalisierte Gerhard Schröder bereits im Oktober 1998 seine Unterstützung für eine firmenübergreifende Initiative. Seine Haltung deckte sich mit der Koalitionsvereinbarung mit Bündnis 90/Die Grünen, »unter Beteiligung der deutschen Industrie eine Bundesstiftung ›Entschädigung für NS-Zwangsarbeit‹ auf den Weg zu bringen«.[87] Er hob die moralische Verpflichtung, ehemalige Zwangsarbeiter zu entschädigen, hervor, ließ zugleich aber keinen Zweifel daran, dass seine Regierung willens war, den im Ausland von Klagen betroffenen Unternehmen »Schutz zu gewähren«.[88]

Unklar war anfänglich die Frage, ob der Wirtschaftsfonds die Belange der beklagten Banken und Versicherungen berücksichtigen sollte. Die Idee eines Industrie- und Finanzwirtschaft umfassenden Versöhnungsfonds der deutschen Wirtschaft traf in Unternehmenskreisen nicht von vornherein auf Zustimmung. Rolf-Ernst Breuer hatte entscheidenden Anteil daran, die betroffenen Firmen für die gebotene Solidarität zu gewinnen. Ihm lag daran, dass sich die Unternehmen nicht auseinander dividieren ließen. Sektorspezifische Fonds mit je eigenen Regelungen zur Rechtssicherheit, wie sie zunächst u. a. von Singer angeregt wurden,

lehnte er ab. Der Chef der Deutschen Bank war vielmehr davon überzeugt, dass umfassender Rechtsfrieden in einer eng verflochtenen Ökonomie eine unteilbare Voraussetzung für erfolgreiche Geschäftstätigkeit
war und die betroffenen Unternehmen darüber hinaus die historisch-mo-
ralische Verantwortung für das durch Zwangsarbeit und Verfolgung verursachte Leid teilten. Nur ein gemeinsamer Fonds würde diesen Prämissen Rechnung tragen.

Breuer war es auch, der später in schwierigen Phasen der Verhandlungen
die zentrifugalen Kräfte unter den Gründern der Stiftungsinitiative – vor
allem die »Chemie« zeigte zuweilen Absprungtendenzen – zu bändigen
verstand.

Kurz, solidarisches Handeln der Unternehmen als Fundament einer dauerhaften rechtlichen Befriedung wurde zum Leitgedanken einer Initiative, die für die gesamte deutsche Wirtschaft stehen sollte. Ungeachtet dessen verfestigte sich in der Öffentlichkeit der irrige, gleichwohl
nachhaltige Eindruck, als ginge es bei der Stiftungsinitiative ausschließlich um Zwangsarbeiterentschädigung.

> »Das Ziel der Stiftungsinitiative ist eine Solidaraktion der gesamten
> deutschen Wirtschaft, die einerseits ihrer historischen Verantwor-
> tung gerecht werden und andererseits eine rechtliche Befriedung
> herbeiführen soll.«[89]
>
> *Manfred Gentz*

Unmittelbar nach der öffentlichen Ankündigung des Bundeskanzlers, die
Unternehmensinitiative zu unterstützen, etablierte der neue Leiter des
Kanzleramts, Bodo Hombach, eine Arbeitsgruppe aus hochrangigen Re-
gierungs- und Wirtschaftsvertretern. Sie befasste sich mit der Konzepti-
on der geplanten Wirtschaftsstiftung und der Strategie ihrer politischen
Absicherung.

Die Koordination der Wirtschaftsseite lag zunächst in den Händen der
Vorstandschefs von Allianz, Deutscher Bank, Fried.Krupp Hoesch-
Krupp, BMW und VW. Zur politischen Strategieberatung zogen die Fir-
men die Washingtoner Anwaltskanzlei *Wilmer, Cutler & Pickering* zu
Rate, der auch Robert Kimmitt, ehemals US-Botschafter in Deutschland,
angehörte. Zudem hatte diese Kanzlei mit der Vertretung von UBS und

Crédit Suisse im Schweizer Banken Vergleich Erfahrungen im Umgang mit dem Kollektivansatz gesammelt.

Unterdessen wurden in den USA immer weitere Sammelklagen gegen eine wachsende Anzahl deutscher Firmen anhängig gemacht und einzelne Firmen, wie Degussa und Siemens, mit Boykott bedroht. Wie war unter diesen Umständen ein humanitärer Fonds der Wirtschaft mit dem wirksamen Schutz der Unternehmen vor bereits anhängigen und zukünftigen Klagen bzw. vor behördlichen Sanktionsmaßnahmen in Einklang zu bringen? Auf welche Weise war Rechtsfrieden politisch zu sichern?

Die ersten Überlegungen liefen auf einen zwischenstaatlich garantierten Klageausschluss hinaus. Bi- oder multilaterale Staatsverträge bzw. Regierungsabkommen sollten die Wirtschaftsstiftung als Ersatz für den Rechtsweg festschreiben. Das bedeutete, dass Ansprüche aus Zwangsarbeit und verfolgungsbedingten Vermögensschäden gegen deutsche Unternehmen nur noch aus dieser Stiftung zu befriedigen und nicht mehr gerichtlich geltend zu machen sein sollten. Aus Sicht der Wirtschaftsvertreter vertrug sich dieser Weg insofern mit dem individuellen Klagerecht, als es bei den erhobenen Forderungen aus NS- und kriegsbedingtem Unrecht eben nicht um private Streitgegenstände zivilrechtlicher Natur ging, sondern um eine zwischenstaatlich bzw. legislativ zu regelnde Problematik. Danach brauchte der Rechtsweg also gar nicht ausgeschlossen zu werden, weil er unter juristischen Gesichtspunkten ohnehin bereits ausgeschlossen war. Was scheinbar als rigider Eingriff der Exekutive in Rechte Einzelner gewertet werden konnte, war für die Wirtschaft eine schlüssige, mit der völkerrechtlichen Praxis wie der historischen Entwicklung der Reparationsfrage und der Wiedergutmachung übereinstimmende Argumentation.

Auf einem anderen Blatt stand, ob sich dieser Mechanismus, Rechtsfrieden abzusichern, politisch in den USA durchsetzen ließ. Würde eine US-Regierung Schritte unternehmen, die als Versuch gewertet werden konnten, Holocaust-Opfern – ein Begriff, unter den auch osteuropäische Zwangsarbeiter subsumiert wurden – den Rechtsweg abzuschneiden? Das rührte nicht nur an Grundfesten der politischen Kultur in den USA, sondern auch an eingespielte Loyalitäten, bedachte man, dass die Gruppe der »Settlement Class Action Lawyers« traditionell zu den großzügigsten Spendern der Demokratischen Partei gehörten und für das Jahr 2000 Präsidentenwahlen anstanden.[90] Einige Firmen neigten vor diesem

Hintergrund von Anfang an zu einer pragmatischeren, politischen Haltung.

Nach Überzeugung von *Wilmer, Cutler & Pickering* ließen sich genügend Präzedenzfälle aufführen, die zeigten, dass die US-Exekutive von der Möglichkeit Gebrauch machte, Ansprüche von Privatpersonen durch völkerrechtliche Abkommen zum Erlöschen zu bringen und stattdessen an außergerichtliche Foren (*claims tribunals*) zu verweisen, wenn es im außenpolitischen Interesse der USA lag. Der US-Präsident konnte aufgrund seiner außenpolitischen Prärogative darüber sogar ohne Zustimmung des Kongresses durch eine *Executive Order* verfügen.[91]

Prinzipiell hielten die US-Berater der Wirtschaft die verfassungs- und völkerrechtlichen Voraussetzungen eines staatsvertraglich verfügten Rechtswegausschlusses auch im Fall der Klagen gegen deutsche Unternehmen für denkbar. Der klare Zusammenhang mit Kriegsgeschehen sprach ohnehin von vornherein für eine zwischenstaatliche Regelung. Ähnliche Lösungen hielt man mit Israel und den mittel- und osteuropäischen Ländern für erreichbar, deren Angehörige ebenfalls vor US-Gerichten klagten, über deren Klagerecht als Ausländer die US-Regierung jedoch nicht verfügen konnte.

Jetzt war nach Ansicht der Initiativunternehmen zunächst die Bundesregierung am Zug, um auf internationalem Parkett die Bereitschaft zu entsprechenden Verträgen zu erkunden. Ein firmenübergreifender Fonds ohne Einbettung in internationale Rahmenabkommen machte für die Unternehmen nicht viel Sinn, solange der Rechtsweg nach wie vor offen stand und daher nicht auszuschließen war, dass sie zweimal zahlen mussten, in einen Fonds und im Falle einer rechtskräftigen Verurteilung an die Kläger. Darüber hinaus war theoretisch auch mit Klagen gegen einen isolierten Wirtschaftsfonds zu rechnen. Das Junktim lautete also: vor konkreter Aussicht auf politisch gesicherten Rechtsfrieden keine weiteren Aktivitäten zur Umsetzung des Wirtschaftsfonds.

Ende November 1998 fanden unter der Leitung Bodo Hombachs in Bonn erste Sondierungsgespräche mit den Botschaftern der USA und Israels, John Kornblum und Avi Primor, statt. Die deutsche Wirtschaft vertraten Vorstandsmitglieder der Unternehmen des Initiativkreises.

Deutsch-amerikanische Sondierungen

Zwar befürworteten alle Teilnehmer eine außergerichtliche Lösung. Niemand wollte die Rechtsstreitigkeiten durchfechten. Im Einzelnen aber klafften die Vorstellungen der deutschen und der amerikanischen Seite aufgrund diametral entgegengesetzter Prämissen weit auseinander. Während die deutsche Seite juristische Anspruchsgrundlagen verneinte und die Unternehmen für nicht haftbar hielt, bejahten die USA die potentielle gerichtliche Durchsetzbarkeit der Forderungen ehemaliger Zwangsarbeiter sowie anderer Geschädigtengruppen. Während es sich aus deutscher Sicht um zwischenstaatliche Angelegenheiten handelte und der Reparationskomplex berührt war, sahen die USA die Zuständigkeit der amerikanischen Zivilgerichte als gegeben an, weil Auseinandersetzungen zwischen privaten Streitparteien zur Debatte standen. Fragte die deutsche Seite also eher danach, *was* zur Debatte stand, konzentrierte sich die amerikanische Seite darauf, *wer* es zur Debatte stellte.

Diese Gegensätze legten jeweils unterschiedliche Strategien für die Problemlösung jenseits des Rechtsstreits nahe. Der Bereitschaft der deutschen Wirtschaft zu einem freiwilligen Fonds entsprach ihre Erwartung eines zwischenstaatlich garantierten Klageausschlusses. Aus US-Sicht forderte hingegen die Realität der Sammelklagen ihren Tribut und ließ als rechtssichernden Ausweg nur einen Prozessvergleich zu. Analog dazu unterschied sich die Einschätzung, welche Aufgaben die Politik bei der Herstellung des Rechtsfriedens übernehmen sollte. Plädierte die deutsche Seite für ein völkerrechtliches Abkommen mit einem Fonds als Herzstück, das den Rechtsweg suspendierte, kam für die US-Seite ein völkerrechtlich garantierter Schutz der deutschen Unternehmen vor Klagen unter Hinweis auf den fehlenden Friedensvertrag nicht in Frage. Gleichwohl versprach sie mit Blick auf die guten Beziehungen zur Bundesrepublik als einem der wichtigsten Wirtschaftspartner und Verbündeten, bei einem kollektiven Fonds nach Wegen seiner juristischen Absicherung zu suchen. Der Umstand, dass ein Fonds im Unterschied zu Gerichtsverfahren sichere Leistungen bot, relativ schnell umzusetzen war und einen ungleich größeren Adressatenkreis erreichte, hatte die US-Regierung davon überzeugt, einer Fondslösung politische Unterstützung zu gewähren.

Bereits in diesen ersten Gesprächen kristallisierten sich jene Konfliktlinien heraus, die die weitere Entwicklung durchzogen. Sie markierten die gravierenden Unterschiede im politischen Gesamtverständnis der aufgeworfenen Fragen. Die Repräsentanten der deutschen Wirtschaft mussten sich sehr früh damit vertraut machen, dass es in der amerikanischen Rechtspraxis im Ergebnis irrelevant sein konnte, ob Rechtsansprüche gegeben waren oder nicht. So konzedierte US-Botschafter John Kornblum, dass *Class Actions* zuweilen durchaus als Mittel zur Durchsetzung von Ansprüchen, die rechtlich nicht unbedingt begründet waren, benutzt wurden.[92] Ungeachtet dessen seien die jetzigen Klagen jedenfalls nur durch Zahlung der Unternehmen zu erledigen. An diesem Punkt enthüllte sich der tiefe Gegensatz der beiden Rechtskulturen. Klagen vor US-Gerichten dienten zuweilen offenkundig weniger der Rechtsfindung, sondern als Mittel zum Zweck. Was für die Syndizi der beklagten deutschen Unternehmen nur schwer mit ihrem Rechtsverständnis vereinbar war, die offene Instrumentalisierung des Rechtssystems, löste auf Seiten der US-Regierung bloßes Achselzucken aus. Es ging nicht um irgendeinen Zweck, sondern um das Anliegen von Menschen, für das durch Zwangsarbeit, Vermögensentzug u. a. erlittene Unrecht, an dem deutsche Unternehmen beteiligt waren, von diesen einen Ausgleich zu erhalten. Heiligte der Zweck die Mittel? Er fügte sich zumindest in den geschichtspolitischen Rahmen, den sich die US-Regierung in der zweiten Hälfte der 90er Jahre vorgab, und der es zu rechtfertigen schien, mit der eigenen Politiktradition zu brechen, Fragen im Zusammenhang mit kriegs- und NS-bedingtem Unrecht ausschließlich zwischenstaatlich zu regeln. Erst dadurch erhielten die Sammelklagen ihre politische Schubkraft, mit der sie die unternehmensrelevanten Aspekte der Entschädigungsproblematik auf die internationale Tagesordnung hoben. Die Wirtschaftsvertreter stellten eine rechtliche Verpflichtung zur Entschädigung in Abrede; für die US-Regierung war diese Frage letztlich unerheblich. Was zählte, war das, was mit der Behauptung, eine solche Rechtspflicht bestehe, erreicht werden konnte. Dieser »pragmatische Imperativ« führte zur paradoxen Erscheinung, dass die Entschädigungsfrage in erster Linie eine politische war, aber gleichzeitig auf sehr spezifische Weise mit juristischen und prozessualen Fragen verwoben blieb.

Der Absicht, mit Hilfe eines kollektiven Fonds auch Rechtssicherheit für die Unternehmen zu bewirken, stand die US-Regierung zwar prinzipiell positiv gegenüber. Der neuralgische Punkt lag aber in der zwischenstaatlichen Garantie. Hier traf Washington eine politische Entscheidung. Danach stand fest, den Rechtsweg für Holocaust-Opfer nicht durch einen völkerrechtlichen Vertrag zu versperren. Was daraus resultierte, erklärte der US-Botschafter mit der »politischen Plastizität des amerikanischen Rechtswesens«. Um die Entwicklung der Sammelklagen in den USA positiv zu beeinflussen, riet er zur zügigen Errichtung eines »Good-Will-Fonds« der betroffenen Unternehmen. Seine Größenordnung sollte Ernsthaftigkeit demonstrieren, seine Mittel zwei Zielen dienen: zum einen die juristisch nicht gerecht lösbare Entschädigungsfrage in eine humanitäre Aktion umzuwandeln, mit spürbaren und gerecht verteilten, materiellen Solidarleistungen für die jetzt noch lebenden ehemaligen Zwangsarbeiter und zum anderen aus den Erträgen eines bleibenden Stiftungskapitals zukunftsorientierte Aufgaben wie Jugendaustausch, Erinnerungsarbeit etc. zu fördern. Beide Teile sollten wie im Fall des Schweizer Banken Vergleichs nach außen hin als *eine* humanitäre Geste wahrgenommen werden. Kornblum stellte geeignete Maßnahmen der US-Regierung in Aussicht, vor Gericht für ein solches Modell als Alternative zum Rechtsweg einzutreten.

Auf dem Kornblum-Modell basierten die konzeptionellen Überlegungen einer informellen Arbeitsgruppe im Kanzleramt, die Bodo Hombach parallel zu seinen Gesprächen mit Wirtschaftsvertretern zusammengerufen hatte, mit dem Ziel, das weitere Vorgehen der Politik in der Frage der »Zwangsarbeiterstiftung« zu klären. Sie rekrutierte sich aus maßgeblichen Vertretern der Koalitionsfraktionen und verschiedener Ministerien. Die inhaltliche Koordination übertrug Hombach dem Jenaer Zeithistoriker Lutz Niethammer, unter dessen Federführung auf der Grundlage von Vorschlägen aller involvierten Seiten ein Grundsatzpapier entstand, das als Diskussionsbasis der avisierten internationalen Gespräche dienen sollte.[93]

Die Grundkonzeption der »Stiftungsinitiative deutscher Unternehmen: Erinnerung, Verantwortung und Zukunft«

Zunächst ging es um die Grundzüge einer Wirtschaftsstiftung. Mit der Entschädigungsproblematik für die in kommunalen, in ehemals reichseigenen Unternehmen, in SS-Betrieben und in der Landwirtschaft eingesetzten Zwangsarbeiter sollte sich zu einem späteren Zeitpunkt eine eigene *Bundesstiftung* befassen. Wann und wie diese beiden getrennt gedachten Stiftungen aufeinander bezogen werden sollten, war noch nicht abzusehen. Die Bundesregierung hatte mit der Errichtung einer solchen Bundesstiftung angesichts knapper öffentlicher Kassen keine Eile. Sie wollte in erster Linie die Entfaltung der Unternehmensinitiative vorantreiben, begriff sie als gesellschaftliche Ergänzung der staatlichen Wiedergutmachungspolitik, die sie im Übrigen als erfüllt ansah. Den Parlamentsfraktionen, die sich bereits seit langem mit dem Thema befassten, sollte die Initiative zu dieser staatlichen Stiftung überlassen bleiben.

Die Unternehmen hielten dagegen die gleichzeitige Errichtung beider Stiftungen historisch und strukturell für geboten. Eine zeitlich nachgeordnete Verteilung humanitärer Leistungen an ehemalige Zwangsarbeiter würde nicht allein unnötige politische Belastungen nach sich ziehen. Die häufige Mehrfachbeschäftigung der Zwangsarbeiter in staatlichen und privatwirtschaftlichen Betrieben erschwerte darüber hinaus eine strikte Abgrenzung. Wichtiger noch war für die Unternehmen aber, dass eine Verzögerung der Bundesstiftung besonders ehemalige Zwangsarbeiter aus Mittel- und Osteuropa traf, die zu einem großen Teil in der Landwirtschaft eingesetzt waren.[94] Im Bewusstsein der »Gerechtigkeitslücke« in der staatlichen Wiedergutmachung, die Zwangsarbeit als solche ausgenommen und sich nach Westen orientiert hatte, war es dem Initiativkreis der Wirtschaft ein zentrales Anliegen, jetzt Mittel- und Osteuropa zu fokussieren.

In der Arbeitsgruppe um Niethammer fand sie dafür Rückhalt. Im Großen und Ganzen stimmten die beiden Seiten auch in den übrigen konzeptionellen Vorstellungen überein. An das Kornblum-Modell konnte die Wirtschaftsseite unmittelbar anknüpfen. Die Idee, in gleichem Maße humanitäre Individualleistungen und zukunftsorientierte, völkerverständigende Bildungs- und Begegnungsprojekte zu ermöglichen, hatte sich bereits zuvor in intensiven Diskussionen im Initiativkreis herauskristallisiert. Der Zukunftsbezug sollte die Leitidee solidarischen Handelns aus historischer Verantwortung auch für jene Unternehmen attraktiv machen, die erst nach dem Zweiten Weltkrieg gegründet worden waren. Er sollte helfen, die Basis für die Initiative zu verbreitern und so das Geschichts- und Verantwortungsbewusstsein der deutschen Wirtschaft ins rechte Bild zu setzen. Politik und Wirtschaft sprachen sich für die rasche Umsetzung der Pläne aus und avisierten den 1. September 1999 als Auszahlungsbeginn.

Kontroversen hingegen lösten zwei Punkte aus. Zum einen betrafen sie die Frage, ob Erben verstorbener Zwangsarbeiter berücksichtigt werden sollten. Vertreter der Kläger und jüdische Nachfolgeorganisationen reklamierten nicht nur Erbansprüche aus Eigentum, sondern auch aus Zwangsarbeit. Die Wirtschaftsseite war demgegenüber der Auffassung, dass persönliches Leid, wie die Erfahrungen der Zwangsarbeit unter oft unmenschlichen Bedingungen, keinen vererbbaren Anspruch begründen könne. Eine Minderheit der Unternehmensvertreter sprach sich allerdings mit der Beratergruppe Hombachs unter politischen Erwägungen dafür aus, in dieser Frage offen zu bleiben, um niemanden vor den Kopf zu stoßen. Zum anderen gingen die Meinungen über den angemessenen Weg zur Rechtssicherheit auseinander. Die Unternehmen setzten auf die aktive Unterstützung der deutschen Regierung und verstanden darunter eine tragende Rolle. Hombach hingegen agierte nach ihrer Ansicht eher mit dem Selbstverständnis eines Maklers. Wollte die Bundesregierung aus der gemeinsamen Rechtsauffassung, wonach die erhobenen Ansprüche gegen deutsche Unternehmen zwischenstaatlich zu regeln seien, allerdings Ernst machen, konnte sie sich nicht auf die bloße Vermittlerrolle zurückziehen, ohne sich gegen die eigene Position zu kehren. Zwar unterstützte sie die beklagten Unternehmen in den Verfahren vor US-Gerichten mit entsprechenden Stellungnahmen als *amicus curiae*[95], doch hielt sie sich, was die politische Absicherung der Fondslösung anbelangte, dem Eindruck der Unternehmen nach eher zurück. Auf diesen Widerspruch machten einige Firmen die Bundesregierung unter Hinweis auf potentielle Regressansprüche gegen den Staat aufmerksam, als die US-Regierung Ende des Jahres 1998 den ersten bilateralen Sondierungsgesprächen ein entscheidendes Junktim folgen ließ: Sie machte ihr politisches Engagement für die Rechtssicherheit von einer verbindlichen Zusicherung der deutschen Seite über die Errichtung eines Wirtschaftsfonds bzw. einer Bundesstiftung abhängig und forderte dazu eine öffentliche Selbstverpflichtung.

Die verlangte Zusicherung[96] führte den Initiativkreis der Wirtschaft kurz vor dem Jahreswechsel 1998/1999 erneut mit dem Bundeskanzler zusammen. Bei dieser Gelegenheit kam zum ersten Mal die Größenordnung zur Sprache, wie sie Bodo Hombach in Gesprächen mit Kornblum und Eizenstat als Richtschnur inoffiziell erörtert hatte. Danach sollten die Unternehmen der Privatwirtschaft und die privatisierten Unternehmen der öffentlichen Hand jeweils 1 Mrd. DM leisten. Die Höhe des Fonds warf einmal mehr Fragen nach dem Kreis der Leistungsberechtigten und der Koppelung mit der geplanten Bundesstiftung auf. Je nach Kriterien schwankte die Gesamtzahl der erwarteten Antragsteller zwischen geschätzten 500 000 und 1,3 Millionen Menschen.

Der Schritt in die Öffentlichkeit

Die Zeit für die erwartete öffentliche Erklärung drängte. Zuvor musste man sich über Namen und Rechtsform des Wirtschaftsfonds klar werden. Beides hing eng miteinander zusammen. Der Klärung der Rechtssicherheit wollten die Unternehmen nicht mit der Gründung einer Institution vorgreifen. Diesen dynamischen, von der Entwicklung der internationalen Gespräche abhängigen Aspekt galt es bei der Namensfindung zu berücksichtigen. Zu bedenken war ferner der mit der Zweckbestimmung verbundene, jeweils unterschiedliche Zeithorizont der beiden Stiftungsteile: des auf schnelle Mittelverteilung bedachten humanitären Fonds einerseits und des auf Dauer angelegten zukunftsorientierten Fonds andererseits. Außerdem besaß die zu erwartende Verknüpfung mit der geplanten Bundesstiftung Einfluss auf die Rechtsform der Wirtschaftsstiftung, der noch nicht greifbar zu bestimmen war. Der Name hatte also drei Funktionen des firmenübergreifenden Fonds auf einen Nenner zu bringen: die dynamische, die materielle und die institutionelle. »German Memory Fund« hieß zunächst der Arbeitstitel der amerikanischen Seite. Ignatz Bubis, der im August 1999 verstorbene Vorsitzende des Zentralrats der Juden in Deutschland, hatte die Bezeichnung »Fonds des guten Willens« vorgeschlagen. »Fonds 1999« wurde diskutiert und »Versöhnungsfonds der deutschen Wirtschaft«. Zu allgemein, zu karg, zu missverständlich, lautete die Kritik. Durchgesetzt hat sich dann zunächst der Name »Stiftungsinitiative deutscher Unternehmen: Erinnerung, Verantwortung und Zukunft«, eine die Programmatik und strukturelle Offenheit treffende Charakterisierung. An die Stelle »deutscher Unternehmen« trat wenig später die »deutsche Wirtschaft«.

Als juristische Person gegründet oder in eine andere Rechtsform gegossen wurde die Stiftungsinitiative nie. Die Unternehmen des Initiativkreises, die sich bis dahin mit der Bundesregierung beraten und international als Ansprechpartner für eine kollektive Lösung profiliert hatten, verstanden sich gleichwohl als »Gründungsunternehmen«. Dahinter verbarg sich kein Bezug auf eine spezifische verbandsrechtliche Form. Erwägungen, als gemeinnütziger Verein oder Stiftung privaten Rechts zu firmieren, kamen nicht zum Tragen. Die Unternehmen, die die Initiative ins Leben riefen, verstanden sich vielmehr als Protagonisten einer Idee, für die sie weitere Firmen gewinnen wollten. Sie agierten selbständig, doch auf ein gemeinsames Ziel hin.

Fragt man also nach den Anfängen der Stiftungsinitiative, wird man auf einen Prozess gemeinsamer Verständigung verwiesen, auf den kontinuierlichen Austausch von Ansichten und Argumenten, der sich im Inneren der Unternehmen fortsetzte, sich ständig erneuerte, sehr schnell eigene Dynamik entfaltete und für die Teilnehmer praktisch verbindlich wurde – ein Prozess, der sich auch nach der öffentlichen Absichtserklärung vom 16. Februar 1999 fortsetzte, dem Datum, dem im Nachhinein der Charakter eines »Gründungsereignisses« zugeschrieben wurde.[97] Die in der Stiftungsinitiative aktiven Unternehmen bildeten auch keinen monolithischen Meinungsblock. Vielmehr vereinigten sich die Auffassungen der involvierten Akteure zu einem Meinungsstrom, der gleichförmig wirkte, bei genauerer Betrachtung jedoch Gegenströmungen, Wirbel und Untiefen erkennen ließ. Differenzen einzelnen Unternehmen oder Branchen nach dem Motto Automobilindustrie versus Banken[98], zuzuordnen, hieße, die Komplexität der handlungsleitenden Interessen zu verkennen, die von der jeweiligen – variablen – Firmensituation abhingen. Nicht weniger komplex war die Motivationslage der Entscheidungsträger. Wie vermutlich bei allen übrigen Teilnehmern des gesamten Prozesses mischten sich aufrichtige Betroffenheit über das Schicksal der Opfer und die Überzeugung vom Sinn der Stiftung mit nüchternen Überlegungen, wie die verzwickte juristische und politische Lage in den Griff zu bekommen und mit Firmeninteressen in Einklang zu bringen sei. Unternehmerisches Kalkül und ethische Überzeugung lagen nahe beieinander, in einer je nach Persönlichkeit unterschiedlichen Gewichtung. Doch fühlten sich alle, die das Anliegen an prominenter Stelle oder hinter den Kulissen mittrugen, zu einem Handeln verpflichtet, das hohen Ansprüchen an die Integrität und Glaubwürdigkeit jedes Einzelnen genügen sollte.

Am 16. Februar 1999 gaben der Bundeskanzler und die Repräsentanten des Initiativkreises das Stiftungsvorhaben, dem Wunsch der amerikanischen Regierung entsprechend, der Öffentlichkeit bekannt. Die Erläuterungen konzentrierten sich auf das Projekt der Wirtschaft, eine kollektive Fondslösung mit Rechtsfrieden zu verbinden. Die Koppelung mit einer Bundesstiftung stellten sie für später in Aussicht.

> »Die Tatsache, dass der Deutsche Bundestag beabsichtigt, zügig eine Bundesstiftung für humanitäre Leistungen insbesondere an ehemalige NS-Zwangsarbeiter einzurichten, wird begrüßt. Im Rahmen der Gesetzesinitiative gilt es, eine geeignete Verzahnung mit der Stiftungsinitiative der Unternehmen zu finden.«
>
> *Presseerklärung der Stiftungsinitiative vom 16. Februar 1999*

Die öffentliche Erklärung läutete eine neue Phase ein. Die US-Regierung signalisierte jetzt Verständnis für die Forderung der Unternehmen nach Beendigung der anhängigen Prozesse als Voraussetzung für eine Stiftungslösung. Der World Jewish Congress stimmte dieser Prämisse nach einem Treffen mit Hombach und Breuer Ende Februar 1999 in New York ebenfalls zu. Unterdessen wurden immer weitere Klagen gegen deutsche Unternehmen in den USA anhängig gemacht. In Deutschland starteten polnische ehemalige Zwangsarbeiter eine Klagekampagne gegen einzelne Industriefirmen.[99] Zwangsarbeiterklagen gegen die Bundesrepublik waren kurz zuvor endgültig abgewiesen worden mit der Begründung, dass nach innerdeutschem Recht für individuelle Ansprüche keine Rechtsgrundlagen bestehen.[100] Mit der Klagewelle ging eine Flut juristischer Fachveröffentlichungen einher. Sie untermauerten selbst die konträrsten Standpunkte in einer mittlerweile hochemotionalisierten öffentlichen Diskussion.

Die internationalen Verhandlungen

Auftakt

Bereits Anfang März 1999 fanden auf Einladung Bodo Hombachs in Bonn internationale Gespräche über inhaltliche und rechtliche Aspekte der geplanten Fondslösung statt. Die US-Regierung, vertreten durch Stuart Eizenstat, konfrontierte die Vertreter der deutschen Regierung und der Stiftungsinitiative mit sehr genauen, zum Teil dem Schweizer Banken Vergleich entlehnten Vorstellungen, wie und wann die deutsche Wirtschaftsstiftung umzusetzen sei.

Danach sollten innerhalb von drei Monaten international besetzte Arbeitsgruppen für einzelne Bereiche *(»windows«)* Finanzrahmen und Anspruchskriterien festlegen: Sklaven- und Zwangsarbeit[101], Vermögensschäden im Zusammenhang mit Banken und Versicherungen sowie zukunftsorientierte Projekte. Arbeitsgruppen aus Regierungsvertretern Deutschlands, Israels, der USA sowie Abgesandten jüdischer Organisationen und, darauf legte Eizenstat gesteigerten Wert, den Klägeranwälten, hatten danach ihre Ergebnisse einem deutsch-amerikanischen Lenkungsausschuss zur Entscheidung vorzulegen. Soweit osteuropäische Belange berührt waren, sollten Vertreter dieser Länder in die Arbeitsgruppen einbezogen werden.

Eizenstats Vorschläge zur Rechtssicherheit liefen auf einen politisch konditionierten Prozessvergleich hinaus. Die gegen deutsche Unternehmen geltend gemachten Ansprüche sollten ausschließlich aus dem Fonds befriedigt werden. Für den Fall, dass die Klägeranwälte dem Vergleich, auf den sich die Regierungen Deutschlands, der USA, Israels und jüdische Gruppierungen einigten, unbesonnen ihre Zustimmung vorenthielten oder ihn mit übertriebenen finanziellen Forderungen blockierten, würde die US-Regierung eine direkte Intervention vor US-Gerichten in Erwägung ziehen, um die Verfahren zu beenden. Denkbar sei eine Interessenerklärung (*Statement of Interest*), mit der sie die Gerichte unter Hinweis auf den gegründeten Fonds dazu drängen würde, die anhängigen Klagen abzuweisen. Anstelle des Statement of Interest bzw. ergänzend käme notfalls ein deutsch-amerikanisches Regierungsabkommen (*Executive Agreement*) in Betracht. Die US-Regierung würde darin einen Fonds als politischen Abweisungsgrund anerkennen, ohne jedoch als Voraussetzung für die Errichtung eines solchen Fonds die Beendigung der Klagen festzuschreiben. Ein politischer Klageausschluss, wie ihn die Stiftungsinitiative vorschlug, sei zwar auch möglich – allerdings nur im Wege eines Reparationsvertrags, der im Sinne des Londoner Schuldenabkommens von 1953 die aus dem Zweiten Weltkrieg herrührenden Forderungen endgültig regelte. Zur Erinnerung, nach amerikanischer Lesart ist die Reparationsfrage formalrechtlich bis heute offen. Eizenstat war sich des rhetorischen Charakters dieser Variante bewusst. Der erfahrene US-Unterhändler forderte die Gründer der Stiftungsinitiative deshalb auf, ihre Syndizi auf der Grundlage seiner Vorschläge zu Verhandlungen zu ermächtigen, um in einer juristischen Arbeitsgruppe unter Einschluss der Klägeranwälte zum Konsens zu finden. Mit Hombach vereinbarte er, alle interessierten Parteien kurzfristig zu vorbereitenden Gesprächen einzuladen.

In Eizenstats Konzept kamen die Unternehmen offenbar nur als Geldgeber vor. Maßgeblicher Einfluss auf das inhaltliche Profil ihrer Stiftung war ihnen darin nicht zugedacht. Die Vertreter der Stiftungsinitiative hielten eine nur passive Rolle indes für unangemessen. Desillusioniert und voller Zweifel gerade auch angesichts des stark am Prozessvergleich orientierten Lösungsansatzes waren sie gegenüber weiteren Gesprächen in der bisherigen Form skeptisch. Sie fassten den Entschluss, ihr Vorgehen stärker aufeinander abzustimmen und etablierten zu diesem Zweck einen Koordinationskreis. Zum Sprecher ernannten sie Manfred Gentz, Finanzvorstand von DaimlerChrysler, einen allseits anerkannten Manager von großem Format, dessen frühes Engagement für die Aufarbeitung der Geschichte von Daimler-Benz während der NS-Zeit von seiner Aufgeschlossenheit gegenüber der historischen Verantwortung von Unternehmen zeugte und ihn auch deshalb für diese diffizile Aufgabe prädestinierte.[102] Der Koordinationskreis hatte seither im Namen der Gründungsunternehmen die Federführung in den multilateralen Konsultationen inne. Ihm oblag es, die zuweilen recht unterschiedlichen Standpunkte der Firmen auf einen Nenner zu bringen und den notwendigen Konsens zu wahren, damit die Unternehmen in den anstehenden Gesprächen mit einer Stimme sprechen konnten. Die juristische

Konzeption und Verhandlungsführung nahm eine Rechtsarbeitsgruppe in die Hand, zu deren Sprecher der unter seinen Kollegen hochangesehene Chefsyndikus der Deutschen Bank, Klaus Kohler, bestimmt wurde.[103]

Unterdessen gerieten Banken und Versicherungen in den USA durch legislative und regulatorische Eingriffe immer stärker unter Druck. Treibende Kraft war das so genannte »Hevesi-Committee«.[104] Dabei handelte es sich um das nach seinem Vorsitzenden, dem damaligen New Yorker Stadtkämmerer Alan Hevesi benannte Exekutivorgan eines US-weiten Netzwerks von rund 900 Finanz- und Versicherungsaufsichtsbehörden auf einzelstaatlicher und lokaler Ebene, das sich seit seiner Institutionalisierung im Dezember 1997 zum Ziel gesetzt hatte, mit den zur Verfügung stehenden Mitteln, für Holocaust-Opfer und deren Erben materielle Entschädigungsleistungen zu erwirken. Neben gezielter Öffentlichkeits- und Lobbyarbeit gehörten Drohungen mit dem Desinvestment öffentlicher Pensionsfonds aus Aktien beklagter europäischer Unternehmen ebenso dazu wie die Verweigerung eventuell erforderlicher behördlicher Genehmigungen. Wie bei der Fusion der beiden Schweizer Großbanken UBS und Crédit Suisse im Jahr 1998 verfolgte Alan Hevesi im Lichte der geplanten Übernahme von Banker's Trust durch die Deutsche Bank eine Politik der Obstruktion. Ohne für die Genehmigung zuständig zu sein, suchte das Hevesi-Committee dennoch seinen Einfluss geltend zu machen und kündigte Sanktionen an, falls keine befriedigende Fondslösung gefunden würde. In einer Reihe von Anhörungen, veranlasst durch Hevesi, bekamen Vertreter des entscheidenden *state banking committee* Gelegenheit, sich von den Bemühungen deutscher Firmen, einschließlich der Deutschen Bank, um eine Stiftungslösung ein Bild zu machen. Alan Hevesi hatte zuvor schon bei einer Reihe beklagter deutscher Industrieunternehmen unter Hinweis auf ein mögliches Desinvestment bei staatlichen Pensionsfonds eine kollektive Regelung der Entschädigungsfrage angemahnt.

Stärker als Hevesis Mahnbriefe fiel für die meisten Unternehmen jedoch die mit immer neuen Klagen verknüpfte schlechte Presse ins Gewicht. In Teilen der Industrie verstärkte das Szenario den Drang, das Projekt eines firmenübergreifenden Fonds aufzugeben und stattdessen unternehmensspezifisch mit jeweils eigenen Stiftungen zu handeln. Denn welche Gründe sollte es geben, an der Idee festzuhalten und zu riskieren, zweimal zu zahlen? Das ganze Projekt stand im Frühjahr 1999 auf der Kippe – nicht zum letzten Mal. Die Hoffnung, durch das als humanitär verstandene Engagement für ehemalige Zwangsarbeiter und andere Opfer umfassenden Rechtsfrieden für die gesamte deutsche Wirtschaft zu erreichen und ein für alle Mal zu sichern, setzte sich dagegen immer wieder durch. Das Interesse der Banken und Versicherungsgesellschaften an der Fortsetzung des eingeschlagenen Wegs blieb besonders akzentuiert. Zudem hatte man Anlass zu glauben, dass die Ziele mit einem überschaubaren finanziellen Aufwand zu bewerkstelligen seien. Von 1 Mrd. DM, höchstens 2 Mrd. DM, die die Privatwirtschaft aufbringen sollte, war in den Unterredungen mit Vertretern der deutschen und amerikanischen Politik die Rede gewesen. Offiziell bestätigt wurden diese Zahlen nie. Doch bestimmten sie den Erwartungshorizont, dem sich der Entschluss einfügte, trotz Drucks und Drohkulisse im Gespräch zu bleiben.

Nach einer Intervention auf höchster politischer Ebene in dieser ersten kritischen Phase zeigte die US-Verhandlungsführung größeres Verständnis für die Haltung der Unternehmen. Die Wirtschaftsvertreter gewannen in Gesprächen mit Eizenstat Ende April 1999 in Washington den Eindruck, dass er Ansprüche gegen deutsche Unternehmen im Grunde für nicht justiziabel hielt und seiner Ansicht nach die Klägeranwälte zu der Einsicht zu bewegen seien, dass ein klassischer Prozessvergleich keine realistische Option darstellte. Die US-Regierung schien nun gewillt, bei der Umsetzung eines »Dritten Wegs« zwischen Klageausschluss und Prozessvergleich eine sehr starke Rolle zu übernehmen. Eizenstat betonte überdies, dass die Stiftung als ausschließliches Forum für Ansprüche keinerlei Rechtsaufsicht US-amerikanischer Gerichte unterstellt werden sollte. Die Rechtsarbeitsgruppe der Stiftungsinitiative empfand diese Aussagen als den Beginn eines konstruktiven Dialogs.

Inzwischen hatten Hombach und Eizenstat die ersten multilateralen Konsultationen über das Stiftungsvorhaben für Mai 1999 in Washington anberaumt. Bis dahin sollten alle Seiten ihre Vorstellungen ausarbeiten. Die Stiftungsinitiative war allerdings zunächst nicht eingeladen.

Eine humanitäre Geste als Verhandlungsgegenstand?

Die Unternehmen des Initiativkreises schärften das inhaltliche Profil ihres Konzepts in intensiven Diskussionen untereinander und mit der Bundesregierung. Drei Grundsätze bestimmten die gemeinsame Linie der Unternehmen. Sie verstanden ihr Engagement als freiwillig. Ihre Initiative besaß eine klare soziale Ausrichtung. Die geplante Stiftung war nicht dazu gedacht, erhobene Rechtsansprüche zu befriedigen; daher sollte die aktuelle Notlage und Bedürftigkeit ein wesentliches Kriterium der Leistungsberechtigung bilden und der humanitäre Teil der Stiftung durch ein gleichgewichtiges Pendant zukunftsorientierter Projektfinanzierung ergänzt werden. Die von der Regierung geplante Bundesstiftung stellte ein wesentliches Element des Gesamtkonzepts dar, um alle überlebenden Zwangsarbeiter aus Mittel- und Osteuropa gleichermaßen einbeziehen zu können. Gerade an ihnen lag den Protagonisten der Stiftungsinitiative in besonderem Maße, anders als Eizenstat, der nach Meinung einiger Unternehmensvertreter hier kein akzentuiertes Interesse hatte.

Unter dem Eindruck, Eizenstat habe konzediert, dass die Ansprüche aus Zwangsarbeit gegen deutsche Unternehmen juristisch unbegründet seien, begann die Stiftungsinitiative ihr Postulat eines Klagen de facto ausschließenden Regierungsabkommens zu überdenken. Die Stiftung sollte aber nach wie vor als ausschließliches Forum für Leistungen an Opfer von NS-Unrecht, in das die Privatwirtschaft verwoben war, anerkannt werden.

Die Bundesregierung ging inzwischen daran, den Teilnehmerkreis der bevorstehenden politischen Konsultationen zu erweitern. Sie wollte den aufgrund der bisherigen Orientierung der Gespräche »nach Westen« bzw. der Konzentration auf jüdische Belange möglichen »Eindruck doppelter Einseitigkeit«[105] erst gar nicht entstehen lassen. Sie reaktivierte ihre Kontakte zu den osteuropäischen Versöhnungsstiftungen, um dem dort offenbar vorherrschenden Gefühl, übergangen zu werden, vorzubeugen. Den Vertretern der Wirtschaft schien das Interesse von Kanzleramtsminister Hombach an der osteuropäischen Problematik nicht sehr ausgeprägt zu sein; das besondere Engagement von Bündnis 90/DIE GRÜNEN war ihnen demgegenüber kaum geläufig.

Im Auftrag der Bundesregierung versuchte in der Zwischenzeit der von

Hombach benannte historische Berater Lutz Niethammer in Zusammenarbeit mit den osteuropäischen Versöhnungsstiftungen sowie mit der Claims Conference die Anzahl noch lebender Zwangsarbeiter zu ermitteln, um dadurch eine abgestimmte Grundlage für die Aufteilung der Fondsmittel zu schaffen.

Klägeranwälte und Rechtsfrieden

Zu den Klägeranwälten als »Gegenspieler« der Wirtschaft gehörten eine Reihe prominenter Vertreter ihres Fachs, neben Melvyn Weiss, Michael Hausfeld u. a. auch Burt Neuborne, ein bekannter US-Bürgerrechtsexperte[106]. Fagan, dem es mit seinen spektakulären Auftritten im Zusammenhang mit den Sammelklagen gegen deutsche Unternehmen zwar gelungen war, die Aufmerksamkeit der internationalen Medien zu erregen, blieb dagegen selbst unter seinen Kollegen umstritten.[107]

Eizenstat war bemüht, die Klägeranwälte trotz all ihrer Inhomogenität als Gruppe zusammenzuhalten. Seiner Aufforderung folgend formulierten sie im Vorfeld der ersten internationalen Gespräche eine gemeinsame Position, unbeschadet ihrer im Einzelnen stark voneinander abweichenden Prioritäten. Sie strebten drei separat zu verhandelnde Vergleiche an, für Sklaven- und Zwangsarbeit, für Banken sowie für Versicherungen. Die Forderungen der Überlebenden bzw. ihrer Erben sowie erbenlose Ansprüche sollten durch einzelne unter Aufsicht von US-Gerichten stehende Fonds abgegolten werden. Die Definition der einzelnen Anspruchsgruppen, die Auszahlungsmodalitäten, der Umgang mit historischen Dokumenten, die inhaltliche Ausgestaltung der einzelnen Fonds generell wollten die Klägeranwälte mit der Bundesregierung verhandeln. Bei den Finanzierungsfragen sollten auch die Vertreter der deutschen Wirtschaft ein Wort mitzureden haben. Erst nach einem Konsens in inhaltlichen und finanziellen Dingen würden dann Bemühungen aufgenommen, die gerichtliche Zustimmung zu den einzelnen »Vergleichspaketen« herbeizuführen.

Gerichtliche Vergleichsverhandlungen schloss die Stiftungsinitiative aufgrund der rechtlichen Implikationen jedoch ebenso kategorisch aus wie eine Aufsicht von US-Gerichten über die geplante Stiftung. Daher, aber auch weil laufend neue Sammelklagen in den USA eingereicht wurden, akzeptierten die Unternehmen die von Eizenstat konstant geforderte Einbeziehung der Klägeranwälte nur äußerst zögerlich.

Unterdessen signalisierte die US-Regierung, dass sie eine Art zwischenstaatlicher Einbettung des Wirtschaftsfonds politisch nun doch für tragbar, wenn auch nicht für erstrebenswert halte. Sie setzte damit noch vor den für Mai 1999 anberaumten Auftaktgesprächen einen neuen Akzent. Zur gleichen Zeit gab Alan Hevesi in Absprache mit dem World Jewish Congress seine kritische Einstellung zur geplanten Übernahme von Banker's Trust durch die Deutsche Bank auf. Michael Hausfeld war darüber empört, denn er ging davon aus, dass alle denkbaren Druckmittel nötig sein würden, um deutsche Unternehmen an den Verhandlungstisch zu zwingen.[108]

Aufgrund der konträren Positionen in inhaltlichen und rechtlichen Fragen stand zu erwarten, dass sich der Verständigungsprozess mit den Klägeranwälten über eine kollektive Fondslösung als regelrechte Verhandlung darstellen und die Logik von Leistung und Gegenleistung bestimmend sein würde. Michael Hausfeld brachte es auf den Nenner »no closure for charity« – sinngemäß: kein Ende der Klagen für ein Almosen. Für Melvyn Weiss schien das Ende der Klagen vor allem eine Frage des Geldes zu sein: »It's about money« – diese immer wieder geäußerte Formulierung klang lange in den Ohren der Wirtschaftsvertreter nach. Bevor es hier keine Festlegungen gäbe, beteuerte Weiss wiederholt, seien in anderen Bereichen keine Fortschritte zu erzielen.

Differenzen über den allgemeinen Zweck und die besondere Aufgabe der Stiftungsinitiative

In einem von gutem Willen und gegenseitigem Misstrauen geprägten Klima fanden auf Einladung Eizenstats und Hombachs in Washington am 11./12. Mai 1999 die ersten multilateralen Gespräche zum Stiftungsvorhaben statt. Alle involvierten Gruppen waren vertreten: die Regierungen der Bundesrepublik, der USA, Israels, jener mittel- und osteuropäischen Staaten, in denen Versöhnungsstiftungen existierten (Polen, Tschechien, Russland, Weißrussland und Ukraine), Abgesandte dieser Versöhnungsstiftungen, eine spät schließlich doch eingeladene Delegation der Stiftungsinitiative[109], Repräsentanten der Claims Conference, Vertreter der

Klägeranwälte[110] sowie zwei Persönlichkeiten, die in anderem Kontext mit der Thematik zu tun hatten: Lawrence Eagleburger, ehemaliger interimistischer US-Außenminister unter Präsident Bush sr. und Vorsitzender der ICHEIC sowie US-Senator Alfonse D'Amato, einer der exponiertesten Vertreter der handlungsorientierten US-Geschichtspolitik und glühender Verfechter von Forderungen gegen deutsche, österreichische und Schweizer Banken.

Ursprünglich als funktionales Forum gedacht, das durch den Beschluss eines straffen Zeit- und Arbeitsplans die Voraussetzungen dafür schaffen sollte, am 1. September 1999 mit Auszahlungen aus dem Fonds zu beginnen, erwuchs aus der schieren Fülle der Teilnehmer des hundertköpfigen Plenums eine große diplomatische Arena, in der Vertreter ausgefeilter Positionen sich zu Darstellern in einem Stück wandelten, das viele Titel trug: Kampf um späte Gerechtigkeit, Moral und Geschäft, Genugtuung und Ernüchterung. Entgegen der Anregung der Unternehmen, in kleinen Gesprächsgruppen rasch zu Ergebnissen zu kommen, diente die weite, internationale Bühne dem Bedürfnis, gehört zu werden, zu attackieren, zu rechtfertigen, dem Verlangen nach großen Gesten. »Historisch« war wohl eines der am häufigsten bemühten Attribute, um den Sinn dessen zu beschreiben, was die Repräsentanten der verschiedenen Gruppen, Organisationen und Staaten sich zum Ziel genommen hatten.

Für die Wirtschaftsseite, die hier zum ersten Mal als Stiftungsinitiative auftrat und nicht länger durch einzelne Unternehmen repräsentiert wurde, machte ihr Sprecher, Manfred Gentz, die Grundposition deutlich. Er bekannte sich zur historischen Verantwortung der Unternehmen aufgrund ihrer tragenden Rolle im nationalsozialistischen Wirtschaftssystem und der daraus resultierenden moralischen Verantwortung gegenüber den Opfern von Zwangsarbeit in der privatwirtschaftlichen Industrie sowie gegenüber jenen, die aufgrund rassischer Verfolgung und unter Mitwirkung deutscher Unternehmen Vermögensschäden erlitten hatten. Er unterstrich, dass das Bekenntnis zu dieser Verantwortung »nicht auf juristischer Verpflichtung« gründete, »sondern auf dem Bewußtsein, in ein Unrechtsregime verwoben gewesen zu sein und dadurch an Unrecht mitgewirkt zu haben«. Deshalb handele es sich bei der Initiative deutscher Unternehmen zur Gründung einer Stiftung um eine freiwillige Geste. Die Bereitschaft, beträchtliche Mittel aufzubringen und weitere Unternehmen für die Stiftungsinitiative zu gewinnen, bedinge allerdings umgekehrt die Bereitschaft, »die Unternehmen vor gerichtlicher Inanspruchnahme mit einer für sie ausreichenden Sicherheit« zu schützen. Gentz betonte den Willen zum Konsens mit allen Beteiligten und warb um Verständnis dafür, dass die Unternehmen ihre freiwillig erbrachten Mittel zu gleichen Teilen für humanitäre Hilfeleistungen und zukunftsweisende Projekte zu verwenden beabsichtigten.

Mit dieser Grundhaltung, die Hombach in seiner Eröffnungsrede unter Hinweis auf die bereits geleistete Wiedergutmachung bekräftigte, stand die deutsche Seite allein. Am unmissverständlichsten brachten die Vertreter Polens ihre Gegenmeinung zum Ausdruck.[111] Ziel der internationalen Konsultationen sei es, Sklaven- und Zwangsarbeit im nationalsozialistischen Deutschland umfassend zu entschädigen. Den Anspruch begründe der ganz oder teilweise vorenthaltene Lohn, unabhängig davon, ob Zwangsarbeit im staatlichen oder privatwirtschaftlichen Sektor geleistet worden sei. Die Höhe der individuellen Entschädigung sollte sich nach der Dauer der Zwangsarbeit und der Schwere des Schicksals richten. Damit knüpften die Vertreter Polens an die seit dem Reparationsverzicht von 1953 offiziell vertretene Auffassung an, wonach die Zwangsleistungen der rund 2,5 Millionen Polen für die deutsche Kriegswirtschaft im Rahmen der deutschen Wiedergutmachungspolitik hätten berücksichtigt werden müssen. Die polnische Position setzte an strukturellen Argumenten an. Die millionenfach zur Arbeit gepressten Menschen aus dem besetzten Osten Europas hatten die zur Wehrmacht, SS oder zu den Wachmannschaften der Konzentrationslager abkommandierten deutschen Arbeitskräfte ersetzt, sodass Deutschland aufgrund von Zwangsarbeit nicht nur sein industrielles und landwirtschaftliches Potential aufrechterhalten, zu Teilen sogar erweitern konnte, sondern auch die militärische Schlagkraft und der immense Unterdrückungsapparat gestärkt wurden. Nutznießer sei deshalb stets, direkt oder indirekt, der nationalsozialistische Staat gewesen. Es könne daher keine Rede davon sein, dass Deutschland, wie Hombach einleitend dargestellt hatte, seiner Verpflichtung zur Wiedergutmachung bereits in vollem Umfang nachgekommen sei. Dass dies nicht geschehen war, schrieb der Sprecher der polnischen Delegation der nach Westen orientierten »German legal doctrine« zu. Sie hielt zwar die Verfolgung aus Gründen der Rasse, des Glaubens und der Weltanschauung für entschädigungsrelevant, nicht aber die aus polnischer Sicht ebenso entschädigungswürdige Zwangsarbeit, deren Ausgleich vor allem osteuropäischen Opfern zugute gekommen wäre. Die staatlichen Leistungen, die Deutschland hauptsächlich nach 1990 an die mittel- und osteuropäischen Staaten gezahlt habe – eine Summe von insgesamt 1,8 Mrd. DM –, richteten sich an die Opfer spezifisch nationalsozialistischer Verfolgung mit durchschnittlichen Beträgen in Höhe von 1000 DM und damit nur einem Bruchteil dessen, was westlichen Opfern zugute gekommen sei. Im Übrigen handele es sich ausschließlich um humanitäre Hilfe, nicht um eine gerechte Entschädigung. Wenn auch Zwangsarbeiter in diesem Zusammenhang Gelder erhalten hätten, dann wegen nationalsozialistischer Verfolgung und ihrer heutigen Bedürftigkeit, nicht jedoch aufgrund von Zwangsarbeit als solcher. Osteuropäische Zwangsarbeiter aber hätten wie andere Opfer des Nationalsozialismus ein Recht auf Entschädigung und nicht nur auf *ex gratia* Almosen. Denn wie andere Opfer seien auch sie ihrer Freiheit beraubt worden, hätten Gesundheitsschäden davongetragen und materielle Einbußen hinnehmen müssen. Auch sie erlitten den Verlust ihrer Familien, Karrieren und Bildungschancen. Die deutsche Industrie und der deutsche Staat aber hätten jahrzehntelang vom Aufschub der Entschädigung für Sklaven- und Zwangsarbeit profitiert. Deshalb dürfe sich der deutsche Staat jetzt nicht allein darauf beschränken, die humanitäre Initiative der deutschen Industrie zu unterstützen. Gerade weil es sich um individuelle Rechtsansprüche handele, die die Stiftung befriedigen sollte, könne sie nicht das Resultat einseitiger Erklärungen oder Entscheidungen der deutschen Industrie bzw. Regierung sein. Vielmehr müssten alle Seiten an ihrer Konzeption beteiligt werden.

Die neue Initiative sollte alte Asymmetrien und Defizite gegenüber den Menschen aus Mittel- und Osteuropa ausgleichen. Daher plädierte das polnische Statement für einen einzigen, aus staatlichen wie privatwirtschaftlichen Mitteln gespeisten Fonds, aus dem alle noch lebenden Opfer von Zwangsarbeit entsprechend der Schwere ihres Schicksals und der Dauer ihrer Arbeitsleistung entschädigt werden sollten, unabhängig von ihrem Einsatz in Industrie oder Landwirtschaft, privaten oder staatlichen Betrieben. Die in der Landwirtschaft eingesetzten Zwangsarbeiter fielen zahlenmäßig gerade für Polen besonders ins Gewicht.

Dieser Fundamentalkritik an der deutschen Wiedergutmachung schlossen sich die übrigen Vertreter Osteuropas an. Die russische Delegation erhob darüber hinaus die Forderung, die große Gruppe der Kriegsgefangenen in dem Fonds zu berücksichtigen. Bundesminister Hombach warnte dagegen in diesem Zusammenhang nachdrücklich vor überzogenen Erwartungen.

Während die Vertreter Mittel- und Osteuropas im Grunde auf die Revision der deutschen Entschädigungspolitik zielten, reklamierten die Klägeranwälte in hoch emotionalen und zum Teil polemischen Stellungnahmen den Rechtsanspruch ihrer Mandanten auf Entschädigung und wiesen den Ansatz der Stiftungsinitiative mit aller Schärfe als gönnerhafte Wohltätigkeit zurück: »Charity is not justice« in Michael Hausfelds Worten. Für ihre starke Betonung finanzieller Aspekte – nach Ansicht der Wirtschaftsvertreter waren hier offenbar auch Eigeninteressen im Spiel – ernteten die Klägeranwälte harte Kritik aus den Reihen der Überlebenden selbst. Denn für sie ging es in erster Linie prinzipiell um die Anerkennung des an ihnen begangenen Unrechts.

Etwas gedämpfter, aber nicht weniger kontrovers verlief der Meinungsaustausch zur Rechtssicherheit. Sie bildete zwar selbst in den Augen der Klägeranwälte ein legitimes Anliegen der Unternehmen, das jedoch nur auf dem Weg eines ordentlichen Prozessvergleichs erreichbar sei. US-Senator D'Amato warnte die Klägeranwälte vor Illusionen und der prominenteste Vertreter jüdischer Organisationen, Israel Singer, versuchte den Konfrontationskurs abzuschwächen, indem er in Erinnerung rief, dass eine umfassende Konsenslösung erzielt werden sollte. Allerdings einte die Klägerseite die Auffassung, dass die Klärung der Rechtssicherheit zweitrangig und im Ablauf der anstehenden Gespräche über die strukturellen wie finanziellen Rahmenbedingungen der Wirtschaftsstiftung an letzter Stelle stehen solle.

Für die Stiftungsinitiative hingegen hing die geplante Fondslösung untrennbar mit der Option auf vollständigen und dauerhaften Rechtsfrieden zusammen. Inhaltliche und rechtliche Komponenten ihres Lösungsansatzes bedingten einander und mussten deshalb parallel beraten werden. Dass Unternehmen Gelder für eine Stiftung bereitstellten, während sie zugleich Prozessen bzw. anderen Angriffen in den USA und anderswo ausgesetzt blieben, sei nicht einzusehen, konstatierte Klaus Kohler für die Stiftungsinitiative. Einige Firmen hätten zudem bereits früher Abkommen mit Opferorganisationen getroffen und darin den Ausschluss des Rechtsweges vereinbart, was diese Organisationen, gemeint war die Claims Conference, aber nicht davon abgehalten habe, sich jetzt in die laufenden Prozesse einzubringen. Das gelte es nicht zu wiederholen. Schließlich sei verlässliche Rechtssicherheit Voraussetzung für die Teilnahme weiterer Unternehmen an der Stiftungsinitiative. Ein Prozessvergleich mit der daraus resultierenden Rechtsaufsicht amerikanischer Gerichte über eine deutsche Stiftung komme nicht in Betracht; darin läge zum einen ein Affront gegen die deutsche Souveränität, ganz abgesehen davon, dass die meisten der beklagten Unternehmen ohnehin nicht der US-Gerichtsbarkeit unterständen. Zum anderen würden neue und schwierige Rechtsfragen, z. B. die Anerkennung dieser Vergleiche in Europa, aufgeworfen. Ein gerichtlich überwachter Fonds würde im Übrigen auch nicht die prompte Auszahlung der Mittel gewährleisten, wie die beträchtlichen Verzögerungen im Schweizer Banken Vergleich belegten. Und schließlich gingen hohe Vergleichsgebühren, die einige Anwälte öffentlich immer wieder für sich einforderten, zu Lasten der Opfer.

Stuart Eizenstat und Bodo Hombach bemühten die Metapher von der Rechtssicherheit als Tor zur Errichtung der Wirtschaftsstiftung. Wie dieses Tor konstruiert sein sollte, war am Ende des Auftakts der Vorbereitungsgespräche unklarer denn je. Die Spannbreite der Gründe für eine Wirtschaftsstiftung reichte von der freiwilligen Geste bis zur Erfüllung einer lange vernachlässigten Entschädigungspflicht mit Reparationscharakter. In Fragen der Rechtssicherheit bestanden Vorstellungen, die einander mehr oder weniger ausschlossen. Die Konferenz hatte jedem Teilnehmer einen Vorgeschmack darauf vermittelt, wie schwierig es werden würde, zu einem Kompromiss zu gelangen.

Dass es um einen Kompromiss ging, der die Interessen aller Seiten so gleichberechtigt wie möglich berücksichtigte, daran ließ Stuart Eizenstat in seinem Abschlussvotum keinen Zweifel. »How to bring legal closure in ways that marry the German initiative with the class actions?«[112] – mit dieser Schlüsselfrage stellte Eizenstat die Weichen, das Stiftungsvorhaben zum Gegenstand internationaler *Verhandlungen* zu machen. Sie gaben die Richtung für die zukünftigen Gespräche vor: zwei unterschiedliche Rechtssysteme und Rechtskulturen miteinander in Einklang zu bringen für einen gangbaren Mittelweg, der allen Beteiligten hohe Flexibilität abverlangte.

Eine humanitäre Geste als Verhandlungsgegenstand – lag darin nicht ein Widerspruch in sich? In den Augen vieler Opfervertreter schon: »If the

German side strongly emphasizes the need to obtain legal guarantees«, hieß es z. B. von Seiten Polens, »then we can assume that we are dealing with legal claims. No legal guarantees are needed in the context of moral responsibility.«[113] Diese vordergründig verblüffende und oft variierte Argumentation ignorierte, dass die strittigen Klagen gerade eine »nur« moralische Verantwortlichkeit der Unternehmen in Zweifel zogen. Den Unternehmen ging es um verlässlichen Schutz vor den nach ihrer Überzeugung *unbegründeten* Klagen. Aus der Forderung der Stiftungsinitiative nach Rechtssicherheit auf die materiell-rechtliche Substanz der Ansprüche gegen Unternehmen zu schließen, griff daher schlicht zu kurz.

»Wir bekennen uns zu unserer Geschichte und zu unserer Verantwortung. Aber es handelt sich dabei nicht um rechtlich einklagbare Ansprüche, sondern um das Anerkenntnis, daß deutsche Unternehmen sich aus der Geschichte des Dritten Reiches nicht herauslösen können. Es ist zum Ende dieses Jahrhunderts und Jahrtausends ein Zeichen guten Willens, das abschließend und zukunftsgerichtet humanitäre Hilfe und Versöhnung an die Stelle juristischer Schuldvorwürfe setzen will.«
Manfred Gentz, Rede 12. 5. 1999

»The discussion on compensation for the victims of Nazi crimes is not and cannot be a moral judgement of today's Germany. Nonetheless, it must be remembered, that the Joint Declaration was signed 54 years after the end of World War II and after a very long period of avoiding legal and moral responsibility for organizing and profiting from the system of slave and forced labor.«
Polnische Delegation, Remarks 12. 5. 1999

»So, whether one calls it a moral gesture, whether one calls it legal rights, we have a fact that we have to face: class actions.«
Stuart Eizenstat, Pressekonferenz 12. 5. 1999

Humanitäre Leistungen und Rechtsfrieden: Konkretisierungen des Wirtschaftskonzepts

Die Stiftungsinitiative wollte sich das Heft des Handelns nicht aus der Hand nehmen lassen. Wenige Wochen nach Washington präsentierte sie ihr Konzept, das sie eingehend mit der Bundesregierung beraten und Eizenstat zur Kenntnis gegeben hatte. Auf einer Pressekonferenz am 10. Juni 1999 in Berlin erklärte Manfred Gentz Funktion und Struktur des Wirtschaftsfonds und machte noch einmal deutlich, dass der Schutz der Unternehmen vor gerichtlicher Inanspruchnahme die »unabdingbare Voraussetzung« für die Stiftungslösung darstelle.[114]

Der Fonds sollte als Stiftung bürgerlichen Rechts unter dem Namen »Erinnerung, Verantwortung und Zukunft« in Deutschland gegründet werden mit dem Zweck »an ehemalige Zwangsarbeiter (…) an durch das Nazi-Regime rassisch Verfolgte, die deswegen Vermögensschäden erlitten haben, sowie in anderen besonderen Härtefällen« Leistungen zu erbringen.[115] Der Kreis der Antragsberechtigten sollte jene Zwangsarbeiter umfassen, die deportiert worden und als KZ-Häftlinge oder unter Haft-, Ghetto- oder ähnlichen Lagerbedingungen länger als sechs Monate in damals oder heute privatwirtschaftlich organisierten deutschen Unternehmen eingesetzt waren.

Die Höhe der Einmalleistungen für diese besonders erschwerten Bedingungen der Zwangsarbeit sollte sich dabei nach der Kaufkraft bzw. dem Rentendurchschnitt der jeweiligen Länder bemessen, die Vergabe der Mittel sich an der Bedürftigkeit der Antragsteller nach deren Selbsteinschätzung orientieren, um so schnelle und unbürokratische Hilfe zu ermöglichen. Nachkommen und Erben ehemaliger Zwangsarbeiter sollten dann Leistungen erhalten, wenn der Berechtigte die Leistungen noch selbst beantragt hatte, danach aber verstorben war.

Das Kriterium der Bedürftigkeit aufgrund der aktuellen Lebenssituation sollte ebenso für rassisch Verfolgte gelten. Die Stiftung würde einen Ausgleich für Vermögensschäden gewähren, sofern nicht bereits nach den Wiedergutmachungsgesetzen der Bundesrepublik restituiert bzw. entschädigt worden war oder die Schäden hätten geltend gemacht werden können. Leistungsberechtigt sollten Betroffene, deren überlebende Ehepartner oder unmittelbare Nachkommen sein, sofern sie erbberechtigt waren. Für feststellbare Vermögenswerte, die außerhalb des Gebiets der heutigen Bundesrepublik belegen waren, sollten allerdings keine Leistungen erbracht werden, um auch, auf Anraten des Bundesfinanzministeriums, im Rahmen der Wirtschaftsstiftung die Grundsätze der deutschen Wiedergutmachungsgesetzgebung einzuhalten. Danach setzte die Restitution bzw. Entschädigung voraus, dass konfiszierte Vermögenswerte in den Geltungsbereich deutscher Gesetze gelangt waren.

Für die operative Arbeit der nach außen durch einen Präsidenten repräsentierten Stiftung sah das Konzept zwei Organe vor: Ein Kuratorium aus Vertretern der Stifterunternehmen, der Opfer sowie aus anerkannten Persönlichkeiten des öffentlichen Lebens sollte unter der Leitung eines Generalsekretärs Leitlinien und Grundsätze für die Mittelverteilung festlegen und die Umsetzung, unterstützt durch Wirtschaftsprüfer, überwachen. Entsprechend der zu erwartenden Anzahl von Leistungsanträgen sollte das Kuratorium für einzelne Länder bzw. Organisationen nach oben begrenzte Mittelplafonds festlegen. Antragsabwicklung und Auszahlung nach den Grundsätzen der Stiftung konnte es ebenfalls auf diese Partnerorganisationen übertragen.

Unter dem Dach der Stiftung sollte ein Fonds »Erinnerung und Zukunft« entstehen, in etwa der gleichen Höhe wie der humanitäre Teil. Aus seinen Erträgen sollten Projekte gefördert werden, »die der Völkerverständigung, der sozialen Gerechtigkeit und der internationalen Zusammenarbeit auf humanitärem Gebiet dienen, den Jugendaustausch unterstützen und die Erinnerung an die Bedrohung durch totalitäre Unrechtsstaaten und Gewaltherrschaft wach halten«. Nach diesen Grundsätzen sollte das Kuratorium über die Verwendung der Projektmittel befinden.

Die Pressekonferenz in Berlin sorgte in Washington und New York für Tumult. Der Schritt in die Öffentlichkeit mit einem eigenen Konzept und die dadurch demonstrierte Entschlossenheit der deutschen Unternehmen, die inhaltliche Federführung zu beanspruchen, rührte an den Nerv des Kompromissgedankens. Auf amerikanischer Seite herrschte helle Empörung über diesen vermeintlichen Alleingang. Eizenstat verlangte eine öffentliche Entschuldigung. Einige Klägeranwälte sprachen wütend von einem »Diktat« sowie mangelnder Ernsthaftigkeit des Verhandlungswillens der deutschen Seite und reagierten mit dem symbolischen Abbruch der in Washington parallel stattfindenden Expertengespräche über Fragen der Rechtssicherheit. Die Claims Conference schließlich hatte das Konzept schon auf der Pressekonferenz in Berlin in einem vorbereiteten Statement rundheraus abgelehnt. Hombach sah sich zu einer beruhigenden Stellung-nahme gegenüber Eizenstat veranlasst. Wie Gentz bereits zuvor, machte auch Hombach deutlich, dass das Konzept in den kommenden Gesprächs-runden intensiv mit allen Beteiligten erörtert werden sollte, um zu einem Konsens über die zahlreichen Einzelfragen zu gelangen.

Mit der aktiven Strategie der Stiftungsinitiative stellte sich die Frage der Öffentlichkeitsarbeit, deren Lösung Hombach gegen das zurückhaltende Interesse der Gründungsunternehmen bereits seit Monaten angemahnt hatte. Anfang Juli 1999 betraute der Koordinationskreis Wolfgang G. Gi-bowski mit der heiklen Aufgabe des Pressesprechers der Stiftungsinitia-tive. Als ehemaliger stellvertretender Chef des Informations- und Presse-amtes der Bundesregierung unter Helmut Kohl von 1991–1998 verfügte er über die im Umgang mit Medien gebotene Erfahrung, um die Haltung der Wirtschaft in einem überwiegend unternehmenskritischen Meinungs-klima zu Gehör zu bringen.[116]

Bei ihren Vorstellungen zur Rechtssicherheit musste die Stiftungsinitiati-ve Abstriche machen. Mit ihrem ursprünglichen Ziel eines staatsvertrag-lich garantierten Klageausschlusses konnte sich die Stiftungsinitiative nicht durchsetzen. In Verhandlungen mit der US-Regierung ließ sie sich deshalb auf ein Alternativkonzept ein, das eine Abweisung von Klagen zwar nicht mehr garantierte, doch hinreichend wahrscheinlich machte. Das Konzept stammte hauptsächlich aus der Feder von Roger Witten, der für Wilmer, Cutler & Pickering die Stiftungsinitiative beriet. Danach soll-te sich, mit dem Konsens aller Beteiligten über Funktionsweise und Fi-nanzierung der Wirtschaftsstiftung, die US-Regierung in einem Abkom-men mit der Bundesregierung (*Executive Agreement*) dazu verpflichten, bei allen Klagen gegen deutsche Unternehmen im Zusammenhang mit Nationalsozialismus und Zweitem Weltkrieg mit einem so genannten »Statement of Interest« vor Gericht zu intervenieren. Den darin vorgetra-genen Gründen für eine Abweisung sollten die Gerichte nun im Rahmen ihres eigenen Ermessens folgen und nicht, wie ursprünglich gedacht, zur Abweisung staatsvertraglich verpflichtet werden.

Für die Unternehmensvertreter hing die Bereitschaft, diesem Mechanis-mus zur Klageabweisung und zum Schutz vor neuen Klagen zu vertrau-en, von Inhalt und Überzeugungskraft des Statement of Interest ab. Ging es nach ihnen, sollte die US-Regierung den Gerichten die Stiftung als fai-ren Weg zur Hilfe für die Opfer sowie als überlegene Alternative zum

Rechtsstreit empfehlen und zugleich unterstreichen, dass fortgesetzte Prozesse und Konfrontationen die Beziehungen der USA zu einem ihrer wichtigsten Verbündeten belasteten, dass der Ausgleich von NS-Unrecht seit über 50 Jahren allein und zu Recht auf staatlicher oder zwischenstaatlicher Ebene erfolgte und daher für privatrechtliche Klagen kein Raum sei *(non-justiciability)*. Über Fragen außenpolitischer Tragweite zu entscheiden, fiel ohnehin in die Sphäre der Exekutive. Dieser Grundsatz, bekannt als *political-question-doctrin,* sollte deshalb ebenso in den Text aufgenommen werden wie eine Reihe anderer juristischer Hürden, die die Zuständigkeit der US-Gerichte im engeren Sinn betrafen und nicht zuletzt die Feststellung, dass die erhobenen Ansprüche rechtlich nicht begrundet waren: *no legal claims exist as a matter of law.*

Das neue Konzept zur Rechtssicherheit setzte also, um die laufenden Verfahren zu beenden und neue weitgehend zu vermeiden, auf abweisende Gerichtsurteile und die besondere Präzedenzwirkung von Einzelfallentscheidungen im amerikanischen Rechtssystem.

Sowohl die Vorstellungen der Stiftungsinitiative zur Stiftungsstruktur als auch der Kompromissvorschlag zum Rechtsfrieden dienten seither als Diskussionsgrundlage, akzeptiert auch von den übrigen Verhandlungsteilnehmern, darunter den Klägeranwälten, der Claims Conference und einigen osteuropäischen Regierungen. Mit dem Statement of Interest-Ansatz hatte sich die Stiftungsinitiative auf den pragmatischen US-Standpunkt eingelassen, dass die Klagen nun einmal Realität seien, ob begründet oder nicht. Umso enttäuschter reagierten die Vertreter der Wirtschaft, als die US-Regierung im Sommer 1999 ein »starkes« Statement of Interest ablehnte. Entgegen früheren, von den Wirtschaftsvertretern als Zusagen verstandenen Äußerungen wollte Washington zur Unbegründetheit der geltend gemachten Ansprüche vor Gericht keine Stellung mehr beziehen. Genau dies aber hielt die Wirtschaft um der juristischen – und nicht nur politischen – Wirkung des Statement of Interest willen für wesentlich. Dagegen drängte die US-Regierung die deutsche Seite, die staatliche Stiftung auf den Weg zu bringen. Zwischenstaatliches Handeln ließ sich damit innenpolitisch leichter legitimieren.

In der Frage, wie Rechtsfrieden gesichert werden könnte, hatten sich beide Seiten also im Sommer 1999 prinzipiell aufeinander zu bewegt. Nun ging es um den Inhalt des Statement of Interest, dem diplomatisch-juristischen Kernstück des Gesamtkonstrukts aus Stiftung, Regierungsabkommen und wechselseitigen Verpflichtungen aller Verhandlungsteilnehmer. Daneben blieben schwierige Detailfragen: Wie ließen sich die zwingenden Verfahrensvorschriften der Class Actions integrieren? Welche sonstigen Schritte waren für die bindende Abweisung der Klagen nötig bzw. ratsam?

Was würden schließlich Israel und die osteuropäischen Staaten veranlassen, ihrerseits Rechtssicherheit zu gewährleisten?

Für eine abschließende Einigung bedurfte es intensiver Verhandlungen über die Dauer eines Jahres. Sie führten die Verhandlungspartner im Zwei-Wochen-Rhythmus in Washington und Bonn, später Berlin zusammen. Dazwischen gab es unzählige Treffen und kontinuierlichen Meinungsaustausch unter den einzelnen Parteien, hart erarbeitete, dann doch wieder aufgegebene Kompromisse, mit anderen Worten, ein ständiges Hin und Her, zuweilen ein Vor und Zurück, was bei vielen Teilnehmern den kafkaesk anmutenden Eindruck hinterließ, ständig zu laufen ohne voranzukommen. In der Diktion der Pressemitteilungen las sich das als ein »Es wurden Fortschritte erzielt«. Dynamisches Auf-der-Stelle-Treten wechselte mit sprunghafter Bewegung in der Sache ab, oft ausgelöst durch Entwicklungen, die nichts unmittelbar mit dem Verhandlungsverlauf zu tun hatten.

Das Ziel, zeitnah mit den Auszahlungen zu beginnen, trieb alle Seiten an. Den Ablauf und das Tempo der Konsultationen aber bestimmte die Methode, mit der die Struktur der Stiftung und der Prozess der Klagebeendigung verknüpft wurde. Diese Methode, virtuos beherrscht von Stuart Eizenstat, beruhte auf dem Grundgedanken der »Symmetrie«.

Aspekte der Verhandlungsdynamik:
Die zentrale Funktion der »Spiegelbild«-Theorie
und ihre Folgen

Dreh- und Angelpunkt der deutsch-amerikanischen Verhandlungen bildete das Statement of Interest und die Frage, in welchen Fällen die US-Regierung es abzugeben bereit war. Eizenstat band diese Frage an die inhaltliche Reichweite der Stiftung. Danach sah sich die US-Regierung nur in jenen Fällen zu einem Statement of Interest in der Lage, die von der Stiftung berücksichtigt wurden. Die Stiftung wurde so als alternative rechtliche Möglichkeit (*alternative remedy*) dargestellt, die den Verzicht der Kläger auf den Rechtsweg begründen können müsse und deshalb alle denkbaren Ansprüche einzubeziehen hätte. Eizenstat bezeichnete diese Logik der symmetrischen Entsprechung als »Spiegelbild«-Theorie (*mirror-image-theory*).[117] Ihre Anwendung folgte keiner zwingenden juristischen Notwendigkeit. Vielmehr resultierte sie aus der Auffassung der US-Regierung, den gegen deutsche Unternehmen geltend gemachten Forderungen letztlich eine gewisse Rechtserheblichkeit zuzumessen. Die energische Umsetzung der Spiegelbild-Maxime wirkte kaum weniger präjudizierend auf den Gang der Verhandlungen und die Ergebnisse der Stiftungskonzeption als eine rechtliche Norm. Sie spiegelte die Entscheidung der US-Regierung wider, die anstehenden Verhandlungen auf eine Weise zu strukturieren, die genügend Handlungsspielräume zur Durchsetzung politischer Prioritäten eröffnete. Das Statement of Interest diente als Instrument einer politischen Logik. Die US-Regierung machte ihre Bereitschaft zur Intervention vor Gericht von der Reichweite und damit zugleich vom Umfang der künftigen Stiftung abhängig.

Die Spiegelbild-Theorie stieß bei der Bundesregierung wie der Stiftungsinitiative auf prinzipielle Ablehnung. Der Koordinationskreis unter der Leitung von Manfred Gentz erkannte schnell, dass unter diesen Voraussetzungen ein Betrag in Höhe von ein bis zwei Milliarden DM nicht ausreichen und man sich auf eine deutliche Erhöhung einzustellen haben würde. Umso ernüchternder war für die Unternehmen der Eindruck, dass sich das versprochene Statement of Interest in seiner Aussagekraft peu à peu abschwächte, und zwar umgekehrt proportional zur zunehmenden Reichweite der Stiftung. Was aus Sicht der deutschen Wirtschaft von zentraler Bedeutung für die Rechtssicherheit war, suchte die US-Regierung unter allen Umständen zu vermeiden: ihr außenpolitisches Interesse an Klagabweisungen in einer Weise zu äußern, die Geltung als eigenständiger Rechtsgrund beanspruchen konnte.

Die Spiegelbild-Theorie einerseits und die Justiziabilität der Ansprüche andererseits stellten Prämissen der Verhandlungsführung Stuart Eizenstats dar. Sie führten aus Sicht der Stiftungsinitiative zu einer tiefgreifenden und nachhaltigen Stärkung der Klägeranwälte. Nichtsdestoweniger bezeichneten sich die USA als bloße Vermittler, die die unterschiedlichen Interessen ausbalancierten, als »mediator« oder »facilitator«[118]. Doch waren die Prämissen und ihre Handhabung derart durchschlagend, dass die üblicherweise mit dem Begriff »Vermittlung« assoziierte Neutralität und Unparteilichkeit im Hinblick auf die Rolle der USA wohl von keinem der Verhandlungsteilnehmer, außer den USA selbst, als adäquate Beschreibung empfunden wurde.

Kurz, mit wenigen Festlegungen bestimmten die USA den modus operandi der Verhandlungen. Die Gestalt der Stiftung wurde mit dem Gerüst der Rechtssicherheit verzahnt. Die dabei zur Bedingung gemachte »Symmetrie« tarierte die US-Regierung nach politischem Ermessen aus. So sahen es zumindest die Verhandlungspartner auf Wirtschaftsseite.

Bezeichnendes Beispiel für die Anwendung der Spiegelbild-Theorie war der Umgang mit Forderungen im Namen der Erben von Sklaven- und Zwangsarbeitern. Dabei ging es nicht um jene individuellen Leistungen aus der Stiftung, die den Nachkommen von potentiellen, nach dem später vereinbarten Stichtag, dem 16. Februar 1999, verstorbenen Antragstellern zugute kommen sollten. Vielmehr stand ein umfassender Erbanspruch zur Debatte, der nach Auffassung der Klägeranwälte jenen gebührte, für die zwar der Stichtag zu spät kam, die aber als Nachfahren ehemals Betroffener an deren Stelle traten und nun quasi überlebende Ansprüche verkörperten. Während die Vertreter der deutschen Wirtschaft derart weitgehende Erbansprüche entschieden ablehnten mit der Begründung, dass persönliches Leid nicht vererbbar sei, unterstützte Stuart Eizenstat indirekt die gegenteilige Sicht, indem er betonte, dass die US-Regierung den Gerichten nur dann raten würde, Ansprüche abzuweisen, wenn die Stiftung eine Alternative bieten würde; im Falle der Erben aber gäbe es nach den Vorstellungen der Wirtschaft keine Alternative. Wie die Klägeranwälte sprach sich Eizenstat dafür aus, Mittel des Zukunftsfonds zum Ausgleich des umfassenden Erbanspruchs heranzuziehen. Weil der große und schwer zu bestimmende Empfängerkreis der Erben unter Gesichtspunkten der Praktikabilität keine Individualleistungen zuließ, sollten Leistungen aus dem Zukunftsfonds erfolgen, die den Interessen der Erben am nächsten kamen.[119] Gedacht war z. B. an die Finanzierung medizinischer Hilfe, von »care«-Paketen, Stipendien, Existenzgründerkrediten und, wie die Claims Conference vorschlug, an Programme, die den »memory«-Faktor berücksichtigten.

Die Stiftungsinitiative vertrat dagegen von Anfang an eine zielgruppenoffene Bestimmung des Zukunftsfonds. Er sollte sich vor allem der internationalen Zusammenarbeit auf humanitärem Gebiet und der völkerverbindenden Jugenderziehung widmen. Das Bewusstsein für die Bedrohung durch totalitäre Gewaltherrschaft und die konkrete Erinnerung an das in der NS-Zeit geschehene Unrecht galt den Protagonisten der Stiftungsinitiative als Vermächtnis der Opfer und als andauernde Mahnung, »damit sich ähnliches nie und nirgendwo auf der Welt wieder ereignet«.[120] Weil die systematische, staatlich verordnete oder gesellschaftlich geduldete Diskriminierung von Menschen aufgrund ihres Glaubens, ihrer Rasse, ihrer Herkunft oder ihres Geschlechts einen zentralen Ausgangspunkt und wesentlichen Funktionsmechanismus totalitärer Herrschaft bildet, sollten sich die Aufgabenbereiche des Zukunftsfonds auf die Überwindung von Intoleranz und Ausgrenzung konzentrieren. In diesem friedenstiftenden und zukunftsgerichteten Sinn erschien eine breite Palette von Projekten förderungswürdig. Sie konnte von medizinischer Hilfe für NS-Opfer und Opfer anderer Gewaltherrschaft, wissenschaftlicher Forschung zu totalitären Systemen, Erwachsenenbildung, generationenübergreifender Begegnung, Beiträgen zur Arbeit von Gedenkstätten bis zu Jugend- und Kulturaustausch reichen. Aus grundsätzlichen Überlegungen schloss die Stiftungsinitiative deshalb eine umfassende Erbenberechtigung durch die Hintertür des Zukunftsfonds aus.

Die Vertreter der mittel- und osteuropäischen Staaten zogen den Sinn eines Zukunftsfonds generell in Zweifel, mit dem Argument, dass die individuelle Entschädigung Überlebender absoluten Vorrang einzunehmen habe. Diese Position konnte sich aber im Verlauf der Verhandlungen, die den Zukunftsfonds immer wieder auf die Tagesordnung brachten, ebenso wenig durchsetzen wie die prinzipielle Zielgruppenoffenheit der Wirtschaft oder der weitgehende Erbenbezug der Klägeranwälte. Am Ende stand ein Kompromiss, der stark von den politischen Maßgaben der US-Regierung beeinflusst wurde: ein partieller Erbenbezug des Zukunftsfonds, der letztlich mit einer Dotierung von 700 Mio. DM deutlich unter der Grenze dessen lag, was die deutsche Seite vorgesehen hatte.

J. D. Bindenagel, der als diplomatischer Sonderbeauftragter des US-Präsidenten für Holocaust-Angelegenheiten die Bemühungen Eizenstats begleitete, charakterisierte die Komplexität des ganzen Stiftungsunterfangens rückblickend als »political negotiations with commercial and legal components sprinkled with moral rectitude«.[121] Nichts trifft die Überlagerung der ursprünglichen Intention einer humanitären Geste der Wirtschaft durch einen hochpolitischen »deal« genauer.

Personelle und institutionelle Veränderungen: Der »Beauftragte des Bundeskanzlers für die Stiftungsinitiative der deutschen Unternehmen« und die Koppelung von Wirtschafts- und Bundesfonds

Der Akzentuierung des politischen Charakters der Verhandlungen kam die personelle Veränderung an der Spitze der deutschen Delegation sehr entgegen. Ende Juli 1999 ernannte Bundeskanzler Gerhard Schröder mit Otto Graf Lambsdorff als Nachfolger Bodo Hombachs einen Mann zum »Beauftragten des Bundeskanzlers für die Stiftungsinitiative deutscher Unternehmen«, der über außerordentliche internationale Erfahrung verfügte und hohe Anerkennung in den USA genoss. Von Vorteil schien darüber hinaus, dass sich der neue Kanzlerbeauftragte und Stuart Eizenstat bereits seit langer Zeit persönlich gut kannten. Graf Lambsdorff, der außerdem mehr Zeit hatte als Hombach, stützte sich auf einen interministeriellen Arbeitsstab, an dessen Spitze mit Michael Geier ein überaus versierter und erfahrener Beamter des Auswärtigen Amtes stand.

Der Bundeskanzler kündigte durch Graf Lambsdorff seine Absicht an, nach der parlamentarischen Sommerpause einen Regierungsentwurf zur Errichtung einer Bundesstiftung ins Parlament einzubringen. Damit reagierte er auf die immer wieder von US-Seite angemahnte gleichzeitige Umsetzung einer Wirtschafts- bzw. staatlichen Stiftung, wie sie auch die Stiftungsinitiative wiederholt gefordert hatte. Von einer institutionellen Verschmelzung aber war bis dahin nicht die Rede gewesen. Diese Idee kam erst Ende August 1999 in Bonn am Rande der vierten Plenarsitzung zur Sprache, in deren Rahmen es zum ersten Mal auch um Zahlen ging. In einem Sechs-Augen-Gespräch mit Graf Lambsdorff und Manfred Gentz schlug Eizenstat die Koppelung vor und nannte zugleich einen Betrag, der als nach oben begrenzte Gesamtsumme die Leistungen von Wirtschaft und Staat bündeln sollte: 10 Mrd. DM. Gemessen an den exorbitanten Forderungen der Klägeranwälte, die Zahlen zwischen 40 Mrd. DM und 80 Mrd. DM in den Raum gestellt hatten, nahm sich der Betrag gemäßigt aus. Für Gentz war er inakzeptabel. Unter Hinweis auf die bisher »gehandelten« 2 Mrd. DM der Wirtschaft lehnte er eine Diskussion auf dieser Basis nachdrücklich ab. Graf Lambsdorff äußerte sich nicht. John Kornblum, US-Botschafter in Deutschland, der ebenfalls zugegen war, signalisierte am nächsten Tag gegenüber dem Vorstandssprecher der

Deutschen Bank, Breuer, dass eine Gesamtsumme von 8 Mrd. DM denkbar sei – sehr zum Unwillen Eizenstats, der die Bedeutung des Vorstoßes später herunterspielte.

Die beiden Chef-Unterhändler, Eizenstat und Lambsdorff, hatten Fragen der Finanzierung vertraulich vorstrukturiert. Der Kompromiss, bei dem eine Einigung aller Seiten politisch erreichbar schien, lag im niedrigen zweistelligen Milliardenbereich – »low two digits« in der Diktion der Verhandlungsteilnehmer. Vor diesem Hintergrund erfüllte die Koppelung von Wirtschafts- und Bundesstiftung die Funktion, das Finanzvolumen für Verhandlungen zu erhöhen. Die Idee einer aus zwei Quellen, Wirtschaft und Staat, gespeisten Stiftung öffentlichen Rechts in ihrer heutigen Form setzte sich durch. Wie hoch der jeweilige Anteil ausfallen sollte, war dagegen noch nicht klar. Die Überlegungen zur Rechtsform einer separaten Wirtschaftsstiftung wurden nun ebenso obsolet wie der für den 1. September 1999 ins Auge gefasste Auszahlungsstart. Denn mit dem Abschluss des Gesetzgebungsverfahrens, das der Bundesanteil an der gemeinsamen Stiftung erforderte, war erst im zweiten Quartal des Jahres 2000 zu rechnen.

Anfang September 1999 bekräftigten die beiden Regierungschefs, Bill Clinton und Gerhard Schröder, diese Weichenstellungen. Der US-Präsident verband gegenüber dem deutschen Bundeskanzler das Plädoyer für eine einzige Stiftung mit dem drängenden Appell an die Großzügigkeit der deutschen Seite. Bundeskanzler Schröder unterstrich seine Bereitschaft zu einem Bundesbeitrag und hob die Entschlossenheit der Unternehmen hervor, substanzielle finanzielle Beiträge zu erbringen sowie weitere Unternehmen für eine Teilnahme zu gewinnen. Davon hatte er sich in einem spannungsvollen Treffen mit Spitzen der deutschen Wirtschaft und Graf Lambsdorff am 6. September 1999 in Berlin überzeugt. Die Wirtschaftsseite sagte bei dieser Gelegenheit zu, abschließend 4 Mrd. DM zur Stiftung beizusteuern. Auf die Verdoppelung des ursprünglich gedachten Maximalbeitrags hatte man sich im Kreis der Initiativunternehmen verständigt, nachdem die bisherigen Verhandlungen gezeigt hatten, dass die US-Regierung die Reichweite und damit das Volumen der Stiftung als Messlatte für den Rechtsfrieden ansetzte. Überdies wollte man ein als unwürdig empfundenes, der Sache nicht angemessenes »Hinaufhandeln« vermeiden und daher von Anfang an eine respektable Summe beziffern. Der Bund, erklärte der Kanzler, würde weitere 2 Mrd.

DM zur Verfügung stellen, Leistungen der finanzstarken privatisierten Unternehmen der öffentlichen Hand inbegriffen. Einige Vertreter der Stiftungsinitiative hielten deren Zurechnung zum Bundesanteil unter marktpolitischen Gesichtspunkten allerdings nicht für selbstverständlich.

Mit insgesamt 6 Mrd. DM lag nach Überzeugung von Wirtschaft und Regierung ein faires deutsches Gesamtangebot auf dem Tisch. Entschlossen erteilte der Kanzler deshalb der Spiegelbild-Theorie Eizenstats eine klare Absage. Er fürchtete zu Recht, dass die Koppelung des Statement of Interest an die Reichweite der Stiftung genug Anlässe schaffen würde, die finanziellen Forderungen immer weiter in die Höhe zu schrauben. Es sei, so der Bundeskanzler, wenig hilfreich, die Zahl der Anspruchsberechtigten zu erhöhen. Es sei offensichtlich, dass nicht alle Personen berücksichtigt werden könnten, die Ansprüche zu besitzen glauben. Ebenso selbstverständlich könne sich daher aber die rechtliche Unterstützung durch die US-Regierung nicht nur auf die Fälle beschränken, die Leistungen aus der Stiftung zu erwarten hätten.[122]

Die politische Logik der Entsprechung zu durchbrechen, gelang dem Bundeskanzler nicht. Der Radius der Stiftung und die Rechtssicherheit blieben in der Verhandlungsstrategie aufeinander bezogen. Gleichwohl verließ sich Gerhard Schröder auf die persönliche Zusage Stuart Eizenstats und vor allem des US-Präsidenten, dass die USA – bei Gründung der Stiftung – die deutschen Unternehmen vor den US-Gerichten in vollem Umfang unterstützen würden.

Ein unerwartetes Junktim der US-Regierung ließ daran auf Wirtschaftsseite allerdings erhebliche Zweifel aufkommen. Mit Aufnahme der Sondierungsgespräche über den Finanzrahmen der künftigen Gesamtstiftung im Sommer 1999 schränkten die USA ihre Bereitschaft, ein Statement of Interest abzugeben, ein. Jetzt sollte in anhängigen Verfahren die vorherige Zustimmung zur freiwilligen Klagerücknahme (*voluntary dismissal*) erforderlich sein. Ein Kernelement der Rechtssicherheit – die Abgabe eines Statement of Interest – hing damit vom Einvernehmen der Klägeranwälte ab: Nur in »konsensualen Fällen« wollte die US-Regierung vor Gericht intervenieren. Der Weg zum Konsens führte über die Einigung auf eine Gesamtsumme. Das schien der wichtigste, wenn nicht der entscheidende Punkt für den erfolgreichen Abschluss der Gespräche zu sein.

Weichenstellungen: Finanzverhandlungen und Statement of Interest – Sachliche und politische Verknüpfungen

Burt Neuborne, einer der profiliertesten Köpfe unter den Klägeranwälten, brachte das Junktim zwischen Stiftungsumfang und Klageverfahren auf die Formel, Substanz und Prozess seien nicht künstlich zu trennen. Zur Substanz der Stiftung gehörte ihre finanzielle Ausstattung, zum Prozess der Klagebeendigung das Statement of Interest. Geld und Rechtssicherheit hingen auf diese Weise unmittelbar voneinander ab. Melvyn Weiss' Äußerungen in den Verhandlungen blieben vielen Teilnehmern auf Wirtschaftsseite im Gedächtnis haften: »Für viel Geld gibt's viel Rechtssicherheit, für wenig Geld wenig Rechtssicherheit.«

Die Klägeranwälte verstanden sich als Hüter der Fairness einer umfassenden Regelung und erachteten ihre Mitsprache deshalb als selbstverständlich, obwohl es bei den internationalen Konsultationen ja nicht um gerichtliche Vergleichsverhandlungen ging. Die mit der Betragsfindung einhergehende, politisch gewollte Verknüpfung des Statement of Interest mit der einvernehmlichen Klagerücknahme verhalf den Klägeranwälten trotzdem zu einer starken Ausgangsposition. Von Beginn an hatten sie zu Verhandlungen über die Höhe des Fonds gedrängt. Sobald die Idee der kombinierten Bundes-/Wirtschaftsstiftung im Sommer 1999 deutliche Konturen annahm, verlangten sie, den Kreis der Leistungsberechtigten zu erweitern. Ihre Bereitschaft zur Klagerücknahme knüpften sie an den Abschluss des deutschen Gesetzgebungsverfahrens. Der ursprünglich von Mel Weiss u. a. vertretene Ansatz einer »universellen Lösung«, bei der die Bundesregierung Verantwortung übernehmen sollte, hatte politischen Rückenwind erhalten.

Im August 1999 eröffneten die Klägeranwälte die Phase von Angebot und Gegenangebot. Die Rede war von utopischen Ziffern zwischen 40 und 80 Mrd. DM. Für die Einigung auf eine realistische Obergrenze blieben nur wenige Monate Zeit. Bis zum Jahreswechsel 1999/2000 wollten alle Verhandlungsteilnehmer aus psychologischen Gründen ein Ergebnis vorweisen können.

Die Höhe der Stiftungssumme hing mit dem Kreis der Leistungsberechtigten zusammen. Wer sollte im Gegenzug für den Verzicht auf den Rechtsweg in welcher Höhe Zahlungen aus der Stiftung erhalten? Nach

Ansicht der deutschen Delegation mussten Vermögensschäden und Zwangsarbeit als Gesamtpaket geschnürt werden. Die Klägeranwälte und Vertreter Mittel- und Osteuropas wollten dagegen beides am liebsten getrennt verhandelt wissen, konnten sich damit aber nicht durchsetzen.

Ein ganzer Katalog von Fragen stand an. Die offenen Punkte betrafen u. a. die Art der Forderungen gegen Banken und Versicherungen, das Verhältnis zwischen den für Vermögensschäden bzw. Zwangsarbeit vorgesehenen Beträgen und die Differenzierung von Sklaven- und Zwangsarbeit. Auf diese begriffliche Unterscheidung hatten sich die Verhandlungsteilnehmer bereits seit langem verständigt.[123] Maßgeblich war die Schwere des Schicksals. Für dessen Einstufung brachte man den Lagertypus in Ansatz. Diejenigen, die unter KZ-Bedingungen oder in geschlossenen Ghettos inhaftiert worden waren, galten als Sklavenarbeiter. Diejenigen, die unter haftähnlichen Arbeits- und Lebensbedingungen in weniger unmenschlichen, gleichwohl bewachten Lagern untergebracht waren, zählten zu den Zwangsarbeitern. Zu klären waren jetzt Kriterien, um die Anzahl der überlebenden Sklaven- und Zwangsarbeiter zu bestimmen, ebenso wie das Verhältnis der Leistungen zwischen den beiden Kategorien, die Höhe der per capita Beträge sowie die Anrechnung bereits früher erhaltener Mittel aus öffentlicher oder privatwirtschaftlicher Hand. Der ursprünglich von den Unternehmen vorgeschlagene Bezug der Stiftungsleistungen zur Bedürftigkeit der Empfänger und zur Kaufkraft in den jeweiligen Ländern war bereits vom Tisch.

Florenzer Zahlen

Im September 1999 fand unter der Leitung Lutz Niethammers am europäischen Hochschulinstitut in Florenz eine von der Bundesregierung getragene, internationale Tagung statt mit dem Ziel, die Zahl der noch lebenden Sklaven-und Zwangsarbeiter als Grundlage für die Bezifferung der Stiftungssumme historisch korrekt zu bestimmen.[124]

Das Hauptproblem war dabei die Ermittlung vergleichbarer, schlüssiger Daten in Abgrenzung zu Daten, deren Zustandekommen sich eher aus dem Postulat historischer Gerechtigkeit als dem der Nachprüfbarkeit erklärte. Aus dem Bemühen um datengestützte Berechnungen ergab sich die Unterscheidung der zur Arbeit gezwungenen Zivilisten nach zwei

Kriterien: »Deportation« bzw. »Dislozierung« (Verschleppung). Dem Anspruch eines gesicherten und für Vergleiche geeigneten Kriteriums wurde das Faktum der Deportation in das Deutsche Reich in den Grenzen von 1937 gerecht. Hingegen war Zwangsarbeit in den angegliederten oder besetzten Gebieten schwieriger nachzuprüfen. Die Angaben zu Größenordnungen basierten hier folglich eher auf Schätzungen, die unter den Begriff »disloziert« gefasst wurden.

Deportiert: Zwangsweise vom Heimatort zum Arbeitseinsatz in das Deutsche Reich (in den Grenzen von 1937) verbracht.

Disloziert: Zwangsweise vom Heimatort zum Arbeitseinsatz außerhalb des Deutschen Reiches (in den Grenzen von 1937) verbracht und zwar
– in die seit 1938/39 angegliederten Gebiete (»Ostmark«, »Protektorat Böhmen und Mähren«, »Wartheland«, »Generalgouvernement«, Elsaß-Lothringen), d. h. ins »Großdeutsche Reich«,
– in besetzte Gebiete und zwar außerhalb des Heimatlandes sowie
– innerhalb des Heimatlandes

Um die Anzahl der potentiellen Leistungsberechtigten festzustellen, wurden die Kriterien »deportiert« und »disloziert« jeweils mit den beiden Kategorien der Sklaven- bzw. Zwangsarbeiter in einen rechnerischen Zusammenhang gebracht. Klar war auch, dass Leistungen für Sklavenarbeiter höher sein sollten als für Zwangsarbeit, um wie viel war umstritten. Sehr viel später einigte man sich in den Verhandlungen auf einen per capita Höchstbetrag für Sklavenarbeit in Höhe von 15 000 DM, für Zwangsarbeit in Höhe von 5000 DM.

Je nach Kombination erhielt man eine andere Zahlenbasis zur Kalkulation der danach erforderlichen Stiftungssumme, deren Höhe zudem nach dem jeweils angesetzten Höchstbetrag der Einmalleistungen variierte. Für welche Kombination (Sklaven-/Zwangsarbeit; deportiert/disloziert; Höchstbeträge) man sich entschied, hing wiederum von politischen Prioritäten ab. In die Entscheidungsfindung floß ebenso die Gesamthöhe der Stiftungssumme ein, die für alle Seiten akzeptabel sein musste – eine Festlegung, die in noch viel höherem Maße politischen Erwägungen gehorchte. Eizenstat bezeichnete diesen aus politischen und historischen Komponenten zusammengesetzten Prozess der Annäherung als »top down process by working through a bottom up process«.

Dieses Unterfangen war schwierig, weil es galt, die gebotenen wissenschaftlichen Anforderungen an historische und demographische Methoden mit den unterschiedlichen Erwartungen an die Stiftungshöhe in Übereinstimmung zu bringen. Wirtschaft und Bundesregierung hielten die von den Versöhnungsstiftungen genannten Größenordnungen noch lebender Sklaven- und Zwangsarbeiter – mit Ausnahme der tschechischen Schätzungen – für überhöht. Beobachtern aus Kreisen der Stiftungsinitiative drängte sich der Eindruck auf, dass selbst die Zahl von ca. 1,1 Millionen Menschen, die die Bundesregierung schließlich als Ergebnis der Florenzer Recherche in die Verhandlungen einbrachte und die die Wirtschaftsseite als Grundlage akzeptierte, »vom Ergebnis her kam«.

Eine Gruppe blieb dabei allerdings politisch zunächst unberücksichtigt und wurde auch später von niemandem am Verhandlungstisch vertreten: nichtjüdische Zwangsarbeiter aus Westeuropa und aus nicht repräsentierten osteuropäischen Staaten. Für diesen so genannten »Rest der Welt« übernahm die Bundesregierung eine Art Mandat.

Top Down – Bottom Up

Das Begriffspaar »top down« versus »bottom up« transportierte den generellen Gegensatz der Konzeptionen in der Diskussion um die Anzahl leistungsberechtigter Sklaven- und Zwangsarbeiter unterschwellig stets mit. »Top down« stand für die Auffassung, dass aus humanitären Gründen eine begrenzte Summe an klar bestimmte Gruppen verteilt werden sollte und sich die Höhe der Summe letztlich an der Freiwilligkeit der Stifter bemaß. Dagegen verband sich der »bottom up«-Ansatz mit der Überzeugung, dass Rechtsansprüche ehemaliger Zwangsarbeiter bestünden, was eine Berechnung und Verteilung der Stiftungsmittel als per capita Entschädigung nach Maßgabe der Leistungskraft der deutschen Unternehmen nahe legte.

Kurz, es ging darum, ob die Verteilung aus der Summe (top down), oder die Summe aus der Verteilung (bottom up) resultieren sollte – mit Konsequenzen sowohl für die Ausgewogenheit der Leistungen unter den einzelen Berechtigtengruppen als auch für das Verhältnis zwischen Wirtschafts- und Bundesbeitrag. So argwöhnten etwa die Vertreter Mittel- und Osteuropas, gegenüber der Claims Conference benachteiligt zu werden, falls nicht vor der Einigung auf eine Gesamtsumme der Verteilungsschlüssel festgelegt würde. Der Verteilungsschlüssel beeinflusste wiederum die Größenordnung insgesamt und war insofern für die Relation der Leistungen von Bund und Wirtschaft maßgeblich, als sie je nach Zuordnung der berücksichtigten Kategorien zum staatlichen bzw. wirtschaftlichen Verantwortungsbereich unterschiedlich ausfiel.

Der US-Seite schwebte zunächst ein Verhältnis der Beiträge Wirtschaft: Bund von 5:1 vor. Die Zuständigkeit des Bundes sah sie allein bei den ehemals im öffentlichen Sektor und in der Landwirtschaft eingesetzten Zwangsarbeitern. Für den großen »Rest«, darunter geschätzte rund 240 000 noch lebende Sklavenarbeiter, sollte die Wirtschaft aufkommen. In Milliarden DM ausgedrückt lautete Eizenstats Formel für die Gesamtsumme »10+2«, Vermögensschäden mit Ausnahme der Versicherungen inbegriffen; Zahlen, die im September 1999 nur in kleinstem Kreis kursierten.

Balanceakte

Ungeachtet des »top down« bzw. des »bottom up« fand ein regelrechtes Tauziehen um die Obergrenze des Stiftungsbetrags statt, in der internationalen Presse überwiegend in einer Weise kommentiert, die das Geschehen als beschämenden Ablasshandel wiedergab. Wirtschaft und Bundesregierung hatten sich im September 1999 intern auf den Gesamtbetrag von 6 Mrd. DM als definitiver Obergrenze verständigt. Im Oktober 1999 – die Verhandlungsteilnehmer waren in Washington zur fünften Plenarrunde zusammengekommen – unterbreitete die deutsche Seite zum ersten Mal ihr Gesamtangebot. Graf Lambsdorff bezeichnete die Summe von 6 Mrd. DM bei dieser Gelegenheit allerdings öffentlich als das »vorerst letzte Angebot« – sehr zum Ärger der verblüfften Unternehmensvertreter.

Die Forderungen der Klägeranwälte lagen jetzt bei 10 Mrd. DM und mehr. Ihre Verhandlungsposition hatte sich jedoch inzwischen durch eine Gerichtsentscheidung substanziell abgeschwächt. Wenige Wochen zuvor, Mitte September 1999, hatten zwei Richter am Bundesgericht in New Jersey die dort gegen Ford bzw. die deutsche Tochter Ford Werke AG, gegen Degussa AG und Siemens AG anhängigen Sammelklagen abgewiesen. Es handelte sich um die ersten Urteile in den seit 1998 gegen deutsche Unternehmen anhängigen Verfahren. Die beiden Richter, Joseph A. Greenaway (im Verfahren gegen Ford AG) und Dickinson R. Debevoise (im Verfahren gegen Siemens AG und Degussa AG), trennte eine Generation, aber einte die Überzeugung, dass die Befassung amerikanischer Zivilgerichte mit der Regelung von Kriegsfolgen an die Gewaltenteilung rühre und daher nicht Sache des Gerichts sei.

Für Richter Debevoise, einen der renommiertesten Bundesrichter in den USA, der als junger Mann 1944 an der Landung der Alliierten in der Normandie teilgenommen und der sich mit der Geschichte des Zweiten Weltkriegs intensiv auseinander gesetzt hatte, ging es hier nicht um bloße Kontroversen zwischen Privatparteien. Die in Rede stehenden Ansprüche ehemaliger Zwangsarbeiter gehörten vielmehr zu den zwischenstaatlich zu regelnden Reparationsfragen. Gäbe es hier Defizite, stünde es einem Zivilgericht nicht zu, die dafür verantwortlichen politischen Entscheidungen bzw. die internationalen Verträge auf den Prüfstand zu stellen und gegebenenfalls zu revidieren.

>>It is not accurate to characterize the present actions as simply controversies between private partys ... In effect, plaintiffs are inviting this court to try its hands at refashioning the reparations agreements which the United States and other World War II combatants (whose blood and treasure brought the war of conquest and the program of extermination to an end) forged in the crucible of a devastated postwar Europe and in the crucible of the Cold War ... this is a task which the court does not have the judicial power to perform. To state the ultimate conclusion, the questions whether the reparation agreements made adequate provision for the victim of Nazi oppression and whether Germany has adequately implemented the reparation agreements are political questions which a court must decline to determine.<<

Burger-Fischer v. Degussa AG,
Dickinson R. Debevoise vom 13. September 1999.

Selbst wenn ein Gericht dazu in der Lage wäre, welchem Standard, fragte Richter Debevoise, sollte es folgen, um einen gerechten und angemessenen Ausgleich für all die verschiedenen Gruppen zu finden, die nicht zu den jetzt repräsentierten Klägern gehörten, die aber ebenfalls während des Krieges in vielen Ländern zu Schaden gekommen seien und möglicherweise Ansprüche gegen deutsches Vermögen besäßen? Im Lichte der diplomatischen Bemühungen der letzten 55 Jahre und angesichts einer Reihe internationaler Verträge zur Regelung der Folgen des Zweiten Weltkriegs bzw. von NS-Unrecht – er nannte das Potsdamer Abkommen (2. 8. 1945), das Pariser Reparationsabkommen (14. 1. 1946), das Londoner Schuldenabkommen (27. 2. 1953), die Reparationsverzichtserklärungen Polens und der Sowjetunion (22. 8. 1953), den Überleitungsvertrag (26. 5. 1954), sowie den 2+4-Vertrag (3. 9. 1990) – überstieg ein Urteil in der Sache die Zuständigkeit des Gerichts.[125] Insoweit folgte er der Auffassung der Bundesregierung, die an praktisch allen Verfahren gegen deutsche Unternehmen als *amicus curiae* teilgenommen und den zwischenstaatlichen Charakter der geltend gemachten Ansprüche wiederholt hervorgehoben hatte.

Gleichwohl betonte Richter Debevoise, dass die »Giganten der deutschen Industrie« einen integralen Part bei Verbrechen wie Sklaven- und Zwangsarbeit gespielt hätten, verwies jedoch zugleich auf den klaren Kriegszusammenhang, der die jetzt gegen die deutschen Unternehmen gerichteten Ansprüche in den Kontext der Reparationsproblematik und damit der Nachkriegspolitik der Alliierten stellte.[126]

»Major policy determinations are implicated in the determination of the size and the allocation of reparations. They are not the subject of judicial discretion. For a court ... to structure a reparations scheme would be to express the ultimate lack of respect for the executive branch which conducted negotiations on behalf of the United States and for the Senate which ratified the various treaties which emanated from theses negotiations. Theses are decisions which were made in the face of serious foreign policy concerns.«

Burger-Fischer v. Degussa AG,
Dickinson R. Debevoise vom 13. September 1999.

Infolge dieser Urteile, gegen die eine Reihe von Klägeranwälten, die auch an den Stiftungsverhandlungen teilnahmen, Berufung einlegte, verschob sich das Kräfteverhältnis zu Gunsten der deutschen Wirtschaft – mit unmittelbaren Rückwirkungen auf die laufenden Expertengespräche über Rechtssicherheit. Das federführende US-Justizministerium zeigte sich jetzt dazu bereit, die Aussagekraft des Statement of Interest zu stärken. Bislang sollte zum Ausdruck kommen, dass eine Abweisung der Klagen im außenpolitischen Interesse der USA läge und die Kläger mit einer Reihe juristischer Hürden konfrontiert seien, was die Zuständigkeit der US-Gerichte anbelangte. Hinzu kam jetzt die »Hürde« der Justiziabilität, nach Meinung Eizenstats ein Riesenschritt in Richtung Rechtssicherheit. Faktisch änderte sich zwar nichts an der Position der US-Regierung, sich mit der *eigenen* Einschätzung zur rechtlichen Begründetheit der Ansprüche zurückzuhalten. Genau dies, die Bestätigung der *non-justiciability* durch die US-Regierung *selbst*, hielt die Rechtsarbeitsgruppe der Wirtschaft nach wie vor für unerlässlich. Grundsätzlich aber befand man sich in den Augen der Stiftungsinitiative jetzt bei der Rechtssicherheit auf der Zielgeraden. Verhalten beurteilte indes der deutsche Botschafter in Washington, Jürgen Chrobog, die Situation nach den Urteilen von Greenaway und Debevoise. Der positive Ausgang der Verfahren sei zwar hilfreich, das Problem aber politisch nicht gelöst.

Die Verhandlungen gerieten unterdessen ins Stocken. Sie drohten an der Frage der finanziellen Ausstattung der Stiftung sogar zu scheitern. Wolfgang Gibowski, Pressesprecher der Stiftungsinitiative, warnte die Klägeranwälte, sie würden den »Ernst der Lage« verkennen, denn die deutsche Wirtschaft werde ihren Beitrag nicht aufstocken. Wenn überhaupt, dann sei die Bundesregierung mit einer Erhöhung am Zug.

»Carry on the battle in the arena of public opinion« hieß nun die Devise für Melvyn Weiss und einige seiner Kollegen. Die deutsche Offerte von insgesamt 6 Mrd. DM sei beleidigend, empörend und verhärte die Fronten; die Summe sei eine Schande angesichts des Reichtums des heutigen Deutschland, zürnten sie. Opferverbände in Deutschland, Osteuropa und in den USA gingen auf die Barrikaden. Die deutsche Wirtschaft, die nach ihrem Verhandlungsführer mit 4 Mrd. DM das Maximum des Möglichen zugesagt hatte, traf eine besondere Form kalkulierter Wut. Anzeigenkampagnen in den USA gegen die Gründungsunternehmen der Stiftungsinitiative DaimlerChrysler und BASF verursachten viel Wirbel.

Als substanzieller schätzte die deutsche Seite dagegen die legislativen Maßnahmen auf Bundes- und Einzelstaatenebene in den USA ein, die jetzt angekündigt bzw. in Kraft gesetzt wurden.[127] Das Pendel schlug wieder zurück und reduzierte den psychologischen Gewinn, den die Abweisung der Klagen gegen die Ford Werke, Degussa und Siemens in die Waagschale der deutschen Wirtschaft geworfen hatte. Eine Gesetzesinitiative von Abgeordneten der Demokratischen Partei im US-Kongress Anfang November 1999 zielte darauf ab, die Justiziabilität von Klagen gegen deutsche Unternehmen im Zusammenhang mit der NS-Zeit gesetzlich zu verbürgen und die Verjährungsfrist bis zum Jahr 2010 zu verlängern. Diese nach ihrem Protagonisten, einem Vertrauten von Hillary Rodham Clinton, benannte »Schumer-Initiative« wurde in Berlin als durchaus gefährlich eingestuft. Darüber hinaus trat im US-Staat Kalifornien ein Gesetz in Kraft, das die Berichtspflicht für Versicherungsgesellschaften über Policen, die vor 1945 in Europa verkauft worden waren, vorsah und den Verstoß dagegen mit sofortigem Lizenzentzug belegte.[128] Alle Register schienen gezogen, um die deutsche Seite zur Erhöhung ihres Angebots zu veranlassen. Die Bundesregierung protestierte gegen die angekündigten Sanktionen, die ihrer Auffassung nach gegen das Reglement der Welthandelsorganisation verstießen.

Sowohl die abweisenden Gerichtsurteile, deren präjudizierende Wirkung von den Unternehmen erhofft und von den Klägeranwälten befürchtet wurde, als auch die gegen die Unternehmen gerichteten gesetzgeberischen Maßnahmen übten großen Einfluss auf den weiteren Gang der Verhandlungen aus. Das mögliche Scheitern vor Augen, näherten sich die Verhandlungsteilnehmer in kleinen diplomatischen Schritten einer Kompromisslösung. Zu hoch veranschlagten vor allem die deutsche und amerikanische Regierung den politischen Schaden für die bilateralen Beziehungen, sollte das Stiftungskonstrukt zerbrechen. Die zentralen Fragen lauteten deshalb: Wie viel Rechtsfrieden war um welchen Preis zu haben und wer sollte ihn mit welchen Summen bezahlen?

Rechtssicherheit um welchen Preis?

Abseits lärmender Skandalisierung, im nüchternen Klima der Realpolitik, schien sich auf höchster politischer Ebene bereits eine Gesamtsum-

me in Höhe von 10 Mrd. DM als maximale Zielgröße herauszukristalli-
sieren. Der Bundeskanzler holte sich Ende Oktober 1999 für eine entsprechende Aufstockung des Bundesanteils bei den Spitzen der Bundes-
tagsfraktionen Rückendeckung. Über Rolf Breuer versicherte er sich der
nötigenfalls zusätzlich aufzubringenden fünften Milliarde der Wirtschaft. Die Stiftungsinitiative ließ gegenüber der Bundesregierung allerdings keinen Zweifel daran, dass eine Erhöhung nur mit der Einbeziehung sämtlicher Ansprüche im Vermögensbereich zu rechtfertigen und
die fünfte Milliarde nur im Sinne eines »best effort« zu verstehen sei.
Eine noch weitere Ausdehnung ihres Anteils schloss der Verhandlungsführer der Wirtschaft, Manfred Gentz, kategorisch aus. Im engen Kreis
der Stiftungsinitiative hatte man ohnehin Bedenken, bereits den ursprünglichen Betrag von 4 Mrd. DM auf freiwilliger Basis zusammen-
bringen zu können.

In den letzten drei Monaten des Jahres 1999 schraubte sich die definitive
Obergrenze des deutschen Gesamtangebots stufenweise hoch, im Takt
der großen Plenarrunden, von 6 Mrd. DM im Oktober auf 8 Mrd. DM im
November und abschließend 10 Mrd. DM im Dezember. Die politisch
diffizilen, für das Gelingen des Gesamtprozesses entscheidenden Fragen
drehten sich unterdessen um die Voraussetzungen, die die Anpassung der
Summe nach oben rechtfertigten. Welche Tatbestände und Gruppen von
Geschädigten sollten einbezogen und damit Statement-of-Interest-fähig
werden? Was alles war mit welcher Summe unter Dach und Fach zu bringen?

Die Versicherungsfrage erwies sich dabei als besonders sperrig. Lawrence Eagleburger wollte als Vorsitzender der ICHEIC deren Funktion als
ausschließliches Forum zur Regulierung der gegen Versicherungsgesellschaften gerichteten Forderungen bewahren. Eizenstat und die US-Regierung sahen die ICHEIC ebenfalls in dieser Rolle und waren deshalb
daran interessiert, die geplante Stiftung und ICHEIC zu verzahnen. Den
deutschen Versicherern, allen voran der Allianz, lag aus Gründen der
Rechtssicherheit ebenfalls an einer Verzahnung. Eagleburger machte eine
solche Koppelung davon abhängig, dass weitere deutsche Versicherungskonzerne in der ICHEIC mitwirkten.

Der Generalsekretär des World Jewish Congress, Israel Singer, verwandte sich für einen namhaften Gesamtbeitrag der deutschen Versicherungswirtschaft an ICHEIC. Ein Teil dieser Summe sollte dem Ausgleich nach-

weislich offener individueller Ansprüche dienen – Fälle, die nach Auffassung der deutschen Versicherungsgesellschaften kaum denkbar waren. Der andere Teil sollte einen von der Claims Conference verwalteten Fonds für humanitäre und edukative Zwecke speisen. Diese Mittel machte Singer im Namen eines kollektiven jüdischen Erbanspruchs aus dem Holocaust geltend. Seine Argumentation hob darauf ab, dass mit der Ermordung der europäischen Juden das jüdische Volk als Ganzes, die jüdische Kultur schlechthin vernichtet werden sollte. Am Vermögen der erst ausgegrenzten und später ermordeten Juden hätten sich Banken und Versicherungen in Deutschland, im besetzten wie im neutralen Europa bereichert. Deren Verwicklung in den nationalsozialistischen Raub jüdischer Vermögenswerte rechtfertige deshalb einen moralischen Anspruch des jüdischen Volkes auf den ökonomischen Gewinn, der den Unternehmen daraus erwachsen war.[129]

Der World Jewish Congress, dessen erster Präsident, Nahum Goldmann, 1951 die Claims Conference ins Leben gerufen hatte, um gemeinsam mit Israel den Reparationsanspruch des jüdischen Volkes gegenüber Deutschland zu vertreten, sah sich unter der Führung von Edgar Bronfman und Israel Singer nach dem Zerfall der kommunistischen Regime in Osteuropa zu Beginn der 90er Jahre in der Rolle, stellvertretend für die Ermordeten und die erst gar nicht Geborenen im Namen aller Juden weltweit Anspruch auf ehemals jüdisches, nicht restituiertes Privat- und Gemeindeeigentum zu erheben (*unclaimed bzw. heirless property*).[130] Die zu diesem Zweck gegründete World Jewish Restitution Organization machte als Schwesterorganisation der Claims Conference die Forderungen gegenüber den Regierungen Mittel- und Osteuropas geltend. Die Unternehmen der europäischen Finanzwirtschaft mussten sich seit der zweiten Hälfte der 90er Jahre mit entsprechenden Forderungen auseinander setzen. Das »Mandat«, hierbei auch die Interessen des Staates Israel zu vertreten, hatte der damalige Ministerpräsident Itzhak Rabin Singer ad personam durch einen einfachen Brief erteilt.

»It's not about Jewish People getting back their material goods, … it's about the Jewish People getting back their history«, formulierte Israel Singer seine Zielsetzung.[131] Er wollte die materiellen Voraussetzungen dafür schaffen, gleichsam dort wieder anzuknüpfen, wo die Ereignisse 60 Jahre zuvor die Entwicklung auf so brutale Weise unterbrochen hatten.[132] Für Bronfman ging es darum, »to revive Judaism«.[133]

Während die übrigen Mitgliedsverbände der Claims Conference die Wiederbelebung jüdischer Tradition befürworteten, regte sich Widerspruch gegen den umfassenden Stellvertretungsanspruch und das als aggressiv empfundene Auftreten des WJC.[134] Hier wurde eine hochkontroverse innerjüdische Debatte um jüdisches Selbstverständnis am Beginn des 21. Jahrhunderts berührt, namentlich die Frage, wer das Recht hat, das kollektive Erbe im Namen des jüdischen Volkes geltend zu machen? Dazu gehen die Meinungen in der Diaspora und in Israel ebenso auseinander wie zwischen jüdischen Interessenvertretern in den USA und in Europa.[135] Für einige Vertreter jüdischer Organisationen verdankte sich die Schlagkraft des mit nur einem kleinen Arbeitsstab agierenden WJC indes vor allem der Nähe Bronfmans und Singers zu US-Präsident Bill Clinton[136] und dessen Frau Hillary Rodham Clinton, die wesentlichen Anteil daran hatte, diese Fragen zum politischen Anliegen der USA zu machen. Vertretern der Stiftungsinitiative gingen kollektive Ansprüche, wie z. B. Singer sie erhob, zu weit. Wie sollten Forderungen, die über die Rückerstattung bzw. Entschädigung geraubter Vermögenswerte hinausgingen und auf eine ungerechtfertigte Bereicherung von Banken und Versicherungen abhoben, beziffert werden? Welche Kriterien sollten den moralischen Forderungen nach allgemein humantären Zahlungen von Banken und Versicherungen als Maß dienen? Der Verhandlungsführer der deutschen Wirtschaft, Manfred Gentz, brachte seine Einwände gegenüber Gideon Taylor, dem jungen Vizepräsidenten der Claims Conference (*executive vice president*), in einem Beispiel zum Ausdruck: Angenommen, fragte Gentz, jemand sei zum Bäcker gegangen, um Brot zu kaufen. Normalerweise habe der Bäcker an jedem verkauften Brot Gewinn gemacht. Meine die Claims Conference, dass sie im Falle eines jüdischen Käufers jetzt die Gewinnmarge des Bäckers beanspruchen könne? Und was die Banken anbelange, verlange die Claims Conference die übliche Transaktionsgebühr oder etwa eine zusätzliche Gebühr?

Die nüchterne Sichtweise der »Bäckertheorie« versetzte Taylor in Wut und Erstaunen. Das Verhalten der Unternehmen, die von der Arisierung profitiert hätten, sei zutiefst unmoralisch gewesen. Die Ansprüche wegen ungerechtfertigter Bereicherung *(unjust enrichment)* seien daher moralisch begründet und nicht durch technische Kniffe zu verdecken. Im Grunde waren, wie Taylor meinte, mit den beiden Perspektiven philosophische Fragen berührt.[137]

Im Laufe der Verhandlungen kristallisierte sich ein Betrag von 1 Mrd. DM als Obergrenze für Forderungen gegen Banken und Versicherungen heraus. Seine Zuordnung erwies sich als flexibel, als, wie es manche im Kreis der Stiftungsinitiative charakterisierten, »Schaukelspiel«, das es erlaubte, den Gesamtbedarf durch die Addition unterschiedlich etikettierter Einzelposten zu decken. Auf Regierungsebene sprach man von der »Verfügungsmasse« der Claims Conference, im kleineren Kreis der Delegationen nicht ohne Zynismus von »Singer's fee«.

Die für die Kategorie Vermögensschäden schließlich vorgesehene Gesamtsumme von 1 Mrd. DM schmälerte theoretisch den für Sklaven- und Zwangsarbeit zur Verfügung stehenden Anteil, wie die osteuropäischen Verhandlungsteilnehmer, geprägt von Gefühlen der Konkurrenz und Zurücksetzung gegenüber der jüdischen Seite, befürchtet hatten. Wollte man aus politischen Gründen weder hier noch dort Abstriche machen, musste die Gesamtsumme erhöht werden. Die Aufstockung war für die Stifter aus Wirtschaft und Bund allerdings nur zu rechtfertigen, wenn sämtliche gegen Versicherungen und Banken gerichteten individuellen wie allgemein-humanitären Forderungen in die Stiftung und damit in die Rechtssicherheit einbezogen wurden.

Im Rahmen des sechsten Plenums in Bonn im November 1999 bezifferte Graf Lambsdorff das neue deutsche Angebot auf 8 Mrd. DM. Die deutsche Regierung sah den Bundesanteil bei 3 Mrd. DM und kalkulierte die Aussage der Wirtschaft, sich um eine fünfte Milliarde zu bemühen, als feste Größe ein. Die Spitzenvertreter der Stiftungsinitiative dachten dagegen an eine hälftige Aufteilung zwischen Wirtschaft und Bund. In diese Summe waren nach ihrer Auffassung sämtliche Forderungen zu integrieren. Mit allem Nachdruck, auch gegenüber der Bundesregierung, setzte sich Gentz daher für eine Einigung bei 8 Mrd. DM als definitiver Obergrenze ein. Eine für Anfang Dezember 1999 festgesetzte Entscheidungsfrist verband er mit der Drohung, andernfalls die Gespräche für die Stiftungsinitiative abzubrechen. Die New York Times brandmarkte die Frist als künstlich und »particulary offensive«, in einem Artikel, der die Haltung der deutschen Wirtschaft als »unjustified intransigence« geißelte. Sie plädierte dafür, die Unternehmensgewinne als geeignete Bezugsgröße für die Festlegung der Summe heranzuziehen. Nur die weitere Erhöhung der Summe durch die Wirtschaft würde danach die Voraussetzung schaffen, »to erase this terrible stain on its reputation and its conscience«.[138]

Der »Durchbruch« fand schließlich nach einer Reihe von Gesprächen auf höchster Ebene in der zweiten Dezemberwoche statt. Graf Lambsdorff hatte Eizenstat zu verstehen gegeben, dass die Bundesregierung bereit war, ihren Anteil signifikant zu erhöhen. Im Gegenzug hatte sich der Chefunterhändler der USA bei den Klägeranwälten, der Claims Conference sowie den Regierungen der mittel- und osteuropäischen Staaten und Israels die Zustimmung zu einer Gesamtsumme von 10 Mrd. DM geholt, mit Unterstützung der damaligen amerikanischen Außenministerin Madeleine Albright, die sich energisch vor allem um das polnische »Ja« bemühte.

Just in diesen Zeitraum fiel der Gerichtstermin im Berufungsverfahren gegen das für die Unternehmen günstige Debevoise-Urteil vom September 1999. Die US-Regierung erwirkte jedoch mit Hinweis auf die laufenden Verhandlungen über die Stiftungslösung eine unbefristete Verschiebung. Auf Seiten der deutschen Wirtschaft vermutete man, dass eher die von der US-Seite für wahrscheinlich gehaltene Bestätigung des Urteils die Intervention veranlasst hatte.

Mit der Einigung aller Seiten auf die Obergrenze der Stiftungssumme löste die US-Regierung ein wichtiges Junktim. Bisher wollte sie nur dann in »Holocaust-Ära«-Verfahren gegen deutsche Unternehmen ein Statement of Interest abgeben, wenn die Anwälte einer freiwilligen Klagerücknahme zustimmten. Jetzt sah sie sich auch in so genannten nichtkonsensualen Fällen in der Lage, ihr außenpolitisches Interesse an einer Klageabweisung zu bekunden. Der Konsens über den abschließenden Stiftungsbetrag öffnete den Weg für ein Statement of Interest unabhängig von der Haltung der Klägeranwälte. Die »abschreckende« Wirkung auf zukünftige Kläger rückte damit die Rechtssicherheit für die betroffenen Unternehmen ein entscheidendes Stück näher heran.

Die Berliner Grundsatzeinigung vom 17. Dezember 1999 – eine Zäsur

In einem Briefwechsel vom 13./14. Dezember 1999 besiegelten die Regierungschefs der USA und der Bundesrepublik das wechselseitige Einvernehmen über den Umfang der Stiftung sowie über den generellen Mechanismus, den Rechtsfrieden zu sichern.

Mit dem von allen Seiten angenommenen »Gegenangebot« *(counterof-fer)* in Höhe von 10 Mrd. DM als Obergrenze sollten, so US-Präsident Clinton in seinem Schreiben an Bundeskanzler Schröder, alle in Rede stehenden Ansprüche, die gegen deutsche Banken, Versicherungsgesellschaften und andere Unternehmen im Zusammenhang mit der NS-Zeit erhoben wurden, abschließend geregelt werden. Mehrfach unterstrich der US-Präsident das gemeinsame Interesse beider Regierungen an allumfassendem und dauerhaftem Rechtsfrieden *(all-embracing und enduring legal peace)*. Die USA seien bereit, sich in einem Regierungsabkommen mit Deutschland zu verpflichten, in einschlägigen anhängigen und künftigen Klagen gegen deutsche Unternehmen ein Statement of Interest abzugeben. Darin werde unter Hinweis auf das außenpolitische Interesse beider Regierungen an allumfassendem und dauerhaftem Rechtsfrieden erklärt, dass die Stiftung als die ausschließliche rechtliche Möglichkeit *(exclusive remedy)* für alle Ansprüche gegen deutsche Unternehmen im Zusammenhang mit der NS-Zeit betrachtet werden solle. Ferner würden die USA sowohl im Regierungsabkommen als auch im Statement of Interest – und zwar in konsensualen und nicht-konsensualen Fällen – das außenpolitische Interesse der USA an einer Abweisung der Klagen feststellen. Jedoch begründe diese Feststellung keine eigene rechtliche Grundlage für eine Klageabweisung – »...though this may not in and of itself constitute an independent legal ground for dismissal«.[139] Der US-Präsident verlieh abschließend seiner Hoffnung Ausdruck, dass die noch offenen Punkte, dazu zählte er die Reichweite der Stiftung, auf der Basis des definitiven Betrages von 10 Mrd. DM beschleunigt erledigt würden.

Die so genannte »though-clause« bereitete der Rechtsarbeitsgruppe der Stiftungsinitiative erhebliches Kopfzerbrechen, weil sie ihrer Auffassung nach die Wirkung des Statement of Interest abschwächte. Ebenso klang für sie in der Formulierung, die Stiftung solle als ausschließliche rechtliche Möglichkeit für Ansprüche betrachtet werden – anstelle eines bekräftigenderen, sie würde es tatsächlich sein – die bekannte Zurückhaltung an.

Bundeskanzler Schröder akzeptierte in seiner Antwort den Betrag von 10 Mrd. DM. Trotz massiver budgetärer Bedenken hätten für ihn zwei Faktoren den Ausschlag für die Aufstockung der Stiftungssumme gegeben. Er betonte, dass der Betrag abschließend sei und »sämtliche Leistungen der Bundesstiftung – für NS-Zwangsarbeiter, für Vermögensschäden sowie für den Zukunftsfonds – finanziert«. Zum zweiten hätten ihn die »in den letzten Tagen erreichten deutlichen Verbesserungen bei der Rechtssicherheit« überzeugt: die Bereitschaft der US-Regierung, unabhängig von der Haltung der Kläger das Statement of Interest abzugeben und das außenpolitische Interesse der USA an der Abweisung der Klagen hervorzuheben. Mit Blick auf den erreichten Konsens ging der Kanzler im Übrigen davon aus, dass die US-Regierung ebenfalls für die Aufhebung der gegen deutsche Unternehmen gerichteten administrativen und legislativen Maßnahmen sorgen würde.

Gerhard Schröder verwahrte sich gegenüber Bill Clinton darüber hinaus kategorisch gegen den Versuch einzelner Klägeranwälte, unter ihnen Michael Hausfeld, die taufrische Einigung über die finanzielle Obergrenze zu unterlaufen, indem im Nachhinein einige »Posten« herausgerechnet wurden: Kosten für Verwaltung und Verteilung der Gelder, für Anzeigenkampagnen, um die Stiftungslösung international bekannt zu machen und nicht zuletzt für die Anwaltshonorare. Zudem wollten die Klägeranwälte für die Stiftungssumme den Zeitwert (*present value*) in Ansatz bringen, sodass der effektiv zu entrichtende Betrag je nach – noch zu vereinbarender – Fälligkeit aufgrund auflaufender Zinsen entsprechend höher ausfallen würde. Darüber hinaus verlangten sie die Verpflichtung zu einer weiteren Milliarde als Ausgleich für Zwangsarbeit bei in Deutschland tätigen Firmen, die während der NS-Zeit zunächst in ausländischem Besitz (*non-German firms*) waren. Sie zielten damit insbesondere auf große amerikanische Mutterkonzerne wie z. B. Ford. Mit der Unterstützung Eizenstats glaubten sie rechnen zu können. Er hatte ihnen offenbar eine Gesamtsumme von 11 Mrd. DM zugesagt.

Der Bundeskanzler lehnte gegenüber dem US-Präsidenten indes jede Modifizierung der Summe von 10 Mrd. DM unmissverständlich ab: »Auch die übrigen im Zusammenhang mit der Bundesstiftung anfallenden Kosten sind eingeschlossen. Weitere Forderungen, wie sie gestern von Seiten der Klägeranwälte erhoben wurden, werden deshalb von der Bundesregierung gemeinsam mit der US-Regierung eindeutig zurückgewiesen.«[140]

Am 15. Dezember 1999 stimmte der Bundeskanzler den Kompromiss mit den Spitzen der Stiftungsinitiative endgültig ab. Bei dieser Gelegenheit wiesen die Unternehmensführer noch einmal auf die für sie wesentlichen Punkte hin, u. a. darauf, dass in dem Anteil der deutschen Wirtschaft von jeher Beträge deutscher Töchter von US-amerikanischen Unternehmen inbegriffen waren, alle denkbaren Fälle, die auf die Verwicklung der Wirtschaft in NS-Unrecht zurückgingen, von der abschließenden Stiftungsregelung umfasst seien, Zahlungen, die deutsche Versicherer bereits an ICHEIC geleistet hatten, der Stiftung zugerechnet würden, sowie im Gesamtbetrag sämtliche Verwaltungskosten inklusive Anwaltshonorare enthalten seien. Überdies bestanden sie auf eine ausreichende Dotierung des Zukunftsfonds. Einige Unternehmensvertreter hielten immer noch an der Summe von 4 Mrd. DM fest, mit dem Versprechen, sich um eine weitere fünfte Milliarde zu bemühen – zum Zorn des Kanzlers und vergeblich. Er verlangte, dass die Wirtschaft im Gegenzug für die Aufstockung des Bundesbeitrags auf 5 Mrd. DM ihren »best effort«-Vorbehalt fallen ließ. Ab jetzt stand fest, dass der definitive Gesamtbetrag von 10 Mrd. DM je zur Hälfte von Privatwirtschaft und Bund getragen wurde.

»This is a tremendous step to finally settle all claims we have been discussing. It will establish for the first time a flat sum and ceiling agreed by all participants in this process. This counteroffer is a firm commitment for settlement of which we both could be proud, allowing payments that would reach surviving forced and slave laborers and others who suffered at the hands of German banks, insurance companies, and other German companies during the Nazi era, and fulfill the moral aims of the German government and companies.«

US-Präsident Bill Clinton in einem Schreiben an Bundeskanzler Gerhard Schröder vom 13. 12. 1999 zur Einigung auf die Obergrenze der Stiftung in Höhe von 10 Mrd. DM.

»Die Verständigung über die Bundesstiftung ist vor allem ein bedeutsames Zeichen der Humanität und Verantwortung für die NS-Opfer am Ende dieses Jahrhunderts. Die Bundesregierung ist dafür bis an die Grenzen ihrer Möglichkeiten gegangen. Sie wird deshalb jede weitere Forderung entschieden ablehnen.«

Bundeskanzler Gerhard Schröder in seinem Antwortschreiben an US-Präsident Bill Clinton am 14. 12. 1999

(Voller Wortlaut des Briefwechsels S. 312 ff.)

Auf dem siebten Plenum in Berlin am 17. Dezember 1999 besiegelten alle Seiten in Anwesenheit von Bundesaußenminister Joschka Fischer und seiner US-amerikanischen Kollegin, Madeleine Albright, die Einigung auf die Fixsumme von 10 Mrd. DM und auf die Rahmenbedingungen der Rechtssicherheit. Bundeskanzler Gerhard Schröder betonte gegenüber der Presse die historische Bedeutung der Einigung als Genugtuung für die Opfer und als Basis für Rechtsfrieden. Eizenstat und Graf Lambsdorff hoben besonders den Anteil der Klägeranwälte an dem Erreichten hervor.

> »… Seit dem Ende des Krieges, 54 Jahre lang, mußten Menschen, die von der Kriegsmaschinerie der Nationalsozialisten mißbraucht worden sind, auf eine Entschädigung warten. Erst nachdem die Teilung Europas überwunden worden war, wurde es möglich, auch über diese Frage zu verhandeln. An den Zwangsarbeitern haben sich damals viele Unternehmen bereichert. Einige von ihnen haben sich schon bisher zu ihrer Verantwortung öffentlich bekannt und sich um materielle Entschädigung bemüht. Aber erst die Stiftungsinitiative deutscher Unternehmen wird dieses Engagement auf eine breitere Grundlage stellen. Jetzt müssen möglichst viele Unternehmen dazu kommen, damit deutlich wird: Die deutsche Wirtschaft steht zu ihrer Verantwortung. Einige Unternehmen beteiligen sich, ohne selber Zwangsarbeiter beschäftigt zu haben. Der deutsche Staat trägt einen ganz wesentlichen Teil bei. Damit bekennen sich alle, die die Stiftungsinitiative mittragen, Staat und Unternehmen, zu der gemeinsamen Verantwortung und der moralischen Pflicht, die aus dem begangenen Unrecht entstanden sind …
> Ich gedenke heute aller, die unter deutscher Herrschaft Sklaven- und Zwangsarbeit leisten mußten und bitte im Namen des deutschen Volkes um Vergebung. Ihre Leiden werden wir nicht vergessen.«
>
> *Erklärung von Bundespräsident Johannes Rau zur Einigung über die Höhe des Stiftungsvermögens zur Entschädigung von Zwangsarbeitern vom 17. Dezember 1999*

Im Anschluss hatte Bundespräsident Johannes Rau Teilnehmer der Verhandlungen zu sich gebeten, um die Würdigung des Erreichten mit einer öffentlichen Geste der Entschuldigung für das den ehemaligen Sklaven- und Zwangsarbeitern zugefügte Leid zu verbinden. Das damit einhergehende Bekenntnis zur moralischen Verantwortung war Bestandteil des Gesamtkonzepts. Opfervertreter hatten, unterstützt von Stuart Eizenstat, diesen Schritt immer wieder eingefordert. Repräsentanten der Claims Conference wirkten mit Nachdruck darauf hin, die moralische Bedeutung der Stiftungsleistung in den Mittelpunkt zu rücken.[141]

Mit dem denkwürdigen Ereignis bot sich der Stiftungsinitiative Gelegenheit für eine Zwischenbilanz. Die Berliner Grundsatzeinigung stellte eine Zäsur dar. Sie beendete die erste Phase einer Entwicklung, die mit dem Entschluss zur institutionellen Verschmelzung der beiden ursprünglich getrennt gedachten Stiftungen von Wirtschaft und Bund begann. Aus einer Initiative der deutschen Privatwirtschaft war ein weitreichendes Projekt unter der Regie der Bundesregierung geworden. Die Bezeichnung des deutschen Verhandlungsführers als Beauftragter des Bundeskanzlers für die Stiftungsinitiative deutscher Unternehmen brachte diesen hybriden Charakter auf den Begriff. In dieser ersten Phase wurden die Weichen für den weiteren Verlauf der internationalen Verhandlungen gestellt: Die größere Reichweite der Stiftung mit einem zweistelligen Milliardenvolumen ebnete den Weg zur Intervention der US-Regierung vor Gericht zu Gunsten beklagter deutscher Unternehmen in allen anhängigen und künftigen Verfahren im Zusammenhang mit NS-Unrecht und Zweitem Weltkrieg ohne Einschränkung.

Die staatsvertragliche Absicherung der kollektiven Fondslösung forderte von den privatwirtschaftlichen und staatlichen Akteuren politische Vernunft und Phantasie: Nicht länger eine Stiftung privaten Rechts war Gegenstand der internationalen Verhandlungen, sondern ein deutsches Gesetz zur Gründung der gemeinsamen, öffentlich-rechtlichen Stiftung. Deutsche Parlamentarier verhandelten allerdings nicht mit. Sie hatten nur Beobachterstatus. Den Inhalt des Gesetzes prägte die Verhandlungslogik »spiegelbildlicher« Entsprechung, mit der die USA ihre Bereitschaft, für Rechtssicherheit zu sorgen, von der Reichweite der Stiftung abhängig machten.

Auf den Inhalt des Statement of Interest der US-Regierung versuchten ihrerseits die Vertreter der deutschen Wirtschaft Einfluss zu nehmen, um die für sie wichtigen, rechtssichernden Aspekte zu verankern. Die USA hatten die Stiftung zunächst nur als alternative, dann aber ausschließliche rechtliche Option akzeptiert. Ob sie sich in ihrer Haltung zur Justiziabilität der Ansprüche gegen deutsche Unternehmen gleichfalls kompromissbereit zeigen würden, schien indes ungewiss. Die Konsultationen über den Text des Stiftungsgesetzes, die Expertengespräche über das Statement of Interest sowie den Inhalt des deutsch-amerikanischen Regierungsabkommens, das die Grundsätze der Stiftung und die Elemente des Statement of Interest verbindlich festschreiben sollte, nährten eher Zweifel.

Die Ausstattung der Stiftung mit 10 Mrd. DM hatte die deutsche Wirtschaft prinzipiell für den politischen Schutz durch die USA qualifiziert. Wie weit er gewährt wurde, blieb in zentralen Punkten, wie der Allokation des Geldes und der Ausgestaltung des Gesetzes, zu klären. Zunächst ging es dabei jeweils um prinzipielle Fragen.

Zu Beginn der Diskussion um die Verteilung der Stiftungsmittel verständigten sich alle Verhandlungsteilnehmer auf Öffnungsklauseln. Dadurch bekamen die einzelnen Versöhnungsstiftungen, die als Partnerorganisationen der deutschen Stiftung fungieren sollten, freie Hand, in den Grenzen der später jeweils zugewiesenen »gedeckelten« Mittel weitere Gruppen nach eigenen, stiftungsgerechten Prioritäten einzubeziehen. Erst diese Klauseln öffneten für die US-Regierung den Weg, in den entsprechend »abgedeckten« Fällen ein Statement of Interest abzugeben.

Bei der Ausgestaltung des Gesetzes galt dieselbe politische Maxime: die Stiftung musste theoretisch für alle in Frage kommenden Ansprüche gegen deutsche Unternehmen Leistungen bereithalten. Sogenannte »Auffangparagraphen« (*catch-all provisions*) deckten daher all jene potentiellen Fälle mit ab, die im Einzelnen nicht erschöpfend definiert werden konnten.

Die Einführung von »catch-all«-Vorschriften im Vermögensbereich, für die sowohl Eizenstat als auch die Vertreter der Wirtschaft plädierten, stieß bei der deutschen Regierung auf Widerstand. Sie sah die Gefahr, dass mit der Regelung von Vermögensschäden, die nicht auf Gründe rassischer Verfolgung beschränkt blieben (*non-racial property claims*), aber dennoch durch deutsche Unternehmen mitverursacht worden waren, die Reparationsfrage wieder eröffnet werden könnte. Denn nach ihrer Lesart fielen nicht-verfolgungsbedingte Forderungen gegen Unternehmen per se unter die völkerrechtliche Kategorie der Reparationen. Im Sinne des umfassenden Regelungsanspruchs der Stiftung nach dem Spiegelbild-Prinzip hielt Eizenstat gleichwohl an der Einbeziehung auch dieser Vermögensschäden fest.

Den Öffnungs- bzw. Auffangklauseln maß die US-Verhandlungsführung entscheidende politische Bedeutung bei. Denn beide Kategorien bekräftigten die Maximen der spiegelbildlichen Entsprechung, die das Engagement der US-Regierung für die Stiftung als ausschließlicher rechtlicher Option innenpolitisch glaubwürdig vertretbar machen sollte. Angesichts des im Jahr 2000 bevorstehenden amerikanischen Präsidentschaftswahlkampfs waren solche Erwägungen, darüber war sich die deutsche Seite im Klaren, von großem Gewicht.

Die Berliner Grundsatzeinigung läutete die zweite Phase der Verhandlungen ein. Jetzt ging es vor allem darum, die Mittel gerecht zu verteilen und die Bedingungen der Rechtssicherheit inhaltlich zu konkretisieren. Die Feinarbeit lag zunehmend in den Händen der deutschen und der US-Regierung. Die Vertreter der deutschen Wirtschaft steuerten ihre Vorstellungen bei und konzentrierten sich dabei besonders auf die Belange der Rechtssicherheit, für die das Regierungsabkommen und der Text des Statement of Interest den Ausschlag gaben. Im Koordinationskreis der Stiftungsinitiative breitete sich allerdings ein gewisses Unbehagen über die Verhandlungsführung der USA aus. »Die amerikanische Regierung«, so Manfred Gentz, »vertritt bisweilen die Idee, dass uns das Ganze nichts mehr anginge.« Für die deutsche Wirtschaft reklamierte er jedoch ein »uneingeschränktes Mitentscheidungsrecht«. Schließlich kam die Hälfte des Stiftungsbetrages von Unternehmen und im Übrigen hing von einer ausgewogenen Verteilung der Mittel unter den konkurrierenden Berechtigtengruppen die Befriedung und damit die Rechtssicherheit ab.[142]

Doch ging es am Anfang dieser zweiten Phase für die Wirtschaft nicht nur darum, ihre Interessen nachhaltig zu vertreten und ihren Verhandlungsrang zu behaupten. Vielmehr musste sie unter Beweis stellen, dass der von der Stiftungsinitiative deklarierten Solidarität Taten folgten und tatsächlich freiwillige Leistungen in Höhe von 5 Mrd. DM aufzubringen waren. Der geplante Gesetzentwurf zur Errichtung der Stiftung vom Dezember 1999 ließ den Unternehmen wenig Zeit. Damaligen Plänen zufolge konnte die Stiftung erst gegründet werden, »wenn sichergestellt war, dass die Mittel der Wirtschaft in vollem Umfang zur Verfügung gestellt

werden«, wobei die entsprechende rechtsverbindliche Zusage als Glaub-
würdigkeitsnachweis genügte.[143]

Nach Vorstellungen der deutschen Parlamentarier sollte das Gesetzgebungsverfahren bereits Mitte Mai 2000 abgeschlossen sein. Für die Stiftungsinitiative hieß das, bis zu diesem Datum bindende Zusagen teilnah-
mewilliger Unternehmen über 5 Mrd. DM erhalten zu haben.

Wie sammelt man 5 Mrd. DM?

Als sich die Stiftungsinitiative im Rahmen der Berliner Grundsatzeinigung Mitte Dezember 1999 zu einem Stiftungsbeitrag der deutschen
Wirtschaft in Höhe von 5 Mrd. DM verpflichtete, konnte sie sich auf gerade einmal 111 Unternehmen stützen mit einem insgesamt zugesagten
Betrag von rund 2 Mrd. DM.[144] Sie rekrutierten sich, abgesehen von den
Gründern und einigen Töchtern, aus dem Kreis jener Firmen, die seit
Sommer 1999 von einer zunächst bei DaimlerChrysler in Stuttgart eingerichteten Koordinationsstelle der Stiftungsinitiative aus direkt angesprochen worden waren: die börsennotierten Gesellschaften des Deutschen
Aktienindex (DAX) sowie größere Unternehmen, die, soweit damals bekannt, nachweislich Zwangsarbeiter beschäftigt hatten. Darüber hinaus
nutzten die Spitzen der Gründungsunternehmen ihre persönlichen Kontakte, z. B. über Aufsichtsratsmandate, um bei Vorstandskollegen in anderen Unternehmen für die Initiative zu werben.

Doch fielen diese Bemühungen zunächst auf wenig fruchtbaren Boden.
Von den 100 im DAX und M-DAX notierten Aktiengesellschaften machten bis Ende 1999 insgesamt rund ein Drittel mit, die Gründungsunternehmen der Stiftungsinitiative inbegriffen. Die übrigen nahmen die Aufforderung, der Stiftungsinitiative »beizutreten«, meist zum Anlass, erst
einmal ihr Archiv auf die eigene Betroffenheit zu prüfen, sofern sie bereits zur NS-Zeit existiert hatten.

Als Gründe für ihre zögerliche Haltung nannten Unternehmen in erster
Linie Unsicherheit im Hinblick auf die Rechtssicherheit und die Befürchtung, mit ihrer Teilnahme gleichsam ein individuelles Schuldbekenntnis
abzulegen. Weshalb sollten heutige Betriebe für Unrecht zahlen, das sie
nicht verursacht hatten? Würde die Mitwirkung an der Stiftungsinitiative
nicht als verkapptes Schuldeingeständnis gewertet werden? Wie verläss-

lich würde der Rechtsfrieden mit der Vergangenheit sein können, den die geplante Stiftung zu schaffen versprach? Immer wieder klangen solche Fragen an.

In Wirtschaftskreisen machte sich gleichwohl niemand Illusionen darüber, dass viele Betriebe auch einfach die Hoffnung hegten, »ungeschoren davonzukommen«. Mit »Ausreden und Ausflüchten der billigsten Art«, so Gibowski, sah sich die Stiftungsinitiative zuweilen konfrontiert.[145] In Unterredungen auf Spitzenebene befürchtete man ohnehin, dass die solidarisierende Kraft unmittelbarer Bedrohung letztlich höher zu veranschlagen sein würde als jene des Appells an die historische und moralische Verantwortung der Unternehmen im heutigen Deutschland. Das Konzept der Stiftungsinitiative, durch gemeinsame Anstrengung unabhängig von der individuellen Verantwortung dem größtmöglichen Kreis von Opfern zu helfen und dafür ein befriedigendes Maß an Rechtssicherheit für die gesamte deutsche Wirtschaft zu erhalten, konnte offenbar nicht auf Anhieb überzeugen.

Mobilisierung ohne Sanktion

Hatte die Stiftungsinitiative also mit einem ungedeckten Scheck verhandelt? Interne Kalkulationen legten das Gegenteil nahe. Nach einem umsatzbezogenen Staffelmodell konnten theoretisch allein 300 deutsche Top-Unternehmen aus produzierendem Gewerbe, Handel, Banken, Versicherungen und dem übrigen Dienstleistungssektor die Summe von 4 bis 5 Mrd. DM erzielen.[146] Das Modell berücksichtigte dabei alle am deutschen Markt tätigen Einzelfirmen und Konzerne, unabhängig von Organisations- oder Besitzstruktur. So zählten Unternehmen des Genossenschaftssektors ebenso dazu wie Großunternehmen in partiellem Staatsbesitz, wie z. B. die Deutsche Telekom AG. Die Staffelung nach Umsatzspannen zog notgedrungen Ungleichgewichte in der Inanspruchnahme nach sich. Die Bemessungsart der unternehmerischen Leistung musste indessen mit dem Prinzip der Freiwilligkeit vereinbar sein, die humanitäre Zielsetzung der Stiftungsleistungen im Blick behalten und den Strukturwandel der Wirtschaft der letzten 50 Jahre berücksichtigen. Wie ließ sich der potentiell gedeckte Scheck unter diesen Umständen einlösen?

Die Ideen der Gründer, auf welche Weise das »Geldsammeln« in Angriff genommen werden sollte, wichen zum Teil nicht unerheblich voneinander ab. Die Aufgabe, die unterschiedlichen Pläne und Ansätze der einzelnen Gründungsunternehmen zu koordinieren, Expertenrat zu organisieren und beschlussfähig vorzubereiten, kurz, die operative Verantwortung für die Abwicklung des Projekts Stiftungsinitiative, hatte das Vorstandsbüro von Manfred Gentz. Die Vertretung nach außen nahm dabei Lothar Ulsamer wahr.

Bei den Überlegungen zur Bemessungsgrundlage für die Industrie kristallisierte sich schließlich ein Hebesatz von mindestens einem Promille des Jahresumsatzes heraus. Daran sollten sich die Unternehmen bei der Selbsteinschätzung für ihre Stiftungsleistung orientieren. Von Unternehmen, die während des Krieges existiert und Zwangsarbeiter beschäftigt hatten, wurde mehr erwartet. Die Stiftungsinitiative ging dabei in Übereinstimmung mit der historischen Forschung davon aus, dass die meisten der vor 1945 tätigen Unternehmen in der einen oder anderen Weise in die Zwangsarbeiterbeschäftigung involviert waren. Für den Umsatz als Bezugsgröße, und nicht etwa Gewinn oder Rendite, sprachen pragmatische Gründe. Umsatzzahlen waren leichter zu greifen und in der Regel veröffentlicht, die Selbsteinschätzung der Leistungskraft eines Unternehmens also nachvollziehbar. Banken sollten 0,1 Promille ihrer Bilanzsumme beitragen, Versicherungsgesellschaften je nach ihrer Größe zwischen 1,0 und 1,9 Promille des Prämienaufkommens.

In dieser Planungsphase prägte sich auch der Sprachgebrauch aus, die Teilnahme an der Initiative, als »Mitgliedschaft« bzw. »Beitritt« und die Stiftungsleistung als »Beitrag« zu bezeichnen. Mit Blick auf die verbandsrechtlichen Implikationen dieser Begrifflichkeit war das unkorrekt. Denn es handelte sich bei der Stiftungsinitiative nicht um eine rechtlich verfasste Körperschaft, sondern um eine Bürgerinitiativen vergleichbare, freiwillige »Assoziation«, deren Unterstützung die Interessenten mit einer Einmalzahlung bekundeten. Nichtsdestoweniger setzten sich die »untechnisch« gemeinten Formulierungen zunächst durch.

Die ersten Sammelerfahrungen hatten neben ermutigenden positiven Reaktionen vor allem doch eins gezeigt – Zaudern, Zurückhaltung, marginales Interesse und bei nicht wenigen teilnahmewilligen Firmen auch das Bestreben, mit einem geringeren als dem erbetenen Betrag als »Mitglied der Stiftungsinitiative« öffentlich in Erscheinung zu treten, um auf diese

Weise unter dem Schutz der Vertraulichkeit mit weniger Aufwand den gleichen Nutzen für das Renommee zu erzielen. Denn von Anfang an galt in der Stiftungsinitiative die Maxime, keine Beträge der teilnehmenden Firmen publik zu machen, sondern nur Namen und Firmensitz zu nennen. Nichts sollte unternommen werden, was dem Prinzip der Freiwilligkeit, der Selbsteinschätzung und letztlich der Solidarität unter den Unternehmen zuwiderlief. Für Negativpublicity sorgten ohne Zutun der Stiftungsinitiative bereits »schwarze Listen« unterschiedlicher Provenienz. Ende 1999 und zu Beginn des Jahres 2000 führten eine Reihe Presse- und Internetveröffentlichungen ehemalige »Zwangsarbeiter-Firmen« namentlich auf, um sie dadurch zur Mitwirkung an der Stiftungsinitiative zu veranlassen.[147]

Der öffentliche Druck, der mangels solider Recherchen manchmal den Falschen traf, fand auch im Unternehmerlager Befürworter. »Wer Zwangsarbeiter beschäftigt hat und jetzt immer noch nicht dem Entschädigungsfonds beitritt, wird zu Recht öffentlich an den Pranger gestellt«, erklärte der Chef des Deutschen Industrie- und Handelstages (DIHT), Hans Peter Stihl, am Tag der Berliner Grundsatzeinigung.[148] In nicht wenigen Fällen ging das Kalkül auf. Erst unter der als Drohung empfundenen Ankündigung von Journalisten, sie öffentlich zu nennen, ließen sich manche Unternehmen zur Teilnahme bewegen.

Generell lautete die Devise der Stiftungsinitiative dagegen Mobilisierung ohne Sanktion. Die einsetzbaren Mittel beschränkten sich daher auf Überzeugungsarbeit und Appelle. Nach den ersten ernüchternden Erfahrungen fühlten sich die Hauptakteure der Stiftungsinitiative in ihrer Einschätzung bestärkt, dass eine sehr breite Basis nötig sein würde, um auf der Grundlage der Ein-Promille-vom-Umsatz-Größe eine ausreichende Anzahl von Unternehmen dafür zu gewinnen, den noch offenen Differenzbetrag in Höhe von rund 3 Mrd. DM bis zum Abschluss des Gesetzgebungsverfahrens zuzusichern. Um diese Aufgabe zu bewältigen, bedurfte es der Unterstützung der Verbandsorganisation der deutschen Wirtschaft.

Das Engagement der Verbandsorganisation der deutschen Wirtschaft

Den Auftakt zu einer breit angelegten Akquisitionsaktion bildete ein Gespräch, zu dem Rolf Breuer und Manfred Gentz kurz nach der Einigung vom 17. Dezember 1999 die Spitzenverbände der Deutschen Wirtschaft eingeladen hatten. Grundsätzlich erklärten sich alle dazu bereit, der Stiftungsinitiative den Rücken zu stärken. Nicht wenige Verbandschefs stellten dabei allerdings erhebliche Bedenken zurück. Ihr Engagement, fürchteten sie, leiste dem Missverständnis Vorschub, die von ihnen repräsentierten Firmen hätten eine konkrete Schuld zu begleichen und seien deshalb darauf angewiesen, einen konkreten Rechtsfrieden zu erkaufen. Trotz dieser und ähnlicher Vorbehalte appellierten schließlich ohne Ausnahme die im Gemeinschaftsausschuss der Deutschen Gewerblichen Wirtschaft zusammengeschlossenen Verbände zu Beginn des Jahres 2000 nachdrücklich an alle Unternehmen in Deutschland, sich an der Stiftungsinitiative zu beteiligen. Es gehe, hieß es in der Aufforderung der Verbände, »nicht um eine persönliche oder juristische Schuld. Es geht vielmehr um die Anerkennung einer moralischen Mitverantwortung, die die deutsche Wirtschaft als ganze und das deutsche Volk betrifft. Nur eine solche Haltung wird den Opfern gerecht. Sie wird die im Ausland immer wieder angegriffene Position der deutschen Wirtschaft festigen und ihr Ansehen in der Welt erhöhen.«[149]

Dieser öffentliche Appell ging mit den Vorbereitungen zu einer groß angelegten Informationskampagne einher. Sie sollte über die Stiftungsinitiative und die Modalitäten der Teilnahme unterrichten, in der Absicht, gezielt die mittelständische Wirtschaft anzusprechen. Der DIHT[150] bat in seiner Funktion als Dachorganisation die 82 regionalen Industrie- und Handelskammern in Deutschland zum Zweck der »Werbung« für die Stiftungsinitiative an alle im Handelsregister eingetragenen Unternehmen mit mehr als zehn Beschäftigten heranzutreten. Der Aufruf stand unter dem Motto »Verantwortung übernehmen, Rechtsfrieden schaffen«. Über 200 000 Firmen erhielten Post.

Den »Rücklauf« organisierte ein Verbindungsbüro der Stiftungsinitiative, das die Gründungsunternehmen zu Beginn des Jahres 2000 im Berliner Haus der Deutschen Wirtschaft eingerichtet hatten und das fortan die tägliche »Sammelarbeit« übernahm.[151] Dazu gehörten die Unterrichtung und Akquisition von Unternehmen mit Hilfe eines Call-Centers sowie die Koordination der immer umfangreicheren Medienarbeit. Bislang hatte es in der Wahrnehmung der Öffentlichkeit an systematischem Marketing für die Stiftungsinitiative gemangelt. Manche Verbandsfunktionäre und Unternehmer hatten sich über den »Schleier des Geheimnisses« mokiert, der über dem Ganzen zu liegen schien. Jetzt sorgten die konkret adressierte Aufforderung zur Teilnahme, groß angelegte Anzeigenkampagnen in überregionalen Printmedien und die vor allem von lokalen und regionalen Presseorganen intensiv wahrgenommene Möglichkeit, sich über die Mitwirkung namhafter Firmen vor Ort zu informieren, dafür, dass sich die Anzahl der »Mitglieder« bis zu dem zunächst avisierten Ende der Sammelaktion im Mai 2000 um mehr als das 16-fache auf über 2560 erhöhte. Dieser regelrechte »take-off« der Unternehmen ging mit einer Erhöhung der Stiftungszusagen um die Hälfte auf nun insgesamt rund 3 Mrd. DM einher.

Die rechtsverbindliche Teilnahme der Unternehmen vollzog sich in einfacher Form mit bloßer Nennung der vorgesehenen Stiftungssumme, losgelöst von der Überweisung der Einmalzahlungen auf die von der Stiftungsinitiative eingerichteten Treuhand-Konten. Die Mehrzahl der Firmen machte ihre Zahlung von Fortschritten bei der Rechtssicherheit abhängig. Viele Unternehmen stellten selbst ihre Zusage unter diesen Vorbehalt. Jene, die im Vertrauen auf den Erfolg der Verhandlungen zeitnah zu ihrer Zusage überwiesen, hatten die Gewähr, im Falle eines Scheiterns ihren Betrag zurückzuerhalten. Bis zum Zeitpunkt der Fälligkeit blieben die Beträge rechtlich Eigentum der Firmen. Tendenziell überwiesen Unternehmen kleinere Summen zügiger.

Steuerliche Aspekte

Die »Beiträge« konnten, im Gegensatz zu Spenden, in gesamter Höhe als Betriebsausgabe steuermindernd geltend gemacht werden. Das Bundesfinanzministerium hatte sich auf Bitten der Wirtschaft und gegen die Opposition einiger Länderchefs hierzu mit der Begründung entschlossen, die Beiträge dienten »der Sicherung und Aufrechterhaltung des unternehmerischen Ansehens, d. h. der Wettbewerbsposition der Unternehmen«.

>»Bei den Zahlungen handelt es sich in erster Linie um freiwillige Zahlungen ohne rechtliche Verpflichtung. Mit ihnen wird aber nicht zuletzt das Ziel verfolgt, eine Grundlage zu schaffen, um den Sammelklagen in den USA begegnen zu können und damit verbundenen drohenden Imageverlust auf dem dortigen Markt und weltweit abzuwenden und wirtschaftliche Sanktionen in Form von Lizenzentzug und Boykottaufrufen zu vermeiden.«
>
> *Bundesministerium der Finanzen, Ertragsteuerliche Behandlung der Unternehmensbeiträge an die geplante Stiftung »Erinnerung, Verantwortung und Zukunft«, Bonn 3. Februar 2000*

Die Einwände der Politiker betrafen die für Länder und Kommunen erheblichen Steuerausfälle aufgrund des Betriebsausgabenabzugs der Stiftungsbeiträge. Gegen die auch in den Medien immer wieder vorgebrachte Kritik, die Wirtschaft mindere auf diesem Weg de facto ihren zu leistenden Anteil von 5 Mrd. DM zu Lasten der öffentlichen Hand, entgegneten die Vertreter der Stiftungsinitiative, das Geld müsse schließlich erst verdient werden, bevor es abzusetzen sei, und darüber hinaus trügen die Unternehmen über das allgemeine Steueraufkommen umgekehrt ebenfalls zur Finanzierung des Bundesanteils der Stiftung bei.[152]
Trotz der nach den ersten Monaten konzertierter Werbung beeindruckenden Steigerung von Teilnehmerzahl und Beitragszusagen trübten einige Faktoren die Bilanz des Erfolgs. Die Schwierigkeiten, den Gesamtbetrag von 5 Mrd. DM im vorgesehenen Zeitraum aufzubringen, waren unverkennbar. Politik und Öffentlichkeit hatten sich mehr erwartet und brandmarkten die im Verhältnis zum unternehmerischen Gesamtpotential ihrer Auffassung nach kärgliche Resonanz auf die kontinuierlichen Aufrufe und Appelle als peinliche Pfennigfuchserei und blamable Kleinherzigkeit. Die Stiftungsinitiative musste notgedrungen zur Kenntnis nehmen, dass sich ihre Vorstellungen in wesentlichen Punkten nicht leicht realisieren ließen. Zum einen stellte sich die große Mehrheit der Unternehmen offensichtlich taub oder fühlte sich nicht angesprochen. Zum anderen zahlten nicht alle teilnehmenden Firmen wie sie sollten. Wie sich am Ende herausstellte, lagen die Zusagen durchschnittlich unter dem Satz von einem Promille des Jahresumsatzes.[153] Diejenigen Unternehmen, die

sich an die Orientierungsgröße hielten, blieben letztlich in der Minderzahl. Nur eine Hand voll Firmen leistete, abgesehen von den Gründungsunternehmen, mehr als vorgesehen.[154]

Strukturen und Handlungen

Die Berichterstattung wertete das unüberhörbare Schweigen weiter Teile der deutschen Unternehmerschaft schlicht als moralisches Versagen. Strukturellen Aspekten traute kaum jemand Erklärungskraft zu. Auf die Erfolgsbilanz der Stiftungsinitiative hatten sie indes greifbaren Einfluss. Das zeigte sich gleich zu Beginn der »Akquisitionsaktion«, als sich die Industrie- und Handelskammern überraschend weigerten, den Hebesatz von 1 Promille auch Handels- und Dienstleistungsunternehmen zu empfehlen. Stattdessen brachten sie für diese Wirtschaftssektoren 0,1 Promille vom Umsatz als Bemessungsgrundlage in Ansatz   gegen das Votum der Stiftungsinitiative, aber mit realistischem Blick für die Widerstände in den Reihen der eigenen IHK-Klientel. Die Kalkulation der Stiftungsinitiative geriet dadurch erheblich ins Rutschen. Statt des erhofften Milliardenbeitrags standen, bezogen auf den Sektor Umsatz, von Handelsunternehmen lediglich etwa 230 Mio. DM und von Dienstleistungsbetrieben (ohne Banken und Versicherungen) rund 130 Mio. DM zu erwarten und dies auch nur, wenn alle Unternehmen dieser Wirtschaftsbereiche in voller Höhe mitmachten. Für realistisch hielt man in der Stiftungsinitiative mittlerweile eine Teilnahmequote von 50 %, sodass der Anteil von Handel und Dienstleistungssektor (ohne Banken und Versicherungen) am Gesamtvolumen von 5 Mrd. DM auf nicht mehr als 3,5 bis ca. 7 % geschätzt wurde. Rechnerisch brachen also Wirtschaftsbereiche weg, deren gesamtwirtschaftliche Leistungskraft aus Sicht der Stiftungsinitiative einen ungleich höheren Beitrag rechtfertigte. Gemessen an der Wertschöpfung des Jahres 1998 lagen Dienstleistungen (ohne Banken und Versicherungen) und Handel mit einem Gesamtanteil von knapp 53 % vor dem Produzierenden Gewerbe mit rund 31 %. Bezogen auf den gesamtwirtschaftlichen Umsatz ergab sich ein leicht verändertes Bild. Hier nahm das Produzierende Gewerbe mit 46,5 % als Einzelbereich den Vorrang vor Handel mit 32,9 % und Dienstleistungen (ohne Banken und Versicherungen) mit 17,5 % ein.

Sektor	Wertschöp-fung* in Mrd. DM	Anteil in %	Umsatz** in Mrd. DM	Anteil in %
Produzierendes Gewerbe	1086,2	30,7	3307,3	46,5
Verarbeitendes Gewerbe	798,3	22,6	2546,4	35,8
Bergbau	10,4	0,3	47,6	0,7
Baugewerbe	197,1	5,6	454,2	6,4
Energie-, Wasserversorgung	80,4	2,3	259,1	3,6
Handel	372,6	10,5	2341,4	32,9
Kreditgewerbe	116,8	3,3	37,9	0,5
Versicherungen	34,3	1,0	3,6	0,04
Landwirtschaft	44,2	1,2	41,3	0,6
Gastgewerbe	45,0	1,3	98,0	1,4
Verkehr, Nachrichtenübermittlung	202,5	5,7	297,3	4,2
Grundstückswesen, Vermietung bewegl. Sachen, unternehmens-nahe Dienstleistungen	859,5	24,3	758,1	10,7
Datenverarbeitung	53,0	1,5	49,0	0,7
Unternehmensn. Dienstleist.	304,6	8,6	428,7	6,0
Gesundheits-, Veterinär- und Sozialwesen	216,4	6,1	55,3	0,8
Sonstige öffentliche und private Dienstleistungen	166,6	4,7	153,9	2,2
Summe	3144,1	88,8	7094,1	99,8
Gesamtwirtschaft (unbereinigt)	3537,2	100	7115,2	100

* Stand 1998
** Lieferungen und Leistungen aus Umsatzsteuerstatistik 1997, ohne Umsatzsteuer

Die Vertreter der Stiftungsinitiative hielten die Wertschöpfung für die aussagekräftigere Größe. Sie betrachteten die bei einem reduzierten Hebesatz relativ geringe Belastung von Handel und Dienstleistung einerseits und die im Vergleich dazu umso höhere Inanspruchnahme des produzierenden Gewerbes andererseits als strukturelles Missverhältnis. In ihrer Akquisitionspolitik verfolgten sie deshalb weiter das Ziel, zumindest für den Dienstleistungssektor und die größten Unternehmen des Handels höhere Beiträge als von den IHK'n zugedacht zu erhalten.

Bei Banken und Versicherungen spielten die Unterschiede zwischen Wertschöpfungs- und Umsatzbasis keine Rolle für die Berechnung ihres Anteils am Stiftungsaufkommen. Hier nahm die Stiftungsinitiative einen Gesamtbetrag von 1 Mrd. DM als erreichbar an. Für das genossenschaftlich organisierte Kreditwesen und den Versicherungsbereich galten Sonderregelungen auf Basis eines pauschalen Beitrags, der nach einem internen Umlageschlüssel aufgebracht werden sollte.

Vor dem historischen Hintergrund rückte das strukturelle Manko der Stiftungsinitiative noch schärfer ins Profil. Jener Wirtschaftsbereich, der heute am leistungsfähigsten war, Dienstleistungen, hatte am wenigsten mit NS-Zwangsarbeit zu tun. Dazu kam, dass die meisten Unternehmen in Deutschland aufgrund zahlreicher Fusionen und Neugründungen ohnehin nicht mehr mit der Vergangenheit des Dritten Reichs und der Kriegswirtschaft verband als andere Teile der Gesellschaft. Deshalb verwiesen zahlreiche Unternehmen auf den Staat, als es darum ging, moralische Mitverantwortung kollektiv anzuerkennen. Ihrer Ansicht nach repräsentierte er durch seinen Anteil an der Bundesstiftung die moralische Mitverantwortung der Gesamtgesellschaft. Die Unternehmen trügen über das allgemeine Steueraufkommen dazu bei. Was die Stiftungsinitiative als spezifische Herausforderung an die deutsche Wirtschaft insgesamt betrachtete, war für die spitzesten Zungen unter ihren Kritikern nichts anderes als ein Versuch der »Großindustrie«, die Last der Angriffe in den USA auf viele mittelständische Schultern zu verteilen und zu diesem Zweck die Verbandsorganisation zu instrumentalisieren. Die Aufrufe der Wirtschaftsverbände an den Mittelstand, sich an der Stiftungsinitiative zu beteiligen, betrachteten sie daher als Zumutung. Viele Betriebsinhaber wandten sich mit Vorwürfen an den BDI und fragten, wo denn die Solidarität der »Großen« mit jenen bliebe, auf deren Zusammengehörigkeitsgefühl sie jetzt zählten, denen gegenüber sie es aber sonst an Solidarität mangeln ließen, etwa wenn Großbanken bestimmte Branchen als Krisensektoren betrachteten und mit steigenden Zinsmargen belasteten oder Großunternehmen die Preise bei ihren Zulieferern immer weiter drückten. Ein weiterer, immer wieder vorgebrachter Kritikpunkt betraf das Gefälle in der Unternehmenssteuerprogression. Während Großunternehmen von steuerpolitischen Begünstigungen profitierten, würden mittlere und kleine Unternehmen dagegen benachteiligt.

Diesen Vorhaltungen begegnete die Stiftungsinitiative mit historischen Befunden und wirtschaftspolitischen Argumenten. Immer wieder verwies sie darauf, dass sich der Einsatz von Zwangsarbeitern nicht auf wenige Großunternehmen beschränkte, sondern alle Wirtschaftsebenen durchdrungen hatte, das Thema also auch Firmen kleiner und mittlerer Größe etwas anging. Und sie rief das dichte Netz wechselseitiger Abhängigkeiten im nationalen wie im globalen wirtschaftlichen Gefüge ins Bewusstsein. Ökonomische Nachteile, die sich aus Klagen, Lizenzentzug, der Verweigerung administrativer Genehmigungen oder Boykottaufrufen ergeben konnten, ließen sich unter diesen Bedingungen nicht auf die unmittelbar davon betroffenen Firmen begrenzen, sondern würden auch für andere spürbar. »Wir sitzen alle in einem Boot«, formulierte Gibowski.[156] Schließlich unterstrich sie den spezifisch humanitären Charakter der Solidaraktion. Bei der Idee der Stiftungsinitiative ging es ganz wesentlich darum, das Denken in Kategorien der individuellen historischen Betroffenheit zu überwinden. Erst dieser Schritt ermöglichte es, all jene ehemaligen Zwangsarbeiter mit einzubeziehen, die bei firmeneigenen Fonds oder gar jahrelangem Rechtsstreit außen vor geblieben wären. Ohne den Einsatz der »Großen« und ihre Bereitschaft, einen weit über das Maß von 1 Promille hinausreichenden Beitrag zu leisten, wäre ein großer Teil dieser Opfer leer ausgegangen.

> »Die deutsche Wirtschaft muß Wort halten, und, ehrlich gesagt, das wird sehr schwer. Die Summe ist kein Pappenstiel. Die wenigen großen Unternehmen können das allein nicht stemmen.«
>
> *Hans-Olaf Henkel, BDI-Präsident 19. Januar 2000*

Eine Solidaritätsaktion dieser Dimension hatte es freilich noch nicht gegeben. Neu war die Aufforderung zum Handeln aus einem durch abstrakte Bezüge zur NS-Kriegswirtschaft gekennzeichneten Pflichtgefühl, ungekannt die Berufung auf die Solidarität gegenüber dem Ganzen der deutschen Wirtschaft, deren einzelne Glieder in den Augen der Welt zu einer moralischen Größe zusammenwachsen sollten. Doch was wäre die Alternative gewesen – eine Sondersteuer für Unternehmen, über die zuweilen auf politischer Ebene laut nachgedacht wurde? Niemand auf Seiten der Stiftungsinitiative wollte das.

Moralische Mitverantwortung, die aus der gemeinsamen Geschichte resultierte, begriffen die Protagonisten der Stiftungsinitiative zugleich als Mandat für die Zukunft. Daher sollte der Zukunftsfonds als integraler Bestandteil der Stiftung »gegen aufkeimendes Unrecht sensibilisieren und einen Beitrag leisten zur Verhinderung von Gewaltherrschaft – wo auch immer«.[157] Die Erfahrung von Nationalsozialismus und Kriegswirtschaft diente als Mahnung, die Mechanismen jeglicher Unrechtsherrschaft kenntlich zu machen. Mit dieser Zwecksetzung erweiterte der Zukunftsfonds den historisch spezifischen Blickwinkel um prinzipielle Fragen nach der Entfesselung gesellschaftlicher Gewalt oder der Außerkraftsetzung grundlegender Regeln von Recht, Menschlichkeit und Würde. Damit sprach er Ziele an, die ebenso universell waren wie der Appell, aus Gründen der Humanität für einen Ausgleich historischen Unrechts zu sorgen. Der so konzipierte Zukunftsfonds erwies sich wie erwartet als überzeugendes Argument, um gerade die erst nach 1945 gegründeten Firmen für die Stiftungsinitiative zu gewinnen. Rund die Hälfte der teilnehmenden Unternehmen hatte es zur NS-Zeit noch nicht gegeben.

Andererseits forderte dieser generalisierende Ansatz zu ebenso fundamentalem Widerspruch heraus. Im Lichte der stark auf allgemein gültige Gesichtspunkte der Humanität und der Solidarität gestützten Argumentation musste sich die Stiftungsinitiative nicht selten von Kritikern fragen lassen, wie es denn z. B. um ihre Haltung zur Zwangsarbeit der Millionen Deutschen für die ehemalige Sowjetunion nach dem Zweiten Weltkrieg bestellt sei. Der Appell an die moralische Verantwortung als Zahlungsgrund erschien ihnen als historisch konvertible Münze. Nicht wenige wandten sich mit eigenen Erfahrungsberichten an das Verbindungsbüro der Stiftungsinitiative. Sei es, dass es darin um Enteignung und Verlust von Vermögen in den abgetretenen deutschen Ostgebieten ging, sei es, dass sie von Vertreibung, Deportation oder Zwangsarbeit handelten und vor diesem Hintergrund eine Teilnahme abgelehnt wurde; stets waren grundsätzliche Fragen historischer Gerechtigkeit berührt. Der Stiftungsinitiative erschien es unmöglich, Unrecht gegeneinander aufzurechnen. Ihr Bestreben war es, einem großen Kreis von Opfern rasch und unbürokratisch zu helfen sowie umfassenden Rechtsfrieden auf Dauer zu sichern. Davon profitierte die gesamte deutsche Wirtschaft. Auch deshalb erschien es den Initiatoren angemessen, alle Unternehmen zur Mitwirkung aufzurufen, unabhängig davon, ob sie vor 1945 existiert hatten oder nicht.

Partielle Erfolge

Trotz erster Sammelerfolge fehlten im Sommer 2000 immer noch 2 Mrd. DM. Dieses Defizit geriet während der zweiten Phase der Verhandlungen immer stärker zur psychologischen Last. Die materielle Seite besaß hingegen, anders als die veröffentlichte Meinung suggerierte, keinen unmittelbaren Einfluss auf die weitere Entwicklung. Man hatte sich in den Verhandlungen darauf verständigt, die Gründung der Stiftung durch ein Bundesgesetz nicht davon abhängig zu machen, dass zuvor der Beitrag der Unternehmen in voller Höhe auf dem Tisch lag. Er musste nur verbindlich zugesagt sein. Gegen die Position der Klägeranwälte hatte die Stiftungsinitiative zudem ihren Standpunkt durchgesetzt, wonach der Stiftungsanteil der Wirtschaft erst mit Abweisung aller vor US-Gerichten anhängigen Klagen fällig sei. Die Klagen wiederum konnten nur dann abgewiesen werden, wenn die Stiftung ins Leben gerufen worden war. Den Zeitplan für die Errichtung der Stiftung diktierte also nicht der Sammelerfolg der Stiftungsinitiative, sondern vielmehr das Gesetzgebungsverfahren und damit der Parlamentskalender. Verhandlungsbedingt schob sich der avisierte Termin aber bis Juli 2000 hinaus.

Die Stiftungsinitiative nutzte die Zeit und intensivierte ihre Akquisitionsanstrengungen. Über »Nachfassaktionen« versuchten sie, Firmen zu gewinnen. Die Vorstandsvorsitzenden der Gründungsunternehmen griffen selbst zum Telefonhörer, investierten viel Zeit in Überzeugungsarbeit, mit gemischtem Erfolg. Einzelne Großunternehmen und mittelständische Betriebe nahmen ihre Zulieferbetriebe ins Visier und ließen – mehr oder weniger deutlich – Folgen für die Geschäftskontakte durchblicken, sollte die Stiftungsinitiative nicht auch auf deren Unterstützung zählen können. Protest gegen diese zuweilen höchst nachdrücklich vertretene Haltung blieb nicht aus und gab zu teils massiver Missstimmung Anlass. In Dutzenden von Informationsveranstaltungen auf der Ebene der Landesverbände versuchten andererseits engagierte Unternehmer und Manager aus freien Stücken ihre zurückhaltenderen Kollegen und Konkurrenten zum Mitmachen zu bewegen und sie durch eigenes Vorbild zu überzeugen. Manche Handelskammern schließlich entwickelten unter der Leitung ihrer Präsidenten eine Rührigkeit in Sachen Stiftungsinitiative, die die Übrigen in den Schatten stellte. Hamburg lag in dieser Hinsicht mit Abstand an der Spitze. In den Kommentaren der Medien schließlich war im Frühsommer 2000 immer häufiger vom bevorstehenden Durchbruch bei den Verhandlungen die Rede. All das trug dazu bei, dass sich bis zur feierlichen Abschlusszeremonie der Verhandlungen am 17. Juli 2000 die Zahl der teilnehmenden Firmen auf über 3300 erhöhte.

Der insgesamt zugesagte Beitrag stagnierte allerdings den Sommer über bei rund 3,2 Mrd. DM. Im Rückblick gesehen hatte dies damit zu tun, dass bis dahin bereits zwei Drittel der rund 250 Unternehmen, die außer den Gründern mehr als 1 Mio. DM stifteten, ihre Teilnahme erklärt hatten und nun eine immer größere Anzahl von Firmen nötig war, um Beträge aufzubringen, die die Stellen hinter dem Komma nach vorne bewegten, von der Zahl vor dem Komma ganz zu schweigen. Dazu kam, dass die Diskrepanz zwischen zugesagtem und erbetenem Beitrag mit abnehmendem Umsatz tendenziell immer größer wurde. Je kleiner also die Unternehmen waren, desto weniger hielten sie sich bei der Bemessung ihres Beitrags an die von der Stiftungsinitiative erbetene Orientierungsgröße. Trotz laufend zunehmender Teilnehmerzahl erhöhte sich der gesammelte Betrag über lange Strecken daher nur geringfügig.

Nach den beitrittsstärksten Wochen von März bis Mai 2000 mit durchschnittlich über 730 Unternehmen pro Monat konzentrierten sich die Sammelaktivitäten in der zweiten Jahreshälfte vermehrt auf die umsatzstärksten Betriebe einzelner Branchen, ohne dass die Reaktion der Unternehmen auf den spezifischen Zugriff ein wesentlich anderes Bild als beim allgemeinen Appell ergab.

Zwischen Wirtschaft und Politik umstritten blieb die Frage, auf welchen Stiftungsanteil die Beiträge von privatisierten Unternehmen der öffentlichen Hand anzurechnen waren. Die Stiftungsinitiative vertrat die Auffassung, dass Unternehmen, die sich am Marktgeschehen beteiligen, prinzipiell zum privatwirtschaftlichen Bereich gehören. In der Sache hielt sie es deshalb, wie Manfred Gentz gegenüber Finanzminister Hans Eichel mehrfach betonte, für inkonsequent, Unternehmen einerseits zu privatisieren und im Wettbewerb gegen andere private Unternehmen antreten zu lassen, sie dann aber in anderer Hinsicht wieder, wie im Fall der Stiftungsinitiative, der öffentlichen Hand zuzurechnen. Doch entgegen früheren Erwartungen konnte die Stiftungsinitiative mit den Beiträgen der privatisierten Bundesunternehmen in dreistelliger Millionenhöhe nicht mehr rechnen. Das Stiftungsgesetz verankerte den Entschluss, die Beiträge selbst der teilweise in Bundesbesitz befindlichen Unternehmen, wie die Deutsche Telekom AG oder die Deutsche Post AG, dem Bundesanteil an der Stiftung zuzurechnen.[158] Ein kleiner Ausgleich ergab sich aus der zur selben Zeit verabschiedeten Steuerreform. Finanzminister Eichel hatte darin auf den Beitrag der Länder zur Finanzierung des Bundesanteils an der Stiftung verzichtet und damit die Voraussetzungen für die Teilnahme privatisierter Landes- und Kommunalunternehmen auf Wirtschaftsseite geschaffen. Überwiegend waren die Bundesländer bereit, den Unternehmen in mehrheitlichem Landes- oder Kommunaleigentum einen Beitritt zur Stiftungsinitiative der deutschen Wirtschaft freizustellen.[159]

Die schwierige Finanzierungslage der Stiftungsinitiative regte immer wieder die Phantasie an, den Betrag auf anderem als dem mühsamen Weg des Sammelns zusammenzubringen. In kleinem Kreis erörterte man auf Initiative hoher Verbandsfunktionäre z. B. einen Rückgriff auf die Streikfonds der Arbeitgeberverbände, nahm jedoch aus politischen und rechtlichen Erwägungen schnell wieder davon Abstand.

Mit jeder Meldung über den Fehlbetrag wuchsen in der Öffentlichkeit Ungeduld und Unmut über das Gebaren der deutschen Wirtschaft in dieser sensiblen Problematik. Nicht wenige Städte und Gemeinden sowie die Kirchen, die sich – für sie offenbar überraschend – ebenfalls mit dem Vorwurf auseinander setzen mussten, während des Zweiten Weltkriegs Zwangsarbeiter beschäftigt zu haben, legten in bewusster Abgrenzung zur Solidaraktion der Wirtschaft eigene Entschädigungsprogramme auf oder entschieden sich, wie z. B. die Evangelische Kirche Deutschlands, für eine Zustiftung zur Bundesstiftung »on top«.

Die Stiftungsinitiative geriet auch mit Blick auf den vorgesehenen Ablauf des Gesetzgebungsverfahrens immer weiter in die Defensive. Solange der Betrag von 5 Mrd. DM nicht in voller Höhe gezeichnet war, konnte das Stiftungsgesetz nicht in Kraft treten. Die geplante Abfolge: Gründung der Stiftung – Abweisung der Klagen – Beginn der Auszahlungen würde sich dadurch unweigerlich in die Länge ziehen. Um dies im Interesse der Opfer zu vermeiden, stellten Rolf Breuer und Manfred Gentz kurz vor der Verabschiedung des Stiftungsgesetzes am 6. Juli 2000 im Bundestag mit ihrer schriftlichen Zusicherung, »dass das Geld rechtzeitig zur Auszahlung zur Verfügung stehen wird«,[160] bei den Parlamentariern das nötige Vertrauen in die Tragfähigkeit der 5-Mrd.-DM-Zusage der Wirtschaft her. Nach der erforderlichen Zustimmung des Bundesrates trat das Stiftungsgesetz am 12. August 2000 in Kraft.

Die Stiftungsinitiative setzte danach ihre Akquisitionsanstrengungen unvermindert fort. Nach weiteren Monaten breit angelegter Brief- und Telefonaktionen erhöhte sie den Richtsatz auf 1,5 Promille des Jahresumsatzes und bat die bereits teilnehmenden Firmen, ihre Beiträge entsprechend anzupassen. Viele Unternehmen kamen dieser Bitte nach. Zu Beginn des Jahres 2001 beliefen sich die Zusagen damit auf insgesamt rund 3,6 Mrd. DM.

Die 17 Gründungsunternehmen selbst stockten ihre Zahlungen weiter erheblich auf. Schließlich verpflichteten sie sich in dem politisch heiklen Stadium verzögerter Klageabweisungen zu Beginn des Jahres 2001 für den noch offenen Betrag eine Ausfallgarantie zu übernehmen, falls es bis zur Fälligkeit nicht gelingen sollte, die entsprechende Summe anderweitig aufzubringen. Auf diese Weise konnte die Stiftungsinitiative am 13. März 2001 erklären: »Die DM 5 000 000 000 sind erreicht.«[161]

Wie sie das Geld letztlich aufbrachte, war Sache der Stiftungsinitiative, wie es verteilt werden sollte, nicht. Kaum war der Betrag von 10 Mrd. DM als Obergrenze der Stiftungssumme festgelegt, begannen die Auseinandersetzungen um die Allokation. Wer besaß in dieser Frage die Entscheidungskompetenz?

Wie verteilt man 10 Mrd. DM?

Zeitweilig hatte es danach ausgesehen, als solle das zukünftige Kuratorium der Stiftung über den Aufteilungsschlüssel befinden. Manfred Gentz hielt es angesichts der sich ankündigenden Härte der Verteilungskämpfe allerdings für klug, die Mittelallokation bereits im Stiftungsgesetz selbst zu regeln, um das Gremium nicht sofort einer Zerreißprobe auszusetzen und auch für später keine Angriffsfläche zu bieten. Graf

Lambsdorff und Stuart Eizenstat gingen noch einen Schritt weiter. Im Grunde betrachteten sie die Aufteilung als Regierungsangelegenheit Deutschlands und der USA, wollten aber aus politischer Rücksichtnahme nur mit ordnender Hand eingreifen, falls sich die Opfervertreter nicht untereinander einigen konnten. Die Verteilung der Mittel wurde Teil des Stiftungsgesetzes und der Gesetzgebungsprozess damit auch insoweit Gegenstand der Verhandlungen. Die Verteilungskonflikte ließen wie an kaum einem anderen Punkt Ungleichgewichte in der politischen Durchsetzungsfähigkeit einzelner Interessen ins Bewusstsein dringen.

Mittelverteilung und Rechtsfrieden waren für die Stiftungsinitiative zwei Seiten derselben Medaille. Sie bestand deshalb darauf, die Vorstellungen der Donatoren eng abzustimmen. Doch hielten letztlich auch hier die USA das Heft fest in der Hand. Auf Drängen Eizenstats fanden die Verteilungsgespräche mit den Mittel- und Osteuropäern sowie der Claims Conference teilweise unter Ausschluss der deutschen Seite statt.

Zu Beginn der Allokationsverhandlungen, im Januar 2000, kamen alle Seiten überein, den einzelnen Forderungsbereichen – Sklaven- und Zwangsarbeit, andere Personenschäden (z. B. bei medizinischen Experimenten, Kinderheimfälle), Vermögensschäden, Zukunftsfonds, Rechtsanwaltshonorare – pauschale Plafonds zuzuordnen. Im Rahmen des Gesamtplafonds von 10 Mrd. DM bestimmte sich daher mit der Höhe der Einzelplafonds zugleich deren Relation. Die einzelnen Organisationen, die die Mittel in Eigenverantwortung auf die Leistungsberechtigten verteilten – die fünf Versöhnungsstiftungen der MOE-Staaten und die Claims Conference – gerieten dadurch in scharfe Konkurrenz zueinander. Die im Entwurf des Stiftungsgesetzes enthaltenen Öffnungsklauseln schürten die Neigung, den Kreis der Leistungsberechtigten auszudehnen. Die damit in Kauf genommene Reduzierung der per-capita-Leistungen sollte daher soweit wie möglich durch eine Erhöhung der jeweiligen Plafonds wieder ausgeglichen werden.[162] Das berührte wiederum die Gesamtbalance, die sich in erster Linie nach der politischen Gewichtung der einzelnen Gruppeninteressen richtete und daher nur begrenzt flexibel war. Dass den ehemaligen Sklaven- und Zwangsarbeitern der Großteil der Mittel zugute kommen sollte, bestritt jedoch grundsätzlich niemand.

Nach vier internationalen Verhandlungsrunden voller Streit unter den Opfervertretern – der Claims Conference, den osteuropäischen Versöhnungsstiftungen bzw. Regierungen und den Klägeranwälten – und zahllosen Gesprächsrunden in kleinerem Kreis konnte schließlich Ende März 2000 der Durchbruch bei der Aufteilung der Stiftungsgelder bekannt gegeben werden. Die Entscheidung floss auf Empfehlung des deutschen Verhandlungsführers, Otto Graf Lambsdorff, in den Entwurf des Stiftungsgesetzes ein, den das Bundeskabinett nun nach einem gewissen Vorlauf endgültig verabschiedete und den die Bundestagsparteien in einem gleich lautenden interfraktionellen Entwurf parallel zur Regierung einbrachten. 8,1 Mrd. DM gingen an ehemalige Sklaven- und Zwangsarbeiter, wovon 50 Mio. DM auf »andere Personenschäden« entfielen. 1 Mrd. DM war für den Ausgleich von Vermögensschäden vorgesehen, 700 Mio. DM für den Zukunftsfonds und 200 Mio. DM für Verwaltungskosten einschließlich der Honorare für die Klägeranwälte.[163] Auf Drängen von Manfred Gentz waren die Verhandlungspartner bereits zu Beginn der Verteilungsdiskussion übereingekommen, die Zinsen des Stiftungsvermögens prinzipiell für Stiftungszwecke vorzusehen, anstatt daraus, wie ursprünglich von Seiten der Klägeranwälte gefordert, deren Honorare zu bestreiten.

Ausschlaggebend für die politische Einigung bei der Allokation war jedoch eine Deckungszusage für weitere 100 Mio. DM aus den Beiträgen der Unternehmen. Sie ergänzten die Gesamtplafonds für Sklaven- und Zwangsarbeit bzw. für Versicherungsansprüche um jeweils 50 Mio. DM, sodass sich die verteilte Gesamtsumme effektiv auf 10,1 Mrd. DM belief. Weil keinesfalls der Eindruck erweckt werden sollte, als stünde dadurch die Obergrenze von 10 Mrd. DM in Frage, deklarierten die Verhandlungspartner den zusätzlichen Fixbetrag von 100 Mio. DM als »Zinsen«.

Lambsdorff charakterisierte die außergewöhnliche Gesetzesgenese als »hybrid«. Schließlich gossen die Parlamentarier die Ergebnisse internationaler Verhandlungen, an denen sie nicht als Akteure teilnahmen, in ein nationales Gesetz, das seine Wirkung hauptsächlich im Ausland entfaltete.[164] Eizenstat selbst bat die Bundestagsabgeordneten, die außerparlamentarische Konsensfindung abzuwarten. Es sei schließlich niemandes Interesse, ein Gesetz zu verabschieden, durch das US-Klagen nicht erledigt würden.[165] Insgesamt gab es mehr als 40, jeweils dem Stand der Gespräche angepasste Versionen des Gesetzentwurfs. Zeile für Zeile wurde verhandelt. Die US-Regierung bat sich die Kenntnis des Wortlauts in offizieller Übersetzung aus. Das Statement of Interest wurde hingegen nur in einzelnen Elementen diskutiert, weil aus Sicht der US-Regierung Gerichte nicht den Eindruck erhalten sollten, es sei »vor-verhandelt«.

Kurz, in der zweiten Verhandlungsphase, die mit der Berliner Grundsatz-einigung vom Dezember 1999 begann und mit dem Durchbruch bei den Allokationsgesprächen im März 2000 endete, bildete das Stiftungsgesetz den zentralen Fokus, ohne jedoch den Abgeordneten, die im engeren Sin-ne Herr des Verfahrens waren, im Gesamtkontext mehr als unterstützen-de Funktionen einzuräumen. Das Zustandekommen des Stiftungsgeset-zes zeichnete vielmehr den internationalen »Verteilungskampf« mit all seinen politischen Nebenschauplätzen nach. Im Gegenzug übte der par-lamentarische Prozess heilsamen Einigungsdruck auf die Teilnehmer der Verhandlungen aus. Mit den abweichenden Auffassungen über Sinn und Zweck der Stiftung setzten die Verhandlungspartner freilich unterschied-liche Akzente. Die Schwierigkeiten lagen im Detail.

Die Allokation für Sklaven- und Zwangsarbeit

Die Vertreter Mittel- und Osteuropas plädierten dafür, 90 % des Stif-tungskapitals an ehemalige Sklaven- und Zwangsarbeiter auszuschütten und mit dem Rest anspruchsgestützte Vermögensschäden, sämtliche Ko-sten, inklusive der Honorarforderungen der Klägeranwälte, und den Zu-kunftsfonds zu bestreiten, den sie im Übrigen mit 100 Mio. DM als aus-reichend dotiert erachteten. Mit ihnen brachten große Teile der deutschen Presse wenig Verständnis dafür auf, das begrenzte Verteilungsvolumen auf Kosten der überlebenden Sklaven- und Zwangsarbeiter zu schmä-lern.[166] Die Einbeziehung gerade der Banken- und Versicherungsfälle so-wie der hohe Stellenwert des Zukunftsfonds aber hatten für die deutschen Donatoren den Betrag von 10 Mrd. DM erst gerechtfertigt. Er hatte den politischen Schutz des Rechtsfriedens durch die US-Regierung erst er-möglicht.

Die deutsche Seite schlug daher zunächst 77 % des Stiftungskapitals für Leistungen an Sklaven- und Zwangsarbeiter vor und jeweils 10 % für Ver-mögensschäden und Zukunftsfonds, die USA analog 80,5 % für Sklaven- und Zwangsarbeit, 12,5 % für Vermögensschäden und 5 % für den Zu-kunftsfonds. Aus dem jeweils verbleibenden Rest sollten sämtliche Kosten einschließlich der Honorare für die Klägeranwälte gedeckt werden. Am Ende stand ein Kompromiss. Der Anteil, der auf Sklaven- und Zwangsarbeit entfiel, entsprach schließlich 81 % der zu verteilenden Mittel.[167]

Die Neigung, am Zukunftsfonds zu sparen bzw. ihn als Reserve für anderweitige Anspruchskategorien zu betrachten, war unabhängig von den jeweiligen Prioritäten groß. Dagegen setzte sich die Stiftungsinitiative der deutschen Wirtschaft mit konzeptionellen Argumenten zur Wehr. Nach heftigen Disputen gelang es schließlich, die Höhe bei 700 Mio. DM zu fixieren, auf Drängen der Claims Conference jedoch abzüglich einer Reserve von 100 Mio. DM, für den Fall, dass die für individuelle Versicherungsansprüche vorgesehene Summe nicht ausreichen sollte.

Noch vor der Festlegung auf den Gesamtbetrag für Sklaven- und Zwangsarbeit hatten sich die Vertreter Mittel- und Osteuropas untereinander auf einen Proporz geeinigt. Polen erhielt dabei den größten Anteil zugesprochen und pochte seinerseits auf Gleichberechtigung mit der jüdischen Seite. Gerade die im Rahmen des Vermögensplafonds allgemein humanitär begründeten Zuweisungen an die Claims Conference stießen auch bei den übrigen Vertretern Mittel- und Osteuropas auf Kritik. Im Streit unter den Opfervertretern bewies die Differenzierung jüdisch/nicht jüdisch ihre spaltende Kraft, obwohl die künftigen Antragsteller »unabhängig von ihrer Rasse, Religion und Staatszugehörigkeit« Leistungen erhalten sollten.[168]

Auf politischer Ebene verdeutlichte man sich die Allokationsproblematik intern dagegen durchaus an der Frage, wie hoch der Anteil für jüdische Forderungen, Zwangsarbeit und Vermögensschäden zusammengenommen, ausfallen sollte. Michael Hausfeld, dessen Empfehlung die osteuropäische Seite übernahm, dachte an 2 Mrd. DM, die deutsche Seite an 2,8 Mrd. DM, die Claims Conference an 4 Mrd. DM. Der Anteil der jüdischen Seite belief sich am Ende auf insgesamt gut 3 Mrd. DM, wovon etwa zwei Drittel ehemaligen Sklaven- und Zwangsarbeitern zugute kommen sollten. Lange umstritten war außerdem die Frage, ob die Entschädigungen aus öffentlichen Mitteln auf die Stiftungsleistungen angerechnet werden sollten. Der schließlich im Gesetz verankerte Kompromiss lief darauf hinaus, staatliche Wiedergutmachungsleistungen nicht zu berücksichtigen.[169]

Für die Gruppe der weder von den mittel- und osteuropäischen Versöhnungsstiftungen noch von der Claims Conference repräsentierten Sklaven- und Zwangsarbeiter, den so genannten »Rest der Welt«[170], saß keine eigene Interessenvertretung mit am Tisch. Auf Kosten dieser Gruppe waren bei der Allokation gleichsam in letzter Minute noch einmal Mittel umgeschichtet worden mit der Folge, dass die abschließende Einigung nur durch den zusätzlichen Betrag von 100 Mio. DM aus Mitteln der Wirtschaft zu erzielen war. Die Verhandlungsteilnehmer befürchteten ohnehin, dass die Gelder für den »Rest der Welt« zu gering sein könnten. Die schwierige Aufgabe der Mittelverteilung für diesen Adressatenkreis übernahm schließlich die International Organisation for Migration (IOM) als siebte Partnerorganisation der deutschen Stiftung.[171]

Das Tauziehen um die Allokation belebte unterschwellige Ressentiments und Vorbehalte der mittel- und osteuropäischen Länder gegenüber einer aus ihrer Sicht traditionell »einäugigen« Entschädigungspolitik. Sie fühlten sich durch die als einseitig und zurechtweisend empfundene Haltung des US-Chefunterhändlers brüskiert, sodass sich die Stiftungsinitiative entgegen diplomatischer Rollenverteilung veranlasst sah, in informellen Kontakten, vor allem mit der polnischen Seite, beschwichtigend zu wirken.[172]

Die Suballokation im Vermögensbereich: Fallstricke für den Rechtsfrieden?

Bei der Aufteilung des Vermögensplafonds brachten Manfred Gentz und Klaus Kohler wiederholt die von der deutschen Regierung geteilte Auffassung in Erinnerung, wonach im Vermögensbereich keine juristischen Ansprüche existierten. Stellvertretend für die parlamentarischen Beobachter der Verhandlungen unterstrich Volker Beck, rechtspolitischer Sprecher der Fraktion Bündnis 90/Die Grünen, dass es wie bei den Leistungen für Sklaven- und Zwangsarbeit auch hier ausschließlich um humanitär begründete Zahlungen gehen könne, nicht um Eins-zu-Eins-Entschädigungen für Vermögensverluste.[173]

Der US-Regierung wiederum lag im Sinne des Spiegelbild-Theorems daran, potentiellen Anspruchsberechtigten, die durch das Netz der deutschen Wiedergutmachungspolitik gefallen waren, mit der Stiftung zumindest theoretisch die Möglichkeit zu einem Ausgleich zu eröffnen.

Andernfalls sähe sie sich außerstande, in den entsprechenden Fällen vor Gericht mit einem Statement of Interest zu intervenieren.

Unter diesen Prämissen verständigten sich die Verhandlungspartner auf mehrere Unterplafonds. Für die erbenlos gebliebenen Ansprüche in Arisierungsfällen *(heirless claims)* sollten der Claims Conference Mittel für allgemein humanitäre Zwecke zur Verfügung gestellt werden (*banking humanitarian*). Ein weiterer Unterplafonds sah den Ausgleich individueller Forderungen aus verfolgungsbedingten Vermögensschäden vor (*banking claims*). Die Frage, wie daraus die Mittel an die potentiellen Anspruchsteller verteilt werden sollten, bildete den Gegenstand heftiger, von juristischen Erwägungen dominierter Auseinandersetzungen zwischen Kläageranwälten, Vertretern der US-Regierung und der deutschen Seite. Es ging darum, ein Verfahren zu finden, das wenigstens die bisherigen Entschädigungs- und Restitutionsentscheidungen intakt ließ. Die Parteien entschlossen sich zu einer bei der IOM einzurichtenden Schiedskommission.[174] Sie hatte nach Maßgabe noch festzulegender Richtlinien über die Höhe der Schadensumme im Einzelfall zu befinden. Ihre Verfügungen gegenüber den Antragstellern sollten, wie die Entscheidungen der Partnerorganisationen bei Sklaven- und Zwangsarbeit, unabhängigen Beschwerdestellen unterworfen sein, um zu gewährleisten, dass der außergerichtliche Lösungsansatz der Stiftung nicht auf dem Appellationsweg untergraben würde.[175] Der Sinn der Stiftung bestand ja gerade darin, die gegen deutsche Unternehmen geltend gemachten Forderungen im Zusammenhang mit NS-Zeit und Zweitem Weltkrieg von den Gerichten, vor allem in den USA, fern zu halten.

Eine weitere Kategorie, die nicht-verfolgungsbedingten Vermögensschäden (*non racial property claims*), wollten sowohl die US-Regierung als auch die Stiftungsinitiative in der Stiftung berücksichtigt wissen. Dagegen äußerte die Bundesregierung massive Bedenken, obwohl sie sich mit den Unternehmen darüber im Klaren war, dass eine Ausklammerung dieser Anspruchskategorie aus dem Stiftungsgesetz die Weigerung der US-Regierung nach sich zog, bei entsprechenden Klagen vor Gericht ihr außenpolitisches Interesse an einer Abweisung zu bekunden.

Aus Sicht der deutschen Politik berührte diese Forderung den neuralgischen Punkt der Reparationen. Ein Gesetz, das Leistungen für Ansprüche zuließ, die im Zusammenhang mit allgemeinen Vermögensschäden aus der Zeit des Zweiten Weltkriegs gegen deutsche Unternehmen geltend gemacht wurden, schuf, so die Befürchtung, einen gefährlichen Präzedenzfall für weitergehende Forderungen ehemaliger Kriegsgegner – trotz »Schutzschichten« wie z. B. einer nach oben begrenzten Summe und streng limitierter Antragsfristen. Es schien geeignet, zwischenstaatliche Ansprüche zu neuem Leben zu erwecken. Die Bundesregierung erinnerte deshalb an ihre Rechtsauffassung, wonach die Reparationsfrage mit dem 2+4-Vertrag endgültig erledigt sei.

Die USA hielten den Reparationenkomplex juristisch indes noch nicht für abschließend geklärt. Das hing zum einen mit ihrer Interpretation der einschlägigen Vertragstexte zusammen. Zum anderen kamen politische Rücksichten während des US-Präsidentschaftswahlkampfs ins Spiel. Das US-Verteidigungsministerium verwahrte sich gegen Schritte, die als Beeinträchtigung der Interessen ehemaliger US-Veteranen des Zweiten Weltkriegs verstanden werden konnten. Deren Verbände gelten in den USA als äußerst einflussreich. Die Clinton-Administration suchte daher unter allen Umständen den Eindruck zu vermeiden, als gäbe sie durch ihre Haltung in der Reparationsfrage potentielle Ansprüche ehemaliger US-Soldaten preis. Gegenüber der Bundesregierung machte sie allerdings ihre Absicht deutlich, keine Forderungen für Kriegsveteranen zu stellen. Monate bevor das Thema »Reparationen« in der Presse, nach abermals ergebnislosen Plenarsitzungen zur Allokation, im März 2000 »hochkochte«, stand es also auf der Tagesordnung der deutsch-amerikanischen Gespräche über die Stiftung.[176] Die abschließende Klärung zog sich allerdings in intensiven bilateralen Expertenrunden noch bis zum Frühsommer 2000 hinaus. Man suchte nach geeigneten Wendungen im Text des deutsch-amerikanischen Regierungsabkommens als Gegengewicht zu der Auffangklausel im Stiftungsgesetz, die alle kriegsbedingten Forderungen gegen Unternehmen erfasste. Die Stiftung sollte auf keinen Fall zum Einfallstor für allgemeine Reparationsforderungen werden.

In einem Vier-Augen-Gespräch besiegelten Graf Lambsdorff und Stuart Eizenstat schließlich einen Kompromiss. Für private Ansprüche aufgrund nicht verfolgungsbedingter Vemögensschäden sollte die Stiftung 50 Mio. DM zur Verfügung stellen.[177] Im Gegenzug boten Formulierungen im deutsch-amerikanischen Regierungsabkommen die Gewähr, dass aus der Regelung privater, kriegsspezifischer Ansprüche im Stiftungsgesetz nicht auf eine zwischenstaatliche Reparationslösung geschlossen werden konnte. Weder die Bundesregierung noch die Regierung der USA gaben dabei ihren Standpunkt auf. Die klaren politischen Meinungsgegensätze wurden nur diplomatisch überbrückt.

> (2) »Dieses Abkommen läßt einseitige Beschlüsse sowie zwei- oder mehrseitige Vereinbarungen, welche die Folgen des Zweiten Weltkriegs und des Nationalsozialismus behandelt haben, unberührt.«
>
> (3) »Die Vereinigten Staaten werden keine Reparationsansprüche gegen die Bundesrepublik Deutschland erheben.«
>
> (4) »Die Vereinigten Staaten ergreifen geeignete Maßnahmen zur Abwehr jeglicher Infragestellung der Staatenimmunität der Bundesrepublik Deutschland in Bezug auf Ansprüche, die gegen die Bundesrepublik Deutschland bezüglich der Folgen des Zweiten Weltkriegs und des Nationalsozialismus gegebenenfalls geltend gemacht werden.«[178]
>
> *Abkommen zwischen der Regierung der Bundesrepublik Deutschland und der Regierung der Vereinigten Staaten von Amerika über die Stiftung »Erinnerung, Verantwortung und Zukunft« vom 17. Juli 2000, Artikel 3*

Für den geplanten Ausgleich von Vermögensschäden im Rahmen der Stiftung hatten sich Banken und Versicherungen mit weiteren kritischen Aspekten auseinander zu setzen.

»Assigned Claims«

Im Fall der Banken ging es um das Ergebnis eines im Frühjahr 1999 in New York abgeschlossenen Vergleichs zwischen österreichischen Kreditinstituten und jüdischen Klägern, dessen Regelungen auch deutsche Banken betrafen. Genehmigt hatte ihn Bundesrichterin Shirley Wohl Kram, vor der sowohl die Sammelklagen gegen österreichische als auch gegen deutsche Banken anhängig gemacht und als »consolidated complaint« zusammengeführt worden waren.[179] Die Vergleichssumme belief sich auf 40 Mio. US-$. Ein anderer Teil der Einigung bestand darin, dass die beklagten österreichischen Banken, Bank Austria AG und Creditanstalt AG, behauptete eigene Forderungen, die vorwiegend als Folge oder im Zusammenhang mit dem Anschluss Österreichs gegen deutsche Banken entstanden seien, an die Kläger abtraten, damit diese sie in dem Verfahren gegen deutsche Banken geltend machen konnten. Art und Umfang dieser so genannten »abgetretenen Forderungen« (»*assigned claims*«) blieben vage und unbestimmt. Ihre mögliche rechtsförmige Qualität berührte, abgesehen von prozessualen Fragen wie z. B. Verjährung, auch völkerrechtliche Aspekte. Österreich hatte in dem 1955 mit den Alliierten abgeschlossenen Staatsvertrag auch mit Wirkung für seine Staatsangehörigen auf alle am 8. Mai 1945 noch offenen Forderungen gegenüber Deutschland und seinen Staatsangehörigen verzichtet.[180] Für die beklagten deutschen Banken war es daher nicht nachvollziehbar, um welche Forderungen, die im übrigen über 45 Jahre nicht geltend gemacht worden waren, es sich handeln sollte. Nach deren Dafürhalten traten die österreichischen Kreditinstitute also mit Zustimmung des US-Gerichts Ansprüche ab, die nicht existierten.

Wie bei Vergleichen in Sammelklagen üblich, oblag es dem Gericht, die Umsetzung der Vereinbarung zu kontrollieren. Mit massiver politischer Unterstützung durch US-Senator Alfonse D'Amato, »Special Master« dieses Vergleichsverfahrens, brachten die mit dem Fall befassten Klägeranwälte die »*assigned claims*« nun im Rahmen der Stiftungslösung in Ansatz. Kram hatte anklingen lassen, dass sie zu einer Abweisung der Klagen gegen deutsche Banken ohne einen Ausgleich der »abgetretenen Forderungen«, gegebenenfalls durch die Stiftung, nicht bereit sei. Die Anwälte der beklagten Kreditinstitute hielten diese Bestrebungen, die darauf hinausliefen, den gerichtlichen Vergleich mit österreichischen Banken über die deutsche Stiftung nachzubessern, für gänzlich unvereinbar mit einer der Hauptprämissen der Verhandlungen: Die Stiftung sollte weder direkt noch indirekt der Aufsicht eines US-Gerichts unterstellt werden. Die Stiftungsinitiative erachtete die abgetretenen Forderungen nicht nur in rechtlich-materieller Hinsicht als völlig unbegründet, sondern sah in deren Geltendmachung auch den inakzeptablen Versuch, auf Umwegen neben Ansprüchen natürlicher, ebenfalls solche juristischer Personen, in diesem Fall die der österreichischen Banken, zu berücksichtigen. Die US-Gerichtsbarkeit konnte aus ihrer Sicht am besten davon überzeugt werden, die Hände von den Verhandlungen zu lassen, wenn die US-Regierung klar und unmissverständlich zur Nichtjustiziabilität der Klagen Stellung bezog. Dazu aber war sie dem Eindruck der Wirtschaftsvertreter nach immer weniger bereit.

Die »*assigned claims*« bildeten nach dem Abschluss der Stiftungsverhandlungen im Januar 2001 sogar den Kern einer neuen Sammelklage.[181] Als es darum ging, die Tragfähigkeit der Stiftungslösung unter Beweis zu stellen, wurden sie zum Faustpfand – mit der Folge, dass der Beginn der Auszahlungen, der an die Abweisung aller anhängigen Klagen gekoppelt war, um Monate hinausgezögert wurde.

ICHEIC

Im Fall der gegen die deutschen Versicherer geltend gemachten Ansprüche »konkurrierte« die Stiftungslösung mit ICHEIC. Die US-Regierung hatte die Entstehung der ICHEIC mit Nachdruck gefördert und wollte sie als ausschließliches Forum (*exclusive forum*) für die Regulierung möglicherweise noch offener Versicherungspolicen aus der NS-Zeit verstanden wissen – unbeschadet der Berliner Grundsatzeinigung vom Dezember 1999, die den Ausgleich für *sämtliche* gegen deutsche Unternehmen, ausdrücklich auch gegen den Versicherungssektor, erhobenen Ansprüche der zu errichtenden Stiftung übertrug – und zwar ebenfalls ausschließlich. Unter welchen Bedingungen aber ließen sich die beiden exklusiven Lösungsansätze verzahnen? Welche Folgen ergaben sich daraus für die weitere Entwicklung der Stiftungsinitiative?

Bereits kurz nach der Grundsatzeinigung vom Dezember 1999 machte Eizenstat für die US-Seite, Regierung und Kläueranwälte, geltend, dass der Betrag von 10 Mrd. DM nur die allgemein humanitären Zwecken gewidmeten Mittel (*insurance humanitarian*) der Versicherer enthielte, der Ausgleich individueller Forderungen gegen deutsche Versicherungen (*insurance claims*) dagegen nicht inbegriffen sei. Eizenstat begründete diese Auffassung damit, dass die Allianz mit ihrer früheren Unterschrift unter das Memorandum of Understanding im Unterschied zu den Banken einem separaten Lösungsansatz zugestimmt habe, der deshalb außerhalb der Stiftung weiter zu verfolgen sei. Die Unternehmen wiesen demgegenüber auf den Briefwechsel zwischen US-Präsident Clinton und Bundeskanzler Schröder, der die Grundsatzeinigung über Umfang und

Reichweite der Stiftung besiegelt hatte. Danach deckte der Betrag von 10 Mrd. DM *alle* Forderungen gegen deutsche Unternehmen aus der NS-Zeit pauschal und nach oben begrenzt ab und stellte Rechtsfrieden ohne Einschränkungen in Aussicht.

Am Anfang der Verteilungsdiskussion stand also, so Eizenstat, ein »good faith misunderstanding« darüber, ob die »Claims« gegen deutsche Versicherungskonzerne mit ihren ausländischen Töchtern überhaupt in den finanziellen und rechtlichen Rahmen der Stiftung einbezogen waren. Die US-Seite entwickelte mehrere Kompromissvorschläge, deren gemeinsamer Nenner darauf hinauslief, entweder die 10 Mrd. DM Obergrenze durch weitere Fixsummen, so genannte »*capped amounts*«, zu sprengen oder den unterstellten Mehrbedarf in dreistelliger Millionenhöhe innerhalb des vereinbarten 10-Mrd.-DM-»Cap« zu Lasten anderweitig belegter Mittel umzuschichten. Dabei geriet in erster Linie der Zukunftsfonds ins Visier einer möglichen Zweckentfremdung, aber auch Zinserträge der Stiftungsgelder.

Die Vertreter der Stiftungsinitiative betrachteten die Ausklammerungsversuche mit außerordentlichem Unbehagen; denn sie schienen ihnen geeignet, den umfassenden Rechtsschutz für die deutsche Wirtschaft zu durchbrechen. Vieles deutete für sie auf Zielkonflikte der US-Regierung hin, die aus dem besonderen Verhältnis zwischen bundes- und einzelstaatlicher Ebene in den USA resultierten. Der US-Regierung schien aus innenpolitischen Gründen daran gelegen zu sein, auf die Belange der in der ICHEIC vertretenen einzelstaatlichen Aufsichtsbehörden und Lobbygruppierungen Rücksicht zu nehmen.

Für die Vertreter der deutschen Wirtschaft handelte es sich ohnehin um ein politisches und kein historisches oder juristisches Problem. Recherchen des Bundesaufsichtsamts für das Versicherungswesen waren zu dem Ergebnis gekommen, dass für den deutschen Markt nur mit wenigen noch offenen Ansprüchen zu rechnen war, deren Wert auf allenfalls einen Betrag zwischen 2 und 10 Mio. DM geschätzt wurde. De jure fehlte aus Sicht der Assekuranzwirtschaft ohnehin jede Anspruchsbasis. Die deutsche Wiedergutmachungsgesetzgebung hatte entzogene Vermögenswerte, einschließlich Lebensversicherungspolicen, individuell restituiert bzw. entschädigt. Einschlägige internationale Abkommen und Globalvergleiche mit jüdischen Nachfolgeorganisationen hatten für nicht reklamierte oder erbenlos gebliebene Ansprüche einen Ausgleich erbracht. Sie konnten also seit mehreren Jahrzehnten als erledigt gelten.

Die Annahme, dass deutsche Versicherungsunternehmen von einer Unmenge unbezahlter oder nicht entschädigter Policen in der einen oder anderen Weise profitiert hatten, entbehrte aus deren Sicht also der historisch-juristischen Grundlage. Das Bundesfinanzministerium, federführend in Wiedergutmachungsfragen, teilte diese Auffassung. Es konnte daher jetzt nicht darum gehen, die rechtliche Bestandskraft der Wiedergutmachung Jahrzehnte im Nachhinein zur Disposition zu stellen Die wiederholten Bemühungen, das zu verdeutlichen, trafen in der ICHEIC-Runde jedoch kaum auf Resonanz.

Solange man dennoch im Rahmen der ICHEIC mit den Initiatoren von Klagen und Sanktionen an einem Tisch saß, glaubten die Versicherungsgesellschaften eine weitere Eskalation verhindern zu können. *»Safe haven«* hieß das Stichwort, mit dem die Aufsichtsbehörden Firmen, die zwischen 1920 und 1945 im europäischen Versicherungsgeschäft aktiv waren, bei Mitgliedschaft in ICHEIC einstweiligen Schutz vor andernfalls sofort greifendem Lizenzentzug gewährten. Eizenstat bat die Versicherungskommissare seinerseits, Fortschritte bei den Verhandlungen über die Stiftung zu berücksichtigen.[182]

Allerdings war die Allianz nicht um jeden Preis bereit, ihre bereits begonnene Zusammenarbeit mit ICHEIC fortzusetzen, vor allem dann nicht, wenn die Ausklammerung der »Claims« aus der Stiftung dazu führen würde, dass für sie und ihre ausländischen Töchter kein Rechtsfrieden zu erwarten wäre. Für diesen Fall sah sich die Allianz und mit ihr die deutsche Versicherungswirtschaft vor die Alternative gestellt, aus der Stiftungsinitiative auszusteigen. Dass der Betrag von 5 Mrd. DM dann noch aufzubringen war, erschien fraglich. Aus diesem Grund, mehr noch aber weil das Prinzip umfassenden Rechtsfriedens in Frage zu stehen schien, torpedierte die ICHEIC-Problematik potentiell das ganze Projekt der Stiftungsinitiative.

Manfred Gentz machte deshalb gegenüber der deutschen wie der US-Regierung klar, dass ein nur partieller Rechtsschutz durch die bewusste Ausklammerung einzelner Anspruchsbereiche unter keinen Umständen akzeptabel war. »Ohne Einbeziehung der ›Claims‹ auch gegen ausländische Töchter inländischer Versicherungsgesellschaften«, so Gentz, würde »ein Teil der deutschen Wirtschaft aus dem generellen Rechtsschutz ausgenommen«. Nachdem die US-Regierung aber mit der Aufstockung des Stiftungsbetrages auf 10 Mrd. DM akzeptiert habe, ausländische Tochtergesellschaften deutscher Mütter in den Rechtsfrieden generell einzubeziehen, sah Gentz »keinen materiellen Grund, weswegen das bei Versicherungen anders sein sollte«.[183]

Der Grund war ICHEIC. Sie hatte den gesamten europäischen Versicherungsmarkt im Blick und wollte weitere Unternehmen an den Tisch holen, vor allem jene, die in den besetzten Teilen Europas ihr ehemaliges Hauptgeschäftsfeld hatten. Es ging dabei um Policen, die außerhalb des deutschen Marktes gezeichnet und ihren Inhabern durch nationalsozialistische Verfolgungsmaßnahmen entzogen worden waren. Soweit diese Vermögenswerte nach 1945 im dann kommunistischen Machtbereich blieben, wurden sie verstaatlicht. Was den deutschen Marktanteil an diesen »osteuropäischen Claims« anbelangte, richtete sich das Interesse der ICHEIC vor allem auf Unternehmen, die bereits seinerzeit stark auf dem mittel- und osteuropäischen Markt vertreten waren, so z. B. private, ehemals reichsdeutsche Versicherungsanstalten wie die Victoria oder Alte Leipziger[184], oder Firmen, die erst später ins Portefeuille deutscher Assekuranzkonzerne gelangten, wie z. B. die ausländische Tochter der Allianz AG, Riunione Adriatica di Sicurita (RAS), die damals u. a. auf dem polnischen und tschechischen Lebensversicherungsmarkt aktiv war.

Nach wochenlangem Streit, ob und welche »Claims« im Versicherungsbereich in die Stiftung einbezogen waren, gestand Lawrence Eagleburger, Vorsitzender der ICHEIC, schließlich zu, dass eine Lösung im Rahmen der Stiftung von ICHEIC anerkannt würde. Man einigte sich auf zwei Prämissen. Erstens, die von ICHEIC angestrebte Kooperation mit der gesamten deutschen Versicherungswirtschaft war nur über die Stiftung sicherzustellen. Die meisten Versicherungsunternehmen, gerade auch jene, die zwar zur NS-Zeit existiert, aber heute kein Interesse am US-Geschäft hatten, standen einer unmittelbaren ICHEIC-Mitgliedschaft ablehnend gegenüber. Zu einem Beitrag zur Stiftung aber fanden sie sich bereit. Die Kooperation bezog sich auf ein umfangreiches Anspruchsverfahren nach ICHEIC-Regeln[185] und die Übertragung von Geldern aus der Stiftung auf ICHEIC. Die Stiftungsinitiative setzte sich hier mit ihrer Forderung durch, die Einzelheiten des Anspruchsverfahrens konsensual festzulegen.[186] Als ungleich schwieriger schien eine Einigung beim zweiten

Punkt. Nach Eizenstat und Lambsdorff sollten osteuropäische Versicherungspolicen aus der Stiftung ausgeschlossen bleiben. Die Stiftungsinitiative bestand dagegen auf einer Einbeziehung. Eizenstat und Lambsdorff beauftragten Gentz, das Problem mit der Claims Conference zu lösen; dem Eindruck des Verhandlungsführers der deutschen Wirtschaft nach allerdings mit wenig Vertrauen in den Erfolg dieses Bemühens. Sollte wider Erwarten Einvernehmen in den Versicherungsfragen erzielt werden können, so Eizenstat, sei eine Einigung bei den Allokationsverhandlungen in Hörweite.

In der Concorde-Lounge des Pariser Flughafens Charles de Gaulle fand Mitte März 2000 das entscheidende Treffen unter sechs Augen statt. Manfred Gentz, Herbert Hansmeyer für die Stiftungsinitiative und Israel Singer verständigten sich auf einen Kompromiss. Aus dem Vermögensplafonds der Stiftung sollte ICHEIC für individuelle »Claims« und damit zusammenhängende Kosten 150 Mio. DM erhalten, zusätzlich 50 Mio. DM aus Zinserträgen zum Ausgleich für Policen, die nicht auf dem deutschen Markt bzw. von ausländischen Töchtern deutscher Muttergesellschaften gezeichnet worden waren und die Option, weitere 100 Mio. DM aus dem Zukunftsfonds zu reklamieren, falls mehr Ansprüche als erwartet sich als offen erweisen sollten. Weitere 350 Mio. DM waren für allgemein humanitäre Zwecke vorgesehen.[187]

Die Prognose Eizenstats erfüllte sich. Wenige Tage nach dem Concorde-Lounge-Treffen gab er auf dem vorletzten Plenum der Stiftungsverhandlungen in Berlin den Durchbruch bei der Allokation der Stiftungsmittel bekannt.

Äußerungen Elan Steinbergs stellten jedoch wenig später die Hoffnung der Unternehmen auf eine abschließende Regelung einmal mehr in Frage. Der Exekutivdirektor des World Jewish Congress erklärte im Hinblick auf die Lebensversicherungspolicen, die jüdischen Inhabern vom NS-Regime entzogen und entsprechend den einschlägigen Verordnungen von den Versicherungsgesellschaften an den Staat ausgezahlt worden waren, es sei »grotesque to describe a policy paid to a murderer as a paid policy«.[188] Dem Vernehmen nach übte Graf Lambsdorff gegenüber Israel Singer scharfe Kritik an den Äußerungen Steinbergs, weil sich in ihnen eine Haltung andeute, die dazu führen könnte, die Glaubwürdigkeit der Claims Conference als Partner in diesen und zukünftigen Verhandlungen in Zweifel zu ziehen. Die Versicherungsangelegenheit sei durch die ICHEIC-Einigung erledigt, die im übrigen Grundannahmen der deutschen Rückerstattungs- und Entschädigungspolitik reflektiere. Im Grunde legte dieser Disput nur die tiefgreifenden, ständig schwelenden Gegensätze in Grundfragen offen. Auch wenn die mörderische Absicht der Nationalsozialisten einer Vielzahl ökonomischer Vorgänge unauslöschlich ihren Stempel aufdrückte, war es nicht legitim, geltend zu machen, dass beispielsweise die Auszahlung von Lebensversicherungspolicen jüdischer Inhaber an den NS-Staat – so sehr sie von NS-Unrecht »imprägniert« war – die Unternehmen dennoch von rechtlicher Schuld befreite, weil sie staatlich erzwungen war? Durfte man behaupten, ausnahmslos jede wirtschaftliche Handlung während der NS-Zeit sei für sich genommen bereits Unrecht? Folgte aus dem Bekenntnis zur moralischen Verantwortung, dass die Kapitel Restitution und Entschädigung jederzeit wieder aufgemacht bzw. zu keiner Zeit abgeschlossen werden können?

Die Vertreter der Stiftungsinitiative wandten sich gegen die Vorstellung, wonach der generelle Unrechtscharakter des NS-Regimes automatisch die Verbindlichkeit jeglicher Geschäftstätigkeit außer Kraft setzte. Die Privatwirtschaft musste in einem Staat handeln, dessen Politik sie nicht verursacht, der sie sich allerdings auch nicht entgegengestellt hatte.

In dem heftigen Ton der Auseinandersetzung klang bereits die Missstimmung an, die den erforderlichen Abstimmungsprozess in den technischen Details der ICHEIC-Kooperation später kennzeichnen sollte. Es ging dabei u. a. um die Erstellung und Publikation von Namenslisten potentieller Anspruchsberechtigter, die Überprüfung der entsprechenden Verfahrensweise der Versicherungsunternehmen (*external audits*) sowie um die Kostenfrage und die Anrechnung bereits an ICHEIC geleisteter Zahlungen auf den Stiftungsbetrag.[189] Auf einige Schlüsselvorschriften, die die Stiftung mit ICHEIC verzahnten, konnten sich Eizenstat, Lambsdorff und Eagleburger schließlich verständigen. Festgelegt wurde, dass der deutsche Markt die Beweis- und Bewertungsregeln der ICHEIC übernehmen würde. Alles andere war einer einvernehmlichen Regelung zwischen ICHEIC, der Stiftung und dem Gesamtverband der deutschen Versicherungswirtschaft überlassen.[190] Eizenstat sprach hier vom »spirit of compromise«.

Aufgrund der konträren Prämissen manövrierten sich die ICHEIC-Parteien langsam in eine Blockadesituation hinein. Ein Großteil der Versicherungsmanager fragte sich, ob die Koalition zwischen ICHEIC und

Stiftung halten würde, was sie versprach: ein faires, rasches Anspruchsverfahren für möglicherweise offene Policen aus der NS-Zeit und
Rechtsfrieden für die deutsche bzw. europäische Versicherungswirtschaft. Als sich bereits unmittelbar nach dem Abschluss der Stiftungsverhandlungen massive Differenzen in der Auslegung der Dokumente
abzeichneten, fühlten sich einige Unternehmensvertreter in ihrer Befürchtung bestätigt, dass mit den getroffenen Vereinbarungen noch
längst kein Ende der Schwierigkeiten in Sicht war. Die Probleme waren
nach Überzeugung der Wirtschaftsseite letztlich nur auf höchster politischer Ebene zu lösen.

Wer gehört zu deutschen Unternehmen?
Zur Einbeziehung ausländischer Tochter- und
Muttergesellschaften

Bei Klagen mit NS-Bezug gegen US-Mütter deutscher Unternehmen, wie
z. B. IBM oder Ford Motor Co., wollte die US-Regierung die geplante
Stiftung erst gar nicht empfehlen. Dahinter stand die Absicht, durch einen Extrafonds, in den diese Firmen einzahlen sollten, jene elfte Milliarde aufzubringen, die Eizenstat den Klägeranwälten intern zugebilligt hatte, um deren grundsätzliche Einwilligung für das 10-Mrd.-DM-Paket zu
erhalten. Eine Intervention der US-Regierung vor Gericht zugunsten ausländischer Mutterkonzerne schien wohl deshalb kontraproduktiv zu sein.
Nach Lambsdorffs Eindruck war Eizenstat hier in der Falle seiner eigenen Zusage gefangen.
Firmen, an denen sich deutsche Unternehmen in Zukunft zu weniger als
25 % beteiligen würden, wollte Eizenstat ebenso wenig den Schutz durch
ein Statement of Interest zubilligen. Jeder solle sich schließlich vor einer
Akquisition über potentielle Verbindlichkeiten im Klaren sein.
Ausnahmen wie diese rührten für die Stiftungsinitiative an den Kern des
Rechtsfriedens. Ohne die Einbeziehung ausländischer Muttergesellschaften würde angesichts der weit verzweigten, europäischen und trans-
atlantischen Beteiligungsverhältnisse kein effektiver Rechtsschutz für
deutsche Firmen eintreten. Der Definition »deutsche Unternehmen«[191]
widmeten die Stiftungsinitiative und ihre amerikanischen Rechtsberater
von *Wilmer, Cutler & Pickering* deshalb große Aufmerksamkeit. Sie er-

reichten eine Begriffsbestimmung, die die Abgabe des Statement of Interest auch für eventuell beklagte ausländische Mutter- und Tochterfirmen deutscher Unternehmen gewährleistete. Eizenstat hatte schließlich akzeptiert, dass die Vorstellung, Unternehmen wegen desselben Sachverhalts theoretisch doppelt zur Kasse zu bitten, für die deutsche Seite inakzeptabel war.[192]

Dennoch wurden einige deutsche Konzerne mit Tochter- bzw. Muttergesellschaften in anderen europäischen Ländern durch die dort geplanten oder bereits errichteten Kollektivfonds für NS-Opfer de facto mehrfach belastet. Die Siemens-Gruppe z.B. gehörte nicht nur zu den Gründungsmitgliedern der Stiftungsinitiative, sondern zahlte aus Solidarität mit ihrer Tochtergesellschaft in Wien auch in den österreichischen Zwangsarbeiter-Fonds. Umgekehrt leisteten große Schweizer Konzerne zusätzlich zu ihren Zahlungen in den Fonds des Schweizer Banken Vergleichs Beiträge für den Stiftungsanteil der deutschen Wirtschaft. Auch die Allianz zahlte für ihre ausländischen Töchter mit. Einige Firmen versuchten, diese Mehrfachbeanspruchung, das »cross-over«, durch entsprechend verringerte Zahlungen auszugleichen. Für andere Unternehmen mit ähnlich transnationaler Struktur gab es hingegen nur ein Entweder-Oder.

Der von Eizenstat und den Klägeranwälten favorisierte US-Fonds kam nicht zustande.

Zwischenbilanz zum Rechtsfrieden

Im Frühsommer 2000, kurz bevor das Stiftungsgesetz verabschiedet werden sollte, waren wesentliche Fragen noch ungelöst – trotz des Erreichten. Seit dem Durchbruch bei der Allokation im März 2000 war an Ausstattung und Reichweite der Stiftung nicht mehr zu rütteln. Versicherungs- bzw. vermögensspezifische Forderungen wurden nach heftigen Kontroversen in die Stiftung einbezogen. So deckte sie nun auch Vermögensschäden mit Reparationscharakter ab. Im Fall der Versicherungen gelang die Verknüpfung mit ICHEIC. Versuche auf amerikanischer Seite, nachträglich die Reichweite des Rechtsfriedens für Töchter bzw. ausländische Mütter deutscher Unternehmen einzuschränken, blieben ohne Erfolg.

Die jetzt noch anstehenden Aufgaben betrafen das diplomatische Gerüst, auf das sich die Stiftung stützen sollte. Die Arbeiten an den einschlägigen Dokumenten waren bereits seit Monaten im Gange. Zum einen handelte es sich um das deutsch-amerikanische Regierungsabkommen und seine Anhänge über die Grundsätze für die Arbeit der Stiftung, die Elemente des Statement of Interest und die Begriffsbestimmung »deutsche Unternehmen«. Zum anderen ging es um eine »Gemeinsame Erklärung«[193] *(Joint Statement)* als dem Szenarium der wechselseitigen Verpflichtungen, das alle Verhandlungsteilnehmer einhalten mussten, bevor Stiftung und Partnerorganisationen mit der Auszahlung der Mittel ihre Arbeit aufnehmen konnten. Die staatlichen wie die nicht-staatlichen Akteure – die Regierungen Deutschlands, der USA, Israels, Weißrusslands, Russlands, Tschechiens, Polens und der Ukraine, die Claims Conference, die Klägeranwälte und die Stiftungsinitiative der deutschen Wirtschaft – legten sich in der Gemeinsamen Erklärung auf die Stiftungslösung und das Ziel des Rechtsfriedens fest.

Die Gespräche der letzten drei Monate vor der mittlerweile für Juli 2000 anberaumten Verabschiedung des Stiftungsgesetzes fanden nur mehr in kleinen Expertenkreisen oder auf Spitzenebene statt – mit zunehmender Tendenz zur Bilateralisierung zwischen den Regierungen der USA und Deutschlands. In dieser Abschlussphase der Verhandlungen dominierten für die Stiftungsinitiative wichtige Einzelaspekte der juristischen, politischen und staatsrechtlichen Absicherung des Rechtsfriedens. Aus ihrer Sicht hatte Eizenstat diese Fragen bisher eher dilatorisch behandelt.

Das Statement of Interest und seine Hürden

Der enge Zeitplan des Gesetzgebungsverfahrens ließ jetzt um so geringere Spielräume. Im Mittelpunkt der Expertengespräche zwischen Stiftungsinitiative, deutscher und US-Regierung stand das Statement of Interest. Seine Formulierungen entschieden über die Qualität der Rechtssicherheit. Die Vertreter der deutschen Wirtschaft bekräftigten abermals ihr Anliegen, die US-Regierung möge ihr außenpolitisches Interesse an einer Klageabweisung durch die Bestätigung der Nichtjustiziabilität der Ansprüche untermauern. Sie waren davon überzeugt, dass auch die mittlerweile 15-monatigen Stiftungsverhandlungen auf diplomatischer Ebene den zwischenstaatlichen Charakter der gegen deutsche Unternehmen im Zusammenhang mit NS-Unrecht und Zweitem Weltkrieg erhobenen Ansprüche hinreichend unter Beweis stellten. Das Statement of Interest sollte die multilateralen Konsultationen unter Regierungsregie als zusätzlichen Beleg dafür heranziehen und als eigenständigen Abweisungsgrund nennen.

Diese Forderungen stießen allerdings auf harten Widerstand. Die gravierendsten Einwände gegen die Position der deutschen Wirtschaft kamen aus dem US-Justizministerium. Vor allem Seth Waxman, in seiner Funktion als oberster Prozessvertreter der USA vor dem Supreme Court für verfassungsrechtliche Fragen zuständig (*Solicitor General*), verwahrte sich gegen jede schriftliche Zusicherung einer Rechtsposition durch die US-Regierung. Er hielt das Ansinnen der Stiftungsinitiative sogar für provokativ. Die Exekutive, so seine Überzeugung, müsse allein schon aus konstitutionellen Gründen darauf achten, ihre Fähigkeit aufrechtzuerhalten, jederzeit flexibel zu reagieren, wenn es politische Belange geboten. Deshalb könne sie sich nicht verpflichten, eine bestimmte Haltung einzunehmen, wie z. B. die gegen deutsche Unternehmen geltend gemachten Ansprüche aus NS-Zeit und Zweitem Weltkrieg für nicht justiziabel zu halten. Ebenso wenig betrachtete Waxman und mit ihm Eizenstat die vorausgegangenen Regierungsverhandlungen als Beleg für das ausschließlich zwischenstaatliche Profil des verhandelten Gegenstands. Der Supreme Court als oberstes Verfassungsgericht der USA würde die Vorstellung ablehnen, dass ein untergeordneter Beamter, in diesem Fall Vizeminister Eizenstat, in einer Weise handeln könne, die darauf hinauslief, einem US-Gericht die Jurisdiktion zu entziehen. Sie lehnten das Argument der Stiftungsinitiative ab, wonach die Haltung der US-Regierung, aus außenpolitischen Interessen eine Klageabweisung zu befürworten, bereits als solche die Nicht-Justiziabilität der Klagegründe impliziere.

Noch Anfang Juni 2000 gingen die Meinungen über den angemessenen Weg zur Rechtssicherheit weit auseinander. Hier die Haltung der Stiftungsinitiative, dass die Fakten, die bisherigen Gerichtsentscheidungen, der zwischenstaatliche Verhandlungsmarathon und das gemeinsame Ziel der Abweisung eine klare Stellungnahme der US-Regierung zur Nicht-Justiziabilität der Fälle ermöglichte; dort die politische Entscheidung der US-Regierung, Klageansprüche weder explizit noch de facto durch die

Hintertür der Nicht-Justiziabilität auszuschließen. Die US-Regierung wollte sich auf keinen Rechtsgrund zur Abweisung festlegen, vielmehr aus einer Position der juristischen Neutralität heraus die Entscheidung über Rechtsgründe allein den Gerichten überlassen. Sie sei schließlich, so das US-Justizministerium, keine »Abweisungsmaschine«. Kurz, die deutsche Seite wollte eine Rechtsposition fixieren, die US-Regierung lehnte das ab.

Waxman und Eizenstat sicherten der deutschen Seite indes wiederholt zu, die USA würden keine Rechtsposition zum Nachteil der deutschen Unternehmen erwägen. Nach monatelangem Ringen war die US-Regierung wenigstens bereit zu erklären, dass sie nicht meine, es existierten *keine* Gründe für die Abweisung. »We will state«, so Eizenstat, »that it is not our position that there are no legal grounds for dismissal.«[194] Dem konnte selbst Waxman zustimmen.

Die USA wollten jedoch ihr außenpolitisches Interesse an einer Beendigung der Klagen ausdrücklich nicht als eigenständigen Rechtsgrund für die Abweisung gelten lassen. Aus Sicht der Unternehmen verletzten sie dadurch ihre selbstverordnete Neutralität. Nach langen und zum Teil harten Auseinandersetzungen nahm die US-Regierung schließlich eine Haltung ein, die die Nicht-Justiziabilität wenigstens nicht ausschloss. »Mehr war unter den Umständen nicht drin«, so die Syndizi, »das war das höchste der Gefühle.«[195]

»Die Vereinigten Staaten nehmen hier zur Begründetheit der von den Klägern oder Verteidigern vorgebrachten Rechtsansprüche oder -ausführungen nicht Stellung. Die Vereinigten Staaten vertreten nicht die Auffassung, ihre politischen Interessen wären selbst ein eigenständiger Rechtsgrund für eine Abweisung; sie werden jedoch betonen, daß die politischen Interessen der Vereinigten Staaten für eine Abweisung aus jedem gültigen Rechtsgrund sprechen.«

Elemente einer Interessenerklärung (Statement of Interest) der Regierung der Vereinigten Staaten von Amerika, Anhang A zu dem Abkommen zwischen der Regierung der Bundesrepublik Deutschland und der Regierung der Vereinigten Staaten von Amerika über die Stiftung »Erinnerung, Verantwortung und Zukunft« vom 17. Juli 2000

Keine Bedenken hatte die US-Regierung dagegen, im Statement of Interest rechtliche Hürden (*legal hurdles*) aufzuzählen, die die *Kläger* zu überwinden hatten, darunter Justiziabilität, Völkersitte (*international comity*), Verjährungsfristen, Fragen der gerichtlichen Zuständigkeit (*forum non conveniens*), die schwierige Beweislage sowie die ebenso schwierige Abgrenzung von Erben als eigener »Klasse«.

In der Frage, welcher Stellenwert den multilateralen Verhandlungen der letzten Monate beizumessen war, gelang es schließlich, deren politischen, zwischenstaatlichen Charakter dadurch zu akzentuieren, dass die Stiftung im Regierungsabkommen sowie im Statement of Interest als Ergebnis der mehr als 50-jährigen Bemühungen gewertet wurde, Opfern nationalsozialistischer Verfolgung Gerechtigkeit zu verschaffen.

»(Die Stiftung) ergänzt umfangreiche frühere deutsche Entschädigungs-, Restitutions- und Rentenprogramme für Handlungen im Zusammenhang mit der Zeit des Nationalsozialismus und dem Zweiten Weltkrieg. Über die vergangenen 55 Jahre hinweg haben sich die Vereinigten Staaten um die Zusammenarbeit mit der Bundesrepublik Deutschland bemüht, um die Folgen der Zeit des Nationalsozialismus und des Zweiten Weltkriegs durch politische Maßnahmen und regierungsamtliches Handeln zwischen den Vereinigten Staaten und der Bundesrepublik Deutschland zu bewältigen.«

Anlage B zu dem Abkommen zwischen der Regierung der Bundesrepublik Deutschland und der Regierung der Vereinigten Staaten von Amerika über die Stiftung »Erinnerung, Verantwortung und Zukunft« vom 17. Juli 2000, Punkt 5

Rechtssicherheit aus dem Weißen Haus:
Der Berger/Nolan-Brief

Gleichwohl hielt die deutsche Seite eine festere Verankerung der Rechtssicherheit für unerlässlich. Statement of Interest und Regierungsabkommen sollten entsprechend verstärkt werden. Der Weg führte über das Weiße Haus. Die beiden höchstrangigen Berater des US-Präsidenten, Sicherheitsberater Sandy Berger sowie Rechtsberaterin Beth Nolan, sollten die Haltung der USA zur Rechtssicherheit schriftlich festhalten.

Der intensiv verhandelte Berger/Nolan-Brief hatte und hat für die deutsche Wirtschaft große Bedeutung. Über den bisherigen Standpunkt der US-Regierung, keine Rechtsmeinung in anhängigen und zukünftigen Fällen zu einzelnen Klageabweisungsgründen zu vertreten, ging zwar auch er nicht hinaus.[196] Doch unterstrich er, und darauf kam es an, nun das *unmittelbare* Interesse der US-Regierung an umfassendem und dauerhaftem Rechtsfrieden für die deutschen Unternehmen im Hinblick auf Klagen im Zusammenhang mit Nationalsozialismus und Zweitem Weltkrieg. In keinem der anderen geplanten Dokumente kam das so deutlich zum Ausdruck.

»Let us reiterate on behalf of the President, that the President and the Administration are committed, as provided for in the proposed executive agreement, to enduring and allembracing legal peace for German companies, for present and for future cases, for consensual and non-consensual cases.«

Sandy Berger, Sicherheitsberater und Beth Nolan, Rechtsberaterin des US-Präsidenten, 16. Juni 2000

Der Brief aus dem Weißen Haus spendete dem Rechtsfrieden für die deutsche Wirtschaft also hohe politische Weihen. Die Stiftungsinitiative, die deutsche und die US-Regierung kamen überein, die wichtigsten Passagen des Berger/Nolan-Briefs in das deutsch-amerikanische Regierungsabkommen einzufügen, um ihnen – als Teil eines völkerrechtlichen Vertrags – auch rechtliche Bindekraft zu verleihen. Die Vertreter der deutschen Wirtschaft hielten diesen Kompromiss nach intensiven Beratungen mit ihren amerikanischen Anwälten für eine ausreichend solide Basis der stets geforderten Rechtssicherheit.

Formal hielt sich die US-Regierung an diese Absprache. Sie nahm den Hinweis auf den Berger/Nolan-Brief in den Vertrag mit der Bundesrepublik zwar auf, doch anders als von deutscher Seite intendiert nur in die Präambel. Im Unterschied zu den einzelnen Artikeln und Anhängen eines Regierungsabkommens übt eine Präambel eine schwächere Bindungswirkung aus. Damit vermied es die US-Regierung, ihren Zusagen größeres völkerrechtliches Gewicht zu verleihen. Sie blieben politischer Natur.

Auf derselben Linie lagen auch jene offiziellen Schreiben, die das Statement of Interest ergänzten: eine Erklärung Stuart Eizenstats und eine
Stellungnahme der US-Außenministerin, Madeleine Albright. Sie hob
die Bedeutung der deutsch-amerikanischen Wirtschaftsbeziehungen hervor und warnte vor weitreichenden außen- und wirtschaftspolitischen Be-
einträchtigungen im Falle eines Scheiterns des Stiftungswegs. Eizenstat
fasste in seiner Erklärung den Verhandlungsverlauf zusammen und betonte das Interesse der US-Regierung am Erfolg der Stiftung als der in
vieler Hinsicht dem Rechtsstreit überlegenen und fairen Alternative. Er
stellte sie als Resultat einer seit Mitte der 90er Jahre von den USA umge-
setzten Politikkonzeption dar, die mit Blick auf die »Holocaust-Ära« darauf abzielte, im Verhandlungsweg kollektive Lösungen zum Vorteil der
größtmöglichen Betroffenenzahl durchzusetzen. Um dieser Lösungsstra-
tegie willen und weil die deutsche Seite Zahlungen an die Opfer von der
Beendigung der Gerichtsverfahren abhängig gemacht habe, läge es, so
Eizenstat, »im Kontext der Stiftung« im dauerhaften und hohen Interesse
der USA, dieses Forum durch »Bemühungen« zu unterstützen, alle Ansprüche aus NS-Zeit und Zweitem Weltkrieg gegen deutsche Unternehmen abzuweisen.[197]

Das Ziel umfassenden und andauernden Rechtsfriedens fand auf Drängen der Stiftungsinitiative auch in die Gemeinsame Erklärung aller Verhandlungsteilnehmer Eingang. In der Skala formalrechtlicher Bindungswirkung rangierte dieses diplomatische Instrument zwar unterhalb der
Schwelle eines völkerrechtlichen Vertrags. Als Verpflichtungserklärung
band die Gemeinsame Erklärung dennoch alle Seiten, wie bei einer
selbsttragenden Konstruktion, an die darin getroffenen Vereinbarungen.

Leistung und Vorleistung: Das Szenarium der Gemeinsamen Erklärung

Für die Gemeinsame Erklärung hatten sich alle Verhandlungsseiten relativ schnell auf das prinzipielle Nacheinander, Gründung der Stiftung
durch Gesetz – In-Kraft-Treten des Regierungsabkommens – Abweisung
der anhängigen Klagen, verständigt. Strittig blieb indes zunächst das Be-
dingungsverhältnis von Verfahrensbeendigung und Zahlungsbeginn. Was
sollte Leistung, was Vorleistung sein? Mit Blick auf die Wirtschaft ging

152

es um zwei Zahlungsströme. Wann sollten die Zahlungen der Unternehmensbeiträge *an* die Stiftung fällig sein, und wann die Auszahlungen *aus* der Stiftung beginnen?

Von Anfang an bestand die Stiftungsinitiative auf der rechtskräftigen und bindenden Abweisung bzw. der endgültigen freiwilligen Rücknahme aller anhängigen Klagen als Voraussetzung für die Zahlung der Unternehmensbeiträge in den gemeinsamen Topf der Stiftung. Eizenstat stimmte diesem Junktim jedoch nur unter der Bedingung zu, dass die rund 70 Verfahren, die bei mehr als 30 Richtern in verschiedenen Bundesstaaten anhängig waren, bei einem Richter zusammengefasst würden. Dazu bedurfte es des Transfer-Beschlusses eines speziellen Richtergremiums, des so genannten *Multi-District-Litigation-Panel (MDL-Panel)*, das die Vielzahl der Klagen bündelte und zur rascheren Entscheidung an ein Bundesgericht verwies.

Zusammenfassung und Verweisung der Klagen hatten für beide Seiten Vor- und Nachteile. Je nachdem wie das Urteil ausfiel, gab es aufgrund seiner juristischen Präzedenzwirkung die Richtung für zukünftige Verfahren vor. Die Vertreter der Wirtschaftsseite stimmten der Transferierung daher erst zu, als sich abzeichnete, dass die an den Verhandlungen beteiligten Klägeranwälte tatsächlich Antrag auf freiwillige Klagerücknahme (*voluntary dismissal*) stellen würden und daher mit großer Wahrscheinlichkeit von der Abweisung der Verfahren auszugehen war.

Die »Zinsfrage«

Einige Klägeranwälte wollten ihre Zustimmung zur Transferierung umgekehrt vom Zugeständnis der Stiftungsinitiative abhängig machen, ein Stichdatum für die Verzinsung des Wirtschaftsbeitrags zu akzeptieren. Immer wieder hatte es von US-Seite während der Verhandlungen Versuche gegeben, die Zahlungen der Wirtschaft an die Stiftung zu terminieren. Zuletzt schlug Eizenstat, kurz vor der Unterzeichnung der Abschlussdokumente am 17. Juli 2000, den 31. Dezember 2000 vor. Manfred Gentz bekräftigte demgegenüber, dass die Stiftungsinitiative die Verpflichtung übernommen habe, der Stiftung mit Abweisung aller Klagen bzw. dann 5 Mrd. DM zur Verfügung zu stellen, wenn das Geld benötigt würde und zusätzlich aus diesem Kapitalbeitrag 100 Mio. DM an Zinsen zu gewährleisten. Dazu stehe er. Auf keinen Fall aber würde er neue Arrangements diskutieren.

Zur fristdefinierten Fälligkeit des Wirtschaftsbeitrags kam es daher nicht. In der Gemeinsamen Erklärung verständigten sich alle Seiten vielmehr darauf, die Bereitstellung des Wirtschaftsbeitrags an die Verfahrensbeendigung zu koppeln. Unter der Voraussetzung des stattgegebenen Transferantrags[198] wurde die Zahlung *an* die Stiftung mit der Abweisung aller vor US-Gerichten anhängigen Klagen gegen deutsche Unternehmen, einschließlich jener bis dahin bekannten Fälle, die in zwei Anhängen aufgelistet waren, verknüpft. Der Beginn der Auszahlungen *aus* der Stiftung hing danach ebenfalls von der rechtswirksamen Klageabweisung ab, im Stiftungsgesetz davon abweichend von der Bestätigung der Rechtssicherheit durch den Bundestag, um den Auszahlungsbeginn letztlich in politisches Ermessen zu stellen. Des Weiteren verpflichtete sich die Stiftungsinitiative in der Gemeinsamen Erklärung dafür Sorge zu tragen, dass aus ihrem Kapitalbeitrag vor und nach Zahlung an die Stiftung Zinsen von »mindestens« 100 Mio. DM erzielt würden.[199]

Die in den Begriff »Zinsen« gekleidete genau bezifferte Summe deckte jenen Betrag, der bereits bei der Allokation fest verplant worden war. Erst die Zusage der Wirtschaft, diese Summe von 100 Mio. DM aus ihrem Beitrag aufzubringen, hatte die politische Einigung auf das Gesamtpaket ermöglicht. Doch wie war vor diesem Hintergrund der Begriff »mindestens« zu verstehen? Nach der Zusicherung der freiwilligen Klagerücknahme durch die Klägeranwälte ging die Stiftungsinitiative von der raschen Abweisung der Fälle und damit der ebenso raschen Fälligkeit der 5 Mrd. DM aus. Zum damaligen Zeitpunkt, Anfang Juli 2000, lagen allerdings erst Zusagen von rund 3 Mrd. DM vor, sodass fraglich war, ob 100 Mio. DM an Zinsen rechtzeitig erwirtschaftet werden konnten. Obwohl der Zinsbetrag nicht notwendigerweise vor der Einzahlung der 5 Mrd. DM aufgebracht sein musste, der Betrag vielmehr ausdrücklich auch nach der Übertragung auf die Stiftung erwirtschaftet werden konnte, sahen sich die Gründer der Stiftungsinitiative in der Pflicht, die Mindesthöhe von 100 Mio. DM sicherzustellen und dafür zu sorgen, dass der Stiftung dieser bereits fest verplante Mehrbetrag jedenfalls zur Verfügung stand. In diesem Sinn bekräftigte der Begriff »mindestens« den Charakter als Deckungszusage.

In der weiteren Entwicklung der »Zinsfrage« geriet dieser Kontext aus dem Blick. Mit der unerwartet um fast ein halbes Jahr verzögerten Abweisung der Bankenklagen durch Richterin Kram verschob sich gleichzeitig die Fälligkeit des Wirtschaftsbeitrags an die Stiftung, für die Klägeranwälte offenbar Grund genug, um die Verzinsung des Wirtschaftsbeitrags vor der vereinbarten Fälligkeit zu verlangen. Mit Unterstützung der US-Regierung nahmen sie den Begriff »mindestens« zum Anlass, um mehr als die 100 Mio. DM »Zinsen« und die Offenlegung der Treuhandkonten der Stiftungsinitiative zu fordern. Die so entstandene »Zinsfrage« und die ihr zugrunde liegende, aus Sicht der Stiftungsinitiative wie der Bundesregierung haltlose Argumentation, erwies sich im Nachhinein als einer der heiklen Punkte der Stiftungslösung. Nach dem Beginn der Auszahlungen an die Opfer war sie Gegenstand von Klagen gegen die Stiftungsinitiative selbst.

Zahlungsbeginn und Rechtssicherheit – Priorität der Politik

Bei der Auszahlung aus der Stiftung nahm das deutsche Parlament die Zügel in die Hand. Für die »erstmalige Bereitstellung der Stiftungsmittel« musste das Regierungsabkommen in Kraft gesetzt und »ausreichende Rechtssicherheit« für deutsche Unternehmen hergestellt sein. »Das Vorliegen dieser Voraussetzungen«, hieß es im Stiftungsgesetz weiter, »stellt der Deutsche Bundestag fest.«[200] Die Parlamentarier behielten sich also den Beurteilungsspielraum vor, ausreichende Rechtssicherheit auch dann für gegeben zu halten, wenn, abweichend von den Bestimmungen der Gemeinsamen Erklärung, noch nicht alle Verfahren rechtskräftig abgewiesen waren.

Schon während der angespannten letzten Verhandlungsphase im Sommer 2000 gab Lambsdorff gegenüber Eizenstat zu erkennen, dass der Bundestag pragmatisch entscheiden und er dies befürworten würde. Von seiner ursprünglichen Haltung, dass es Sache der Unternehmen sei, zu bestimmen, wann ausreichende Rechtssicherheit bestand, war keine Rede mehr. Der Beauftragte des Bundeskanzlers hielt die Voraussetzungen für erfüllt, sobald alle bei Unterzeichnung der Abschlussdokumente schwebenden Verfahren gegen deutsche Unternehmen endgültig beendet und auch keine Fälle mehr anhängig waren, die noch danach direkt oder indirekt von einem der an den Verhandlungen beteiligten Kläger-anwälte initiiert würden.[201] Gentz hatte eine Berücksichtigung dieser neuen Klagen erst nach langen Auseinandersetzungen mit Eizenstat durchsetzen können.

Als sich die Abweisung der vor Richterin Kram anhängigen Bankenkla-gen immer weiter in das Jahr 2001 hinauszögerte, drängten Politiker aller Parteien aus übergeordneten, politischen Gründen mit wachsendem Nachdruck dazu, nur mehr die Abweisung »relevanter« Klagen als Vor-aussetzung für ausreichende Rechtssicherheit gelten zu lassen, um so möglichst schnell mit den Auszahlungen aus der Stiftung zu beginnen. Die Erledigung von Berufungsfällen und Einzelklagen wurde nicht län-ger als notwendig für die Feststellung ausreichender Rechtssicherheit er-achtet.

Die prozessualen Aspekte der Verfahrensbeendigung nahmen sich im Vergleich zu den politischen nicht weniger komplex aus. Für Class Ac-tion-Verfahren sieht die amerikanische Prozessordnung strenge Regeln vor. So müssen z. B. sämtliche potentiellen Mitglieder der Gruppenkla-ge über die beabsichtigte Alternativlösung im Rahmen eines gerichtli-chen Fairness-Hearing informiert werden. Zwar wurde in keinem der gegen deutsche Unternehmen anhängigen Fälle eine Gruppe förmlich zertifiziert. Doch waren die Prozesse soweit gediehen, dass eine Klage-rücknahme ohne adäquate Unterrichtung nicht vorstellbar war. Wie aber sollten die schätzungsweise 1 bis 1,2 Millionen betroffenen, über die ganze Welt verstreuten Personen von der bevorstehenden Stiftungslö-sung in Kenntnis gesetzt werden? Auf welche Weise sollten sie die Mög-lichkeit wahrnehmen, zur Fairness des gefundenen Kompromisses Stel-lung zu nehmen und gegebenenfalls einen anderen Weg zu wählen? Diese prozessualen Hürden bedeuteten in der konkreten Situation erheb-liche zeitliche Verzögerungen, die, mit Ausnahme einiger Klägeranwäl-te, niemand in Kauf nehmen wollte. Schließlich einigten sich alle Seiten auf ein weniger formelles, gleichwohl effizientes Verfahren. Parallel zum In-Kraft-Treten des Stiftungsgesetzes verbreitete eine weltweite Medienkampagne in den jeweiligen Landessprachen Informationen über die Stiftung und den Kreis der Anspruchsberechtigten. Gleichzeitig be-gannen die Partnerorganisationen, Anträge auf Stiftungsleistungen ent-gegenzunehmen.

Hürdenlauf zu den Berliner Abkommen vom 17. Juli 2000

Die Verhandlungen über all die wesentlichen Detailfragen hatten sich über Monate auf Expertenebene hingezogen. Spitzengespräche hatte Eizenstat trotz Drängens der Stiftungsinitiative immer wieder aufgeschoben. Sie fanden erst seit Anfang Mai 2000 in sehr konzentrierter und häufig sehr streitiger Form statt. Die drei Verhandlungsführer Eizenstat, Lambsdorff und Gentz nahmen regelmäßig daran teil. Am 12. Juni 2000 gelang ihnen nach einer Marathonsitzung in der entscheidenden Frage der Rechtssicherheit der Durchbruch: sie einigten sich u. a. über den Inhalt des Berger/Nolan-Briefs sowie über das Junktim zwischen Fälligkeit des Wirtschaftsbeitrags und Abweisung der Klagen. Die amerikanische Seite versicherte darüber hinaus, dass die noch anstehenden Aufgaben wie z. B. die endgültige Formulierung der Abschlussdokumente im Geiste offener Partnerschaft und wechselseitiger Unterstützung erledigt werden sollten. Für die feierliche Unterzeichnung der Verträge, mit der die Verhandlungen offiziell in Berlin beendet werden sollten, setzte man den 17. Juli 2000 fest. Die ursprüngliche Planung, die Zeremonie mit dem Besuch des US-Präsidenten in Berlin Anfang Juli zu verbinden, war verhandlungsbedingt aufgegeben worden.

Dem Abschluss der eineinhalbjährigen Verhandlungen stand nun nichts mehr im Wege. Im Namen des Koordinationskreises empfahl Gentz den Vorstandsvorsitzenden der Gründungsunternehmen, das Ergebnis anzunehmen. Die weitreichenden politischen Zusagen des Weißen Hauses, die deutlichen Verbesserungen des deutsch-amerikanischen Regierungsabkommens und des Statement of Interest böten nun ausreichende Rechtssicherheit, sodass trotz abweichender Meinungen zur rechtlichen Beurteilung der Klagen insgesamt ein sehr positives Ergebnis für die deutschen Unternehmen erzielt worden sei. Die Vorstandsvorsitzenden stimmten dem Vorschlag zu. Ende Juni 2000 bestätigte der Verhandlungsführer der deutschen Wirtschaft die Annahme gegenüber dem Kanzleramt.

»… die Gründungsunternehmen der Stiftungsinitiative (sind) inzwischen einmütig zum Ergebnis gekommen (…), daß der erreichte Zustand zum Rechtsfrieden für die deutsche Wirtschaft ausreichend ist. Wir haben zwar nicht alles erreichen können, was wir uns vorgenommen hatten; dennoch sind die Zusicherungen der amerikanischen Regierung so stark, daß wir der Meinung sind, das Ergebnis akzeptieren und vor allen Unternehmen, die inzwischen der Stiftungsinitiative beigetreten sind, auch vertreten zu können.«

Manfred Gentz, 27. Juni 2000

Desgleichen riet Graf Lambsdorff der Bundesregierung, das Erreichte zu akzeptieren, und dem Parlament, den Abschluss des Gesetzgebungsverfahrens zu forcieren.

Die erforderlichen Schritte folgten rasch aufeinander: Der zuständige Innenausschuss des Deutschen Bundestages gab am 30. Juni 2000 einstimmig seine Beschlussempfehlung ab. In namentlicher Abstimmung verabschiedete das Parlament mit großer Mehrheit am 6. Juli 2000 das Gesetz zur Errichtung der Stiftung »Erinnerung, Verantwortung und Zukunft«.[202] Der Bundesrat stimmte am 14. Juli 2000 zu.

»Der Deutsche Bundestag geht davon aus, daß durch dieses Gesetz, das deutsch-amerikanische Regierungsabkommen sowie die Begleiterklärungen der US-Regierung und die gemeinsame Erklärung aller an den Verhandlungen beteiligter Parteien ein ausreichendes Maß an Rechtssicherheit deutscher Unternehmen und der Bundesrepublik Deutschlands insbesondere in den Vereinigten Staaten von Amerika bewirkt wird.«

Präambel des Gesetzes zur Errichtung einer Stiftung »Erinnerung, Verantwortung und Zukunft«

Während dieser letzten Wochen vor Abschluss der Verhandlungen verlagerte sich die Entscheidungsfindung immer stärker auf die politische Ebene. Trotz klarer Absprachen kündigten sich Konflikte darüber an, welche Klagen abgewiesen sein mussten, bevor der Beitrag der Wirtschaft fällig sein sollte. Die politische Elastizität der Rechtssicherheit zeichnete sich immer deutlicher ab und drohte, Bundesregierung und Stiftungsinitiative zu entzweien. Natürlich war den Vertretern der deutschen Wirtschaft bewusst, dass neue Klagen nicht zu verhindern waren;

gerade für diese Fälle war das Statement of Interest gedacht. Sie hielten den ausreichenden Rechtsfrieden aber nur dann für gewährleistet, wenn alle anhängigen Klagen vor Auszahlungsbeginn rechtskräftig abgewiesen bzw. erledigt waren und damit auch der gute Wille der amerikanischen Seite – der Regierung wie der Anwälte – unter Beweis gestellt war, im Geiste der Vereinbarungen zu handeln. In dieser Hinsicht bestanden auf Seiten der Wirtschaft erhebliche Zweifel. Denn einige Klägeranwälte unternahmen bereits, offenbar unter nur halbherziger Kritik Eizenstats, den Versuch, das prinzipielle Junktim zwischen Abweisung der Klagen und der Bereitstellung der Stiftungsmittel zu beschränken, und zwar auf jene Verfahren, die zum Zeitpunkt der geplanten Unterzeichnung der Gemeinsamen Erklärung bekannt und vor Bundesgerichten anhängig waren, Klagen, die danach eingereicht wurden, hingegen auszunehmen. Gentz kritisierte diese Versuche, trotz Stiftung neue Klagen quasi zu legitimieren, als groben Missbrauch. Um den Druck auf die Klägeranwälte aufrechtzuerhalten, drang er gegenüber Graf Lambsdorff auf einen »sauberen Tisch« vor Auszahlungsbeginn, einer Bedingung also, die außerhalb politischen Ermessens lag.

Die Endredaktion der auch dafür maßgeblichen internationalen Verträge behielten sich allerdings die deutsche und amerikanische Regierung vor. Die Vertreter der Wirtschaft hatten erst Tage vor Unterzeichnung wieder Gelegenheit, die Endfassungen einzusehen. Zu ihrem Erstaunen mussten sie klare Abweichungen von früheren Absprachen erkennen.

Ein Eklat war programmiert. Unmittelbar vor der feierlichen Unterzeichnungszeremonie in Berlin am 17. Juli 2000 machte der Verhandlungsführer der deutschen Wirtschaft deshalb seinem Unmut gegenüber Stuart Eizenstat Luft. In einer von den wenigen Beobachtern eines Sechs-Augen-Gesprächs zwischen Gentz, Lambsdorff und Eizenstat als eisig empfundenen Atmosphäre warf Gentz dem US-Verhandlungsführer vor, in wichtigen Fragen Abmachungen nicht eingehalten zu haben. Punkt für Punkt zählte er auf: die mangelnde Würdigung des Berger/Nolan-Briefs; der fehlende volle Wortlaut des Statement of Interest[203]; Einschränkungen in der Definition »deutscher Unternehmen« mit der Folge, dass jene ausländischen Firmen, die erst nach dem In-Kraft-Treten des Stiftungsgesetzes von deutschen Gesellschaften erworben wurden, nicht in den Rechtsschutz der Stiftung einbezogen würden; die Terminierung des Wirtschaftsbeitrags in der Gemeinsamen Erklärung. Deren erst in der

Nacht zuvor »mit heißer Nadel gestrickte« deutsche Fassung wies hier einen entscheidenden Unterschied zur englischen auf. Danach sollte der Wirtschaftsbeitrag bereits mit dem Transfer der anhängigen Klagen zu *einem* Richter fällig sein, anstatt, wie in der englischen Fassung, erst mit deren Abweisung. Nie aber, so Gentz, sei das Versprechen gegeben worden, den Beitrag zu leisten, bevor er gebraucht würde; schließlich kritisierte er die überraschend eingefügte Fußnote zum Zukunftsfonds. Die Regelung, mindestens 10 % dieser Mittel erbenbezogen zu verwenden, stehe im Widerspruch zum prinzipiell vereinbarten zielgruppenoffenen Ansatz. Die Situation eskalierte, als Gentz seiner Enttäuschung über die Vorgehensweise Washingtons gerade in den letzten Wochen vor der anstehenden Unterzeichnung mit den Worten Ausdruck verlieh, die US-Regierung habe diktiert, nicht verhandelt.

Eizenstat nahm zu einigen Punkten Stellung und schrieb die Meinungsverschiedenheiten überwiegend Missverständnissen zu. Bestürzt zeigte er sich über die Charakterisierung der US-Verhandlungsführung als Diktat. Die USA hätten seit 200 Jahren keine Diktatur, konterte er. Schließlich sei man einer Bitte des Bundeskanzlers an den US-Präsidenten, Verhandlungen aufzunehmen, gefolgt. Im Übrigen würden diese Anschuldigungen indirekt auch Graf Lambsdorff treffen, der sich demnach nicht habe gegen die amerikanische Haltung durchsetzen können.

Lambsdorff schlichtete den offenen Streit mit Kompromissvorschlägen. Er drang mit Erfolg darauf, den Berger/Nolan-Brief dem Regierungsabkommen wenigstens anzufügen. Wenn das Schreiben dadurch auch keine rechtliche Bindekraft entfaltete, verstärkte sich seine politische Wirkung doch erheblich.[204] Ein weiterer Meinungsaustausch wurde vertagt, nachdem der deutsche Außenminister den Raum betrat und die Teilnehmer der Unterredung in souveräner Ruhe daran erinnerte, dass draußen alles warte. Die Unterzeichnung des Regierungsabkommens und der Gemeinsamen Erklärung fand, wenn auch mit fast einstündiger Verspätung, wie geplant statt. Trotz der vorausgehenden massiven Meinungsverschiedenheiten setzte Manfred Gentz im Namen der Stiftungsinitiative seine Unterschrift unter die Gemeinsame Erklärung – in ihrer englischen Fassung. Sie allein ist gültig. Zu stark war der politische Druck, als dass eine Verweigerung so kurz vor dem Ziel möglich und sinnvoll schien. Der Eindruck aber, dass Eizenstat den einzelnen, an den Verhandlungen teilnehmenden Gruppen unterschiedliche Zusagen gegeben hatte, um sie »bei der Stange zu halten«, grub sich auf Wirtschafts-seite noch tiefer ein.[205]

Die Gemeinsame Erklärung aller Verhandlungsteilnehmer und das Regierungsabkommen vom 17. Juli 2000 bildeten fortan die so genannten »*Berlin Agreements*«. Diese Berliner Abkommen sowie das Stiftungsgesetz bilden die Grundlage für die Umsetzung der Stiftungslösung. Verschiedene »*side letters*« der beiden Regierungen kommen als Auslegungshilfe hinzu.

Die Umsetzung der Berliner Abkommen
vom 17. Juli 2000

Mit dem Regierungsabkommen schlossen Deutschland und die USA einen völkerrechtlichen Vertrag über die Errichtung der Stiftung »Erinnerung, Verantwortung und Zukunft« und die Verpflichtung der US-Regierung, in einem Statement of Interest US-Gerichten die Abweisung anhängiger und künftiger Klagen gegen deutsche Unternehmen im Zusammenhang mit nationalsozialistischem Unrecht und Zweitem Weltkrieg zu empfehlen. Um den Vertrag in Kraft zu setzen, hatten beide Seiten einen Notenwechsel vereinbart, der die Übereinstimmung des Stiftungsgesetzes sowie des Statement of Interest mit den dafür im Regierungsabkommen niedergelegten Grundsätzen zu bestätigen hatte. Stiftungsgesetz und Regierungsabkommen mussten in Kraft gesetzt, die Stiftung also unwiderruflich auf den Weg gebracht worden sein, bevor es zur Abweisung der zusammengeführten bzw. transferierten Verfahren kommen konnte.

Durch den erforderlichen Notenwechsel entstand zusätzlicher politischer Handlungsspielraum – vor allem für die US-Regierung. Denn während das Stiftungsgesetz allen Seiten vertraut war, gab die US-Regierung den vollen Text des Statement of Interest erst Wochen nach der Vertragsunterzeichnung am 17. Juli 2000 bekannt. Der Wortlaut blieb nach Auffassung der deutschen Seite, Wirtschaft und Regierung, jedoch insoweit hinter den vertraglichen Verpflichtungen der USA zurück, als die US-Regierung nicht in der vereinbarten Form auf ihr Interesse am Rechtsfrieden für deutsche Unternehmen hinwies. Änderungswünsche der Stiftungsinitiative, die Graf Lambsdorff teilte, lehnte die US-Seite zunächst ab. Erst die unmissverständliche Weigerung der Bundesregierung, die Vertragskonformität des Statement of Interest zu bestätigen, gab den Ausschlag dafür, dass Eizenstat gegenüber den »Hardlinern« aus dem US-Justizministerium einige Verbesserungen erreichte. So wurde jetzt die Albright-Erklärung, die das außen- und wirtschaftspolitische Interesse der Vereinigten Staaten an der Beendigung der Rechtsstreitigkeiten untermauerte, teilweise zitiert, sowie das Regierungsabkommen und die Gemeinsame Erklärung angefügt. Lambsdorffs Urteil zufolge rückte das Statement of Interest dadurch doch recht nahe an die von den Vertretern der Wirtschaft favorisierte *political question doctrine* heran. Die US-Regierung unterstrich ihr dauerhaftes und hohes politisches Interesse am Erfolg der Stiftung und im Zusammenhang damit am Rechtsfrieden für die deutschen Unternehmen, machte jedoch zugleich deutlich, dass sie ihr politisches Interesse nicht als eigenen Abweisungsgrund verstanden wissen wollte.

Dass Lambsdorff sich, im Einvernehmen mit Gentz, dennoch Mitte Oktober 2000 dafür aussprach, das Regierungsabkommen in Kraft zu setzen, um damit eine der beiden Voraussetzungen für die Auszahlung der Stiftungsmittel zu schaffen, hatte mit zwei Faktoren zu tun. Zum einen zweifelte Lambsdorff nicht an der Ernsthaftigkeit der US-Regierung, sich aus außen- und wirtschaftspolitischen Gründen für das Ende der Rechtsstreitigkeiten mit deutschen Firmen zu engagieren. Aus seiner Sicht war die US-Regierung so weit gegangen, wie man es legitimerweise unter dem Aspekt erwarten konnte, dass sie sich keine Eingriffe in Rechte von Privatpersonen bzw. in die US-Justiz vorwerfen lassen wollte. Zum anderen übten die nahezu zweijährige Dauer der Verhandlungen und die damit einhergehende Wartezeit für die Menschen, die Leistungen beanspruchen konnten, enormen psychologischen Druck aus, so rasch wie möglich mit den Zahlungen zu beginnen.

Den Ausschlag gab jedoch die Bedingung der US-Regierung, ohne vorherigen Notenaustausch kein Statement of Interest abzugeben. Gentz und Lambsdorff waren sich darin einig, Klageabweisungen in den USA nicht dadurch zu gefährden, dass die entsprechende Empfehlung der US-Regierung ausblieb. »Wohl oder übel«, so Gentz, müsse die deutsche Seite daher trotz Beanstandungen am Wortlaut des Statement of Interest dem Notenwechsel zustimmen. Das Regierungsabkommen trat schließlich am 19. Oktober 2000, dem Tag des Notenwechsels, in Kraft.

In der Zwischenzeit hatte das MDL-Panel den Transfer eines Großteils der anhängigen Verfahren zu Bundesrichter William G. Bassler am Bundesgericht von New Jersey verfügt. Im Wesentlichen handelte es sich um die gegen Industrieunternehmen gerichteten Klagen. Wider Erwarten blieben die gegen Versicherungsgesellschaften anhängigen Fälle weiterhin dem New Yorker Bundesrichter Michael B. Mukasey zugeordnet.

Ebenso wenig wurde dem Transfer der Bankenverfahren zugestimmt, die in New York vor Bundesrichterin Shirley Wohl Kram anhängig waren.[206] Bassler hatte die gerichtliche Anhörung auf Anfang November 2000 festgesetzt. Der Bundesrichter gab zu verstehen, dass das Statement of Interest vor seiner Entscheidung vorliegen sollte. So mahnte auch der gerichtliche Terminplan zur Eile an und hatte den Entschluss zum Notenwechsel forciert.

»The United States strongly supports the creation of the Foundation, and wants its benefits to reach victims as soon as possible. Therefore, in the context of the Foundation, it is in the enduring and high interest of the United States to vindicate that forum by supporting efforts to achieve dismissal of (i. e., ›legal peace‹ for) all Nazi era and World War II claims against German companies ...The United States does not suggest that these policy interests described above in themselves provide an independent legal basis for dismissal. Moreover, in this Statement, the United States takes no position on the merits of the underlying legal claims or arguments by plaintiffs or defendants. Because of the United States' strong interest in the success of the Foundation, however, and because such success is predicated on the dismissal of this litigation, the United States recommends dismissal on any valid legal ground.«

Statement of Interest of the United States, October 20, 2000 in den vor Richter William G. Bassler, Bundesgericht von New Jersey, anhängigen Verfahren.

Die Berliner Abkommen mussten jetzt ihre Tragfähigkeit unter Beweis stellen. Wesentliche Vereinbarungen waren bereits erfüllt. Das Regierungsabkommen war in Kraft. Die Klägeranwälte hielten sich an jenen Teil ihrer Verpflichtung aus der Gemeinsamen Erklärung, der von ihnen verlangte, die bindende Abweisung ihrer zum Zeitpunkt der Vertragsunterzeichnung anhängigen Klagen selbst zu beantragen. Zu diesem Zweck reichten so gut wie alle bei Gericht Gesuche auf freiwillige Klagerücknahme (*voluntary dismissal*) ein, nachdem sie zuvor ihre Mandanten von der Fairness der erreichten Stiftungslösung zu überzeugen hatten.[207]

Die Konstituierung der Stiftung
»Erinnerung, Verantwortung und Zukunft«

Unterdessen liefen die Vorbereitungen der Stiftungsarbeit auf Hochtouren. Noch vor der konstituierenden Sitzung der Stiftung am 31. August 2000 hatte die weltweite Publizitätskampagne begonnen. Sie ging mit der Aufforderung an die Leistungsberechtigten einher, ihre Anträge bei den Partnerorganisationen einzureichen.

Die Stiftung – eine rechtsfähige Stiftung öffentlichen Rechts mit Sitz in Berlin – entstand als Einrichtung der Bundesrepublik Deutschland unter Rechtsaufsicht des in Wiedergutmachungsfragen federführenden Bundesfinanzministeriums. Die Arbeit der Stiftung übernahmen zwei Organe. Ein dreiköpfiger Vorstand führt die Geschäfte und trägt die Verantwortung für die operativen Aufgaben der Mittelverteilung an die Partnerorganisationen sowie die konzeptionelle Konkretisierung und Verwaltung des Zukunftsfonds. Ein international besetztes Kuratorium hat die Funktion, detaillierte Richtlinien für die Verwendung der Mittel zu erlassen, soweit sie nicht durch das Gesetz bestimmt waren und über alle grundsätzlichen Fragen, die zum Aufgabenbereich der Stiftung gehören, wie z. B. den Haushalt, zu beschließen.[208]

Um Besetzung und Befugnisse des Kuratoriums war während der Verhandlungen heftig gerungen worden. Einige Klägeranwälte sahen in ihm eine Art Ersatz für die fehlende US-Gerichtsaufsicht über die Stiftung und drangen deshalb auf eine starke Repräsentation der Opferseite. Das Gremium spiegelte schließlich die Interessenbalance der an den Verhandlungen beteiligten Gruppen wider. Die Mitgliederzahl erhöhte sich dementsprechend, entgegen den Vorschlägen der Stiftungsinitiative, von ursprünglich beabsichtigten 10 auf 27. Den Vorsitz des Kuratoriums übertrug der Bundeskanzler dem deutschen Spitzendiplomaten und UNO-Botschafter, Dieter Kastrup.

Auch nach der Konstituierung der Stiftung gingen die Meinungen über die Befugnisse des Kuratoriums auseinander. Obwohl weder Stiftungsgesetz noch -satzung dem Kuratorium die Funktion eines operativen Verwaltungsrats zuschrieben, gab es von US-Seite wiederholt Versuche, das Gremium als weisungsbefugtes Kontrollorgan der Stiftung zu handhaben und mit weitreichenderen Vollmachten auszustatten als im Gesetz vorgesehen. Auf diesem Weg sollte etwa die Stiftungsinitiative, die über vier Kuratoriumssitze verfügte, zur Zahlung weiterer Zinsen verpflichtet werden können.[209] Dieser Sichtweise standen allerdings durchgreifende rechtliche Bedenken von Seiten der behördlichen Rechtsaufsicht wie des Kuratoriumsvorsitzenden entgegen.

Eizenstat selbst wollte das Kuratorium nicht überbewertet wissen, zumal den Partnerorganisationen für die Antrags- und Auszahlungsprozesse größere Bedeutung zukam. Was den Einfluss auf die tägliche Stiftungsarbeit anbelangte, veranschlagte Graf Lambsdorff ohnehin die Rolle des Stiftungsvorstands höher. Die Besetzung mit ehemaligen hochrangigen Diplomaten bürgte in diesem Sinn für die Einhaltung der Staatsräson: Avi Primor, Botschafter Israels in der Bundesrepublik von 1993–99, Hans-Otto Bräutigam, ehemaliger ständiger Vertreter der Bundesrepublik in der DDR, UNO-Botschafter und später Justizminister in Brandenburg sowie, als Sprecher, Michael Jansen, einer der Protagonisten der Stiftungsinitiative und vor seinem Wechsel zur Degussa AG lange Jahre Büroleiter von Ex-Außenminister Hans-Dietrich Genscher.

Die Abweisung der Klagen gegen deutsche Industrie- und Versicherungsunternehmen

Unter Berufung auf die Berliner Abkommen und die anlaufende Stiftungsarbeit gaben die Bundesrichter William Bassler (November 2000) und Michael Mukasey (Dezember 2000) den Anträgen auf Klagerücknahme bzw. -abweisung statt – mit einigen Ausnahmen. Richter Mukasey nahm die mitbeklagten Schweizer Versicherungsgesellschaften mit ihren deutschen Töchtern vom Rechtsschutz der Stiftung aus.[210] Einige Kläger, deren Verfahren vor Bassler anhängig waren, willigten zunächst nicht in die Rücknahme ihrer Klagen ein, zogen aber später zurück. Wo das nicht der Fall war, wies Bassler durch streitiges Urteil ab – für die Stiftungsinitiative ein wichtiger Beleg für die Tragfähigkeit der Stiftungslösung.[211]

In beiden von den Streitparteien vorverhandelten Urteilen fand sich der ausdrückliche Hinweis auf die nach US-amerikanischem Prozessrecht bestehende Möglichkeit, die Verfahren wieder aufzunehmen, falls die Stiftung nicht wie in den Berliner Abkommen vorgesehen finanziell voll ausgestattet werden würde.[212] Diese Hinweise waren das Ergebnis zäher Verhandlungen; zunächst hatten die Klägeranwälte den beklagten Unternehmen die Einwilligung in die Wiederaufnahme für den Fall der mangelnden finanziellen Ausstattung der Stiftung abringen wollen. Richter Bassler unterstrich in seinem Urteil darüber hinaus, dass nach den Berliner Abkommen der den deutschen Unternehmen zugesagte Rechtsfrieden durch die Abweisung aller einschlägigen Verfahren in den USA sichergestellt sein müsse, bevor die Opfer Leistungen aus der Stiftung erhielten. Bassler würdigte zudem die zukunftsgerichteten Verpflichtungen des Vertragswerks. Seine Urteilsbegründung schloss so mit einem bemerkenswerten Ausblick auf den Zukunftsfonds der Stiftung.

> »In formulating the framework for the Foundation ›Rememberance, Responsibility and the Future‹, the participants have provided a mechanism for payments to hundreds of thousands of slave and forced laborers, following the initiative of German companies to establish a foundation, which has since been joined by thousands of other German companies. But within the Foundation itself is a ›Rememberance and Future Fund‹ charged with the permanent task to foster projects that serve the purpose of better understanding among peoples, the interests of survivors of the National Socialist regime, youth exchange, social justice, remembrance of the threat posed by totalitarian systems and despotism, and international cooperation in humanitarian endeavors. (Foundation Law § 2 [2]). It is this commitment that grounds our confidence in Kierkegaard's words, that ›life must be lived forwards‹.«
>
> *In re Nazi Era Cases Against German Defendants Litigation, William G. Bassler vom 5. Dezember 2000*

Ende des Jahres 2000 waren auf diese Weise die rund 50 gegen deutsche Industrie- und Versicherungsunternehmen gerichteten Sammelklagen aus den Jahren 1998 und 1999 in den USA erledigt. Der erhoffte Rechtsfrieden schien jetzt greifbar nahe. Selbst mit Blick auf die Bankenfälle waren die Vertreter der Stiftungsinitiative zuversichtlich. Die zuständige New Yorker Richterin Shirley Wohl Kram hatte einen Gutachter zu Rate gezogen, der sie über die Ergebnisse der Stiftungsverhandlungen informierte und, den Urteilen Basslers und Mukaseys folgend, die Abweisung der Bankenklagen empfohlen hatte.[213] Die Streitparteien sprachen sich mit wenigen Ausnahmen auf Klägerseite ebenso dafür aus. Den mündlichen Verhandlungstermin hatte Kram für Ende Januar 2001 festgesetzt. Von ihrer Entscheidung hing nun ab, wie schnell die Stiftung mit den Auszahlungen beginnen konnte.

Die US-Berater der Stiftungsinitiative bezweifelten allerdings, dass es zur Abweisung kommen würde.[214] Sie behielten Recht. Unmittelbar vor der anberaumten Anhörung wurde eine neue, allem Anschein nach von Kram selbst lancierte Sammelklage gegen deutsche Banken bei ihr anhängig gemacht, die inhaltlich in weiten Teilen mit den bereits anhängigen Bankenklagen übereinstimmte, aber nun auf die »*assigned claims*« gestützt wurde (Gutman-Case).[215] Als Kläger wurden überwiegend dieselben Personen benannt, die einer Rücknahme der alten, noch anhängigen Klage zugestimmt hatten.

Die Bankenklagen als Faustpfand

Kram vertagte zunächst ihre Entscheidung auf Anfang März 2001. Sie schien darauf abzuzielen, die von den österreichischen Banken im Prozessvergleich vom Frühjahr 1999 an die damaligen Kläger abgetretenen Forderungen gegen deutsche Banken[216] aus dem Vermögensplafonds der Stiftung zu befriedigen, obgleich darin grundsätzlich keine Leistungen für institutionelle Ansprüche vorgesehen waren.[217] Dennoch versuchte sie für die aus ihrer Sicht nicht ausreichend berücksichtigte österreichische Klägergruppe mit einer Reihe verfahrensrechtlicher Kunstgriffe über Monate diese Koppelung durchzusetzen.[218]

Die New Yorker Bundesrichterin wies die Klagen gegen die deutschen Banken deshalb zur großen Enttäuschung aller Seiten nicht ab. Zwei Gründe machte sie geltend. Sie unterstellte, dass die Stiftungslösung und das Statement of Interest der US-Regierung de facto den Klageausschluss für die Inhaber der »*assigned claims*« zur Folge hätten und stützte ihre ablehnende Entscheidung ferner auf die Befürchtung, dass die deutsche Wirtschaft ihr Zahlungsversprechen nicht einhalten, die US-Regierung ungeachtet dessen aber weiter vor Gericht Statements of Interest abgeben würde. Des Weiteren verwies sie darauf, dass die deutschen Unternehmen ihren Stiftungsanteil von 5 Mrd. DM auch noch nicht aufgebracht hätten. Zur Erinnerung: Im Frühjahr 2001 konnte sich die Stiftungsinitiative erst auf Zusagen von knapp 6000 Firmen über ein Volumen von etwa 3,6 Mrd. DM stützen. Judge Kram schuf damit ein faktisches Junktim zu Lasten aller Anspruchsberechtigten.

Sowohl die Kläger als auch die beklagten Unternehmen gingen in die Berufung. Von den Klägeranwälten, u. a. Burt Neuborne, Michael Hausfeld und Melvyn Weiss, musste sich Kram vorwerfen lassen, »Horrorszenarien« zu entwerfen und »völlig haltlose Spekulationen« anzustellen. Sie hielten ihr vor, die Rechtsnatur der Stiftungslösung als vermeintlichen Class Action Vergleich mit US-Gerichtsaufsicht zu verkennen. Zugunsten der von ihr bevorzugten kleinen Gruppe der Inhaber der »assigned claims« verzögere sie die Auszahlungen an über eine Million bislang leer ausgegangener Opfer der Holocaust-Ära unverantwortlich, wenn sie sie nicht gar ganz aufs Spiel setze. Ganz abgesehen davon ignoriere sie die verfahrensrechtlichen Möglichkeiten, das durch die Abweisung beendete Verfahren wieder aufzunehmen, falls die deutsche Wirtschaft nicht ihren vertraglichen Verpflichtungen nachkomme.

In ihren Revisionsanträgen brandmarkten die Klägeranwälte die Haltung Krams als Machtanmaßung (»usurpation of judicial power«) und groben Missbrauch ihrer Befugnisse (»clear abuse of discretion«). Die Klärung der Ansprüche aus den abgetretenen Forderungen sei nur durch Wiederaufnahme des österreichischen Bankenvergleichs oder ein separates Verfahren zu erreichen. Die deutsche Stiftung dürfe dagegen nicht als Geisel für Mängel eines früheren Vergleichs genommen werden.[219]

»Such a fanciful fear of multiple betrayal by German industry and the United States government cannot possibly justify a finding of judicially cognizable prejudice … First, the probability of such multiple betrayals of Holocaust victims by both German industry and the United States government borders on the infinitesimal. Even more importantly, it treats the Executive branch, not as a partner in the search for justice for Holocaust victims, but as a hostile and untrustworthy entity whose future activities must be subject to prophylactic judicial control in order to protect Holocaust victims from betrayal. Nothing could be further from the Supreme Court's repeated direction to the lower courts to show respect for coordinate branches of government, especially in the delicate area of foreign relations.«

Burt Neuborne, Brief of Appellants and, in the alternative, Petition for Writ of Mandamus to the United States District Courts for the Southern District of New York, 20. März 2001

Während die Klägeranwälte klar die Österreich-Problematik als Hauptgrund für die Verzögerung erkannten, entstand in der Öffentlichkeit ein völlig anderes Bild. Kommentatoren aus Politik und Medien sahen in dem Versagen der deutschen Unternehmen, den vollen Betrag aufzubringen, die eigentliche Ursache für Krams Entscheidung und wiesen der Wirtschaft die Schuld daran zu, dass der Auszahlungsbeginn zu Lasten der betagten Opfer weiter auf sich warten ließ. Das Defizit zu den versprochenen 5 Mrd. DM beherrschte die Schlagzeilen zum Thema.

Dass weder Richter Bassler noch Richter Mukasey in dem Fehlbetrag einen Hinderungsgrund für die Abweisung der vor ihnen anhängigen Klagen gesehen hatten, fiel offenkundig nicht ins Gewicht. Vielmehr spitzte sich mit der Entscheidung Krams Anfang März 2001, die Klagen nicht abzuweisen, die Kritik an der »Hängepartie«[220] der deutschen Unternehmen zu. Obwohl deren Beitrag erst *nach* Abweisung aller anhängigen Klagen fällig war, das Geld also noch gar nicht aufgebracht sein musste, befand sich die Stiftungsinitiative in der öffentlichen Wahrnehmung in der Defensive.

Mit dem Minus von rund 1,4 Mrd. DM geriet die Wirtschaft insgesamt in Misskredit.

Der mit Krams Entscheidung suggerierte Mangel an Glaubwürdigkeit fand in dem offenen Vorwurf einzelner Bundestagsabgeordneter, die Wirtschaft sei am raschen Beginn der Zahlungen an die Opfer nicht ernsthaft interessiert, ein nachhaltiges Echo in der deutschen Politik.[221] Der Bundesregierung war ihrerseits aus innen- wie außenpolitischem Interesse an raschen und effizienten Auszahlungen gelegen. Graf Lambsdorff bekräftigte so gegenüber Gentz seine Befürchtung, »dass die Fortsetzung der unwürdigen Diskussion um die Leistungsbereitschaft der deutschen Wirtschaft deren Ansehen in der Öffentlichkeit ebenso schadet wie dem Ansehen Deutschlands insgesamt«.[222]

Vor diesem Hintergrund gab der Beauftragte des Bundeskanzlers öffentlich zu verstehen, dass es nur noch der Abweisung jener Sammelklagen bedurfte, die am 17. Juli 2000 vor US-Gerichten anhängig gewesen waren, um ausreichende Rechtssicherheit festzustellen und damit den Weg für die Auszahlungen aus der Stiftung freizugeben. Eine solche Definition schloss anhängige Einzelklagen oder auch die neue Sammelklage gegen deutsche Banken, den so genannten Gutman-Fall aus.[223]

Für den Verhandlungsführer der deutschen Wirtschaft widersprach diese Haltung eindeutig dem Sinn und Buchstaben der Berliner Abkommen. Gegenüber Vertretern von Bundesregierung und Bundestag hielt Gentz in einem Schreiben, das für Furore sorgte, an seinem Verständnis von Vertragstreue fest. Er bezog sich auf das Einvernehmen aller Seiten, dass zumindest alle bei Vertragsunterzeichnung am 17. Juli 2000 anhängigen Fälle, unabhängig davon, ob es sich um Einzel- oder Sammelklagen handelte, endgültig erledigt sein mussten. Das betraf gerade auch Berufungsfälle.[224] Auch wenn es im Hinblick auf die nach dem 17. Juli 2000 anhängig gemachten Verfahren unterschiedliche Auffassungen gegeben hätte, so seien Wirtschaft und Politik doch übereingekommen, dass missbräuchlich eingeleitete Verfahren der Feststellung von Rechtssicherheit entgegenstünden. Als Missbrauch hätten beide Seiten u. a. Klageaktivitäten jener Anwälte definiert, die sich an den Verhandlungen beteiligt bzw. die Gemeinsame Erklärung mit unterzeichnet hatten.

Ein solcher Fall lag vor. Michael Hausfeld hatte im Februar 2001 Klage gegen IBM eingereicht, im Wesentlichen begründet mit der Verwicklung der deutschen Tochterfirma Hollerith in den Holocaust.[225] Als US-amerikanische Muttergesellschaft fiel IBM unter den Rechtsschutz der Stiftung. Darüber hinaus gab es inzwischen neue Sammelklagen in Kalifornien u. a. gegen deutsche Versicherungen. Mit Blick auf die legislativen und aufsichtsbehördlichen Maßnahmen im Versicherungsbereich könne man, so Gentz, ohnehin nicht von Rechtsfrieden sprechen. Gegen das kalifornische Gesetz von 1999, das von europäischen Versicherern unter Androhung des Lizenzentzugs verlangte, Informationen über Versicherungspolicen aus der Zeit zwischen 1920 und 1945 zu veröffentlichen, hatte u. a. der Gerling-Konzern geklagt. Auch diese Verfahren schwebten noch.

Kurz, abgesehen von den Bankenfällen vor Richterin Kram, waren Anfang März 2001 mehrere Berufungsfälle sowie erstinstanzliche Verfahren, darunter neue Klagen, vor US-Gerichten gegen deutsche Firmen anhängig. Angesichts dieser Bilanz machte Gentz im Namen der Stiftungsinitiative die amerikanische Seite für die Verzögerungen verantwortlich. »Aus den genannten Gründen und den völlig eindeutigen Vereinbarungen heraus«, so Gentz weiter, »können wir bei dem derzeitigen Stand der Verfahren der Feststellung von Rechtssicherheit nicht zustimmen.« Sollte Lambsdorff sie nach Abweisung der Kram-Fälle dennoch beim Bundestag beantragen, »müssen wir dem nachdrücklich widersprechen«.

Als Kompromiss schlug Gentz vor, Zahlungen aus dem Bundesanteil der Stiftung von der Feststellung der Rechtssicherheit abzukoppeln. »Wenn die Zahlung an die Opfer wegen deren Alter Vorrang vor der Rechtssicherheit haben soll – dieser Gesichtspunkt kann natürlich nicht einfach beiseite geschoben werden –, dann sollte man es auch deutlich sagen. Das Kriterium der Rechtssicherheit wird dann – zumindest in der vereinbarten Form – aufgehoben. Das Gesetz müsste entsprechend geändert werden.« Allerdings könne niemand erwarten, dass die Wirtschaft ihre Mittel zur Verfügung stellte, solange sie für sich keine ausreichende Rechtssicherheit entsprechend den Berliner Abkommen feststellen könne. Die Stiftungsinitiative stand bei den Firmen im Wort. Nicht wenige Unternehmen – auch aus dem Kreis der Gründer – hatten ausdrücklich erklärt, der von ihnen geleistete Beitrag dürfe keinesfalls an die Stiftung weitergegeben werden, solange keine Rechtssicherheit im Sinne der Berliner Abkommen herrsche.[226]

Die Bundestagsabgeordneten, die mit der Thematik in den Fraktionen befasst waren, hielten dagegen. Das Junktim zwischen der Feststellung ausreichender Rechtssicherheit und der Auszahlung der Stiftungsmittel müsse bleiben, um den Druck auf die Wirtschaft, das Geld endlich zusammenzubringen, aufrechtzuerhalten.[227] Außerdem sahen sich weder die Parlamentarier noch die Bundesregierung aufgrund der unmittelbaren Einbettung des Gesetzes in das deutsch-amerikanische Regierungsabkommen und der deshalb erforderlichen Zustimmung der US-Regierung zu einer entsprechenden Änderung in der Lage.[228]

»Mit der verständlichen Ablehnung von Prozeßvergleichen haben Bundesregierung und Stiftungsinitiative seit langem eine unvollständige Rechtssicherheit in Kauf genommen. Unstreitig ist, daß weitere Klagen nicht auszuschließen sind und daß bei späteren Klagevorhaben das Statement of Interest eine präventive und nur im schlimmsten Fall eine prozeßentscheidende Rolle spielen soll. Der entscheidende Aspekt der Rechtssicherheit ist dabei der öffentlich erklärte Wille der amerikanischen und auch der deutschen Regierung, deutsche Unternehmen vor Gericht in Schutz zu nehmen. Dies gilt auch für die seit Juli eingereichten Klagen (IBM und Österreich!)«

Graf Lambsdorff an Manfred Gentz, 16. Februar 2001

Zwischen Fußangeln und Fußnoten

Die Klägeranwälte reagierten mit Unverständnis auf den Standpunkt der Stiftungsinitiative. Kleinliches Festhalten am Vertragstext bringe nichts; »selbst wenn die deutsche Industrie in technischer Hinsicht Recht haben sollte, ist das Ganze politisch idiotisch«, konstatierte Michael Hausfeld, der durch seine Klage gegen IBM selbst dazu beigetragen hatte, die Situation in jene Sackgasse zu manövrieren, aus der seinen Vorschlägen zufolge nur rasche Zahlungen der Stiftungsinitiative einen Ausweg boten.[229]

Der Ruf nach Vorleistungen, um mit Rücksicht auf das Alter der Leistungsberechtigten das Dilemma zu lösen, wurde immer lauter und im Ton schärfer.[230] In einem regelrechten Crescendo überschlugen sich die Stimmen der Kritik an der Haltung der Wirtschaft. Einige diagnostizierten eine »Sicherheitsneurose« der deutschen Industrie.[231] Andere sprachen von »beschämender Hinhaltetaktik der Firmen«.[232] Vom »Kamikazekurs« der Wirtschaft war die Rede, sollte sie gegen das Urteil der New Yorker Richterin in Berufung gehen, bevor sie nicht ihren komplettem Betrag an die Bundesstiftung überwiesen habe.[233] Volker Beck, für Bündnis 90/Die Grünen im Kuratorium der Stiftung, warnte die Wirtschaft vor einem »gefährlichen Vabanquespiel«. Die Politik müsse den Druck auf die Wirtschaft erhöhen, notfalls in Vorleistung gehen und sich die Auslagen durch eine Umlage auf die Unternehmen wiederholen.[234] Der Bundespräsident und der Bundeskanzler sollten eingreifen.[235] Lambsdorff mahnte, »die Lücke schleunigst zu schließen«.[236] Die Tatsache, dass die Wirtschaft die fünf Milliarden noch nicht zusammen habe, sei ein »klares Hindernis für die Abweisung der Klagen«. »Ohne die volle Summe bleibt die Wirtschaft Teil des Problems«, legte der stellvertretende Vorsitzende der CDU/CSU-Fraktion im Bundestag, Wolfgang Bosbach, nach, der bislang Verständnis für die Position der Stiftungsinitiative gezeigt hatte.[237] Dieser Schulterschluss ließ auch die Verbandsvertreter der deutschen Wirtschaft nicht unbeeindruckt. Der neu ins Amt gewählte Präsident des DIHT, Georg-Ludwig Braun, mit seinem Unternehmen selbst an der Stiftungsinitiative beteiligt, erklärte beschwörend: »Wir als Wirtschaft dürfen uns an dieser Stelle nicht blamieren.«[238]

Die US-Regierung hieb in dieselbe Kerbe. Das fehlende Geld der Wirtschaft sei ein »juristisches Hindernis« für den Rechtsfrieden.[239] Diese Auffassung stand zwar faktisch im Widerspruch zur eigenen Auslegung des Vertragswerks. Für ihre jetzige Position machte die US-Seite intern gegenüber den deutschen Verhandlungspartnern aber formale Kriterien geltend. Danach war das in der Gemeinsamen Erklärung festgehaltene Junktim zwischen der Fälligkeit des Wirtschaftsbeitrags und der Abweisung aller Klagen in dem Moment hinfällig geworden, als das MDL-Panel nicht alle Sammelklagen auf einen einzigen Richter übertragen habe. Eizenstat selbst hatte dieses Formalkriterium in letzter Minute in den Entwurf der Gemeinsamen Erklärung eingefügt, die entsprechenden Transfer-Bemühungen der deutschen Seite dem Eindruck der Wirtschaftsvertreter zufolge allerdings nicht unterstützt.

Drastischer hätten die Auffassungsunterschiede im Frühjahr 2001 also kaum ausfallen können: hier die Überzeugung der Stiftungsinitiative, lediglich auf dem zu bestehen, worauf sich alle Verhandlungspartner geeinigt hatten; dort ein Meinungsklima, in dem das Beharren auf Kernaspekten der rechtlichen Regelung als kleinlich, stur und ignorant gewertet wurde.[240] Symbolträchtige Akte, wie die Auszahlung an die ältesten Opfer, mit der die polnische Partnerorganisation im Vorgriff auf ihren Stiftungsplafonds aus Mitteln begann, die vom Gründungskapital der Versöhnungsstiftung aus dem Jahr 1992 übrig geblieben waren, Mahnwachen und ähnliche Initiativen erinnerten in dieser Situation an die Not jener, die nun unter die Räder dieser Auseinandersetzungen zu geraten drohten und denen die Zeit davonlief.

Für die Vertreter der Stiftungsinitiative verstärkte sich in dem wirtschaftskritischen Echo von Presse und Politik auf die Entscheidung Krams eine Tendenz, die sich bereits während der Verhandlungen deutlich abgezeichnet hatte: der Druck, die Mittel der Stiftungsinitiative vor Abweisung der schwebenden Verfahren auf die Stiftung zu übertragen, nach dem Motto »erst Geld, dann Rechtssicherheit«.[241] Die massive öffentliche Schuldzuweisung an die Adresse der Wirtschaft ließ den eigentlichen Grund für die Verzögerung indes völlig in den Hintergrund treten. Er wurde als »österreichische Fußnote« missdeutet.[242]

Für den 14. März 2001, eine Woche nach Krams Entscheidung, die Bankenfälle nicht abzuweisen, lud Bundeskanzler Gerhard Schröder die Gründungsunternehmen vor seinem bevorstehenden Antrittsbesuch bei dem neu gewählten US-Präsidenten, George W. Bush jr., in der Absicht zu einem Gespräch, nun die volle Summe einzufordern. Um einer Desavouierung durch den Bundeskanzler zuvorzukommen und den Druck der Politik auf die Wirtschaft abzufangen, reagierten die Gründer der Stiftungsinitiative mit einem überraschenden Schritt. Am 13. März 2001 erklärte ihr Verhandlungsführer, Manfred Gentz, die 5 Mrd. DM seien beisammen. Die Initiative hierzu ging von den beteiligten Chemieunternehmen aus. Nach vielem Telefonieren akzeptierten alle Gründungsmitglieder trotz der vorausgegangenen erheblichen Erhöhung ihrer eigenen Stiftungsbeiträge, die verbleibende Lücke durch eine Ausfallgarantie zu decken.

Richterin Kram sah jedoch, ihrer eigenen Argumentation treu, auch danach keinen Grund, ihre Entscheidung zu revidieren und lehnte eine Abweisung der Bankenklagen in einer Entscheidung vom 20. März 2001 erneut ab. Damit strafte sie all jene Lügen, die ausschließlich in der Saumseligkeit der deutschen Wirtschaft den Grund der Verzögerung erblickt hatten. Jetzt konzedierten auch die parlamentarischen Kritiker der Stiftungsinitiative, dass der Schlüssel zur schnellen Abweisung in der Hand der Amerikaner lag. Der Deutsche Bundestag appellierte an die mit den Klagen befassten Richter, zügig abzuweisen und an die Klägeranwälte, die die Gemeinsame Erklärung unterzeichnet hatten, ihre Verpflichtungen nicht durch das Einreichen neuer Klagen zu verletzen.[243]

Welche Rechtssicherheit?

Die Auseinandersetzungen zwischen deutscher Wirtschaft und Politik konzentrierten sich unterdessen auf die Frage, welche Fälle abgewiesen sein mussten, um »ausreichende Rechtssicherheit« feststellen zu können. Der Dissens mündete schließlich in den Kompromiss, dass wenigstens alle relevanten, vor allem sämtliche Kram-Fälle[244] »vom Tisch« mussten. Größten Wert legte die Stiftungsinitiative darüber hinaus auf die Abweisung des Deutsch-Falles. Hier handelte es sich um ein streitiges Berufungsverfahren, dessen Bedeutung die Syndizi der Wirtschaft nicht nur deshalb sehr hoch veranschlagten, weil Entscheidungen von Berufungsgerichten starke Präzedenzwirkung entfalten, sondern auch, weil ein zweitinstanzliches Gericht erstmals die Wirkungen des Statement of Interest der US-Regierung materiell zu würdigen hatte.[245] Schließlich gewann die Stiftungsinitiative Graf Lambsdorff – nach dessen langem Zögern wegen möglicher politischer Verwerfungen – für ihr Vorhaben, Kram für befangen erklären zu lassen. Die Klägerseite schloss sich dem dazu gestellten Antrag an.

Zugleich legten die Parteien Rechtsmittel beim zuständigen New Yorker Berufungsgericht ein. Sie überließen es dabei dem Gericht, sich entweder für die übliche Form der Revision (*appeal*) oder das selten angewandte Verfahren »Writ of Mandamus« zu entscheiden. Das angerufene Berufungsgericht sah sich zu schnellem Handeln veranlasst und wählte mit dem »Writ of Mandamus« die schärfste Form der Revision. Ihre Anwendung war auf Fälle beschränkt, in welchen ein unteres Gericht Entscheidungen unrechtmäßig hinauszögerte oder offensichtlich seine Kompetenzen überschritt (»to confine an inferior court to a lawful exercise of its prescribed authority«).[246]

Unmittelbar vor der für Mitte Mai 2001 anberaumten Mandamus-Anhörung revidierte Kram nach einem weiteren Hearing in der Sache nun doch ihre Entscheidung. Sie machte ihrem Urteil Empfehlungen Michael Hausfelds zu Eigen, die auf zwei Schlüsselkomponenten hinausliefen.[247] Mit der Abweisung der konsolidierten Sammelklage hätten, erstens, alle materiell-rechtlichen Hindernisse als beseitigt zu gelten, die den Deutschen Bundestag bisher davon abhielten, endgültigen Rechtsfrieden festzustellen und ihn somit nun in die Lage versetzten, noch vor der parlamentarischen Sommerpause die Auszahlungen aus der Stiftung zu autorisieren. Zweitens, sollte das Kuratorium der Stiftung auf Antrag der Vertreter Mittel- und Osteuropas beschließen, die »*assigned claims*« aus dem Stiftungsfonds zu bedienen, was eine entsprechende Gesetzesänderung durch den Bundestag vorausgesetzt hätte. Ähnliche Modifizierungen ordnete sie gleichzeitig für den österreichischen Fonds an. Kram legte den Klägern überdies nahe, in sämtlichen gegen deutsche Unternehmen gerichteten Fällen die Aufhebung der Abweisung bzw. der Klagerücknahme zu beantragen, falls die Leistungskriterien der deutschen Stiftung bzw. des österreichischen Fonds nicht entsprechend Hausfelds Empfehlungen geändert würden.

Nach Ansicht der Richter in dem weiterlaufenden zweitinstanzlichen Verfahren leistete sich Kram mit ihrem revidierten Urteil einen Verstoß gegen das Prinzip der Gewaltenteilung durch eine »*excursion*« in jene Bereiche, die die US-Verfassung der Exekutive bzw. der Legislative vorbehielt. Sie beanstandeten zum einen, dass Kram dem deutschen Gesetzgeber vorschrieb, Rechtsfrieden festzustellen, und hierfür eine Frist setzte. Ein Bundesgericht, so die Berufungsrichter, dürfe sich keine Eingriffe in die Prärogativen der Legislative anmaßen, schon gar nicht in jene eines fremden Souveräns.

> »It would be beyond the authority of the court so to trammel on the prerogatives of a legislature in the United States. Much less does the court have the power to require such actions of the legislature of a foreign sovereign.«
>
> *U.S Court of Appeals, Second Circuit; In re Austrian and German Holocaust Litigation, 17. Mai 2001*

Zum anderen übten die Berufungsrichter Kritik an unpräzisen Formulierungen, mit welchen Kram suggerierte, ihr Urteil de facto unter den Vorbehalt einer Gesetzesänderung durch den Deutschen Bundestag zu stellen, indem sie die Wiederaufnahme der Klagen für den Fall anregte, dass der deutsche Gesetzgeber nicht im Sinne ihres Urteils agiere. Zwar sei, so die Richter, jedes Verfahren einer möglichen Wiederaufnahme unterworfen, ohne jedoch dadurch die Gültigkeit eines Verfahrensurteils von vornherein durch Bedingungen in Frage zu stellen.

»It is not the office of the court, however, to decide what legislature should be inacted; and the refusal of a legislature, within the scope of its own authority, to enact or change a law is not a valid ground for vacatur of a final judgement.«

U.S Court of Appeals, Second Circuit; In re Austrian and German Holocaust Litigation, 17. Mai 2001

Auf Anweisung des Berufungsgerichts (*Mandamus*) entfernte Kram prompt die entsprechenden Passagen aus ihrem Urteil.[248] Damit waren die ursprünglichen Sammelklagen gegen deutsche Banken nun definitiv erledigt. Den anhängigen Berufungsfall Stanley Garstka gab sie an Richter Bassler ab, der ihn später abschlägig beschied. Ebenso wies sie die Gutman-Klage bindend ab – auf Antrag der Kläger- wie der Beklagtenseite.

Für die Bundesregierung hatten die Berliner Abkommen damit ihre Feuerprobe bestanden.[249] Der Bundestag traf seine Vorbereitungen, um so schnell wie möglich Rechtssicherheit für die deutschen Unternehmen festzustellen. Die Gründungsunternehmen der Stiftungsinitiative hielten die realistische Aussicht auf Rechtssicherheit nun ebenfalls für gegeben. Ihrem Einverständnis war ein kurzfristig einberufenes Treffen vorausgegangen. Bei dieser Gelegenheit erklärten sich alle Gründer bereit, auf die Abweisung der übrigen noch anhängigen Verfahren zu verzichten. Öffentliche Stellungnahmen Graf Lambsdorffs, die, ohne vorher mit der Stiftungsinitiative abgestimmt zu sein, diesen Entschluss zu präjudizieren suchten, hatten allerdings ein positives Votum erschwert. Zwar schwebten weiterhin wichtige Berufungsverfahren – unter ihnen der Deutsch-Fall. Aber die bindende Abweisung fast aller Sammelklagen markierte einen Meilenstein auf dem Weg zu dauerhaftem und umfassendem Rechtsfrieden. Im Vertrauen auf die Tragfähigkeit der politischen Zusagen, die der neue US-Außenminister Colin Powell gegenüber seinem deutschen Amtskollegen bekräftigte, erwartete die Stiftungsinitiative, dass die übrigen Fälle kurzfristig erledigt würden und die Stiftungslösung auch den administrativen und legislativen Maßnahmen auf bundes- und einzelstaatlicher sowie lokaler Ebene den Boden entziehe.

Rückblick auf die Leistung der Stiftungsinitiative

Am 30. Mai 2001, mehr als zwei Jahre nachdem die Stiftungsinitiative ins Leben gerufen worden war, gab der Bundestag den Weg für die Auszahlungen frei. Übereinstimmend hielten die Fraktionen in ihrem Entschließungsantrag fest, »dass ein erklärtes Interesse des Deutschen Bundestages besteht, dass alle noch lebenden Opfer die ihnen zustehenden Leistungen so schnell wie möglich erhalten und dass der dauerhafte und umfassende Rechtsfrieden für deutsche Unternehmen in den USA im Sinne des deutsch-amerikanischen Regierungsabkommens und der Gemeinsamen Erklärung vom 17. Juli 2000 hergestellt wird«.[250] In ihren Festreden vor dem Parlament würdigten Gerhard Schröder und Otto Graf Lambsdorff den Kooperationswillen aller Seiten. Sie reklamierten jedoch, der Bundeskanzler mehr als sein Beauftragter, Idee und Konzeption der Stiftung »Erinnerung, Verantwortung und Zukunft« für die Politik. Der Wirtschaft sollte die Statistenrolle zugewiesen werden, in dem Spiel auf großer internationaler Bühne, das den staatlichen Akteuren den Lorbeer des Hauptparts vorbehielt.[251]

Die Erfüllung des Versprechens

Die Stiftungsinitiative erfüllte ihre Zahlungsverpflichtung. In mehreren Tranchen überwies sie zwischen Juni und Oktober 2001 den Betrag von 5,1 Mrd. DM an die Bundesstiftung.[252] Sie brachte dabei, dem Stiftungsgesetz folgend, jene Posten in Abzug, die Versicherungsunternehmen bereits zuvor für ICHEIC aufgewandt hatten.

Die operativen Vorbereitungen der Bundesstiftung waren inzwischen so weit gediehen, dass bereits am 15. Juni 2001 die ersten Abschlagszahlungen an Partnerorganisationen fließen konnten. Mit Günter Saathoff, dem ehemaligen Koordinator der Rechts- und Innenpolitik bei der Bundestagsfraktion Bündnis 90/Die Grünen, gewann die Bundesstiftung einen ausgewiesenen Sachkenner der Entschädigungsproblematik als »Stabschef«. Er hatte seit Ende der 80er Jahre die parlamentarischen Initiativen zur Entschädigung der so genannten »vergessenen Opfer«, darunter der Zwangsarbeiter, mit vorangetrieben und die erforderlichen interfraktionellen Abstimmungsprozesse zum Stiftungsgesetz maßgeblich begleitet. Bei den Partnerorganisationen genoss er deshalb großes Vertrauen. Die im Großen und Ganzen reibungslose Zusammenarbeit mit den Versöhnungsstiftungen trug in vielen Punkten seine Handschrift. Um die zweckgebundene und transparente Verwendung der Stiftungsmittel zu gewährleisten, verständigte sich die Bundesstiftung mit ihren Partnerorganisationen darauf, das Geld entsprechend zuvor überprüfter Berechtigtenlisten zu überweisen.[253] Die Empfänger sollten die Stiftungsleistung in zwei Raten erhalten. Die Höhe der ersten Rate bestimmte das Kuratorium auf Vorschlag der jeweiligen Partnerorganisationen mit einem Prozentsatz zwischen 50 und 75 % der Höchstsumme, die für die einzelnen Leistungskategorien vorgesehen war. Die Höhe der Restzahlung richtete sich nach der definitiven Anzahl der Antragsteller, wobei für ehemalige KZ-Häftlinge die Höchstgrenze von 15 000 DM einzuhalten war. Alle Empfänger von Stiftungsleistungen hatten im Gegenzug auf weitere Ansprüche gegen die öffentliche Hand und gegen deutsche Unternehmen zu verzichten.[254]

Zur Teilnehmerstruktur der Stiftungsinitiative

Mit der Zahlung des Wirtschaftsbeitrags von 5,1 Mrd. DM an die Bundesstiftung hatte die Stiftungsinitiative ihre wesentliche Aufgabe erfüllt. Im Rückblick zeigt sich, dass die 17 Gründungsunternehmen alles in allem rund 60 % der Summe aufbrachten. Die Hauptlast davon schulterte der Industriesektor, einschließlich Töchtern im Dienstleistungsbereich, mit knapp 70 %. Die Finanzwirtschaft übernahm den Rest. Weitgehend ähnliche Relationen der Wirtschaftsbereiche zeigen sich im Verhältnis der übrigen Stifter. 60 % des Beitragsanteils entfielen im Verhältnis 5:1 auf Industrie und Dienstleistungen, vor der Finanzwirtschaft mit rund 37 % und dem Handel mit 3 %.[255]

Im anteiligen Verhältnis der Wirtschaftsbereiche am Gesamtaufkommen dominiert also die Industrie. Darin spiegelt sich die Aufgabenstellung der

Anteil der Wirtschaftssektoren am Gesamtaufkommen
(ohne Gründungsunternehmen)

Versicherung
17 %

Banken
20 %

Industrie/Dienstleistung
60 %

Handel
3 %

Quelle: Stiftungsinitiative

Stiftungsinitiative, in erster Linie Ausgleich für Zwangsarbeit zu schaffen. Die proportionale Gewichtung der einzelnen Sektoren erschließt sich allerdings erst im Vergleich mit der gesamtwirtschaftlichen Wertschöpfung.

Produzierendes Gewerbe und Dienstleistungssektoren (ohne Banken und Versicherungen) zusammengenommen trugen 1998 rund 17 mal soviel wie die gesamte Finanzwirtschaft zur Wertschöpfung der deutschen Volkswirtschaft bei.[256] Die Beteiligung am Stiftungsaufkommen setzte die Wirtschaftsbereiche dagegen in ein anderes Verhältnis: hier leisteten Industrie und Dienstleistungen »nur« doppelt so viel wie Banken und Versicherungen.[257] Proportional gesehen fiel die Beteiligung des Finanzsektors an der Stiftungsinitiative also um vieles stärker ins Gewicht – ein Indiz für die ökonomische Bedeutung der Kredit- und Assekuranzunternehmen als volkswirtschaftliche Transmissionsriemen und zugleich für deren Reaktion auf das Bedrohungspotential, dem sie in den USA vielfältiger ausgesetzt waren als die Industrie.

Relation Industrie/Dienstleistung und Finanzwirtschaft bei der gesamtwirtschaftlichen Wertschöpfung bzw. beim Gesamtaufkommen der Stiftungsinitiative (inkl. Gründer)

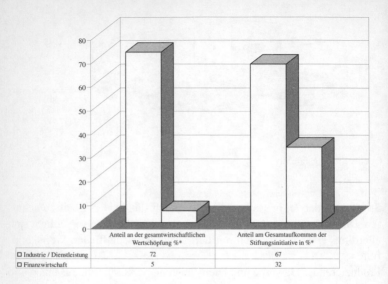

	Anteil an der gesamtwirtschaftlichen Wertschöpfung %*	Anteil am Gesamtaufkommen der Stiftungsinitiative in %*
☐ Industrie / Dienstleistung	72	67
☐ Finanzwirtschaft	5	32

Quelle: Stiftungsinitiative; Statistisches Bundesamt, Volkswirtschaftliche Gesamtrechnungen, Fachserie18, Reihe 1.3 Konten und Standardtabellen, Hauptbericht 2000, 3.2.1. Bruttowertschöpfung in jeweiligen Preisen.

Erwarteter/erbrachter Anteil der Wirtschaftssektoren[258]

Dem überproportionalen Engagement der Kreditwirtschaft bzw. der Versicherungsgesellschaften entsprach ihre, gemessen am erwarteten sektoralen Anteil, nahezu vollständige Beteiligung. Bezogen auf die Bilanzsumme als Berechnungsbasis für das »Soll« von 0,1 Promille wirkten 90 % des Bankensektors mit (Diagramm a).[259] Die Versicherungswirtschaft – hier lag das Prämienaufkommen als Maßstab zugrunde – engagierte sich zu fast 100 %.

Mit Blick auf das sektorale »Soll« in Höhe von 1 Promille war auch das

Produzierende Gewerbe zu 96 % vertreten (Diagramm b). Wie bei den Banken sprangen hier vor allem die Gründungsunternehmen der Stiftungsinitiative in die Bresche. Mit einem Anteil von gut 25 % am gesam-

Banken (Diagramm a)

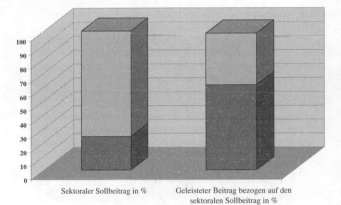

Industrie (Diagramm b)

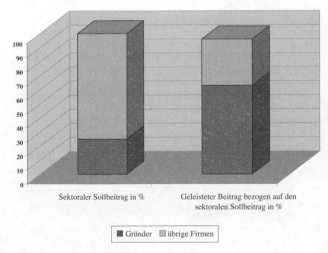

Quelle: Stiftungsinitiative

ten Sektorumsatz übernahmen sie rund 63 % des Sollbeitrags dieses Wirtschaftsbereichs. Die restlichen 37 % verteilten sich zu mehr als der Hälfte (57 %) auf die übrigen Top 100. Bis auf vier Töchter ausländischer Muttergesellschaften machten hier alle mit. Den anderen Teil brachten überwiegend mittelständische Betriebe auf. Ohne die vielen erheblichen

Handel (Diagramm c)

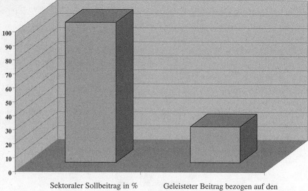

Sektoraler Sollbeitrag in %   Geleisteter Beitrag bezogen auf den sektoralen Sollbeitrag in %

Dienstleistung (Diagramm d)

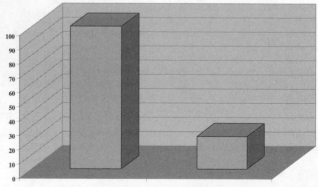

Sektoraler Sollbeitrag in %   Geleisteter Beitrag bezogen auf den sektoralen Sollbeitrag in %

Quelle: Stiftungsinitiative

Einzelleistungen des Mittelstandes in ihrer Bedeutung zu schmälern, bleibt festzuhalten, dass gegenüber deren Gesamtbeitrag die hundert Schwergewichte der Industrie mehr als das Siebenfache leisteten.

Nur im Handelsbereich lag die finanzielle Belastung noch stärker bei den Branchenriesen. 75 % der Top 100 steuerten 90 % des Aufkommens bei, mit dem sich dieser Wirtschaftsbereich an der Summe von 5 Mrd. DM zu rund 1 % beteiligte, wobei er insgesamt nur ein Viertel dessen erbrachte, was bei 0,1 Promille des Sektorumsatzes in Ansatz gebracht worden war (Diagramm c).

Ähnlich das Dienstleistungsgewerbe (ohne Handel, Banken und Versicherungen): mit knapp 25 % vom sektoralen »Soll« bei erwarteten 1 Promille des Umsatzes (Diagramm d) trug es gut 5 % zum Gesamtaufkommen der 5 Mrd. DM bei. Allerdings verteilte sich im Gegensatz zum Handel der Beitrag fast je zur Hälfte auf die Top-Unternehmen – gut zwei Drittel davon ließen sich gewinnen – bzw. auf die numerische Mehrheit aller Stifterunternehmen, die vor allem das breite Spektrum dieses Sektors repräsentierte, von Architekten, Apothekern bis zu Zahnärzten, Kanzleien und Kliniken, Fußballspielern und Opernensembles.

Kurz, das Zustandekommen der Gesamtbeiträge der einzelnen Wirtschaftsbereiche kennzeichnete ein mehr oder weniger krasses Ungleichgewicht, das die Stifterfirmen in wenige »große« und die »übrigen« Unternehmen aufteilte. Fragt man nach deren Anteilsverhältnis an den 5 Mrd. DM insgesamt, sticht die Polarität noch stärker ins Auge: 4,1 %

<table>
<tr><td colspan="2" align="center">Relation Firmen –
Anteil am Gesamtaufkommen</td></tr>
</table>

Relation Firmen –
Anteil am Gesamtaufkommen

Aufgebrachter Betrag
96 %

Aufgebrachter Betrag
6 %

Anzahl Firmen
4 %

Anzahl Firmen
94 %

Quelle: Stiftungsinitiative

der Firmen trugen 93,6 % des Gesamtbeitrags, dessen restliche 6,4 % sich auf die übrigen 95,9 % der Firmen verteilten.

Mehr als die Hälfte aller teilnehmenden Firmen lagen mit ihren Zusagen im Durchschnitt unter 10 000 DM. Das hing nicht allein mit der Größe eines Unternehmens zusammen, sondern in vielen Fällen damit, dass sie mit der Höhe ihres Beitrags unterhalb der Sollgröße blieben.

Teilnehmende Firmen nach Beitragsspannen

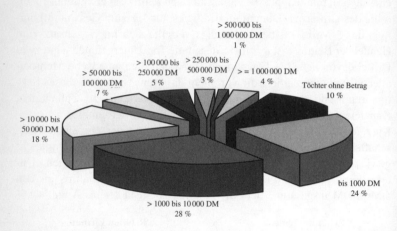

Quelle: Stiftungsinitiative

Signifikant sind die Unterschiede in der »Zahlungsmoral« vor und nach den Berliner Abkommen. Während sich bis zum Juli 2000 die teilnehmenden Unternehmen mit ihren Zusagen tendenziell noch stärker an das erbetene Maß hielten, flaute danach die Orientierung am Soll ab. Das war zum einen, wie viele Firmen immer wieder deutlich machten, dem Warten auf Rechtsfrieden geschuldet, das für etliche frustrierend lang und mit der Skepsis verbunden war, ob die kollektive Fondslösung in ausreichendem Maße Schutz vor weiteren Klagen und Sanktionen bieten würde. Zum anderen erklärt sich der Schwund der Orientierung am vorgege-

benen Beitragsmaß dadurch, dass die teilnehmenden Firmen zwar zahlreicher, dafür aber kleiner wurden, immer mehr Alleinunternehmer oder
Firmen in Familienbesitz beitraten und sich diese Eigentümerstruktur in
der freieren Interpretation dessen niederschlug, was als freiwillig, solida-
risch und zugleich mit den ökonomischen Belangen des Unternehmens
vereinbar galt. War die Entscheidung zu Gunsten der Stiftungsinitiative
einmal gefallen, richteten viele dieser Firmen die Höhe ihres Beitrags
z. B. schlicht an dem der Konkurrenz aus, bei der sie sich zuvor erkun-
digt hatten, oder machten echte wirtschaftliche Schwierigkeiten geltend.
Oft konnten sie eine Teilnahme gegenüber ablehnenden Teilhabern auch
nur mit einem niedrigeren Betrag durchsetzen. Nicht wenige der »Dis-
countteilnehmer« sahen sich jedenfalls zu einer Rechtfertigung ihres
Stifterverhaltens veranlasst.

Doch nicht nur jene Unternehmen, die geringere Summen als erwartet
zusagten, sondern oft auch die, die sich verweigerten, begründeten ihre
Entscheidung. Drei Argumentationstypen lassen sich hier unterscheiden.
Erstens galt vielen die eigene Betroffenheit von Kriegsgeschehen als
Grund zur Absage. Unternehmen verwiesen auf ihren firmen- oder fami-
liengeschichtlichen Tribut, etwa durch den Verlust der wirtschaftlichen
Existenz durch Krieg und Verfolgung. Auf diese Begründung griffen zuweilen auch größere Unternehmen mit hohem Aktienstreubesitz im Ausland zurück. Sie argumentierten, dass Tausende Kleinanleger durch ihre
Familien bereits während des Zweiten Weltkriegs ihren Blutzoll entrichtet hätten und 50 Jahre später nicht auf diesem Weg noch einmal in Anspruch genommen werden sollten. Nicht selten hörte die Stiftungsinitiative ein empörtes »we were at the other side« von westeuropäischen oder
US-Firmen, die sich wegen früherer Akquisitionen deutscher Tochtergesellschaften nun mit unvorhergesehenen Forderungen aus deren Vergangenheit konfrontiert sahen. Angesichts der historischen Umstände konnten sich diese Firmen nicht vorstellen, die geforderte Leistung als »cost
of doing business in Germany« zu verbuchen. Die meisten dieses Ver-
weigerungstypus aber sahen sich außer obligo, weil sie keine konkrete,
institutionelle Verantwortung für Zwangsarbeit zu tragen hatten.

Zweitens machten viele Unternehmen ihre eigenen gesellschaftspoliti-
schen Aktivitäten geltend und begründeten ihre Ablehnung, an der Stiftungsinitiative mitzuwirken, mit anderweitigen Prioritäten, die ihrem
Profil eher entsprachen. In dieselbe Kategorie firmenpolitischer Erwä-

gungen gehörte der Bezug auf die Einkommensstruktur wie z. B. eine starke öffentliche Förderung aus EU-Mitteln.

Eine dritte, relativ kleine Gruppe von Firmen zog sich auf das Argument zurück, kein Präjudiz für zukünftige Fälle schaffen zu wollen, in welchen Unternehmen aus humanitären oder historischen Gründen ohne notwendig individuellen Bezug zu kollektiven Leistungen im großen Stil gebeten werden sollten. Diese im weitesten Sinn politischen Überlegungen gaben zumeist jene Unternehmen zu Protokoll, die stärker als andere in internationale Geschäfte involviert waren.

Was aber gab den Ausschlag im Abwägen des Für und Wider zugunsten der Stiftungsinitiative? Weshalb sagten Firmen zu, die all die Gründe für sich in Anspruch nehmen konnten, die andere gegen eine Teilnahme ins Feld führten?

Bei jenen, die über ihre Motive Auskunft gaben, kristallisierten sich zwei Tendenzen heraus. Unabhängig davon, ob es sich um Unternehmen lokaler, regionaler oder globaler Reichweite handelte, hatte der jeweils spezifische Bezug zum geschäftlichen Umfeld für die meisten wesentlichen Einfluss auf ihre Entscheidung zugunsten einer Teilnahme – wo auch immer dieses Umfeld lag, gleich ob kritische Fragen der Presse vor Ort oder Prozesse in New York den Anlass boten, dem Aufruf der Stiftungsinitiative zu folgen. Bei vielen war darüber hinaus das Bewusstsein ausgeprägt, dass die zunehmende ökonomische Verflechtung in globalem Maßstab deutsche Spitzenunternehmen zum einen angreifbarer machte, zum anderen aber ihr politisches Gewicht stärkte. Vor diesem Hintergrund akzentuierte die Wahrnehmung der Bedrohung durch Klagen, Sanktionsmaßnahmen und die dadurch befürchteten Imageverluste nicht nur bei den unmittelbar betroffenen Firmen die strategischen und politischen Aspekte der unternehmerischen Perspektive.

Die allermeisten Unternehmen schwiegen sich über ihre Motivation aus und setzten mit ihrer Teilnahme einfach nur ein Zeichen der Solidarität mit den lange vernachlässigten Opfern nationalsozialistischer Zwangsarbeit.

Die überschaubaren gut 4 % der beitragenden Unternehmen, die fast 94 % der Gesamtsumme von 5 Mrd. DM finanzierten, machten sich humanitäre Ziele zueigen und erwarteten von der Stiftungsinitiative zugleich, zukünftige rechtliche Risiken und Unwägbarkeiten für die deutsche Wirtschaft im Zusammenhang mit nationalsozialistischem Unrecht und

Zweitem Weltkrieg zu minimieren. Alle Wirtschaftsbereiche hatten sich beteiligt, rückblickend in proportional derart frappierender Spiegelbildlichkeit zu den Klagen, als hätte die Stiftungsinitiative dem »Klägerkollektiv« tatsächlich ein »Beklagtenkollektiv« entgegengesetzt.

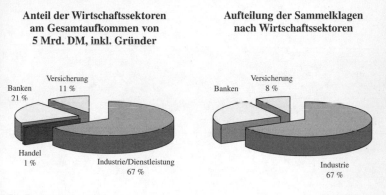

Quelle: Stiftungsinitiative

Die kollektive Fondslösung der Wirtschaft könnte so als direkte Reaktion auf die Bedrohung durch Sammelklagen erscheinen. Doch weder hielt ein Gericht in den USA deutsche Unternehmen für deren Verwicklung in NS-Unrecht und Zweiten Weltkrieg je für haftbar noch kam es in der Sache je zu Gerichtsvergleichen. Die Wirkung der Sammelklagen lag weniger in ihren unmittelbaren rechtlichen Folgen als vielmehr an ihrer psychologischen, publizistischen und politischen Reichweite. Die kollektive Fondslösung bedurfte zwar der Anstöße von außen. Dass sie aufgenommen wurden aber resultierte aus einer komplexen Gemengelage, in der sich moralische Gesichtspunkte mit außenwirtschaftlichen und unternehmenspolitischen Interessen in einer transnational vernetzten Weltwirtschaft an der Schwelle zum 21. Jahrhundert verknüpften.

Zusammenfassung und Ausblick

Charakterisierungen der Stiftung »Erinnerung, Verantwortung und Zukunft« entbehren oft nicht eines gewissen Pathos. Sie können sich auf Fakten stützen, deren Aufzählung beeindruckt: Die schiere Größenordnung von 10 Mrd. DM, Leistungsberechtigte weltweit, deren Anzahl die Millionengrenze überschreitet, heutige global players, die – Jahrzehnte im Nachhinein moralische Verantwortung für die Einbindung der Vorgängerfirmen in Kriegswirtschaft und NS-Unrecht akzeptierend – sich nun stellvertretend für die gesamte deutsche Wirtschaft zu einer humanitären Geste bereit finden, Tausende deutscher Firmen, gegründet zum Teil erst in der Nachkriegszeit, die mit ihrer Teilnahme an dieser Initiative auch ein Zeichen für die Zukunft setzen wollen, das Engagement der US-Regierung, die Abweisung der Klagen gegen deutsche Unternehmen aus außenpolitischem Interesse zu forcieren, der enorme politische Einsatz und finanzielle Beitrag der Bundesregierung – Präzedenzloses allenthalben. Historische Räume werden in Riesenschritten durchmessen, wenn etwa die US-Regierung die Stiftung rückblickend als »wunderbares Beispiel für ein neues Jahrhundert« verstanden wissen will, im unermüdlichen Bemühen um den Aufbau eines »neueren (sic!) und besseren Europa«, mit neuen und starken Partnerschaften, die aus den Tragödien der Vergangenheit erwachsen.[260] Nicht weniger expressiv, wenn auch unter anderen Vorzeichen, betrachten hingegen manche Kritiker das Stiftungskonstrukt als »billige Versicherungspolice gegen Ansprüche der Opfer und Geschädigten«[261], empfanden die moralisch-humanitäre Begründung der Stiftung als rhetorisch gekonnt maskierten Trick schuldverstrickter deutscher Unternehmen, sich von »wirklicher Verantwortung« loszusagen[262]. Gemeinsam ist solch gegensätzlichen Betrachtungen ein perspektivischer Fluchtpunkt, der im Grunde mehr über den Betrachter aussagt als über das Betrachtete. Ob die Stiftung programmatisch bekräftigt, kritisch analysiert, positiv oder negativ gewertet wird, hat weniger mit ihr selbst und ihren Entstehungsbedingungen zu tun, sondern viel mehr mit dem Blick von außen, der ihr erst spezifische Bedeutung verleiht.

Nicht um große Perspektiven, lange Linien, historische oder juristische Gewichtungen ging es in diesem Buch, sondern um eine Nahaufnahme, die zeigt, welche Rolle »die Wirtschaft« bei der Entstehung der Stiftung spielen wollte und schließlich spielte. Auch Nahaufnahmen rücken freilich ihren Gegenstand in eine bestimmte Perspektive, in diesem Fall in die Perspektive der Gründungsunternehmen. Dadurch entstand eine Innenansicht der Stiftungsinitiative, die die Positionen und Argumente nicht nur der Wirtschaft, sondern aller an den Stiftungsverhandlungen beteiligten Seiten in den Blick nahm, die Voraussetzungen und Ergebnisse dieser Verhandlungen, ihre Erfolge und Enttäuschungen, ihre geführten und vermiedenen Dialoge, ihre Dilemmata und Defizite beschrieb. Nicht die Bedeutung, sondern das Zustandekommen der Stiftung aus Sicht der Unternehmensinitiative stand im Mittelpunkt. Mit diesem Fokus wurde die Entschädigungsproblematik, wie sie sich den deutschen Großunternehmen darstellte, in ihren historischen, juristischen und politischen Facetten beleuchtet, um die Denk- und Argumentationsweise der Wirtschaftsvertreter nachvollziehbar zu machen – im Positiven wie im Negativen oder Ambivalenten.

Der Weg von der Stiftungsinitiative zur Stiftung und die Überlagerung der humanitären Geste durch einen hochpolitischen »deal« lässt sich zusammenfassend in vier große Etappen gliedern.

1. Unter dem Eindruck vor allem der publizistisch-politischen Begleiterscheinungen von US-Sammelklagen im Zusammenhang mit Zwangsarbeit und Vermögensschäden während der nationalsozialistischen Ära entschlossen sich die beklagten deutschen Firmen im Laufe des Jahres 1998 zu einem kollektiven Fonds, um zwei Ziele zu verbinden: Geschädigten schnell und unbürokratisch zu helfen sowie Schutz vor anhängigen und weiteren Klagen zu erlangen. Die Unternehmen, die zu diesem Zweck die Initiative ergriffen, sahen weder eine unmittelbare Schuld noch eine Rechtspflicht bei sich. Der nationalsozialistische Staat war Verursacher des Unrechts, an dem sie mitgewirkt hatten. Sie akzeptierten indes moralische Verantwortung, wo sie juristische ablehnten. Moralisch-historisch begründete, humanitäre Leistungen setzten keinen individuellen Bezug ehemaliger Zwangsarbeiter zu einer der an der Stiftungsinitia-

tive teilnehmenden Firmen voraus. Vor diesem Hintergrund zog die solidarische Anstrengung der Unternehmen den Kreis potentieller Leistungsberechtigter nach Zahl und Art ungleich größer. Im Gegenzug sollte für die deutsche Wirtschaft als Ganze Rechtsfrieden geschaffen und, weil Zwangsarbeit nach einhelliger Meinung der betroffenen Unternehmen wie der Bundesregierung ohnehin zwischenstaatliche Anspruchsgrundlagen berührte, staatsvertraglich gesichert werden. Die Absicht führender deutscher Großunternehmen, öffentlich bekundet am 16. Februar 1999, einen kollektiven Fonds zu errichten, schuf die Basis für einen multilateralen Dialog, der alle interessierten Seiten einband: die Regierungen Deutschlands, der USA, Israels, Polens, Tschechiens, Weißrusslands, Russlands und der Ukraine sowie die Unternehmen, die Klägeranwälte und als Nicht-Regierungsorganisationen die mittel- und osteuropäischen Versöhnungsstiftungen und die Claims Conference. Die politischen Fragen der Rechtssicherheit aber machten die Stiftungsinitiative zu einem politischen Fall. Den Schlüssel zu seiner Lösung hielt die US-Regierung in der Hand.

2. Konträre Vorstellungen über die Gestalt einer solchen Stiftung und über das Gerüst des Rechtsfriedens verliehen den internationalen Gesprächen über eine humanitäre Geste der Wirtschaft gleich zu Beginn im Mai 1999 Bedeutung als hoch politische multilaterale Verhandlungen über die »Entschädigung« historischen Unrechts nach dem Grundsatz von Leistung und Gegenleistung. Umfang der Stiftung und Ausmaß der Rechtssicherheit hingen infolge der politischen Entscheidung der US-Regierung, die Stiftung als alternatives Forum für Ansprüche zu handhaben, unmittelbar voneinander ab: wie in einem Spiegel sollten den potentiellen Ansprüchen Leistungen aus der Stiftung gegenüberstehen. In den so berücksichtigten Fällen wollte sich die US-Regierung vor Gericht durch ein Statement of Interest für die Abweisung anhängiger Klagen verwenden. Ein Klageausschluss durch Staatsvertrag, wie ihn die deutsche Wirtschaft, gestützt auf völkerrechtliche Argumente, als Pendant zu einer Stiftung zunächst favorisiert hatte, kam für die US-Regierung konsequenterweise nicht in Frage. Die Stiftungsinitiative ließ sich nolens volens auf die Statement of Interest Konstruktion ein, zu der sich die US-Regierung staatsvertraglich verpflichten wollte. Aus dem Junktim zwischen der Reichweite der Stiftung und hinreichender Rechtssicherheit durch ein Statement of Interest der US-Regierung resultierte schließlich im Okto-

ber 1999 die institutionelle Verschmelzung der geplanten Wirtschaftsstiftung mit der von der Bundesregierung ursprünglich erst für später in Aussicht gestellten staatlichen Stiftung, um das finanzielle Volumen zu erhöhen und weitere Gruppen von Zwangsarbeitern einzubeziehen. Erst ab diesem Zeitpunkt ging es um die Stiftung öffentlichen Rechts in ihrer heutigen Form, die der Bundesadler ziert und die zwei Quellen speisen: Mittel der Wirtschaft und allgemeines Steueraufkommen. Der nun erforderliche Gesetzgebungsprozess bildete das Pendant zu den internationalen Verhandlungen. Deren Ergebnisse waren zwar für das Stiftungsgesetz konstitutiv; als souveräne Einrichtung der Bundesrepublik Deutschland aber untersteht die Stiftung keiner Rechtsaufsicht amerikanischer Gerichte – ein Ziel, das die Unternehmen mit Nachdruck verfolgt hatten, ging es ihnen doch von Anfang an darum, die Lösung der in Rede stehenden Entschädigungsproblematik von den Gerichten, vor allem in den USA, fern zu halten. Die Parteien des Rechtsstreits waren so nicht dieselben, die an der alternativen Lösung mitwirkten. Die Stiftung war nicht Sache eines Vergleichs, sondern Gegenstand einer Art transnationaler public-private-partnership, verhandelt in elf Plenarrunden und zahlreichen Treffen auf Expertenebene, gegründet auf ein nationales Gesetz und eingebettet in ein deutsch-amerikanisches Regierungsabkommen. Die entscheidende Frage war jedoch, wie viel Rechtssicherheit um welchen Preis zu haben war. Dabei ging es nicht nur um den Schutz vor Klagen, sondern auch vor legislativen und administrativen Sanktionsmaßnahmen auf bundes- wie auf einzelstaatlicher Ebene in den USA. Nach langem Tauziehen gelang die Einigung auf eine abschließende Summe von 10 Mrd. DM, hälftig zu tragen von Wirtschaft und Staat, zum Ausgleich für sämtliche in NS- und Kriegszusammenhang gegen deutsche Unternehmen geltend gemachten Forderungen. Die Grundsatzeinigung auf die finanzielle Ausstattung der Stiftung, deren Reichweite und den Mechanismus der Rechtssicherheit besiegelten Bundeskanzler Gerhard Schröder und US-Präsident Bill Clinton in einem Briefwechsel. Die feierliche Bekanntgabe dieser Grundsatzeinigung am 17. Dezember 1999 auf dem siebten Plenum in Berlin, begleitet durch die symbolische Verneigung des Bundespräsidenten vor den Opfern, markierte die erste Zäsur auf dem Weg zur Stiftung.

3. Die nächste Etappe dominierten die Allokation der Mittel und die Auseinandersetzungen um die Frage, welche Sachkomplexe im Einzel-

nen in die Stiftung und damit in die Rechtssicherheit einbezogen werden sollten. Den ehemaligen Sklaven- und Zwangsarbeitern – die Zahl der noch Lebenden wurde auf ca. eine Million Menschen geschätzt – kam schließlich mit rund 80 % der Stiftungssumme der größte Anteil zugute. Der Hauptteil dieser Gelder fließt nach Mittel- und Osteuropa. Dieser Teil war immer unumstritten. Umstritten war dagegen zunächst die Einbeziehung bestimmter Bereiche der Vermögensschäden sowie ausländischer Mutter- und Tochtergesellschaften deutscher Firmen. Auf dem vorletzten Plenum Ende März 2000 in Berlin gelang in entscheidenden Fragen der Allokation der Durchbruch. Offen waren nun noch Einzelaspekte, im wesentlichen der Rechtssicherheit, obwohl sich alle Seiten bereits grundsätzlich auf das Ziel umfassenden und dauerhaften Rechtsfriedens für die deutsche Wirtschaft verständigt hatten. Zum einen ging es um die juristische Verankerung dieser politischen Zusicherung durch die USA und damit um die Solidität des Rechtsfriedens. Zwar vermied es die US-Regierung, eine eigene Rechtsposition zur Justiziabilität der in Rede stehenden Ansprüche einzunehmen, was nach dem Dafürhalten der Wirtschaft den größtmöglichen Schutz vor alten und neuen Klagen bedeutet hätte. Doch bekräftigte sie in der diplomatisch hochkarätigen Form eines Briefes aus dem Weißen Haus das außenpolitische Interesse der USA an der Beendigung der Klagen und dem gemeinsamen Ziel, mit der Stiftung umfassend und dauerhaft Rechtsfrieden zu erlangen. Das war der Kompromiss, der den Unternehmen und der Bundesregierung unter den Umständen hinreichend tragfähig zu sein schien. Zum anderen ging es um das Szenarium, das die Beendigung der Sammelklagen mit der Stiftungslösung vermählte und das den Gegenstand der multilateralen Vereinbarung aller Verhandlungspartner, der so genannten Gemeinsamen Erklärung (*Joint Statement*) bildete. Für die Wirtschaft war danach entscheidend, dass ihr Beitrag von 5 Mrd. DM erst mit Abweisung aller anhängigen Klagen fällig war. Mit der feierlichen Unterzeichnung des deutsch-amerikanischen Regierungsabkommens und der Gemeinsamen Erklärung am 17. Juli 2000 in Berlin endete die über einjährige, äußerst schwierige Phase der Verhandlungen. Zur »barocken Architektur«[263] des Stiftungskonstrukts gehörte als dritte Säule das Stiftungsgesetz, das nur wenige Tage zuvor verabschiedet worden war. Das primäre Ziel aller Anstrengungen schien damit greifbar nah, so rasch wie möglich mit den Auszahlungen aus der Stiftung, dem nunmehr ausschließlichen Forum für die erhobenen Ansprüche, an Hunderttausende Opfer von Zwangsarbeit und Ausbeutung zu beginnen. Das war allerdings erst möglich, wenn der Bundestag ausreichende Rechtssicherheit für die deutsche Wirtschaft feststellen konnte, was wiederum die Abweisung der anhängigen Klagen voraussetzte.

4. Die letzte Etappe, die Umsetzung der Berliner Abkommen, begann mit der Konstituierung der Stiftung und ihres internationalen Kuratoriums Ende August 2000. Gleichzeitig wurde eine weltweite Informationskampagne in Gang gesetzt, die die potentiellen Leistungsberechtigten über die Stiftung in Kenntnis setzen sollte. Die mittel- und osteuropäischen Staaten sowie Israel kamen ihrer Verpflichtung aus der Gemeinsamen Erklärung nach, im Rahmen ihrer Rechtssysteme für umfassenden und andauernden Rechtsfrieden zu sorgen.[264] Auch die an den Stiftungsverhandlungen beteiligten Klägeranwälte nahmen vereinbarungsgemäß ihre Klagen zurück. Im November und Dezember 2000 wurden die inzwischen bei zwei US-Richtern zusammengeführten Verfahren gegen Industrie- und Versicherungsunternehmen erwartungsgemäß abgewiesen. Die Richter begründeten ihre Entscheidungen damit, dass die Regelung der geltend gemachten Forderungen in die Verantwortung der Politik, nicht der Justiz gehöre und die Stiftung dafür ein adäquates Forum biete. Diese positive Anfangsbilanz trübten einige Faktoren. Anders als erhofft und trotz massiver Bemühungen erhöhte sich der von den Unternehmen gesammelte Betrag nur schleppend. Zu Beginn des Jahres 2001 stagnierte die zugesagte Summe bei rund 3,6 Mrd. DM, sodass sich die Gründungsunternehmen wenig später dazu verpflichteten, die Finanzierungslücke durch die drastische Erhöhung ihrer eigenen Beiträge und eine Ausfallgarantie zu decken. Auf sie entfielen letztlich rund 60 % der von der Wirtschaft aufzubringenden 5 Mrd. DM. Entgegen den Erwartungen blieben überdies die Bankenklagen weiter anhängig, nicht weil die Wirtschaft Mühe hatte, das Geld aufzubringen, wie vielfach geglaubt wurde, sondern weil auf diese Weise im Nachhinein erreicht werden sollte, vermeintliche Ansprüche österreichischer gegen deutsche Banken aus der Stiftung zu befriedigen. Diese Verquickung hatte zur Folge, dass sich die Feststellung ausreichender Rechtssicherheit und damit der Auszahlungsbeginn um ein halbes Jahr verzögerten; darüber hinaus wurden in der Zwischenzeit in den USA neue Klagen gegen deutsche Unternehmen anhängig gemacht, zum Teil von Anwälten,

die die Stiftungslösung mit verhandelt und die Berliner Abkommen mit unterschrieben hatten.

Die Verantwortung für die Verzögerung lag primär bei der New Yorker Bundesrichterin Shirley Wohl Kram. Kram hatte die Klagen gegen deutsche Banken zugelassen. Mit dem Beschluss, dieses Urteil aufzuheben, übernahm das Berufungsgericht die Auffassung, wonach die Tatsache, dass »more than 1000 potential beneficiaries of the German Foundation die each month«[265], eine weitere Verzögerung inakzeptabel erscheinen lasse. Erst nach dieser zweitinstanzlich erzwungenen Abweisung der Bankenfälle stellte der Deutsche Bundestag am 30. Mai 2001 ausreichende Rechtssicherheit fest und gab den Weg für die Auszahlungen aus der Stiftung frei. Er folgte damit politischem Ermessen, das sich auch die Stiftungsinitiative zueigen machte. Abweichend vom Buchstaben der Gemeinsamen Erklärung übertrug sie trotz einiger weiter schwebender Verfahren, darunter ein wichtiger Berufungsfall, in den folgenden Monaten den zugesagten Betrag von 5 Mrd. DM sowie die vereinbarten 100 Mio. DM an Zinsen auf die Stiftung. Ein Jahr später, im Sommer 2002, hatte die Stiftung bereits 3,2 Mrd. DM an über 860 000 ehemalige Sklaven- und Zwangsarbeiter in mehr als 70 Ländern ausbezahlt. Die Erwartung, dass die offenen Gerichtsverfahren rasch erledigt würden, erfüllte sich nicht. Im Gegenteil, neue Klagen gegen einzelne deutsche Unternehmen wegen Ansprüchen aus Zwangsarbeit und Vermögensschäden sowie gegen die Stiftungsinitiative bzw. deren Gründungsunternehmen wegen weiterer Zinsforderungen, boten seit Beginn der Auszahlungen ausreichend Gelegenheit, die Tragfähigkeit der Berliner Abkommen unter Beweis zu stellen. Nichtsdestoweniger: Alle bisherigen Sammelklagen wurden aufgrund mangelnder Zuständigkeit der US-Gerichte abgewiesen. Zur Begründung wurde in der Regel auf die fehlende Justiziabilität der Ansprüche verwiesen. Die mit den Klagen intendierten Zahlungen von Unternehmen im Zusammenhang mit NS-Unrecht ließen sich also wie erwartet vor Gericht nicht erzwingen. Dies unterstreicht den originär humanitären Charakter der Stiftungsinitiative.

Die kollektive Fondslösung galt ihren Protagonisten auf staatlicher wie auf privater Ebene als die jedem Rechtsstreit überlegene Alternative. Die zentrifugalen Kräfte während der Verhandlungen waren jedoch durchaus nicht zu unterschätzen. Der gesamte Prozess entwickelte sich lange nicht so linear wie es am Ende aussehen mochte. Für den US-Verhandlungsführer Stuart Eizenstat war er allerdings spätestens mit der Berliner Grundsatzeinigung vom Dezember 1999 unumkehrbar geworden. Otto Graf Lambsdorff, der von der Wirtschaft für sein Engagement hoch geschätzte Beauftragte des Bundeskanzlers für die Stiftungsinitiative deutscher Unternehmen, bekräftigte wiederholt: »Wir waren zum Erfolg verdammt.«[266] Das Engagement der deutsch-amerikanischen Politik für eine kollektive Fondslösung stellte das tragende Fundament dar, auf dem die Stiftungsinitiative fußte. Verankert blieb sie indes in dem Willen der Gründungsunternehmen, den einmal beschrittenen Weg zu einem guten Ende zu führen, demselben »zähen guten Willen«[267], der einer Solidaraktion der deutschen Wirtschaft den Vorzug gab vor dem an sich nahe liegenderen Handeln durch unternehmenseigene Fonds mit einer auf die jeweils »eigenen« Opfer beschränkten Reichweite und partieller Rechtssicherheit. Der Preis dafür war höher, aufzuwiegen nur durch die Überzeugung einer ethischen Pflicht und die Zielsetzung umfassenden und dauerhaften Rechtsfriedens, beides verkörpert in der Person Manfred Gentz', dem unumstrittenen Kopf und Herz der Stiftungsinitiative. Des guten Willens bedurfte es auch auf Klägerseite, um die weit auseinander liegenden Positionen – hier freiwillige Geste, dort Rechtspflicht zur Entschädigung – zu überbrücken in der Einsicht, dass unter den gegebenen Umständen die zwar wünschenswerte größte Einzelfallgerechtigkeit nicht erreichbar, die erreichbare symbolische Anerkennung widerfahrenen Leids für einen größtmöglichen Kreis gleichwohl wünschenswert war. Die realen Formen der Willensbildung in diesem zuweilen kritischen Annäherungsprozess gehorchten einem pragmatischen Imperativ, der angesichts des hohen Lebensalters ehemaliger Sklaven- und Zwangsarbeiter und einer entschlossenen US-Geschichtspolitik im Lichte des zu Ende gehenden Millenniums bei aller Freiwilligkeit zu Kompromissen zwang, von deutscher Seite eingegangen auch in der Hoffnung, einen finanziellen Schlussstrich unter die Ära des Nationalsozialismus und des Zweiten Weltkriegs zu ziehen.

Die am häufigsten gestellte Frage lautete »Warum so spät«? Sie begriff die Stiftungsinitiative bzw. die Stiftung als Endpunkt eines langen, von politischen und juristischen Hindernissen gesäumten Weges. Der Kalte Krieg hatte die Zwangsarbeiterproblematik gleichsam suspendiert und diese politische Entscheidung in völkerrechtlichen Verträgen manifestiert. Erst mit seinem Ende mischten sich die Karten neu. Jetzt versuchten Betroffene aus Mittel- und Osteuropa, gerichtlich in Deutschland und den USA Ansprüche aus Zwangsarbeit auch unmittelbar gegen Unternehmen durchzusetzen, die das vorherrschende staatspositivistisch geprägte Völkerrechtsverständnis allerdings einer allein zwischenstaatlichen Regelung zuwies. Für den Ausgleich von Vermögensschäden aus NS-Verfolgung hingegen hatte die deutsche Wiedergutmachungspolitik bereits seit Jahrzehnten innerstaatliche bzw. vertragliche Rechtsgrundlagen geschaffen, sodass es nach Auffassung der beklagten Unternehmen der Finanzwirtschaft wie der Bundesregierung aus diesem Grund hier keine juristisch offenen Ansprüche mehr geben konnte.

Die US-Sammelklagen gegen deutsche – wie auch gegen andere europäische – Unternehmen im Zusammenhang mit NS-Verfolgung und Zweitem Weltkrieg stellten gleichsam jahrzehntealte Politik vor Gericht. Sie fügten sich in einen Trend der amerikanischen Rechtsprechung seit Ende der 70er Jahre, Gerichte als Instrumente des sozialen und politischen Wandels einzusetzen. Sie knüpften an verfassungsrechtliche und historische Traditionen an, die die US-Justiz als zuständig ansahen, sich mit dem Missbrauch staatlicher Gewalt gegen Individuen unabhängig von Fragen der Staatsangehörigkeit oder Territorialität zu befassen *(Alien Tort Claims Act, 1789).* Sie hoben ins Bewusstsein, dass der internationale Menschenrechtsschutz durch Zivilprozesse eine notwendige Ergänzung erfahren konnte, solange es an seiner verfahrensrechtlichen Absicherung durch internationale Einrichtungen mangelte.[268] In diesem zutiefst politischen Sinn wies die als kollektive Fondslösung zustande gekommene Stiftung über den unmittelbaren historischen Kontext der Zwangsarbeit und NS-Vermögensschäden hinaus auf eine denkbare Form zukünftigen Umgangs mit Menschenrechtsverletzungen. Die Fondsidee band dabei staatliche wie private Akteure zusammen – im grenzüberschreitenden Spannungsgefüge zwischen Richterbänken und diplomatischem Parkett. Als »Klägerdiplomatie«[269] bezeichneten kritische Optimisten jenen neuen Trend der 90er Jahre, der Gerichtsverfahren als Gestaltungsfaktoren der Außenpolitik instrumentierte und dadurch der Tendenz zur kontinuierlichen Dezentralisierung außenpolitischer Beziehungen im Zeitalter der Globalisierung Vorschub leistete. Zwar stand zu erwarten, dass auf diese Weise mehr für den internationalen Menschenrechtsschutz getan werden konnte und Zivilklagen vor US-Gerichten als seine Katalysatoren wirkten. Die machtpolitischen Untertöne aber, die infolge der politisch-ökonomischen Asymmetrie zwischen den USA und der übrigen Welt anklangen, sobald sich die US-Regierung zur Intervention vor Gericht veranlasst sah, waren kaum zu überhören und führten im Fall der Stiftungsinitiative bei manchem ihrer Vertreter zu unverhohlener Ernüchterung.

Die zweite, häufig gestellte Frage zur Stiftungsinitiative lautete daher »Modell für die Zukunft«? Die Stiftung »Erinnerung, Verantwortung und Zukunft« bzw. die vorausgehende Unternehmensinitiative erschienen in dieser Perspektive als Ausgangspunkt für eine neue Generation der Problemlösung in grenzüberschreitendem Rechtsrahmen. Ob dieser Weg tatsächlich als Blaupause dient, über juristische Barrieren hinweg mit vergangenem Unrecht historischer Dimension umzugehen, wie die aktuellen Sammelklagen zur Entschädigung von Opfern der Apartheid in Südafrika[270], der Sklaverei in den USA[271] oder der Zwangsarbeit für japanische Firmen während des Zweiten Weltkriegs reklamieren[272], oder ob es sich um eine ganz spezifische politisch-historische Konstellation handelte, die nur aus dem Zusammentreffen der Holocaust-Thematik im weitesten Sinn mit der US-Geschichtspolitik in der zweiten Hälfte der 90er Jahre entstand, wird die Zukunft zeigen. Was die Holocaust-Ära anbelangt, stehen Stiftung wie Stiftungsinitiative international schon heute nicht mehr allein. In zahlreichen europäischen Ländern kam es in den letzten Jahren zu ähnlichen kollektiven Unternehmensfonds, wenn auch mit erheblich beschränkterem Umfang und vornehmlich bestimmt für Opfer rassischer Diskriminierung während des Zweiten Weltkriegs. Die damit für die Unternehmen einhergehende Rechtssicherheit wurde entweder auf der Basis eines ordentlichen Gerichtsvergleichs zwischen privaten Streitparteien erzielt, wie im Fall der Schweizer Banken, oder im Wege von Regierungsabkommen bzw. Parlamentsbeschlüssen verbürgt, wie bei französischen, österreichischen, holländischen und belgischen Fonds. Vor dem spezifischen historischen Hintergrund schienen private Klagen gegen transnationale Unternehmen einen neuen Raum der Außenpolitik zu eröffnen, in dem die Wirkungsmacht der öffentlichen Meinung mit den außenwirtschaftlichen Interessen der involvierten Staaten zum Bekenntnis kollektiver Verantwortung verschmolz.

Spontane Gebilde selbstgewählter Solidarität ergänzten so herkömmliche Strukturen außenpolitischer Problembewältigung. Ob sich diese Art moralisch begründeter ad-hoc-Korporatismus als alternativer oder als komplementärer Lösungsansatz für Fälle kollektiver Schadensbewältigung überhaupt etablieren wird, ist noch schwer abzuschätzen. Neue Bedrohungskonstellationen, wie die des grenzüberschreitenden Terrorismus, lassen jedoch angesichts knapper öffentlicher Kassen erahnen, dass derartige zweckbezogene Partnerschaften auf freiwilliger Basis, wie sie sich in der Stiftung »Erinnerung, Verantwortung und Zukunft« als staatlich-private Kooperation jenseits eingefahrener Repräsentationsstrukturen institutionalisiert haben, durchaus als Modell betrachtet werden könnten – wie wenig wünschenswert es den potentiellen Zahlern aus der Wirtschaft auch erscheinen mag.

Dass dieses Modell kein Selbstläufer ist, sondern zu seiner Umsetzung massiven politischen Willens bedarf, lässt ein erster vergleichender Blick auf die Haltung vermuten, die die US-Regierung zur Justiziabilität der Ansprüche ehemaliger Zwangsarbeiter einnahm. Bei den Klagen gegen deutsche bzw. japanische Unternehmen gab sie vor Gericht unterschiedliche Stellungnahmen ab. Unter Hinweis auf den Friedensvertrag mit Japan aus dem Jahr 1951 bezog die US-Regierung, anders als im deutschen Fall, den klaren Rechtsstandpunkt, dass Ansprüche gegen japanische Unternehmen unbegründet seien. Die abweichende Rechtsmeinung – manche Beobachter sprechen von doppelten Standards – beschäftigte bereits den US-Senat, was aber an der Überzeugung der US-Regierung nichts änderte.[273]

Ohne Zweifel hat die Dynamik öffentlicher Aufmerksamkeit, mit ausgelöst durch die US-Sammelklagen, im deutschen Fall alte Fragen nach der Verantwortung von Unternehmen für Sklaven- und Zwangsarbeit unter dem NS-Regime neu aufgeworfen. Das Medieninteresse schlug sich in einem breiten gesellschaftlichen Dialog über eine Problematik nieder, die seit den Nürnberger Prozessen aus dem öffentlichen Bewusstsein so gut wie verschwunden war. Zwangsarbeit stieß jetzt auf umso größeres Forschungsinteresse. Historiker, die sich in zehn oder zwanzig Jahren mit dem Thema beschäftigen, werden auf eine Fülle fast flächendeckender lokal- und regionalgeschichtlicher Studien zurückgreifen können, hauptsächlich veröffentlicht in den Jahren um die Jahrhundertwende.

Historisch relevante Fragen nach Wirkungszusammenhängen, die das Verhältnis von Wirtschaft und Gesamtgesellschaft betreffen, fanden dagegen zumindest in der öffentlichen Diskussion weniger Gehör. Gleichwohl erfordern sie eine Antwort, wenn es darum geht, historische Schuld neu zu verhandeln. Jüngste Forschungen zeigen indes, dass nicht leicht zu beantworten ist, »ob Unternehmen von niedrigen Löhnen für Zwangsarbeiter zusätzlich profitierten und ob derartiges Kalkül ihre Personalpolitik leitete«.[274] Denn für die historische Einordnung der betriebsökonomischen Entscheidungen und Handlungsspielräume im Rahmen der Kriegswirtschaft muss neben der Lohn- auch die Preis- und Finanzpolitik des NS-Regimes in den Blick genommen werden. Dabei wird deutlich, dass der Staat Lohnkostenvorteile für Arbeitgeber durch die Beschäftigung ausländischer Zivilarbeiter, Kriegsgefangener und KZ-Häftlingen abschöpfte. Infolgedessen sind die teilweise hohen Gewinne der Unternehmen durch die Kriegskonjunktur – von Ausnahmen abgesehen – »nicht durch Lohnkostenvorteile infolge des Zwangsarbeitereinsatzes zu erklären«.[275] Wer so fragt, muss angesichts der in Rede stehenden »emotionalen Probleme historischer Dimension«[276] mit dem Vorwurf rechnen, die Wirtschaft zu entschuldigen. Solchem Frageinteresse haftet leicht das Odium des Exkulpatorischen an. Das dürfte z. B. ebenso auf Analysen zum Zusammenhang zwischen Besatzungspolitik und »Arisierung« im besetzten Europa zutreffen. Danach trug das Vermögen deportierter und ermordeter Juden über seine »Reprivatisierung« in den jeweiligen Ländern dazu bei, die Besatzungskosten zu decken und damit die Kriegsfinanzierung zu erleichtern und den deutschen Fiskus zu entlasten, wenn etwa Soldatensold aus dem Verkauf konfiszierten jüdischen Eigentums bestritten wurde. Von diesem Raub profitierte so neben den Unternehmen oder den Personen, die unmittelbar in Arisierungsvorgänge involviert waren, die gesamte deutsche Gesellschaft.[277]

Die Erörterung der spezifischen Verantwortung von Unternehmen für NS-Unrecht kann mithin unter historischen Aspekten nicht außer Acht lassen, wie Gesellschaften durch Missachtung und Verletzung grundlegender Normen insgesamt zu sozialen Gebilden monströser Menschenverachtung mutieren. Nun lassen sich ganze Gesellschaften nicht vor US-Gerichte zitieren, Unternehmen als institutionell klar abzugrenzende Teile schon. Mit den konkreten Vorwürfen allerdings steht immer auch die moralische und gesellschaftliche Dimension ökonomischen Handelns an sich zur Debatte.

Auf die Frage, ob Wirtschaft und Ethik einander widersprächen, antwortete Manfred Gentz in einem Gespräch über die Bilanz der Stiftungs-initiative: »Ich bin der festen Überzeugung, dass Wirtschaft, die primär eigennützige Ziele verfolgt, nur in dem Maße akzeptiert wird, wie sie sich auch an Verhaltensregeln orientiert, die in demokratischen Gesell-schaften gefordert werden. Das bedeutet, sie muss die Spielregeln des Common Sense einhalten, und sie sollte sogar, um ihr eigenes Image ak-zeptabel zu machen, aktiv demokratische und freiheitliche Entwicklun-gen unterstützen.«[278]

Können Wirtschaft und Ethik einander ergänzen? Mit Blick auf die Stif-tungsinitiative sind zwei Linien zu unterscheiden. Sie zielte zum einen auf humanitäre Hilfe. Die deutsche Wirtschaft, und nicht Dritte, die die Leistungen der Stiftung allein als Ergebnis ihrer Anstrengungen verstan-den wissen wollen, hat 5 Mrd. DM zur Verfügung gestellt. Dadurch wur-de über einer Million Menschen in konkreter Weise geholfen. Dass sich Zahlungen wie erwartet letztlich als rechtlich nicht erzwingbar heraus-stellten, unterstreicht nochmals den von Beginn an humanitären Charak-ter der Stiftungsinitiative. Darin eine Ergänzung wirtschaftlichen Han-delns durch einen ethischen Anspruch zu erkennen ist begründbar.

Zum anderen verband die Stiftungsinitiative mit der Idee, durch einen Zukunftsfonds im Rahmen der Stiftung Projekte zu unterstützen, die für die weitreichenden Gefahren von Menschenrechtsverletzungen sensibi-lisieren, die Absicht, ein Zeichen zu setzen: Dieser Gedanke schien den Gründungsunternehmen geeignet, ehemaligen Zwangsarbeitern und an-deren NS-Geschädigtengruppen gebührend Respekt zu zollen. Mit dem Zukunftsfonds als Teil der Stiftung »Erinnerung, Verantwortung und Zu-kunft« hat sich die deutsche Wirtschaft in überzeugender Weise selbst verpflichtet, den eigenen Anspruch über den konkreten Anlass humani-tärer Zahlungen hinaus fortzuführen.

Gleichwohl, so unverzichtbar die Initiative der heutigen deutschen Wirt-schaft war, Verantwortung zu übernehmen, ist es fraglich, ob ohne das komplexe Gefüge von internationaler Politik, öffentlichem Druck, recht-lich-moralischem Gebot und wirtschaftlichem Interesse, den Rahmenbe-dingungen »ökonomischer Humanität« also, die Stiftung zustande ge-kommen wäre. Zwangsarbeiter und deutsche Wirtschaft – sie haben letzlich ihren Rechtsfrieden gefunden.

Exkurs:
Wiedergutmachung –
Gesetzliche und vertragliche Grundlagen

Restitution

Die zwischen 1947 und 1949 erlassenen Rückerstattungsgesetze der drei westlichen Besatzungsmächte bilden die Rechtsgrundlage für die Restitution feststellbarer Vermögensgegenstände, die einzelnen Personen zwischen dem 30. Januar 1933 und dem 8. Mai 1945 durch nationalsozialistische Verfolgungsmaßnahmen entzogen worden waren. »Entzogen« bedeutete, aus Gründen der Rasse, des Glaubens, der Nationalität, der Weltanschauung oder politischen Gegnerschaft zum Nationalsozialismus zwangsweise durch Rechtsgeschäft weggegeben oder durch staatlichen Akt weggenommen. Die individuelle Rückerstattung richtete sich vorwiegend auf Grundstücke und Unternehmen. Wo Naturalrestitution nicht möglich war, konnten ersatzweise Wert- oder Schadenersatzleistungen geltend gemacht werden.

Bei den Raubzügen des Deutschen Reichs in Deutschland und im besetzten Europa spielten bewegliche Vermögensgegenstände die Hauptrolle (z. B. Wertpapiere, Edelmetall, Schmuck, Kunstgegenstände), die nach dem Krieg meist nicht mehr greifbar oder vorhanden waren. Für diese Vermögensverluste haftete nach den alliierten Rückerstattungsgesetzen das Deutsche Reich mit Schadenersatz in Geld, im Verhältnis eins zu eins. Mit dem Bundesrückerstattungsgesetz vom 19. Juli 1957 trat die Bundesrepublik Deutschland in ihrer Eigenschaft als Rechtsnachfolgerin des Deutschen Reiches als Schuldnerin ein (Bundesgesetz zur Regelung der rückerstattungsrechtlichen Geldverbindlichkeiten – BRüG, BGBl. I S. 734). Schadenersatz für die im Ausland entzogenen Vermögenswerte konnte dann geltend gemacht werden, wenn die Vermögensgegenstände nachweislich in den Geltungsbereich des BRüG verbracht worden waren. Für bestimmte Schadensgruppen galten Höchstgrenzen.

Über Restitutionsansprüche entschieden Zivilkammern (Wiedergutmachungskammern), in streitigen Fällen letztinstanzlich international besetzte Oberste Rückerstattungsgerichte auf Länderebene.

Anspruchsberechtigt waren Verfolgte, Erben oder sonstige Rechtsnachfolger.

Zur Rückerstattung erbenlos gebliebenen Vermögen schloss die Bundesrepublik mehrere Globalvergleiche mit jüdischen Nachfolgeorganisationen – ein völkerrechtliches Novum.

Die Ende der 60er Jahre abgeschlossene individuelle Rückerstattung wird auf einen Wert von 3 bis 3,5 Mrd. DM geschätzt. Leistungen nach dem BRüG (Ansprüche gegen das Deutsche Reich und gleichgestellte Rechtsträger) belaufen sich auf rund 4 Mrd. DM.

Entschädigung

Anstelle zahlreicher Entschädigungsvorschriften in den westlichen Besatzungszonen zum Ausgleich personenbezogener Schäden trat zunächst das Bundesergänzungsgesetz zur Entschädigung für Opfer der nationalsozialistischen Verfolgung vom 18. September 1953 (BErgG, BGBl. I S. 1387). Rückwirkend zum 1. Oktober 1953 folgte das verbesserte Bundesgesetz zur Entschädigung für Opfer der nationalsozialistischen Verfolgung vom 29. Juni 1956 (Bundesentschädigungsgesetz – BEG, BGBl. I S. 562), das durch das Bundesentschädigungsschlussgesetz vom 14. September 1965 (BGBl. I S. 1315) ergänzt wurde.

»Opfer der nationalsozialistischen Verfolgung ist, wer aus Gründen politischer Gegnerschaft gegen den Nationalsozialismus oder aus Gründen der Rasse, des Glaubens oder der Weltanschauung durch nationalsozialistische Gewaltmaßnahmen verfolgt worden ist und hierdurch Schaden an Leben, Körper, Gesundheit, Freiheit, Eigentum, Vermögen, in seinem beruflichen oder in seinem wirtschaftlichen Fortkommen erlitten hat.«
Bundesentschädigungsgesetz § 1 Abs. 1

Bis zum heutigen Tag leistete die Bundesrepublik Entschädigungszahlungen in Höhe von über 100 Mrd. DM.

Das alliierte und deutsche Wiedergutmachungsrecht basierte auf dem subjektiven bzw. objektiv-sachlichen Territorialitätsprinzip, das den Anspruchberechtigten den Bezug zum Deutschen Reich in den Grenzen von 1937 vorschrieb. Staatenlose konnten ebenfalls Leistungen nach dem BEG geltend machen.

»Äußere Wiedergutmachung«

Das Luxemburger Abkommen vom 10. September 1952 zwischen der Bundesrepublik, Israel und der Conference on Jewish Material Claims Against Germany (Claims Conference) über Leistungen in Höhe von 3,45 Mrd. DM zur Eingliederung NS-Verfolgter in Israel bzw. zur Unterstützung außerhalb Israels lebender jüdischer NS-Verfolgter markiert den Auftakt zur »äußeren Wiedergutmachung« (BGBl. II 1953 S. 35).

Zur Entschädigung ausländischer NS-Verfolgter in westlichen Staaten schloss die Bundesregierung auf Druck der USA Ende der 50er, Anfang der 60er Jahre mit zwölf Ländern ergänzend Globalabkommen ab.

11. 07. 1959	Luxemburg (18 Mio. DM)	28. 09. 1960	Belgien (80 Mio. DM)
07. 08. 1959	Norwegen (60 Mio. DM)	02. 06. 1961	Italien (40 Mio. DM)
24. 08. 1959	Dänemark (60 Mio. DM)	29. 06. 1961	Schweiz (10 Mio. DM)
18. 03. 1960	Griechenland (115 Mio. DM)	27. 11. 1961	Österreich (101 Mio. DM)
08. 04. 1960	Niederlande (125 Mio. DM)	09. 06. 1964	Großbritannien (11 Mio. DM)
15. 07. 1960	Frankreich (400 Mio. DM)	03. 08. 1964	Schweden (1 Mio. DM)

In den 60er Jahren stellte die Bundesregierung einer Reihe osteuropäischer Staaten Mittel zur Entschädigung von Opfern pseudo-medizinischer Versuche zur Verfügung (Jugoslawien, CSSR, Ungarn, Polen).

Im 2+4-Vertrag von 1990 verpflichtete sich die Bundesrepublik, die Wiedergutmachung auch für das vereinigte Deutschland fortzuführen und auf das Beitrittsgebiet auszudehnen.

Im Unterschied zur BRD hatte sich die DDR nicht zu einer konsequenten Restitution bzw. Entschädigung von NS-Unrecht bereit gefunden. Rückerstattung als Akt der Reprivatisierung kam aus ideologischen Gründen nicht in Betracht. Personengebundene Entschädigungsansprüche wurden in der Kategorie des antifaschistischen Widerstandes (»Ehrensold«) zugelassen.

Mit fünf mittel- und osteuropäischen Staaten schloss die Bundesregierung ähnlich den früheren Globalabkommen mit den Weststaaten zwischen 1991–1997 Verträge zur humanitären Unterstützung von NS-Opfern ab. Mit diesen Verträgen entstanden jene Versöhnungsstiftungen, die bei den Verhandlungen über die spätere Stiftung »Erinnerung, Verantwortung und Zukunft« vertreten waren und die jetzt als deren Partnerorganisationen fungieren.

16. 10. 1991	Stiftung Deutsch-Polnische Aussöhnung (500 Mio. DM)
30. 03. 1993	Stiftungen »Verständigung und Aussöhnung« Weißrussland (200 Mio. DM), der Russischen Föderation (400 Mio. DM) und der Ukraine (400 Mio. DM)
22. 06. 1995	Republik Estland (2 Mio. DM)
26. 07. 1996	Republik Litauen (2 Mio. DM)
21. 01. 1997	Deutsch-Tschechischer Zukunftsfonds (140 Mio. DM)
27. 08. 1998	Republik Lettland (2 Mio. DM)

Schließlich vereinbarte die Bundesregierung mit den USA am 19. 9. 1995 ein Abkommen zur Entschädigung US-amerikanischer NS-Opfer in Höhe von 3 Mio. DM, das 1998 in Nachverhandlungen schließlich auf insgesamt 34,5 Mio. DM aufgestockt wurde (sog. Princz-Settlement).

Weiterführende Literatur
Die Wiedergutmachung nationalsozialistischen Unrechts durch die Bundesrepublik Deutschland, hrsg. v. Bundesminister der Finanzen in Zusammenarbeit mit Walter Schwarz, Bd. I–VI, München 1974–1987.
Walter Schwarz, Wiedergutmachung – Ein Überblick, in: Ludolf Herbst, Constantin Goschler (Hg.), Wiedergutmachung in der Bundesrepublik Deutschland, München 1989, 33–54.
Herman-Josef Brodesser u. a., Wiedergutmachung und Kriegsfolgenliquidation. Geschichte, Regelungen, Zahlungen, München 2000.
Hans-Günter Hockerts, Wiedergutmachung in Deutschland, 1945–2000, in: VfZ 49 (2001), S. 167–214.

Anhang

Anmerkungen

1 Zum aktuellen Forschungsstand siehe Mark Spoerer, Zwangsarbeit unterm Haken-kreuz, Stuttgart, München 2001, hier S. 9, S. 220 ff.

2 Stuart E. Eizenstat, Imperfect Justice: Looted Assets, Slave labor, and the Unfi-nished Business of World War II, New York 2003, im Folg. zit. als: Eizenstat, Im-perfect Justice, hier S. 275 ff.

3 »Stiftungsinitiative deutscher Unternehmen: Erinnerung, Verantwortung und Zu-kunft«. Gemeinsame Erklärung anlässlich des Treffens der Vertreter von 12 deut-schen Unternehmen mit Bundeskanzler Gerhard Schröder am 16. Februar 1999 in Bonn. Folgende Zitate ebd. www.stiftungsinitiative.de. (Stand vom 1. Dezember 2002 – gilt auch für alle im Folgenden genannten internet-Quellen).

4 Zu fusionsbedingten Umfirmierungen im Zeitraum 1997–2001 siehe Übersicht im Anhang, S. 316.

5 Zur Verfahrensart der Sammelklagen in den USA siehe S. 43 f.

6 Eine innovative Gesamtdarstellung jüngeren Datums bei Ludolf Herbst, Das na-tionalsozialistische Deutschland, 1933–1945. Die Entfesselung der Gewalt: Ras-sismus und Krieg, Frankfurt 1996.

7 Mark Spoerer, Zwangsarbeit unterm Hakenkreuz, Stuttgart, München 2001; Ulrich Herbert, Fremdarbeiter, Politik und Praxis des »Ausländer-Einsatzes« in der Kriegswirtschaft des Dritten Reiches, Berlin, Bonn 1999, 3. Auflg.

8 Pressekonferenz zur Gemeinsamen Erklärung der Stiftungsinitiative vom 16. Fe-bruar 1999, Bonn.

9 Gemeinsame Erklärung der Stiftungsinitiative vom 16. Februar 1999, siehe oben Anm. 3.

10 Angaben zu einzelnen Sammelklagen siehe Chronik.

11 Zur grundlegenden Orientierung siehe Ralph G. Steinhardt, Anthony A. D'Amato (Hrsg.), The Alien Tort Claims Act: An Analytical Anthology, New York 1999.

12 Zu den rivalisierenden Gruppen und Personen unter den Klägeranwälten vgl. Ri-chard Wolffe, John Authers, The Victims' Fortune. Inside the Epic Battle over the Debts of the Holocaust, New York 2002, S. 37–50. Im Folgenden zitiert als Wolffe/Authers (2002).

13 Zu den Sammelklagen gegen deutsche Banken siehe Chronik 3. Juni 1998.

14 Zur so genannten »Cornell-Klage« siehe Chronik vom 31. März 1997.

15 Z. B. *Holocaust Victims Insurance Relief Act*, Kalifornien (California Senate Bill 1530) vom 10. Februar 1998, in Kraft gesetzt am 29. September 1998 (siehe Chronik); Zur Übersicht über bundesstaatliche und einzelstaatliche Sanktionsmaß-nahmen siehe Federal and State Laws Regarding Holocaust Restitution www.pcha.gov/lawsinfo.htm; umfassender www.ushmm.org/assets/legi2.htm so-wie Chronik. Die Sanktionsgesetze auf einzelstaatlicher wie auf bundesstaatlicher

213

Ebene waren substanziell identisch. Zum Teil stammten sie aus der Feder von Klägeranwälten. Das galt auch für Gesetze zur Regelung der Zwangsarbeitsklagen. Die kalifornische »Vorlage« zur Verlängerung der Verjährungsfrist vom 27. Juli 1999 entstand am Schreibtisch von Deborah Sturman aus der Kanzlei von Melvyn Weiss. Vgl. dazu Andreas Mink, Debatte um Zwangsarbeit: Wer zahlt wie viel Aufbau 16 (1999).

16 Siehe zum Hevesi-Committee S. 69 f.

17 Exemplarisch die Pressemitteilung der Volkswagen AG vom 7. Mai 1986 zum Forschungsauftrag über Zwangsarbeit bei VW an die Universität Bochum. Hans Mommsen mit Manfred Grieger, Das Volkswagenwerk und seine Arbeiter im Dritten Reich, Düsseldorf 1996.

18 Als Beispiele: Die Skulptur »Tag und Nacht« des Bildhauers Bernd Heiliger erinnert seit 1988 im Daimler-Benz-Werk in Untertürkheim an das Schicksal der Zwangsarbeiterinnen und Zwangsarbeiter während des Zweiten Weltkriegs ebenso wie eine Collage in der Berliner Siemensstadt seit 1997.

19 Das Standardwerk von Ulrich Herbert erschien zuerst 1986.

20 Ralf Banken, Der Edelmetallsektor und die Verwertung konfiszierten jüdischen Vermögens im »Dritten Reich«. Ein Werkstattbericht über das Untersuchungsprojekt »Degussa AG« aus dem Forschungsinstitut für Sozial- und Wirtschaftsgeschichte an der Universität zu Köln, in: Jahrbuch für Wirtschaftsgeschichte 1/1999, S. 135–162.

21 Preliminary Study on U.S. and Allied Efforts To Recover and Restore Gold and Other Assets Stolen or Hidden by Germany During World War II, Washington Mai 1997 sowie U.S. and Allied Wartime and Postwar Relations and Negotiations With Argentina, Portugal, Spain, Sweden, and Turkey on Looted Gold and German External Assets and U.S. Concerns About the Fate of Wartime Ustasha Treasury, Washington Juni 1998, Coordinated by Stuart E. Eizenstat, Under Secretary of State for Economic, Business, and Agricultural Affairs. www.state.gov/www/regions/eur/holocausthp.html.

22 Siehe Chronik 2. Mai 1996 und 19. Dezember 1996; Zu den einschlägigen Entwicklungen im Hinblick auf die Schweiz www.parliament.ch »Nachrichtenlose Vermögen«, daneben www.swissbankclaims.com sowie www.dormantaccounts.ch. Zu den Ergebnissen siehe den Schlussbericht der Bergier-Kommission, Die Schweiz, der Nationalsozialismus und der Zweite Weltkrieg, Zürich 2002 sowie Independent Committee of Eminent Persons (Volcker-Kommission), Bericht über nachrichtenlose Konten von Opfern des Nationalsozialismus bei Schweizer Banken, Dezember 1999 unter www.icep-iaep.org.

23 Sitzungsprotokolle etc.www.state.gov/www/regions/eur/holocausthp.html. Die Londoner Goldkonferenz befasste sich u. a. mit dem Verbleib der den Staatsbanken der besetzten Länder geraubten Goldbestände. Zur Debatte stand dabei u. a. das Verhalten der *Tripartite Gold Commisssion* (TGC), einer 1946 von den drei Westalliierten gebildeten Kommission, die Gold und Vermögenswerte an die betroffenen Staaten (zurück-)verteilte. Ein verbleibender Rest von etwa 2 % der ursprünglich von der TGC verteilten Summe im Wert von ca. 60 Mio. US-$ floss in einen neu etablierten multinationalen Fonds, den *Nazi Persecutee Relief Fund*. Er bündelte finanzielle Beiträge von 18 Staaten, die mit Goldtransaktionen während des Zweiten Weltkriegs befasst waren. Die Mittel stammten zu Teilen aus dem Ver-

kauf von Restbeständen der TGC. Ziel des Fonds war die Unterstützung von Holocaust-Opfern, die bis dahin wenig oder keine Entschädigung erhalten hatten. Der
Fonds, dotiert mit insgesamt 85 Mio. US-$ wird von der britischen Regierung ver-
waltet, seine Konten liegen bei der Federal Reserve Bank, New York.
www.house.gov/international_relations/crs/london.html.

24 The Stockholm International Forum on the Holocaust. A Conference on Educati-
on, Rememberance and Research, 26.–28. Januar 2000. www.holocaustforum.gov.

25 Ständig aktualisierte Informationen unter www.usembassy.de/policy/holocaust.

26 US-Präsident Bill Clinton auf dem Bankett des World Jewish Congress zu Ehren
einer Reihe von Persönlichkeiten, die sich um die Restitution von Holocaust-Era
Assets verdient gemacht haben am 11. September 2000 in New York.

27 Eizenstat war von 1993–1996 US-Botschafter bei der Europäischen Gemeinschaft
in Brüssel, 1996–1997 Staatssekretär im US-Handelsministerium, 1997–1999
Staatssekretär im US-Außenministerium, 1999–2001 stellvertretender Finanzminister der USA.

28 www.law.harvard.edu/alumni/bulletin/backissues/summer99/article4.html:
»Eizenstat emphasizes the importance of turning examination of old facts into new
realities«. Eizenstat bezog sich auf den *Nazi Persecutee Relief Fund* als Beispiel.

29 Überblick über die Vielzahl der Kommissionen unter www.ushmm.org/assets/
index.html.

30 Übersicht unter www.archives.gov/research_room/holocaust_era_assets; von zentraler Bedeutung waren der Nazi War Crimes Disclosure Act (8. Oktober 1998) sowie der Holocaust Victims Redress Act (13. Februar 1998) siehe dazu Chronik.

31 Stuart Eizenstat, The Inexplicable Behaviour of States, in: Avi Becker (Hrsg.), The
Plunder of Jewish Property during the Holocaust. Confronting European History,
New York 2001, S. 33–47, hier S. 35 (= Wiederabdruck des Vorwortes zum zweiten
Eizenstat-Bericht vom Juni 1998).

32 Zu den Forschungsfragen gehörten u. a. Geschäfte mit Sperrmark-Konten, Konten
also, auf die ein Großteil der Erlöse aus Immobilien- oder Geschäftsverkäufen NS-
Verfolgter gezahlt werden musste und die aufgrund der Devisenbewirtschaftung
nur zu ungünstigen Kursen umgetauscht und ausgeführt werden konnte, Kapital-
verflechtungen, Kredite an die SS sowie Lohngeld-Überweisungen von Zwangs-
arbeitern. Seit 1997 untersuchte das Hannah-Arendt-Institut für Totalitarismus-
Forschung an der TU Dresden die Geschichte der Dresdner Bank: Johannes Bähr,
Der Goldhandel der Dresdner Bank im Zweiten Weltkrieg, Leipzig 1999; Harald
Wixforth, Auftakt zur Ostexpansion. Die Dresdner Bank und die Umgestaltung des
Bankwesens im Sudetenland 1938/39, Dresden 2001; Die Deutsche Bank hatte eine
fünfköpfige Historiker-Kommission (Harold James, Jonathan Steinberg, Avraham
Barkai, Gerald D. Feldman und Lothar Gall) mit der Untersuchung der Geschichte
des Hauses zur NS-Zeit betraut. Lothar Gall u. a., Die Deutsche Bank 1870–1995,
München 1995; Jonathan Steinberg, Die Goldtransaktionen der Deutschen Bank
während des Zweiten Weltkriegs, 1995; Harold James, Die Deutsche Bank und die
»Arisierung«, München 2001.

33 Gerald D. Feldman, Die Allianz und die deutsche Versicherungswirtschaft, 1933–
1945, München 2001. 1994 errichtete die Allianz in München ein firmenhistori-
sches Archiv als zentrale Archivierungs- und Erfassungsstelle im Zusammenhang
mit der NS-Zeit.

34 Im Rahmen der Durchsicht des relevanten Gesamtbestandes von ca. 1 350 000 Versicherungsakten wurden einer Pressemitteilung der Allianz vom 23. März 2000 zufolge 35 Verträge gefunden, bei denen ein Nachweis für die Auszahlung fehlte.

35 Vgl. dazu United Nations Conference on Trade and Development (UNCTAD), World Investment Report 2001, Genf 2001. Seit 1995 präsentiert die UNCTAD einen Transnationalisierungsindex. Er setzt sich aus drei Komponenten zusammen: dem Durchschnitt der Anteile an Auslandskapital, dem Auslandsumsatz und der Auslandsbeschäftigung. Er beschreibt die Außenorientierung der Gesamtaktivitäten eines Unternehmens und ist damit aussagekräftiger für das »Außeninteresse« großer Unternehmen als die klassische Orientierung an der Exportquote, wie sie z. B. Mark Spoerer für angemessen hält. Ders., Moralische Geste oder Angst vor Boykott? Welche Großunternehmen beteiligen sich aus welchen Gründen an der Entschädigung ehemaliger NS-Zwangsarbeiter, in: Perspektiven der Wirtschaftspolitik 3 (2002), S. 37–48.

36 Gründungsmitglieder der Stiftungsinitiative, wie z. B. BASF, DaimlerChrysler oder Deutsche Bank, die zugleich zu den Gründern des vom UNO-Generalsekretär auf dem Weltwirtschaftsforum in Davos 1999 initiierten Global Compact zählen, der gerade transnationale Unternehmen in die Bewältigung der negativen Folgen der Globalisierung einzubeziehen sucht und sie zu diesem Zweck auf Standards in den Bereichen Menschenrechte, Arbeit und Umwelt verpflichtet, wollen ihren Beitrag zur Stiftung »Erinnerung, Verantwortung und Zukunft« explizit als Erfüllung der mit dem Global Compact eingegangenen Verpflichtung zur »corporate citizenship« verstanden wissen. Siehe z. B. BASF www.unglobalcompact.org/un/gc/unweb.nsf/content/basf01.htm.

37 Die Claims Conference wurde 1951 als Dachverband von 23 jüdischen Diasporaverbänden gegründet mit dem Ziel, die Interessen der außerhalb Israels lebenden jüdischen Opfer der NS-Verfolgung in den Wiedergutmachungsverhandlungen mit der Bundesrepublik zu vertreten. Zur Geschichte der Claims Conference siehe Ronald Zweig, German Reparations and the Jewish World. A History of the Claims Conference, London 2001, 2. Auflg.

38 Wolfgang Benz, Der Wollheim-Prozess. Zwangsarbeit für I.G. Farben in Auschwitz, in: Ludolf Herbst, Constantin Goschler (Hrsg.), Wiedergutmachung in der Bundesrepublik Deutschland, München 1989, S. 303–326.

39 Ein Betrag von 3 Mio. DM wurde dabei für die Entschädigung von Sinti und Roma vorgesehen.

40 1986 erwarb die Deutsche Bank die Dynamit Nobel Aktien von Friedrich Karl Flick. Die Munitionsfabrik gehörte während des Krieges zum Flickkonzern; für Dynamit Nobel arbeiteten Tausende KZ-Häftlinge aus Buchenwald und Groß-Rosen. Die Entschädigungsverhandlungen, die die Claims Conference 1963 mit Friedrich Flick aufnahm, blieben erfolglos. Schließlich sorgte die Deutsche Bank als Neueigentümerin für die Erfüllung des immer wieder aufgeschobenen Abkommens. Verzögerungen veranlassten das Europäische Parlament zur Entschließung, die deutsche Industrie zur Entschädigung ehemaliger Sklavenarbeiter aufzufordern. Karl Brozik, Die Entschädigung von nationalsozialistischer Zwangsarbeit durch deutsche Firmen, in: Klaus Barwig u. a. (Hrsg.) Entschädigung für NS-Zwangsarbeit. Rechtliche, historische und politische Aspekte, Baden-Baden 1998 (Im Folgenden zitiert

als Barwig (1998)), S. 33–47, hier S. 44 f. Siehe Chronik 16. Januar 1986. Friedrich Christian Flick errichtete im September 2001 die mit 10 Mio. DM dotierte »F. C. Flick-Stiftung gegen Fremdenfeindlichkeit, Rassismus und Intoleranz« mit Sitz in Potsdam. An der Stiftungsinitiative beteiligte er sich nicht.

41 Das Maximilian-Kolbe-Werk betreut Überlebende der deutschen Konzentrationslager in ganz Mittel- und Osteuropa. www.maximilian-kolbe-werk.de.

42 Zu dieser Stiftung siehe Exkurs Wiedergutmachung im Anhang, S. 208 f.

43 Zur Höhe der einzelnen Unternehmenszahlungen vgl. Benjamin Ferencz, Less Than Slaves: Jewish Forced Labor and the Quest for Compensation, Indiana University Press, 2002, S. 210 f; BT-Drucksache 11/6286: Bericht über vorhandene private Initiativen, die im Zusammenhang mit Zwangsarbeit während des Zweiten Weltkrieges ergriffen wurden; Mark Spoerer, Zwangsarbeit unterm Hakenkreuz, Stuttgart 2001, S. 248 sowie eigene Recherchen.

44 Seit dem Ende des Zweiten Weltkriegs bis zur Klagewelle Ende der 90er Jahre gab es in den USA nur rund ein Dutzend derartiger Klagen. Exemplarisch ist der Fall Kelberine et al. v. Société Internationale et al., 363 F. 2d 989 (D.C. Cir. 1966).

45 Potsdamer Abkommen vom 2. August 1945, Abschnitt IV, abgedruckt in: Ingo von Münch (Hrsg.), Dokumente des geteilten Deutschland, 1968.

46 Dazu im Überblick Rudolf Dolzer, Multilaterale Grundlagen deutscher Reparationspflicht nach 1945, in: Festschrift für Klaus Vogel, Bonn 2000, S. 265–275.

47 Die Höhe der Reparationsleistungen, die die Sowjetunion und die westlichen Siegermächte aus der Beschlagnahme von Auslandsvermögen, Demontagen, Gebietsgewinnen usw. erhielten, beziffert die Bundesregierung auf über 600 Mrd. DM.

48 Protokoll über den Erlass der deutschen Reparationszahlungen und über andere Maßnahmen zur Erleichterung der finanziellen und wirtschaftlichen Verpflichtungen der DDR, die mit den Folgen des Krieges verbunden sind vom 22. August 1953, abgedruckt in: Europa-Archiv 8(1953), 5974 f. Gemäß Potsdamer Abkommen befriedigte die UdSSR die Reparationsansprüche Polens aus ihrem eigenen Anteil. Polen erließ so am 23./24. August 1953 eine entsprechende Erklärung, abgedruckt in: Archiv der Gegenwart 1970, 15.868 A. Zum Problem des Forderungsverzichts vgl. die Beiträge von Burkhard Heß, Lutz Frauendorf und Jerzy Kranz, in: Barwig (1998).

49 Zu den Signatarstaaten gehörten darüber hinaus Australien, Belgien, Kanada, Tschechoslowakei, Dänemark, Ägypten, Griechenland, Indien, Italien, Luxemburg, Niederlande, Neuseeland, Norwegen, Südafrikanische Union, Jugoslawien. 8105 United Nations Treaty Series 1946.

50 Auf der Pariser Reparationskonferenz wurde zum ersten Mal Juden als eigenständiger Gruppe das Recht auf Entschädigung für NS-Verfolgung zuerkannt. Die Forderung nach Reparationen für das jüdische Volk, über die Rückerstattung der geraubten Vermögenswerte hinaus, war seit 1944 mit zunehmenden Nachrichten über den Massenmord an den europäischen Juden immer lauter erhoben worden. Vgl. hierzu Siegfried Moses, Die jüdischen Nachkriegsforderungen, Tel Aviv 1944, neu herausgegeben von Wolf-Dieter Barz, Münster 1998.

51 Artikel 5 Abs. 2 Abkommen über deutsche Auslandsschulden vom 27. Februar 1953 in London, BGBl. II 1953, S. 543. »Eine Prüfung der aus dem Zweiten Weltkrieg herrührenden Forderungen von Staaten, die sich mit Deutschland im Kriegszustand befanden oder deren Gebiet von Deutschland besetzt war, und von Staats-

angehörigen dieser Staaten gegen das Reich und im Auftrag des Reichs handelnde Stellen oder Personen einschließlich der Kosten der deutschen Besatzung, der während der Besetzung auf Verrechnungskonten erworbenen Guthaben sowie Forderungen gegen die Reichskreditkassen, wird bis zu der endgültigen Regelung der Reparationsfrage zurückgestellt.«

52 Sechstes Kapitel Artikel 1 Abs. 1 Vertrag zur Regelung aus Krieg und Besatzung entstandener Fragen. (sog. Überleitungsvertrag) vom 26. Mai 1952 in der gemäß Liste IV zu dem am 23. Oktober 1954 in Paris unterzeichneten Protokoll über die Beendigung des Besatzungsregimes in der Bundesrepublik Deutschland geänderten Fassung, in: BGBl. II 1955, S. 405–459, hier S. 439.

53 Vertrag über die abschließende Regelung in Bezug auf Deutschland vom 12. September 1990, BGBl. II 1990, S. 1318–1329.

54 Vgl. Vorlage des Ministerialdirektors Teltschik an Bundeskanzler Kohl, Bonn, 15. März 1990, in: Dokumente zur Deutschlandpolitik, Deutsche Einheit, Sonderedition aus den Akten des Bundeskanzleramtes 1989/1990, München 1998, S. 955 f.

55 Weiter heißt es: »The London Agreement of 1953 left the issue of reparations in abeyance until a final peace settlement. However, many U.S. officials believe that the generations of Germans born after the war should not be saddled with questions that imply their guilt for the policies of Nazi Germany«. Siehe Legal Issues Relating to the Future Status of Germany, prepared for the Committee on Foreign Relations, United States Senate by the Congressional Research Service Library of Congress, Washington 1990, S. 26.

56 BT-Drucksache 13/4787: Unterrichtung durch die Bundesregierung; Umfassender Bericht über bisherige Wiedergutmachungsleistungen deutscher Unternehmen vom 3. Juni 1996.

57 Einen Überblick über die verschiedenen Gesichtspunkte gibt der Band von Barwig (1998). Bereits in den Verhandlungen zum Londoner Schuldenabkommen zeichneten sich Auffassungsunterschiede ab. Während die Bundesregierung den reparationsrechtlichen Charakter der Ansprüche aus Zwangsarbeit hervorhob, forderten die übrigen Teilnehmer, Zwangsarbeit in die Wiedergutmachung von NS-Unrecht einzubeziehen.

58 BVerfG, Beschl. v. 13. Mai 1996, Akt.Z. 2 BvL 33/93; BVerfGE Band 94, S. 315, ergangen auf Vorlagebeschluss des LG Bonn vom 2. Juli 1993 (Akt.Z. 1 O 134/92); Die Entschädigungsansprüche ehemaliger Zwangsarbeiter aus Polen, Ungarn und Rumänien bildeten den Gegenstand zweier Vorlageverfahren beim Bundesverfassungsgericht. Das Landgericht Bremen und das Landgericht Bonn stellten das Londoner Schuldenabkommen bzw. das Allgemeine Kriegsfolgengesetz zur Überprüfung. Albrecht Randelzhofer, Staatswissenschaftler an der FU Berlin, verfasste das Gutachten für die Bundesregierung. Dokumentation der Urteile in Barwig (1998), S. 221–290. Zur Diskussion vgl. Albrecht Randelzhofer, Oliver Dörr, Entschädigung für Zwangsarbeit? Zum Problem individueller Entschädigungsansprüche von ausländischen Zwangsarbeitern während des Zweiten Weltkriegs gegen die Bundesrepublik Deutschland, Berlin 1994.

59 Einführend zum aktuellen Stand der Diskussion um diese völkerrechtlichen Entwicklungstendenzen Albrecht Randelzhofer, Christian Tomuschat (Hrsg.), State Responsibility and the Individual. Reparation in Instances of Grave Violations of Human Rights, The Hague 1999.

60 BVerfG, Beschl. v. 13. Mai 1996, s. o. Fn. 58.

61 Vgl. Rudolf Dolzer, Ein Problem zwischenstaatlicher Reparationen, FAZ 2. November 1998; Ders., The Settlement of War-Related Claims: Does International Law Recognize a Victim's Private Right of Action?, in: Berkeley Journal of International Law 20 (2002), S. 296–341 mit weiteren Nachweisen.

62 Pressemitteilung des Bundesarbeitsgerichts Nr. 1700 zum Rechtsweg für Klagen ehemaliger Ostarbeiter auf Entschädigung für Zwangsarbeit. Beschlüsse vom 16. Februar 2000, in: 5 AZB 59/99 und vier weiteren Verfahren, die entsprechenden Verweisungen an die Landgerichte erfolgten dann auf der Basis der Entscheidung des Bundesarbeitsgerichts vom 30. November 2000.

63 Es handelt sich um die Klage eines ehemaligen KZ-Häftlings, Adolf Diamant, gegen die Braunschweiger Firma Büssing-Automobilwerke A.G. Das Gericht verurteilte das Unternehmen am 30. Juni 1965 zur teilweisen Zahlung von Lohnersatz in Höhe von DM 177,80 für den ehemaligen Zwangsarbeiter mit der Begründung, das Unternehmen hätte den Zwangscharakter der Arbeitsleistung gekannt und dürfte sich im Nachhinein nicht auf die staatliche Verfügung des Freiheitsentzugs berufen. Eine etwaige Vereinbarung zwischen dem damaligen Deutschen Reich und der beklagten Firma über den »Verkauf« der Arbeitsleistungen von rechtswidrig ihrer Freiheit beraubten Personen sei nichtig und befreite die beklagte Firma nicht von den Verpflichtungen gegenüber dem Kläger. Das Urteil wurde rechtskräftig. Amtsgericht Braunschweig 13 C 566/64. Ebenso Benjamin B. Ferencz, Less Than Slaves, Indiana University Press 2002, S. 172 f.

64 Zu den historischen und juristischen Grundlagen der Wiedergutmachung s. Exkurs.

65 Zur politischen Entstehungsgeschichte vgl. Constantin Goschler, Wiedergutmachung, Westdeutschland und die Verfolgten des Nationalsozialismus 1945–1954, München 1992.

66 Gesetz zum Abschluss der Währungsumstellung vom 17. Dezember 1975; BGBl. I 1975, S. 3123. Zu Ausgleichsforderungen gegen den deutschen Staat siehe Gesamtverband der deutschen Versicherungswirtschaft, Jahrbuch 1998. Die deutsche Versicherungswirtschaft, Berlin 1999, S. 138 ff.

67 Zur Tätigkeit der Nachfolgeorganisationen vgl. Charles I. Kapralik, Reclaiming the Nazi Loot. A Report on the Work of the Jewish Trust Corporation for Germany, London 1962 sowie ders., The History of the Work of the Jewish Trust Corporation for Germany, Vol. II, London 1971. Dieses Standardwerk aus der Feder des Leiters der Jewish Trust Corporation in der Bundesrepublik gibt einen komprimierten Überblick über die Entstehungsgeschichte u. a. des Globalvergleichs vom 16. März 1956 und den Vergleich über die Vermögenswerte der Haupttreuhandstelle Ost (HTO-Vergleich) vom Juni 1969.

68 Zum Wortlaut vgl. Luxemburger Abkommen vom 10. September 1952, BGBl. II 1953, S. 94–97.

69 Zu den Protokollen siehe ebd.

70 Übersicht bei The Conference on Jewish Material Claims Against Germany, 50 Years of Service to Holocaust Survivors sowie Annual Report 2000.

71 Die Claims Conference berief sich selbst gegenüber Nachforderungen jüdischer Geschädigter erfolgreich auf die *act-of-state* Doktrin. Burkhard Heß, in: Die Aktiengesellschaft 44 (1999), S. 154. Weil sie Gerichten verbietet, in die Außenpolitik der Regierung einzugreifen, firmiert sie auch als *»rule of judicial abstention«*.

219

72 § 43, 2 BEG sowie Luxemburger Abkommen, Protokoll Nr. 1, I, 4: »Der Freiheits-
    entzug aus Verfolgungsgründen wird Zwangsarbeit gleichgeachtet, sofern der Ver-
    folgte dabei unter haftähnlichen Bedingungen gelebt hat.«

73 Zu dieser Verfahrensart siehe oben S. 45 f.

74 BMW an Rechtsanwalt Peter Kruse, den Rechtsvertreter ukrainischer Zwangsar-
    beiter vom 3. November 1997.

75 Die Teilnehmer des »Leverkusener Kreises« kamen aus den Vorständen von De-
    gussa, Daimler-Benz, Allianz, Continental, VW, Hochtief, Siemens, BMW,
    Fried.Krupp Hoesch-Krupp, Bayer, BASF, Robert Bosch, Henkel und Ford-Wer-
    ke. Der BDI, Koordinator des Treffens, war u. a. durch seinen Präsidenten Hans-
    Olaf Henkel vertreten.

76 Der Familienrat des Rüstungskonzerns hatte im Dezember 1997 den Entschluss zu
    einem Fonds gefasst und im März 1998 mit der Umsetzung begonnen.

77 Bei den für ihre Büromaschinen sowie Fahr- und Motorräder berühmten Adler-
    werken waren während des Zweiten Weltkriegs etwa 1600 KZ-Häftlinge einge-
    setzt. Die Dresdner Bank hielt zwischen 1943 und 1945 10 % der Aktien.

78 ICHEIC hat die Rechtsform eines privaten Vereins nach Schweizer Recht.
    www.icheic.org.

79 Zu einzelnen Gesetzen siehe Chronik vom 10. Februar, 22. Mai, 1. Juli oder 7. Au-
    gust 1998

80 Siehe Chronik 4. und 23. Oktober 1996 sowie 29. Januar 1997.

81 Zur Entwicklung des Schweizer Banken Vergleichs siehe Wolffe/Authers (2002),
    S. 74–106.

82 *In re Holocaust Victim Assets Litigation*, 105 F.Supp.2d 139, 162 (E.D.N.Y.) bei
    Judge Edward R. Korman; Die Klagen wurden am 4. und 23.Oktober 1996 sowie
    29. Januar 1997 eingereicht (siehe Chronik). In den Klagen ging es ebenso um
    Firmen, die direkt oder indirekt von Zwangsarbeit profitiert hatten. Soweit sie sich
    im Rahmen einer festgesetzten Frist bei Gericht meldeten, galt auch für sie der
    Klageausschluss. Das Gericht setzte einen Special Master, Judah Gribetz, ein, der
    den Allokationsplan der Mittel erstellen sollte. Im Rahmen des Umsetzungsbe-
    schlusses zu diesem Vergleich vom Juni 2000 machte der zuständige Richter eini-
    ge Auflagen, die sich u. a. auf die Bekanntgabe der Beteiligungen von Schweizer
    Unternehmen an deutschen Firmen, die Zwangsarbeiter beschäftigt hatten,
    bezogen und ohne die der Klageverzicht wieder aufgehoben werden sollte.
    www.swissbankclaims.com.

83 Zur Entstehungsgeschichte des Schweizer Banken Vergleichs siehe Wolffe/Au-
    thers (2002), S. 1–50.

84 Im Fall der französischen Banken erstreckte sich die kollektive Bindungswirkung
    der – wie im deutschen Fall – in ein bilaterales Regierungsabkommen eingebette-
    ten Fondslösung über die direkt beklagten Banken, u. a. der Banque Paribas, hin-
    aus auf die Gesamtheit der Mitglieder der Association Française des Etablisse-
    ments de Crédit et des Entreprises d'Investissement (AFECEI), innerhalb und
    außerhalb Frankreichs. Agreement between the Government of the United States
    of America and the Government of France Concerning Payments for Certain Los-
    ses Suffered During World War II (Washington Agreement) 18. Januar 2001. Dane-
    ben gab es mehrere Verträge unterhalb der staatlichen Ebene zur Umsetzung des
    Vertragsinhalts. www.civs.gouv.fr/uk/information/washington01.htm.

85 Das Abkommen wurde nach dem Kläger, Hugo Princz, benannt. Zur Klage siehe Princz v. Federal Republic of Germany, 26 F.3d 1166 (D.C.Cir.1994). Leistungsberechtigt waren Personen, die bereits zur NS-Zeit die US-Staatsbürgerschaft besaßen und noch keine Wiedergutmachungszahlungen der Bundesrepublik erhalten hatten. Agreement between the Government of the United States of America and the Government of the Federal Republic of Germany Concerning Final Benefits to Certain United States Nationals Who Were Victims of National Socialist Measures of Persecution, in: Foreign Claims Settlement Commission of the United States, U.S. Department of Justice Yearbook 1995, S. 10 ff. Das Abkommen trat am 19. September 1995 in Kraft. In zwei Raten, 1995 und 1998, wurde eine Gesamtsumme in Höhe von 34,5 Mio. DM vereinbart. Gegen einzelne deutsche Unternehmen hatte Princz als ehemaliger jüdischer KZ-Häftling Forderungen wegen Zwangsarbeit geltend gemacht (Princz v. BASF Group, Civ. No. 92-0644, slip op. (D.D.C. Sept. 18, 1995)). Seinem Beispiel folgten andere, unterlagen aber gerichtlich. Fishel v. BASF Group, Civ. No. 4-96-CV-10449, slip op. (S.D.Iowa, Mar. 11, 1998); Friedman v. Bayer Corp., Civ. No. 99 CV 3615, slip op. (E. D. N.Y. Dec. 15, 1999). Zum völkerrechtlichen Kontext des Princz-Falles siehe Christian Tomuschat, in: Albrecht Randelzhofer, Christian Tomuschat (Hrsg.) (1999), S. 1 ff, zum Fall selbst Peer Zumbansen, The Forgetfulness of Noblesse: A Critique of the German Foundation Law Compensating Slave and Forced Laborers of the Third Reich, in: 39 Harvard Journal on Legislation 1, 2002, S. 4 f.

86 Die taz, 4. August 1998. Die Initiative, Sammelklagen als »Hebel« für eine weiter reichende Lösung bei der Zwangsarbeiterentschädigung einzusetzen führt Lothar Evers, Geschäftsführer des Bundesverbandes Information & Beratung für NS-Verfolgte, Köln und späteres Kuratoriumsmitglied der Stiftung, u. a. auf das Engagement von Deborah Sturman zurück, die Melvyn Weiss gewinnen konnte. Die Nähe Schröders zu VW war im Kalkül der Klage Weiss' gegen VW zentral. Ders., Verhandlungen konnte man das nicht nennen, in: Ute Winkler (Hrsg.) »Stiften gehen«. NS-Zwangsarbeit und Entschädigungsdebatte, Köln 2000, S. 222–234.

87 Aufbruch und Erneuerung – Deutschland auf dem Weg ins 21. Jahrhundert. Koalitionsvereinbarung zwischen der Sozialdemokratischen Partei Deutschlands und Bündnis 90/Die Grünen vom 20. Oktober 1998, Teil IX, 3.

88 Regierungserklärung Bundeskanzler Gerhard Schröder vom 10. November 1998: »In jüngster Zeit … werden große deutsche Unternehmen mit dieser Vergangenheit in besonderem Maße konfrontiert. Deshalb habe ich noch vor der Aufnahme meiner Amtsgeschäfte betroffene Industrieunternehmen zusammengerufen, um über einen gemeinsamen Fonds zur Entschädigung berechtigter Ansprüche von Zwangsarbeitern zu sprechen. Gemeinsam heißt hier Gemeinsamkeit der Unternehmen. Ich habe den Eindruck, dass die Unternehmen zu einer fairen Lösung hinsichtlich der berechtigten Ansprüche bereit sind. Aber ich sage genauso deutlich: Wo es nicht um den Ausgleich erlittenen Unrechts geht, werden wir unseren Unternehmen und damit auch ihren Arbeitnehmerinnen und Arbeitnehmern im Inland, aber auch im Ausland Schutz gewähren.« www.bundeskanzler.de/Regierungserklaerungen.

89 Vgl. dazu Manfred Gentz, Es geht um die Anerkennung moralischer Mitverantwortung, in: Personalführung 4 (2000), S. 16 f. Der Verhandlungsführer der deutschen Wirtschaft, Manfred Gentz, erläutert darin das Ziel der Stiftungsinitiative:

»Es geht dabei um ein Zeichen der Anerkennung, mit dem sich die deutsche Wirtschaft zu ihrer historischen und moralischen Verantwortung bekennt. Die deutsche Wirtschaft kann sich davon nicht lossagen. Es geht nicht um juristische Schuld, noch weniger um persönliche Schuld heutiger Unternehmensleitungen. Das Ziel der Stiftungsinitiative ist eine Solidaraktion der gesamten deutschen Wirtschaft, die einerseits ihrer historischen Verantwortung gerecht werden und andererseits eine rechtliche Befriedung herbeiführen soll.«

90 Als Beispiel: Melvyn Weiss gehört zu den bedeutendsten Spendern der Demokratischen Partei, die er seit 1990 mit über 1 Mio. US-$ unterstützte. Neue Zürcher Zeitung vom 25. April 1998.

91 Als Präzedenzfall galt *Dames & Moore v. Regan 453 U.S. 654 (1981)*, die Klage eines US-amerikanischen Versicherungsunternehmens gegen die US-Regierung. In einer Reihe von *Executive Orders* hatten die US-Präsidenten Carter und Reagan die nach der Iran-Contra-Affäre angeordnete Beschlagnahme iranischen Vermögens im Zusammenhang mit der Geiselnahme der Angehörigen der US-Botschaft in Teheran für nichtig erklärt, die Vermögen wieder in den Iran retransferiert und alle Ansprüche von US-Bürgern gegen den Iran, d. h. gegen staatliche wie private Körperschaften des Iran, »aufgehoben«. Die Regelung dieser Ansprüche wurde einem internationalen »claims tribunal« übertragen, das paritätisch mit Amerikanern, Iranern und Angehörigen eines neutralen Drittstaates besetzt war. Ausgleichszahlungen wurden aus einem Fonds mit iranischen Mitteln geleistet. Gegen diese Vorgehensweise hatte das amerikanische Versicherungsunternehmen geklagt. Der Oberste Gerichtshof der USA bejahte allerdings das Recht des US-Präsidenten, Ansprüche von US-Bürgern gegen iranische Einrichtungen, die vor US-Gerichten geltend gemacht wurden, zu »suspendieren« und zur Regelung an eine außergerichtliche Instanz zu verweisen. Das Gericht berief sich bei seiner Entscheidung darauf, dass die Suspendierung privater Ansprüche durch die konstitutionellen Vollmachten des Präsidenten, Außenpolitik zu gestalten, gedeckt sei. In einem *obiter dictum* stellte der Supreme Court darüber hinaus fest, dass die US-Regierung für Ansprüche, die nach Beendigung der Mittelverteilung aus dem claims tribunal geltend gemacht werden können, haftbar gemacht werden könne.

92 Unter rechtshistorischen und -systematischen Aspekten zur Funktion des US-Rechtssystems als politischem Korrektiv durch zivilrechtliche Zuständigkeit bei Verletzungen von Menschenrechten in transnationalen Konstellationen siehe weiterführend Harold Hongju Koh, Transnational Public Law Litigation, 100 Yale Law Journal 2347 (1991).

93 Lutz Niethammer, Ulrich von Alemann, Grundsatzpapier für den Chef des Bundeskanzleramtes zu aktuellen Fragen der Zwangsarbeiterentschädigung vom 14. Januar 1999. Zur Arbeitsgruppe gehörten u. a. Michael Geier (Auswärtiges Amt), Otto Löffler (Bundesministerium der Finanzen), Wolfgang Suhr (Bundeskanzleramt), Christoph Schumacher (Bundesministerium für Arbeit und Soziales), Günter Saathoff (Bundestagsfraktion der Grünen) und Siegfried Vergin (Bundestagsfraktion der SPD). Zitat John Kornblums ebd. (Im Folgenden zit. als Grundsatzpapier 14. Januar 1999).

94 Der Anteil ausländischer Zivilarbeiter und Kriegsgefangener an der Gesamtbeschäftigung im Deutschen Reich lag im Februar/März 1943 bei 21 %, im August 1944 bei 25 %. Ihr Anteil in der Land- und Forstwirtschaft belief sich auf 49 %

resp. 46 %. Ostarbeiter und insbesondere Polen waren überproportional in der Landwirtschaft eingesetzt, Zwangsarbeiter aus dem industrialisierten Westen aufgrund des Facharbeiterpotentials dafür eher in der Industrie. Mark Spoerer, Zwangsarbeit unterm Hakenkreuz, Stuttgart 2001, S. 225 f.

95 Bei *amicus curiae* Briefen handelt es sich um Stellungnahmen interessierter, aber am Gerichtsverfahren nicht beteiligter Parteien.

96 Es handelt sich um die schließlich am 16. Februar 1999 abgegebene Gemeinsame Erklärung siehe dazu Presseerklärung www.stiftungsinitiative.de

97 In den internationalen Verhandlungen einigte man sich auf dieses Datum als Stichtag für die Zuteilung von Leistungen aus dem Stiftungsfonds. Stiftungsgesetz § 9 und 13 (siehe Anhang).

98 So unzutreffend Matthias Arning, Späte Abrechnung. Über Zwangsarbeiter, Schlussstriche und Berliner Vereinbarungen, Frankfurt 2001, z. B. S. 76.

99 Klaus von Münchhausen, Politikwissenschaftler an der Universität Bremen, hatte es sich zur Aufgabe gemacht, die Forderungen ehemaliger Zwangsarbeiter zu unterstützen. Auch auf seine offenbar von Jan Philipp Reemtsma geförderte Initiative hin, die sich zuerst gegen die Unternehmen Dichl und Volkswagen richtete, kam Bewegung in die Entschädigungsfrage. Die »Klagewelle« im Frühjahr 1999 sollte eine mögliche Verjährung von Ansprüchen verhindern. www.nszwangsarbeiterlohn.dc.

100 OLG Köln, Urteil vom 22. 10. 1998, Akt.Z. 7 U 222/98. Bekanntgabe durch die Pressestelle des OLG am 3. Dezember 1998.

101 Diejenigen, die unter KZ-Bedingungen oder in geschlossenen Ghettos inhaftiert worden waren, galten als Sklavenarbeiter. Diejenigen, die unter haftähnlichen Arbeits- und Lebensbedingungen in weniger unmenschlichen, gleichwohl bewachten Lagern untergebracht waren, zählten zu den Zwangsarbeitern. Die Lagerkategorien orientierten sich am »Verzeichnis der KZ-Lager und ihrer Außenlager« gemäß § 42 Abs. 2 BEG (BGBl. I 1977 S. 1787) und wurden später durch das Kuratorium der Stiftung ergänzt.

102 Mitglieder waren neben Manfred Gentz, Bernd Fahrholz (Dresdner Bank), Hans-Joachim Neubürger (Siemens), Herbert Hansmeyer (Allianz), Michael Jansen (Degussa).

103 Zur Rechtsarbeitsgruppe gehörten neben Klaus Kohler die Chefjustiziare Henrik-Michael Ringleb (ThyssenKrupp), Hans-Viggo von Hülsen (VW) und Eckart Sünner (BASF).

104 Zum *Executive Monitoring Committee*, auch *Hevesi-Committee* siehe Wolffe/Authers (2002), S. 62–73; zu den Aktivitäten des Executive Monitoring Committee siehe The International Monitor, Making Restitution to Holocaust Survivors, Reports November 1997 – January 2001 unter www.comptroller.nyc.ny.us sowie www.insurance.ca.gov/HOLOCAUST/Department/Holocaustmonitoring.htm.

105 Grundsatzpapier vom 14. Januar 1999.

106 Burt Neuborne ist Legal Director des Brennan Center for Justice der New York University, einer Einrichtung, die das Ziel verfolgt, die Praxiserfahrung von Anwälten und die rechtswissenschaftliche Forschung miteinander zu verknüpfen, um nach eigenem Dafürhalten pragmatische Ansätze für Probleme zu erarbeiten, die sich konventionellen Lösungen entziehen. Neuborne, Koautor von Political and Civil Rights in the United States, vol. I (1976) vol. II (1979), ist einem breiten

Publikum in den USA als Referent der beliebten Fernsehsendung »Court TV« bekannt.

107 Involviert waren die Sozietäten Milberg, Weiss, Bershad, Hynes & Lerach, LLP (www.milberg.com), Cohen, Milstein, Hausfeld & Toll, P.L.L.C. (www.cmht.com), Berger & Montague, P.C. (home.bm.net), Burt Neuborne, Esq. (www.brennancenter.org), Law Offices of Mel Urbach, Klein & Solomon, LLP (www.holocaustrestitution.com). Martin Mendelsohn. Esq., Washington. Kohn, Swift & Graf, P.C. (www.kohnswift.com); Fagan & D'Avino, LLP, Livingston (New Jersey) und Michael Witti (München).

108 Andreas Mink, Narren und Naive, in: Aufbau vom 7. Mai 1999. Mink berichtete regelmäßig und fundiert über die Fortschritte und Hintergründe der Verhandlungen. Er beleuchtete vor allem die Konflikte zwischen Klägeranwälten und Claims Conference.

109 Vertreten waren die Mitglieder des Koordinationskreises unter der Leitung von Manfred Gentz, der Rechtsarbeitsgruppe unter der Leitung von Klaus Kohler sowie zwei Vertreter von Wilmer, Cutler & Pickering, Robert Kimmitt, ehemaliger US-Botschafter in Deutschland und Roger Witten.

110 Vertreten waren die Sozietäten Berger & Montague (Stephen A. Whinston), Law Offices of Mel Urbach, Michael Hausfeld (Cohen Milstein, Hausfeld & Toll), Melvyn Weiss (Milberg, Weiss, Bershad Hynes & Lerach), Robert Swift (Kohn Swift & Graf); Lawrence Kill (Anderson, Kill & Olick) sowie Martin Mendelsohn, Burt Neuborne und Edward Fagan.

111 Republic of Poland, Remarks on Compensation for Former Slave and Forced Laborers, Washington 12. Mai 1999 passim.

112 Eizenstat Statement, Pressekonferenz Washington 12. Mai 1999. www.state.gov/www/regions/eur/.

113 Republic of Poland, Remarks on Compensation for Former Slave and Forced Laborers, Washington 12. Mai 1999.

114 Zum Folgenden siehe die Pressemitteilung »16 deutsche Unternehmen legen ihr Konzept für einen Stiftungsfonds vor«, Berlin 10. Juni 1999. www.stiftungsinitiative.de. Erst im November 1999 kam die Robert Bosch GmbH als 17. Gründungsmitglied hinzu.

115 Bei den Härtefällen war z. B. an Opfer medizinischer Experimente oder so genannte »Kinderheimfälle« gedacht: Säuglinge von Zwangsarbeiterinnen waren in Kinderheime verbracht und dort oft derart vernachlässigt worden, dass sie elend zugrunde gingen. Klagen im Zusammenhang mit der zwangsweisen Trennung von Müttern und Kindern waren in den USA gegen Volkswagen anhängig gemacht worden.

116 Mit Blick auf Presse- und Lobbyarbeit für die Stiftungsinitiative in den USA ließ sich Gibowski durch die New Yorker Beratungsagentur Strategy XXI unterstützen.

117 »Mirror-Image« ist eine Regel des *Common Law* Vertragsrechts. Danach muss die Annahme eines Angebots die darin formulierten Bedingungen präzise widerspiegeln. Abweichungen gelten als Gegenangebot. Bei Abweichungen kommt ein Vertrag daher erst zustande, wenn die Annahme explizit formuliert wird.

118 James D. Bindenagel, Erinnerung, Verantwortung und Zukunft. Die Erfüllung des Versprechens von Gerechtigkeit durch würdige Zahlungen, in: Dieter Stiefel

(Hrsg.), Die politische Ökonomie des Holocaust. Zur wirtschaftlichen Logik von Verfolgung und »Wiedergutmachung«, München 2001 S. 289–303, insb. S. 297.

119 Die Klägeranwälte folgten bei dieser Argumentation der so genannten *cy-pres*-Theorie, einer Regel für die Auslegung von Testamenten, wonach unter bestimmten Umständen eine nicht durchführbare Verfügung des Erblassers auf eine Weise verwirklicht wird, die seinen ursprünglichen Absichten am nächsten (*cy pres*) kommt.

120 Manfred Gentz, Es geht um die Anerkennung moralischer Mitverantwortung, in: Personalführung 4 (2000), S. 17.

121 J. D. Bindenagel im Gespräch mit der Autorin am 27. November 2001.

122 Eizenstat unterstreicht die Bedeutung des in dieser Form ungewöhnlichen Briefwechsels der beiden Regierungschefs; ders., Imperfect Justice, S. 248 f., 251 f.

123 Zu dieser Unterscheidung siehe Anmerkung 101.

124 Die zusammengetragenen Daten beruhten auf drei Quellen: Zahlen aus der Vergabepraxis der Versöhnungsstiftungen; Hochrechnungen auf der Basis zeitgenössischer Statistiken 1944/45 sowie Schätzungen, z. B. der Claims Conference anhand pauschaler Größenordnungen der Wiedergutmachungspraxis. Zur Methodik und den Ergebnissen der Tagung siehe die Stellungnahme von Lutz Niethammer, in: www.nsberatung.de/doku/ueberleben/ueberleben.html.

125 Zur historischen Entwicklung der Frage richterlicher Zuständigkeit in außenpolitischen Fragen in den USA im 19. und 20. Jahrhundert siehe zusammenfassend Harold Hongju Koh, Transnational Public Law Litigation, 100 Yale Law Journal 2347 (1991).

126 Zitate aus dem Urteil von Richter Debevoise, Burger-Fischer v. Degussa AG, 65 F. Supp. 2d 248 (D.N.J. 1999) hier S. 71ff, S. 76 f. Zum Urteil von Richter Greenaway siehe Iwanowa v. Ford Werke AG, 67 F. Supp. 2d 424 (D.N.J. 1999), der wie Debevoise aus Gründen der *political question doctrine* abwies, zudem aber auch auf Verjährung und Völkersitte (*international comity*) verwies. Zusammenfassende Stellungnahme zum Debevoise-Urteil von Karl Doehring, Zwangsarbeit und Reparationen, in: Die Aktiengesellschaft 45 (2000), S. 69 ff.

127 Übersicht unter www.ushmm.org/assets/legi2.htm.

128 Siehe Chronik 10. Oktober 1999 und 4. November 1999. Die Schumer-Initiative verlief im Sande.

129 Vgl. Avi Becker (Hrsg.), The Plunder Of Jewish Property During The Holocaust. Confronting European History, New York 2001, Foreword.

130 Zum Stellvertretungsanspruch Singers vgl. Wolffe/Authers, S. 160 f., S. 366 ff.

131 113 Candles. An Interview with Israel Singer by Lisa Davidson, in: Yad-Vashem On-line Magazine (IV) August 2001. www.yad-vashem.org.il/about_yad/magazine.

132 Vgl. hierzu auch B'nai B'rith World Center; The Jerusalem Address, Redressing The Past: Chapters in Jewish Restitution and Material Claims, May 29, 1997, insbesondere die Beiträge von Naphtali Lau-Lavie, Restitution And Justice In Europe: A Work In Progress sowie Yehezkel Dror, A Jewish Policy Perspective. www.bnaibrith.org/worldcenter/publications.

133 Edgar Bronfman zit. nach Wolffe/Authers (2002), S. 368.

134 Exemplarisch siehe Gabriel Schönfeld, Holocaust Reparations – A Growing Scandal, in: Commentary 110 (2000), S. 25 ff. Ähnlich und insbesondere kritisch

gegenüber Sammelklagen Abe Foxman, langjähriger Direktor der Anti-Defamation-League, einer der wichtigsten Organisationen zur Bekämpfung von Antisemitismus, The Dangers of Holocaust Restitution, Wall Street Journal, 4. Dezember 1998; ebd. Charles Krauthammer, The Holocaust Scandal. Krauthammer, Kolumnist der Washington Post, zählt zu den einflussreichsten Journalisten in den USA. Polemisch und umstritten Norman Finkelstein, The Holocaust-Industry, Reflections on the Exploitation of Jewish Suffering, New York 2000; dagegen kritisch aber sachlich zur politischen Bedeutung des Holocaust in den USA Peter Novik, The Holocaust in American Life, New York 1999.

135 Zu den innerjüdischen Kontroversen vgl. die luzide Darstellung bei Wolffe/Authers (2002), S. 365–377 ebenso Karen Heilig, From the Luxembourg Agreement to Today: Representing a People, in: Berkeley Journal of International Law 20 (2002).

136 Wolffe/Authers (2002), S. 111

137 Vgl. auch Wolffe/Authers (2002) S. 209 f.

138 Setting a Prize on Nazi Slavery, New York Times Editorials/Letters 3. Dezember 1999.

139 Clinton an Schröder vom 13. Dezember 1999, siehe Anhang S. 312 f.

140 Schreiben Schröder an Clinton vom 14. Dezember 1999, siehe unten S. 314 f.

141 Claims Conference, Annual Report 2000, S. 8 f.

142 Interview mit Manfred Gentz, SZ vom 18. Januar 2000; ähnlich FAZ vom 10. Januar 2000.

143 Vorlage für den Entwurf eines Gesetzes zur Errichtung einer Stiftung »Erinnerung, Verantwortung und Zukunft« vom 27. Dezember 1999, § 20 In-Kraft-Treten, Begründung des geänderten Entwurfs mit Stand vom 20. Januar 2000.

144 Die Anzahl erhöhte sich bis Ende Dezember 1999 auf 149 Firmen.

145 SZ vom 25. Januar 2000

146 Die Schätzung bezog sich auf Umsätze von 1998. Für Banken galt die Bilanzsumme, für Versicherungen das Prämienaufkommen als Bezugsgröße. Grundlage war die Liste »Top 500. Die größten Unternehmen in Deutschland«. www.welt.de/wirtschaft/ranglisten.

147 Die umfangreichste Liste fußte auf dem Verzeichnis von Lagern und Haftstätten in Deutschland und den besetzten Gebieten, das der im hessischen Arolsen angesiedelte *International Tracing Service* (ITS) des Roten Kreuzes im Auftrag alliierter Behörden nach dem Ende des Zweiten Weltkriegs erstellte und das u. a. die Namen von rund 2500 Firmen enthielt, bei denen Zwangsarbeiter beschäftigt waren. ITS, Catalogue of Camps and Prisons in Germany and the Occupied Countries, 1939–1945, Arolsen 1949, Neudruck: Martin Weinmann (Hrsg.), Das nationalsozialistische Lagersystem, Frankfurt 1999, 3. Auflg. Die Firmenliste wurde mehrfach veröffentlicht, u. a. am 16. November 1999 in der Zeitung Neues Deutschland, kurze Zeit später auf der homepage der Grün-Alternativen Liste. Die IG Metall veröffentlichte in ihrer Mitgliederzeitschrift »metall« im Februar 2000 eine eigene »Schandliste« von 220 Firmen, die Zwangsarbeiter beschäftigt hatten, aber noch nicht Mitglied der Stiftungsinitiative waren. Am meisten Aufmerksamkeit erregten – auch aufgrund mancher Irrtümer, die in Presse und Internet publizierten Listen des *American Jewish Committee* (AJC): die erste Liste wurde am 9. Dezember 1999 mit über 256 Firmen aus ganz Deutschland publi-

ziert, die zweite am 27. Januar 2000 mit über 149, davon 79 Berliner Unternehmen, beide im Auftrag des AJC erarbeitet von der Berliner Geschichtswerkstatt.

148 Stuttgarter Zeitung vom 17. Dezember 1999.

149 Aufruf des Gemeinschaftsausschusses der Deutschen Gewerblichen Wirtschaft, 11. Januar 2000.

150 Am 1. Juli 2001 wurde der DIHT umbenannt in Deutscher Industrie- und Handelskammertag (DIHK). 11 Industrie- und Handelskammern, vorwiegend aus dem süddeutschen Raum, entzogen sich der Briefaktion bzw. gingen eigene Wege, um für die Stiftungsinitiative zu werben.

151 Die Kosten für das Verbindungsbüro und sämtliche Aktivitäten der Akquisition in zweistelliger Millionenhöhe trugen die Gründer der Stiftungsinitiative zusätzlich zu ihren Stiftungsbeiträgen.

152 Nach internen Berechnungen des BDI summierten sich bei einer für das Jahr 2000 geschätzten effektiven Steuerbelastung für Unternehmen in Höhe von 38 % die Steuerausfälle auf insgesamt rund 1,9 Mrd. DM, die bei der Einkommensteuer zu 57,5 % auf die Länder und Kommunen (42,5 % Länder und 15 % Kommunen), bei der Körperschaftsteuer zu 50 % auf die Länder entfielen. Die Steuerausfälle für Länder und Kommunen beliefen sich dementsprechend auf rund 1 Mrd. DM. Die an der Stiftungsinitiative teilnehmenden Firmen bestanden etwa zu 70 % aus Kapital- und zu 30 % aus Personengesellschaften.

153 Bei Versicherungsgesellschaften mit weniger als 10 Mrd. DM Prämienaufkommen empfahl die Stiftungsinitiative 1 Promille, bei mehr als 10 Mrd. DM 1,9 Promille des Prämienaufkommens als Beitragsleistung. Bei den Banken wurden generell 0,1 Promille der Bilanzsumme als Richtgröße zugrunde gelegt.

154 Von den 500 umsatzstärksten Firmen (ohne Gründungsunternehmen) aus Industrie- und Dienstleistungssektor leisteten rund 25 % den vollen, am Soll orientierten Betrag oder mehr.

155 Statistisches Bundesamt, Volkswirtschaftliche Gesamtrechnungen, Fachserie 18, Reihe 1.3 Konten und Standardtabellen, Hauptbericht 2000, 3.2.1. Bruttowertschöpfung in jeweiligen Preisen in Mrd. DM; Statistisches Bundesamt, Statistisches Jahrbuch für die Bundesrepublik Deutschland 1999, 20.17.4 Umsatzsteuer 1997, Lieferungen und Leistungen, ohne Umsatzsteuer. Die Berechnungen der Gründungsunternehmen stützten sich auf die dem Hauptbericht 2000 vorausgehenden Schätzungen.

156 »Es geht um die Ehre der deutschen Wirtschaft«, SZ 25. Januar 2000, S. 23.

157 Manfred Gentz, Es geht um die Anerkennung moralischer Mitverantwortung, in: Personalführung 4 (2000), S. 17.

158 Gegen eine Anrechnung von Leistungen privatisierter Bundesunternehmen auf den Bundesanteil wurden ebenfalls aktienrechtliche Bedenken vorgetragen. Sie konnten als unzulässige Sonderausschüttung zugunsten des Mehrheitsaktionärs gesehen werden, wodurch die außenstehenden Minderheitsaktionäre benachteiligt würden. Zur Kritik unter aktienrechtlichen Aspekten vgl. Wolfgang Philipp, Darf der Vorstand zahlen?, in: Die Aktiengesellschaft 45 (2000), S. 62–69; positiv dagegen Mertens, ebd. Davon abgesehen argumentierte z. B. die Deutsche Telekom AG vor dem Hintergrund ihrer beabsichtigten Fusion mit Voicestream, einem großen Mobilfunkbetreiber in den USA, öffentlich damit, dass sie Teil der Privatwirtschaft sei und keinem staatlichen Einfluss mehr unterliege. Für beab-

sichtigte Akquisitionen bzw. »merger« in den USA durfte der Staatsanteil eines ausländischen Unternehmens in der Regel nicht höher als 25 % sein.

159 Baden-Württemberg, Bayern, Berlin, Hamburg, Thüringen, Nordrhein-Westfalen und Schleswig-Holstein stellten es den ganz oder teilweise in ihrem Besitz befindlichen Unternehmen frei, an der Stiftungsinitiative teilzunehmen.

160 Rolf-Ernst Breuer und Manfred Gentz an Bundesfinanzminister Hans Eichel vom 28. Juni 2000.

161 Pressemitteilung der Stiftungsinitiative vom 13. März 2001. www.stiftungsinitiative.de.

162 Mit der Koppelung von Öffnungsklauseln und Eigenverantwortlichkeit der Mittelverteilung erledigten sich zwei zeitraubende Streitpunkte von selbst: die Fragen, ob allein die Deportation ins Deutsche Reich in den Grenzen von 1937 sowie inwieweit die Unterbringung in Haftstätten als leistungsberechtigende Bedingungen gelten sollten. Insbesondere Polen und der Ukraine lag aus innenpolitischen Gründen daran, die »dislozierten« sowie die ehemals in der Landwirtschaft eingesetzten, aber nicht inhaftierten ehemaligen Zwangsarbeiter einzubeziehen.

163 Zum Beratungsablauf siehe Bericht der Abgeordneten Bernd Reuter, Martin Hohmann, Volker Beck, Max Stadler und Ulla Jelpke vom 30. Juni 2000. BT-Drucksache 14/3758, S. 20 f. Das Bundeskabinett hatte den vom BMF verfassten Gesetzentwurf bereits am 26. Januar 2000 verabschiedet – unter ausdrücklichem Vorbehalt der Änderungen, die infolge der Ergebnisse der internationalen Verhandlungen erwartet wurden.

164 Stiftung »Erinnerung, Verantwortung und Zukunft«, Erklärung Bundesminister a. D. Dr. Otto Graf Lambsdorff vor dem Innenausschuss des Deutschen Bundestags am 16. Februar 2000.

165 So äußerte sich der Chef-Unterhändler der USA auf der Plenarsitzung Ende Januar 2000 in Washington.

166 In diesem Sinne exemplarisch vgl. Focus 6/2000 »Fiktive Höchstbeträge. Drei Sonderfonds schmälern die Entschädigung der Zwangsarbeiter. Den Stiftern droht eine Blamage.«

167 Zu den Details des Verteilungsplans siehe Gemeinsame Erklärung vom 17. Juli 2000, Anlage B, siehe Anhang, S. 308 f.

168 Gemeinsame Erklärung anlässlich des abschließenden Plenums zur Beendigung der internationalen Gespräche über die Vorbereitung der Stiftung »Erinnerung, Verantwortung und Zukunft«, Berlin 17. Juli 2000, Artikel 3. (Siehe Anhang)

169 Vgl. WamS 17. Januar 2000; FAZ vom 19. Januar 2000; SZ 2. Februar 2000; FAZ vom 3. Februar 2000.

170 Zu dieser Gruppe zählten die nicht jüdischen ehemaligen Zwangsarbeiter aus Westeuropa und den osteuropäischen Ländern, in welchen es keine Versöhnungsstiftungen gab. Die entsprechende Anzahl der Überlebenden wurde der Florenzer Recherche zufolge auf ca. 60 000 veranschlagt.

171 Das Internationale Rote Kreuz, zunächst als Partnerorganisation für die Mittelvergabe an den »Rest der Welt« im Gespräch, hatte die Aufgabe mit Hinweis auf die zu eng begrenzten Mittel abgelehnt.

172 Eizenstat hatte sich in den Jahren zuvor in diesen Ländern für die Rückerstattungspolitik des WJC stark gemacht. Der Anspruch des WJC, im Namen der er-

mordeten Juden die Eigentumsrechte am gesamten ehemals jüdischen Kommunal- und Privateigentum geltend zu machen, war vor allem in Polen auf Widerstand gestoßen. Stuart Eizenstat, Justice after Confiscation. Restitution of Communal and Private Property in Central and Eastern Europe, in: East European Constitutional Review (6) 1997.

173 Volker Beck in der Plenarsitzung am 31. Januar 2000 in Washington.

174 Sie setzt sich aus je einem Vertreter des Bundesministeriums der Finanzen, des US-amerikanischen Außenministeriums und einer von diesen zu wählenden dritten Person zusammen.

175 Infolge der Meinungsverschiedenheit der deutschen und der US-Seite über den juristischen Anspruchsgehalt der Vermögensforderungen plädierten beide Parteien für unterschiedliche Verfahren. Die US-Seite, die von realen Ansprüchen ausging, zielte auf rechtsförmige und umfangreiche Verfahren, volle Vererbbarkeit und eine pro rata Verteilung der Gelder. Die deutsche Seite, die auch in diesen Forderungen vor allem einen humanitär begründeten Ausgleich »subjektiv erlittenen Leids« sah, schlug ein Verfahren vor, das die per capita Beschränkung der Auszahlung auf den Höchstbetrag der Zahlungen für KZ-Arbeit vorsah, also 15 000 DM, und bei Versterben des Anspruchsberechtigten nur die unmittelbaren Angehörigen als erbberechtigt betrachtete. Der Kompromiss bestand in einem modifizierten pro rata Verfahren: Die entsprechend dem gesamten Antragsvolumen anteilige Kürzung der Beträge, die den Vermögensschaden im Rahmen der vorhandenen Mittel soweit möglich in voller Höhe ausgleichen sollten, war nicht beschwerdefähig. www.stiftung-evz.de Kommission für Vermögensschäden, Ergänzende Grundsätze und Verfahrensregeln § 26. Eine unabhängige Beschwerdekommission wurde auf Druck der US-Regierung nicht eingeführt. Siehe dazu BT-Drucksache 14/9032.

176 FAZ vom 11. März 2000 »Amerikanische Drohungen lösen Besorgnis aus; DER SPIEGEL vom 13. März 2000 »Elegant verschleiert. Für den Zweiten Weltkrieg hat Deutschland nicht genug bezahlt – so sieht es die US-Regierung.«

177 § 11 Abs. 1, Satz 4 StiftungsG »Die in § 9, Abs. 4 Satz 2 Nr. 2 vorgesehenen Mittel sind zum Ausgleich von Vermögensschäden bestimmt, die im Rahmen von nationalsozialistischen Unrechtshandlungen unter wesentlicher, direkter und schadensursächlicher Beteiligung deutscher Unternehmen verursacht wurden und nicht aus Gründen nationalsozialistischer Verfolgung zugefügt worden sind.«

178 Konkreten Anlass zur Sorge boten Forderungen griechischer Opfer eines Massakers von SS-Truppen in Distomo am 6. Juni 1944. Der Areopag, das oberste griechische Gericht, hatte im Januar 2000 ein griechisches Gerichtsurteil bestätigt, das die Bundesregierung zur Zahlung von Entschädigungsleistungen an Überlebende und Hinterbliebene verpflichtete. Das höchste Sondergericht hat das Urteil des Areopag 2002 aufgehoben.

179 Die 1998/99 in den USA gegen deutsche und österreichische Banken eingereichten Sammelklagen wurden im Februar/März 1999 vor Bundesrichterin Shirley Wohl Kram am Southern District Court of New York zur Verfahrenseinheit zusammengefasst. Die Kläger reichten am 17. März 1999 eine konsolidierte Klageschrift (»Consolidated Complaint«) ein und ersetzten damit die bisherigen ca. 10 separaten Sammelklagen. Die österreichischen Banken, Bank Austria AG und Creditanstalt AG, hatten jedoch bereits kurz nachdem die separaten Sammelkla-

gen anhängig gemacht worden waren, Vergleichsverhandlungen aufgenommen. Der Vergleich kam unmittelbar vor der Konsolidierung der Sammelklagen, am 15. März 1999 (ergänzt am 19. November 1999), zustande. Richterin Kram setzte US-Senator Alfonse D'Amato als *Special Master* ein. Ein *Special Master* übernimmt bei Vergleichsverfahren die Aufgabe, zwischen den Parteien zu vermitteln. Anders als eine regelrechte Schiedsperson hat ein *Special Master* dabei keine Entscheidungsbefugnis. Bei alternativen Formen der Streitbeilegung wie der Mediation oder dem Vergleich kommt ihm hoher Stellenwert zu.

180 State Treaty for the Re-Establishment of an Independent and Democratic Austria, May 15, 1955, U.S.S.R.-U.K.-U.S.A -France-Austria. 217 United Nations Treaty Series 223, § 23.

181 Zum »Gutman-Case« siehe Chronik 22. Januar 2001; vgl. ebenso Wolffe/Authers (2002), S. 322–335.

182 Vor allem in den US-Bundesstaaten Kalifornien und Florida wurden 1998 und 1999 Gesetze verabschiedet, die sich gegen europäische Versicherungsgesellschaften richteten. Siehe Chronik *Holocaust Victims Insurance Act* vom 29. September 1998 und *Holocaust Victims Insurance Relief Act of 1999* vom 19. Februar 1999. Gerichtsurteile erklärten diese Gesetze für verfassungswidrig, weil die Legislativen der Einzelstaaten keine Gesetze erlassen dürften, die sich auf die US-Außenpolitik auswirkten. Entsprechende Gesetzesinitiativen gab es ebenso im US-Kongress. Siehe Chronik 3. Februar 1998 *Comprehensive Holocaust Accountability in Insurance Measure Act*; 13. Oktober 1998 *Holocaust Victim Insurance Relief Act of 1998* und 6. Januar 1999 *Holocaust Victims Insurance Act*.

183 Gentz an Lambsdorff 3. Februar 2000.

184 Dasselbe traf u. a. zu auf den Gerling-Konzern, die Gothaer, die Karlsruher Versicherung sowie Iduna-Germania.

185 Gemeint waren damit die Feststellung von Ansprüchen mit erleichterter Beweisführung (*relaxed standard of proof*); die Bewertungskriterien (*valuation*), die Entscheidungsbefugnis des ICHEIC-Vorsitzenden; die Publikation von Listen potentiell unbezahlter Versicherungspolicen aus der »Holocaust-Era«; unabhängigen Prüfungs- (*external audit*) sowie Beschwerdeverfahren (*appeal*). Nach Errichtung der Stiftung wurde die Klärung all dieser Fragen dem Konsens zwischen ICHEIC, Stiftung und dem Gesamtverband der deutschen Versicherungswirtschaft (GDV) anheim gestellt.

186 Die entsprechenden Bestimmungen im deutschen Gesetzentwurf und in den übrigen für die Entstehung der Stiftung relevanten Dokumenten wurden auf Betreiben der US-Regierung Wort für Wort mit den maßgeblichen Opferorganisationen abgestimmt, um die von den Versicherungskommissaren geforderte Transparenz zu gewährleisten. Sie regelten die Grundsätze, nach welchen die Stiftung, die deutsche Versicherungswirtschaft und die ICHEIC die technischen Details der Kooperation aushandeln sollten, u. a. die mit dem aufwendigen Anspruchsverfahren verbundenen Kosten und die Anrechnung der Mittel, die die MoU-Unternehmen bereits in zweistelliger Millionenhöhe an ICHEIC geleistet hatten.

187 Zum Concorde Lounge Meeting siehe auch Wolffe/Authers (2002) S. 239 f.

188 Reuters 2. Juni 2000. Steinbergs Äußerung bezog sich auf die so genannten Sperrkonten, auf denen die von den Versicherungsunternehmen an den Staat

abzuführenden beschlagnahmten Versicherungspolicen zusammengeführt wurden.

189 Die administrativen Kosten auf ICHEIC-Seite waren vom Anspruchsteil der Stiftungspauschale abzuziehen. Über die Definition von administrativen Kosten entschieden ICHEIC, GDV und Stiftung gemeinsam. Die Teilnahme des GDV am ICHEIC-Prozedere beschränkte sich auf die Koordinierung des Anspruchsverfahrens der deutschen Versicherungsgesellschaften.

190 Diese Einigung wurde nach schwierigen Verhandlungen schließlich im Oktober 2002 erzielt.

191 Siehe § 12 Abs. 2 StiftungsG sowie Annex C des deutsch-amerikanischen Regierungsabkommens und Annex A der Gemeinsamen Erklärung.

192 Eine Einschränkung galt für Unternehmen außerhalb des Gebiets des Deutschen Reiches in den Grenzen von 1937, die erst nach dem In-Kraft-Treten des Stiftungsgesetzes am 12. August 2000 zu mehr als 25 % erworben wurden. Siehe Annex C § 2 des deutsch-amerikanischen Regierungsabkommens. Trotz ihrer Einwände gegen das Stichdatum konnte sich die Stiftungsinitiative hier nicht durchsetzen.

193 Zuerst war von »Final Act« die Rede.

194 Protokoll Wilmer, Cutler & Pickering vom 8. Juni 2000 sowie Eizenstat, Imperfect Justice, S. 272.

195 Gespräch Henrik-Michael Ringleb, Rechtsarbeitsgruppe der Stiftungsinitiative, mit der Autorin am 13. November 2001.

196 Der Brief datiert vom 16. Juni 2000. Der außen- und sicherheitspolitische Berater des Bundeskanzlers, damals Michael Steiner, bestätigte den Inhalt in einem ebenfalls veröffentlichen Schreiben vom 5. Juli 2000. Im Wortlaut siehe Anhang.

197 Declaration of Stuart E. Eizenstat, insbesondere Punkt 3 und 37 sowie Albright Statement und exemplarisch das Statement of Interest, das die US-Regierung in In re Nazi Era Cases Against German Defendants Litigation, 198 F.R.D. 429 (D.N.J. 2000) abgegeben hat unter www.state.gov/documents/organization/6611.doc.«

198 Auf die Bedingung des vorherigen Transfers zu *einem* Richter hatte Eizenstat bestanden, in der Befürchtung, dass die Abweisungsprozedur sonst zu viel Zeit in Anspruch nehmen würde. Die meisten gegen Industrieunternehmen gerichteten Sammelklagen wurden an das Bundesgericht New Jersey, Judge William B. Bassler übertragen. Allerdings weigerte sich die US-Regierung im Widerspruch zu ihrer eigenen Haltung, den Antrag der beklagten deutschen Unternehmen beim MDL-Panel zu unterstützen, die bei Judge Kram (Bankenfälle) und Judge Mukasey (Versicherungsfälle) anhängig gebliebenen Klagen ebenfalls zu Judge Bassler zu transferieren. Angesichts der bei *drei* statt bei *einem* Richter zusammengefassten Klagen sah Eizenstat anschließend die Voraussetzung für § 4d der Gemeinsamen Erklärung als nicht gegeben, sodass nach seiner Lesart der Beitrag der Wirtschaft *vor* Abweisung aller Klagen fällig war.

199 § 4 d des Joint Statement in der allein unterzeichneten und daher verbindlichen englischen Fassung im Wortlaut: »German company funds will continue to be collected on a schedule and in a manner that will ensure that the interest earned thereon before and after their delivery to the Foundation will reach at least 100 million DM.«

200 § 17 Abs. 2 StiftungsG.

201 Lambsdorff an Eizenstat 14. Juli 2000. Das Schreiben gehört zu den *side letters* des deutsch-amerikanischen Regierungsabkommens vom 17. Juli 2000.

202 556 von 620 Abgeordneten stimmten für den Gesetzentwurf, 42 votierten dagegen, 22 enthielten sich. www.bundestag.de/aktuell; Blickpunkt Bundestag 7. Juli 2000. Gesetz zur Errichtung einer Stiftung »Erinnerung, Verantwortung und Zukunft« vom 2. August 2000 BGBl. I 2000, S. 1263. Das Gesetz trat am Tag nach seiner Veröffentlichung, am 12. August 2000 in Kraft.

203 In diesem Zusammenhang kritisierte Gentz, dass Eizenstats schriftliche Einwände gegen den juristischen Stellenwert der Stiftungsverhandlungen nicht zurückgezogen worden seien.

204 Der Berger/Nolan-Brief und die Antwort Michael Steiners sind dem Regierungsabkommen als Anlage beigefügt. Der Briefwechsel ist aber nicht Bestandteil dieses völkerrechtlichen Vertrags. Im Wortlaut siehe Anhang, S. 297 ff.

205 Gespräch der Autorin mit Manfred Gentz am 18. April 2002. Vgl. zu Eizenstats Verhandlungsmethode der »proximity talks« Wolffe/Authers (2002), S. 176.

206 Die Transfer-Order erging am 4. August 2000. Die zu Judge Bassler transferierten Verfahren wurden formell nicht konsolidiert. Die Anwälte der beklagten Firmen beantragen am 25. August 2000, sämtliche Verfahren, also auch jene vor Judge Mukasey und Judge Kram anhängigen Klagen zu Judge Bassler zu transferieren. Das MDL-Panel lehnte den Antrag am 29. September 2000 ab. Ca. ein Dutzend weiterer so genannter »tag-along«-cases, d. h. in der Sache verwandte Fälle, wurden nachfolgend ebenfalls zu Judge Bassler transferiert. Die vor einzelstaatlichen Gerichten (*state courts*) anhängigen Klagen wurden entweder freiwillig zurückgenommen oder an ein Bundesgericht (*federal court*) verwiesen (*removal*). Fälle, die außenpolitische Fragen berührten, werden in den USA üblicherweise vor Bundesgerichten verhandelt.

207 Gemeinsame Erklärung vom 17. Juli 2000, § 4 g.

208 Zur Besetzung des Kuratoriums § 5 Abs. 1 StiftungsG; zu den Aufgaben des Vorstands und des Kuratoriums § 4–8.

209 Nach Auffassung der US-Regierung und des Repräsentanten der Klägeranwälte im Kuratorium, Burt Neuborne, war das Gremium durchaus dazu befugt, das Zustandekommen des Wirtschaftsbeitrags zu überprüfen und Ansprüche auf weitere Zinszahlungen der Unternehmen einzufordern. Mit der Begründung, eine Lösung über das Kuratorium sei nicht möglich gewesen, reichten Neuborne u. a. später Klage gegen die Stiftungsinitiative ein, um weitere Zinszahlungen aus Mitteln der Wirtschaft zu erreichen.

210 In re Nazi Era Cases Against German Defendants Litigation, 198 F.R.D. 429 (D.N.J. 2000) (William J. Bassler); Cornell et al. v. Assicurazioni Generali S.p.A. et al. 97 Civ. 2262 (MBM) (S.D.N.Y. Dec. 8, 2000) sowie Winters et al. v. Assicurazioni Generali S.p.A. et al. 98 Civ. 9186 (MBM) (S.D.N.Y. Dec. 8, 2000) (Michael B. Mukasey).

211 Der erste am 1. März 2001 streitig abgewiesene Fall betraf Simon Frumkin v. Steyr-Daimler-Puch und stellte für die Stiftungsinitiative den ersten Testfall der Berliner Abkommen dar. Siehe In re Nazi Era Cases Against German Defendants Litigation, 129 F. Supp. 2d 370 (D.N.J. March 1, 2001).

212 Federal Rules of Civil Procedure 60(b).

213 Report of Special Master Charles A. Stillman, dated December 28, 2000, eingereicht In re Austrian and German Bank Holocaust Litigation, No. 98 Civ. 3938
SWK (S.D.N.Y.).

214 Drei Kläger waren mit der Rücknahme nicht einverstanden. Bis auf Stanley
Garstka, dessen Fall später Richter Bassler übernahm und abwies, zogen die übrigen schließlich doch zurück.

215 Es handelt sich um den so genannten Gutman-Case. Gutman et al. v Deutsche
Bank et.al., Civ. No. 01-0423 (S.D.N.Y.), eingereicht am 22. Januar 2001 von John
Dweck, einem Anwalt, gegenüber dem sich Kram in einem Jahre zurückliegen-
den Verfahren selbst für befangen erklärt hatte. Zu Hintergründen siehe Andreas
Mink, Richterin Shirley Kram und ihr »Amicus Curiae«. Die Probleme des deut-
schen Zwangsarbeiter-Fonds, in: Aufbau 6 (2001) sowie Wolffe/Authers (2002),
S. 322–326. Zu den »assigned claims« siehe oben S. 137 ff.

216 Siehe dazu oben S. 138.

217 Eine Ausnahme bildeten religiöse Gemeinschaften.

218 In re Austrian and German Bank Holocaust Litigation, 2001 WL 228107
(S.D.N.Y. Mar.7, 2001); siehe ebenso Chronik vom 7. und 20. März sowie 10. Mai
2001.

219 Burt Neuborne, Brief of Appellants and, in the Alternative, Petition for Writ of
Mandamus to the United States District Court for the Southern District of New
York, dated March 20, 2001, eingereicht in In re Austrian and German Bank
Holocaust Litigation, Nos. 01-3017, 01-3019, 01-3024, 01-3025 (2d Cir.), Zitate
S. 35, S. 38. Anders als bei einer Revision weist ein Berufungsgericht bei »Man-
damus«-Verfahren die materielle Entscheidung an das ursprüngliche Gericht zu-
rück. Dem Antrag Neubornes schlossen sich u. a. Michael Hausfeld und Melvyn
Weiss an.

220 Stuttgarter Zeitung 8. März 2001.

221 Offener Brief, 8. März 2001, An den Sprecher der Stiftungsinitiative der deutschen Wirtschaft, Dr. Manfred Gentz. Einzelne Bundestagsabgeordnete der Fraktionen von SPD und Bündnis 90/DIE GRÜNEN empörten sich darin über die als
legalistisch empfundene Haltung der Wirtschaft.

222 Lambsdorff an Gentz vom 16. Februar 2001.

223 Siehe dazu oben S. 169.

224 Der Fall von Josef Tibor Deutsch, der gegen die Abweisung Rechtsmittel einge-
legt hatte, galt der Stiftungsinitiative als wichtiger Prüfstein für die Rechtssicherheit. Deutsch hatte ursprünglich gegen die Hochtief AG auf Entschädigung
wegen Versklavung und Ermordung seines Bruders Georg geklagt. Zum Hintergrund Andreas Mink, Deutsch gegen Hochtief. Ein Fall in Kalifornien bedroht
das juristische Fundament des Zwangsarbeitsfonds, in: Aufbau 26 (2001).

225 Die Klage richtete sich darauf, dass die Muttergesellschaft IBM wissentlich Bei-
hilfe zum Holocaust geleistet habe, weil die deutsche Tochter Dehomag das NS-
Regime mit Geräten versorgt habe, die zur Datenerfassung und -verarbeitung
nach Kriterien der NS-Ideologie und auch in Konzentrationslagern eingesetzt
worden waren. Die Kläger zielten u. a. auf die Öffnung des IBM-Archivs ab. Zum
historischen Hintergrund vgl. Edwin Black, IBM and the Holocaust. The Strategic Alliance between Nazi Germany and America's Most Powerful Corporation,
New York 2001.

226 Gentz an Lambsdorff 5. März 2001.

227 DER SPIEGEL 6. März 2001.

228 BT-Drucksache 14/6465, S. 3 Begründung.

229 Financial Times Deutschland 12. März 2001.

230 Paul Spiegel SZ 12. März 2001

231 Financial Times Deutschland 21. März 2001.

232 Volker Beck, Die Welt 12.März 2001.

233 Volker Beck, DER SPIEGEL 12. März 2001.

234 SZ 10. März 2001.

235 SZ 12. März 2001.

236 Focus 12. März 2001.

237 DER SPIEGEL 12. März 2001.

238 DIE WELT 12. März 2001.

239 Interview mit J. D. Bindenagel. »Nun bitte auch zahlen. Entschädigungen für Zwangsarbeit in Deutschland: Die amerikanische Sicht«. DIE ZEIT 19. März 2001. Zur gemeinsamen Interpretation des Junktims zwischen Zahlung des Wirtschaftsbeitrags und bindender Abweisung der vor US-Gerichten anhängigen Klagen siehe das Schreiben Lambsdorffs an Eizenstat vom 14. Juli 2000, das dem Regierungsabkommen als Auslegungshilfe (*side letter*) angefügt ist.

240 So z. B. der israelische Staatspräsident Mosche Katsav gegenüber der BILD-Zeitung am 11. März 2001 sowie der Offene Brief einzelner Bundestagsabgeordneter vom 8. März 2001.

241 SZ 10. März 2001.

242 Josef Joffe. Gut so, Judge Kram; in: DIE ZEIT 19. März 2001.

243 Vgl. Interview mit Wolfgang Bosbach, stellvertretender Vorsitzender der CDU/ CSU-Bundestagsfraktion »Der Schlüssel liegt bei den USA« vom 22. März 2001 bzw. interfraktionelle Entschließung vom 4. April 2001 BT-Drucksache 14/5787.

244 Das betraf die Sammelklagen, die neue »Gutman«-Klage sowie den Berufungsfall Stanley Garstka.

245 In der erstinstanzlichen Entscheidung hatte Bundesrichter Stephen V. Wilson vom Central District Court of California unter Hinweis auf die Urteile von Greenaway und Debevoise aufgrund der *political question doctrin* abgewiesen. Ausdrücklich nahm er dabei auch auf das deutsch-amerikanische Regierungsabkommen vom 17. Juli 2000 Bezug. Deutsch et al. v. Turner Corp. et al., CV 00-4405 SVW (AJWx), (C. D., August 25, 2000). Deutsch ging in Berufung. Sie wurde unter Hinweis auf die außenpolitische Prärogative der Exekutive abgelehnt. US Court of Appeals for the Ninth Circuit: Deutsch v. Turner Corp., No. 00-56673 p (January 21, 2003).

246 Moses H. Cone Memorial Hospital v. Mercury Construction Corp., 460 U.S. 1 (1983).

247 Declaration of Michael D. Hausfeld in Support of Renewed Motion For Voluntary Dismissal and/or for Reconsideration, dated May 9, 2002, eingereicht in In re Austrian and German Bank Holocaust Litigation, 98 Civ. 3938 (S.D.N.Y.).

248 In re Austrian and German Bank Holocaust Litigation, 250 F. 3d 156 (2d Cir. May 17, 2001).

249 Rede Otto Graf Lambsdorff vor dem Deutschen Bundestag am 30. Mai 2001. www.bundesregierung.de/dokumente/Rede

250 Der Bundestag folgte der Beschlussempfehlung des Innenausschusses vom 27. Juni 2001, den interfraktionellen Entschließungsantrag zur Feststellung der Rechtssicherheit für deutsche Unternehmen nach § 17 Abs. 2 des Gesetzes zur Errichtung einer Stiftung »Erinnerung, Verantwortung und Zukunft« anzunehmen. Der Innenausschuss bat die Bundesregierung darin zugleich, dem Deutschen Bundestag regelmäßig Berichte über den Stand der Auszahlungen sowie der Rechtssicherheit vorzulegen. Siehe BT-Drucksache 14/6465. Vgl. zuletzt BT-Drucksache 15/283 vom 30. Dezember 2002.

251 Die Reden sind abrufbar unter www.bundesregierung.de/dokumente/Rede.

252 Am 8. Juni 2001, eine Woche nach der Feststellung der Rechtssicherheit durch den Deutschen Bundestag, überwies die Stiftungsinitiative an die Bundesstiftung 3,9 Mrd. DM sowie 100 Mio. DM an Zinsen. Weitere Einzahlungen erfolgten nach Eingang entsprechender Mittel: Am 21. Juni 2001 215 Mio. DM und am 5. Oktober 2001 rund 550 Mio. DM. Die Bundesstiftung selbst hatte bereits von Dritten die Summe von rund 206 Mio. DM, die nachweislich für den Anteil der Wirtschaft bestimmt war, erhalten. Den Rest deckten die Anrechnung einer Vorauszahlung an IOM vom 21. August 2000 (ca. 2,7 Mio. DM) sowie die gesetzlich vorgesehene Anrechnung bereits an ICHEIC geleisteter Zahlungen in Höhe von knapp 66 Mio. DM ab. Nach internen Aufstellungen hätten sogar 98 Mio. DM angerechnet werden können. Nachdem unterschiedliche Meinungen über die Auslegung von § 3 Abs. 2 Satz 1 StiftungsG ausgeräumt werden konnten, übertrug die Stiftungsinitiative am 5. Dezember 2001 weitere knapp 63 Mio. DM von einem am 9. August 2001 eingerichteten stiftungszweckgebundenen Sonderkonto auf die Bundesstiftung.

253 Die Rechenschaftsberichte der Stiftung »Erinnerung, Verantwortung und Zukunft« sind abrufbar unter www.stiftung-evz.de.

254 § 16 Abs 2 StiftungsG.

255 Kreditgewerbe und Versicherungen werden aus Gründen, die mit der spezifischen Konstellation der Stiftungsinitiative zusammenhängen, hier nicht unter den Dienstleistungsbegriff subsumiert. Unter dem Aspekt, dass die Stiftungsinitiative bei Unternehmen des Industrie- wie Dienstleistungssektors – im Unterschied zu Handel, Banken und Versicherungen – die gleiche Orientierungsgröße von 1 Promille des letzten Jahresumsatzes zugrunde legte, werden die beiden Bereiche für die statistische Auswertung zusammengefasst. Zudem spricht der mittlerweile hohe Anteil von Dienstleistungen am Wertschöpfungsprozess des Produzierenden Gewerbes sogar für eine solche statistische Aggregation.

256 Der Anteil von Industrie- und Dienstleistungen (ohne Handel, Banken und Versicherungen) an der Wertschöpfung 1998 belief sich auf 72,7 %, der Anteil der Finanzwirtschaft auf 4,3 %. Siehe Übersicht über Wirtschaftsbereiche oben S. 122.

257 Zu beachten ist, dass der Bereich Verkehr und Nachrichtenübermittlung bei der Wertschöpfung ganz integriert ist, seine privatwirtschaftlich organisierten Unternehmen der öffentlichen Hand wie z. B. Deutsche Telekom und Deutsche Bahn jedoch nach dem Stiftungsgesetz nicht der Wirtschaft zugerechnet wurden, sodass der Anteil des Dienstleistungsbereichs nicht völlig vergleichbar ist, was aber nicht die tendenziell geringe Teilnahme dieses Sektors am Stiftungsaufkommen ändert.

258 Daten zusammengestellt und analysiert nach FAZ, Deutschlands größte Unternehmen in Zahlen vom 6. Juli 1999; Statistisches Bundesamt, Volkswirtschaftliche Gesamtrechnung, Fachserie 18, Reihe 1.3 Konten und Standardtabellen, Hauptbericht 2000 sowie Stiftungsinitiative.

259 Ca. 90 % des gesamten Bilanzssummenaufkommens brachten die Top 100 unter den deutschen Kreditinstituten auf. Bezogen auf die insgesamt 3279 Bankinstitute, die 1998 in Deutschland aktiv waren, entspräche die Beteiligung gut 82 %. Angaben hierzu vom Bundesverband deutscher Banken unter www.bdb.de.

260 The German Foundation: A Success for the Building of Europe; Remarks by Randolph Bell, Special Envoy for Holocaust Issues, U.S. Department of State, Washington 4. Juni 2002. Randolph Bell ist Nachfolger J. D. Bindenagels in der Bush-Administration.

261 Tagesspiegel vom 5. August 2002 »Wie rechnet sich Entschädigung?«

262 Peer Zumbansen, 39 Harv. J. on Legislation 1, 1–55 (2002). Zumbansen spricht von »real responsibility« in Abgrenzung zu bloß moralischer oder abstrakt historischer Verantwortung.

263 Wolffe/Authers (2002), S. 324.

264 Die Bundesregierung unterrichtet den Deutschen Bundestag halbjährlich über den Stand der Rechtssicherheit für deutsche Unternehmen im Zusammenhang mit der Stiftung »Erinnerung, Verantwortung und Zukunft«. Zuletzt (vor Drucklegung des vorliegenden Buches) siehe BT-Drucksache 15/283 vom 30. Dezember 2002.

265 In re Austrian and German Bank Holocaust Litigation, 250 F. 3d 156 (2d Cir. May 17, 2001).

266 Zuletzt anlässlich seiner Verabschiedung aus diesem Amt. Frankfurter Rundschau 12.August 2002.

267 Roger Witten (WCP), Reflections on the Resolution of the Swiss and German Holocaust-Era Issues. Unveröffentlichtes Manuskript.

268 Vgl. dazu im Überblick Harold Hongju Koh, Transnational Public Law Litigation, 100 Yale Law Journal, 2347 (1991).

269 Anne-Marie Slaughter, David Bosco, Plaintiff's Diplomacy, in: Foreign Affairs 79 (2001), S. 102–116.

270 Frankfurter Rundschau 4. August 2002; Financial Times Deutschland vom 22. Juli 2002; Andreas Mink, Kläger und Heuchler, in: Aufbau 14 (2002).

271 Grundlegend Randall N. Robinson, The Debt: What America Owes to Blacks, New York 2000. Zu Sammelklagen siehe National Coalition of Blacks for Reparations in America (NCOBRA) unter www.ncobra.com.

272 Siehe Überblick bei Michael Bazyler, Holocaust Restitution In The United States And Other Claims For Historical Wrongs – An Update, in: International Civil Liberties Report 2001.

273 Siehe dazu Hearing before the Committee On The Judiciary United States Senate 106. Congress, Second Session on Determining Whether Those Who Profited From The Forced Labor Of American World War II Prisoners Of War Once Held And Forced Into Labor For Private Japanese Companies Have An Obligation To Remedy Their Wrongs And Whether The United States Can Help Facilitate An Appropriate Resolution, June 28, 2000, S. Hrg. 106–585, Serial No. J-106-94. Die US-Regierung plädierte in Statements of Interest ebenso für eine Abweisung der

Zwangsarbeitsklagen ausländischer ehemaliger Zivilisten gegen japanische Unternehmen wie der Klagen so genannter »Comfort Women« gegen Japan. Zur Frage nach »doppelten Standards« siehe ebenda S. 47.

274 Cornelia Rauh-Kühne, Hitlers Hehler? Unternehmerprofite und Zwangsarbeiterlöhne, in: Historische Zeitschrift 275 (2002), S. 1–55, hier S. 4.
275 Ebd., S. 55
276 Roger Witten, siehe Anmerkung 267.
277 Vgl. zuletzt Götz Aly, Hitlers Volksstaat. Notiz zum Klassencharakter des Nationalsozialismus. Rede zur Verleihung des Heinrich-Mann-Preises der Akademie der Künste 2002, abgedruckt in: Ders., Rasse und Klasse. Nachforschungen zum deutschen Wesen, Frankfurt am Main 2003, S. 230 ff.
278 Die Stiftungsinitiative der deutschen Wirtschaft, Annette Pfeiffer im Gespräch mit Manfred Gentz, in: Jean-Christoph Ammann, Manfred Pohl u. a. (Hrsg.), Mr. Finanzplatz Business is Movement (= Festschrift Rolf-Ernst Breuer), München, Zürich 2002, S. 296–309, hier S. 296.

Chronik

16. 1. 86	Straßburg	Entschließung des Europäischen Parlaments zu Entschädigungsleistungen für ehemalige Sklavenarbeiter der deutschen Industrie (Dok. B 2-1478/85). Das Europäische Parlament sieht »eine klare moralische und rechtliche Verpflichtung der Firmen, die Sklavenarbeiter beschäftigt haben, Entschädigungsleistungen zu zahlen«. Aufforderung an die Bundesregierung, entsprechend dieser Entschließung gegenüber den Nutznießern der NS-Zwangsarbeit tätig zu werden; Punkt 2 der Entschließung: »Der deutsche Bundestag fordert die Bundesregierung auf, unverzüglich die ihr möglichen politischen und rechtlichen Schritte zu unternehmen, die Nutznießer der Zwangsarbeit unter der NS-Herrschaft und ihre Rechtsnachfolger – insbesondere Firmen – zu einer Zahlung von Entschädigungsleistungen an die ehemaligen Zwangsarbeiterinnen und Zwangsarbeiter zu bewegen. Diese Zahlungen sollen in angemessener Höhe entweder direkt an diesen Personenkreis oder in eine zu errichtende Bundesstiftung »Entschädigung für NS-Zwangsarbeit« gezahlt werden«.
24. 6. 87	Bonn	Umfassende Anhörung im BT-Innenausschuss zum Thema »Wiedergutmachung und Entschädigung für NS-Unrecht« (BT-Drucksache 11/8046); Beschlussempfehlung: Prüfung.
6. 6. 89	Bonn	Gesetzentwurf der GRÜNEN zur »Errichtung einer Stiftung ›Entschädigung für NS-Zwangsarbeit‹« (BT-Drucksache 11/4704); Antrag der Grünen »Politische und rechtliche Initiative der Bundesregierung gegenüber den Nutznießern der NS-Zwangsarbeit« (BT 11/4705): »Indem NS-Zwangsarbeit unter Entschädigungsrecht gefaßt wird ... wären die Bedingungen des Londoner Schuldenabkommens erfüllt.«
14. 12. 89	Bonn	Sachverständigenanhörung im BT-Innenausschuss zu tatsächlichen und rechtlichen Aspekten der Zwangsarbeit-Problematik.
24. 9. 90	Bonn	Beschlussempfehlung des BT-Innenausschusses zu prüfen, ob eine Fondslösung für Härteleistungen an Zwangsarbeiter möglich sei und Kontakt mit Privatwirtschaft aufzunehmen und die Höhe der benötigten Mittel festzustellen. Berichterstattungsfrist bis 31. 12. 1990 (BT-Drucksache 11/8046).

1. 12. 90	Bonn	Anhörung im BT-Innenausschuss zur Frage der Entschädigung für NS-Zwangsarbeit.
16. 5. 94	New York	Klage gegen Dresdner Bank AG.
Dez. 95	Straßburg	Resolution des Europäischen Parlaments (Resolution on the return of plundered property to Jewish communities, Official Journal C 017, 22701/1996, S. 199) über die Rückgabe entzogenen jüdischen Eigentums in Mittel- und Osteuropa unter Bezug auf das erste Zusatzprotokoll zur Europäischen Menschenrechtskonvention vom 20. März 1952: »Every natural or legal person is entitled to the peaceful enjoyment of his possessions« (213 United Nations Treaty Series 262).
2. 5. 96	Washington	Erstes Hearing des U.S. Senate Banking Committee unter dem Vorsitz von D'Amato zu »dormant accounts« in der Schweiz.
2. 5. 96	Bern	Errichtung des International Committee of Eminent Persons (ICEP) unter der Leitung des ehemaligen Präsidenten der amerikanischen Zentralbank (Fed), Paul Volcker (= Volcker-Kommission) auf Initiative der Schweizerischen Bankenvereinigung, des World Jewish Congress (WJC) sowie der World Jewish Restitution Organization (WJRO) zur Untersuchung der »dormant accounts« aus jüdischem Besitz bei Schweizer Banken (www.dormantaccounts.ch). Zu den Ergebnissen siehe ICEP, Report on Dormant Accounts of Victims of Nazi Persecution in Swiss Banks, Dezember 1999.
13. 5. 96	Karlsruhe	Beschluss des Bundesverfassungsgerichts. Der zwischenstaatliche Verzicht auf Kriegsreparationen gegenüber der deutschen Regierung kann Einzelne nicht an der Geltendmachung von Individualansprüchen hindern. Daraus ergab sich, dass innerhalb einer Frist von drei Jahren – bis 13. 5. 99 – Einzelklagen auf Entschädigung für Zwangsarbeit vor deutschen Gerichten erhoben werden konnten.
4. 10. 96	New York	Erste Sammelklage gegen drei Schweizer Großbanken in USA (Weisshaus v. UBS, u. a. eingereicht durch Ed Fagan): Forderung nach 20 Mrd. US-$ Entschädigung für Opfer und deren Erben aufgrund nicht erfolgter Rückzahlung ihrer Vermögen nach dem Ende des Zweiten Weltkriegs.
23. 10. 96	New York	Zweite Sammelklage gegen Schweizer Banken (Friedman vs. UBS, eingereicht durch Michael Hausfeld): Forderung nach Herausgabe von Vermögenswerten, Schadenersatz für ihre Rolle bei der »Wäsche« des Nazigoldes und Profiten aus Bankgeschäften im Zusammenhang mit Sklavenarbeit.
19. 12. 96	Bern	Der Schweizer Bundesrat ernennt eine Expertenkommission, die unter der Leitung des Wirtschaftshistorikers Jean-François Bergier die Rolle der Schweiz während der NS-Zeit ausleuchten soll (= Bergier-Kommission). Im Mittelpunkt

239

stehen dabei zunächst die Goldgeschäfte der schweizerischen Nationalbank, später die Flüchtlingspolitik der Schweiz.

9. 1. 97	Iowa	Klage Fishel u. a. gegen BASF AG, Fried.Krupp AG Hoesch-Krupp wegen Zwangsarbeit.
29. 1. 97	New York	Dritte Sammelklage gegen Schweizer Banken, eingereicht durch den World Council of Orthodox Jewish Communities und Einzelpersonen.
5. 2. 97	Zürich	Die drei Schweizer Großbanken errichteten mit 100 Mio SFr einen humanitären Fonds zugunsten von Nazi-Opfern.
14. 2. 97		Treffen von Vertretern jüdischer Organisationen, der schweizerischen und der US-Regierung. Wendepunkt d. Gespräche.
28. 2. 97	Kalifornien	Gesetzentwurf (California Code of Civil Procedure, Section 354.6): Holocaust-Opfer und deren Erben können vor dem Superior Court bis zum 31. 12. 2010 Ansprüche geltend machen. (In Kraft seit 22. 5. 1998, für verfassungswidrig erklärt durch US Court of Appeals for the Ninth Circuit am 21. 1. 2003).
31. 3. 97	New York	Sammelklage (»Cornell-Klage«) gegen 16 benannte europäische Versicherungsgesellschaften, u. a. gegen mehrere Allianz-Töchter (Allianz Lebensversicherungs AG, Vereinte Lebensversicherungs AG, Allianz Elementar sowie die Riunione Adriatica di Sicurita (RAS), Generali, Victoria, Basler) sowie weitere 100 namentlich nicht benannte Firmen.
11. 6. 97	Washington	»Holocaust Victims Redress Act« (S.1564. H.R.2591), eingebracht von US-Senator Alfonse D'Amato, in Kraft gesetzt am 13. 2. 1998.
25. 6. 97	New York	Der Gouverneur des Staates New York, George E. Pataki, gründet das Holocaust Claims Processing Office mit dem Ziel, durch umfassende Recherchen individuell geltend gemachte Ansprüche, die wegen Vermögensschäden während der nationalsozialistischen Herrschaft in Europa entstanden sind, zu untermauern. Die Recherchen richten sich auf Bankkonten, Versicherungspolicen und Raubkunst.
2.–4. 12. 1997	London	NS-Raubgold-Konferenz
3. 2. 98	Washington	Comprehensive Holocaust Accountability in Insurance Measure Act (4 H.R. 3143), eingebracht von US-Kongressabgeordnetem Mark Foley (Kalifornien): Verbot der Geschäftstätigkeit für 16 benannte europäische Versicherungsunternehmen in den USA, sofern sie nicht sämtliche Vertragsbeziehungen mit Überlebenden oder Opfern des Holocaust offenlegen, deren Namen in Yad Vashem, Hall of Names bzw. im Holocaust Memorial Museum in Washington aufgelistet sind.
5. 2. 98	New York	US-Senator D'Amato fordert zuständige Aufsichtsbehörden auf, die geplante Fusion Schweizer Großbanken in den USA vorläufig zu blockieren.

10. 2. 98	Kalifornien	California Senate Bill 1530, eingebracht von Tom Hayden. Pflicht der Versicherungskommissare zu Lizenzaussetzung für Versicherungsunternehmen im Falle unbezahlter Policen von Holocaust-Opfern. Seit 29. 9. 1998 in Kraft.
12. 2. 98	Washington	Hearing des Bankenausschusses des US-Repräsentantenhauses zu Raubgut und Versicherungspolicen.
13. 2. 98	Washington	Public Law 105–158 in Kraft »Holocaust Victims Redress Act« (S.1564/H.R.2591), eingebracht von US-Senator Alfonse D'Amato. Enthält u. a. Appell an ausländische Regierungen, Rückerstattung von Eigentum an Nazi-Opfer zu forcieren. Eingebracht am 11. 6. 1997.
4. 3. 98	New Jersey	Sammelklage gegen Ford Werke AG bzw. deren Muttergesellschaft Ford Motor Company. Verhandlungstermin für den 28. 12. 1998 angekündigt.
11. 3. 98	Iowa	Klage Fishel u. a. gegen BASF AG, Fried.Krupp AG Hoesch-Krupp als unzulässig abgewiesen. Gegenstand der Entscheidung des Gerichts waren ausschließlich prozessuale Fragen; Parallel dazu Prüfung des materiellen Rechts: Alle Ansprüche wegen Verjährung verneint.
25. 3. 98	Bern	Die Schweizer Nationalbank veröffentlicht eine eigene Studie über ihren Goldhandel mit dem nationalsozialistischen Deutschland.
2. 4. 98	Kalifornien	Sammelklage gegen Victoria Holding AG, Ergo Versicherungsgruppe und unbenannte Versicherungsunternehmen.
27. 4. 98		Ehemalige Zwangsarbeiter erwägen Sammelklagen in den USA gegen deutsche Großunternehmen, z. B. Daimler-Benz AG und Fried.Krupp AG Hoesch-Krupp. Treffen zwischen Schweizer Banken, WJC und Klägeranwälten unter der Leitung von Stuart Eizenstat mit dem Ziel einer »Globallösung«, deren Grundlagen die Neue Zürcher Zeitung am 25. 4. 98 publik macht. Globallösung heißt, dass auch potentielle Angeklagte in Lösung einbezogen sind und weitere, auf einen klar umrissenen Gegenstand bezogene Klagen ausgeschlossen werden.
18. 5. 98	New Jersey	Das Repräsentantenhaus des US-Bundesstaates New Jersey beschließt als erste Kammer Boykott gegen Schweizer Banken; US-Präsident Clinton lehnt Boykottdrohungen gegen Schweiz ab.
22. 5. 98	Kalifornien	California Code of Civil Procedure, Section 354.5 in Kraft (California Assembly Bill 1334, sog. Knox-Bill). In Kalifornien wohnhafte Holocaust-Opfer und Erben können bis zum 31. 12. 2010 vor kalifornischen Gerichten klagen.
25. 5. 98	Bern	Zwischenbericht der Bergier-Kommission zum Goldhandel der Schweizer Nationalbank.
Mai/Juni 98		Erste informelle Kontakte deutscher Unternehmen zur Idee eines Wirtschaftsfonds.
2. 6. 98	Bremen	Das Landgericht Bremen spricht einer ehemals im KZ

Auschwitz inhaftierten Rumänin 15 000 DM Schmerzensgeld und nachträglichen Lohn für fast zehnmonatige »sklavenartige Zwangsarbeit« zu. Nach Ansicht des Gerichts galt in ihrem Fall Staatshaftungsanspruch. Wie in einem ähnlichen Fall beim Landgericht Bonn 1996 – 22 000 poln. Kläger erhoben den Vorwurf, die Bundesrepublik habe es versäumt, nach dem Abschluss des 2+4-Vertrages das BEG entsprechend für Osteuropäer zu öffnen – handelte es sich um Klagen gegen den deutschen Staat.

3. 6. 98	New York	Sammelklage gegen Deutsche Bank AG und Dresdner Bank AG; Schadenersatzforderungen in Höhe von 32 Mrd. DM u. a. wegen Arisierungsgewinnen.
17. 6. 98	Warschau	Ankündigung eines Zwangsarbeiter-Entschädigungsfonds durch den Kanzlerkandidaten der SPD und niedersächsischen Ministerpräsidenten, Gerhard Schröder, im Rahmen eines Besuchs in Warschau auf Einladung des dortigen Zentrums für Internationale Beziehungen.
23. 6. 98	Washington	Public Law 105–186 »U.S. Holocaust Assets Commission Act of 1998« (S.1900/H.R.3662, 22 U.S.C. 1621) in Kraft, eingebracht von US-Senator Alfonse D'Amato. Etablierung der »Presidential Advisory Commission on Holocaust Assets in the United States« zur vollständigen Erschließung einschlägiger Archive mit dem Ziel der Rückerstattung von Vermögenswerten.
29. 6. 98	New York	Hausfeld reicht nach dem ersten Bergier-Bericht Klage gegen die Schweizer Nationalbank ein wegen ungerechtfertigter Bereicherung und Mitverantwortlichkeit für Raub und Plünderei.
7. 7. 98	Wolfsburg	VW AG kündigt firmeneigenen Fonds zur Zahlung von humanitären Leistungen für ehemalige Zwangsarbeiter an.
Jul. 98		Bericht der unabhängigen Historiker-Kommission zur Erforschung der Geschichte der Deutschen Bank während der NS-Zeit.
1. 7. 98	Florida	»Holocaust Victims Insurance Act« (Florida Senate Bill 1108), eingebracht am 26. 3. 1998, in Kraft: Auskunftspflicht europäischer Versicherungsunternehmen zu den zwischen 1920 und 1945 abgeschlossenen Policen von Holocaust-Opfern; ICHEIC-Teilnehmer davon ausgenommen.
2. 7. 98	New York	Die im Hevesi-Committee (Executive Monitoring Committee) zusammengeschlossenen US-Finanzbeamten heben Moratorium des Boykotts gegen Schweizer Grossbanken auf. Es bleibt einzelnen US-Bundesstaaten und -Städten überlassen, über Boykotte zu entscheiden. In New York sollen Sanktionen stufenweise in Kraft gesetzt werden.
7. 8. 98	New York	»Holocaust Victims Insurance Act of 1998« (New York Senate Bill 7799) eingebracht. Auskunftspflicht europäischer

		Versicherungsunternehmen mit Ausnahme ICHEIC-Teilnehmer über Policen von Holocaust-Opfern. In Kraft seit 9. 4. 1999.
13. 8. 98	New York	UBS Schweizer Bankenverein und Crédit Suisse verständigen sich mit US-Sammelklägern und WJC auf einen Vergleich in Höhe von 1,25 Mrd. US-$ und beenden damit eine in New York anhängige Klage gegen Schweizer Großbanken.
21. 8. 98	New Jersey	Sammelklage gegen Degussa AG.
24. 8. 98	Bonn	Bundeskabinett befaßt sich mit Zwangsarbeiter-Problematik im Hinblick auf bevorstehende Holocaust-Konferenz in Washington; Boykottaufruf in den USA (New Jersey) gegen Degussa.
25. 8. 98	London	Memorandum of Understanding: Europäische Versicherungen (Allianz, Winterthur, Basler [später wieder ausgetreten], Zürich, AXA, Generali) einigen sich nach intensiven Verhandlungen mit jüdischen Opferverbänden, US-Versicherungskommissaren und der israelischen Regierung auf Druck der US-Regierung auf gemeinsames Vorgehen zur Klärung und Abwicklung eventuell noch offener Ansprüche von Holocaust-Opfern und deren Erben aus Versicherungspolicen.
30. 8. 98	New York	Sammelklage gegen deutsche Industrieunternehmen u. a. Siemens AG, Fried.Krupp AG Hoesch-Krupp, VW AG, BMW AG, Daimler-Benz AG sowie 100 weitere, unbenannte Firmen.
31. 8. 98	New Jersey	Sammelklage gegen VW AG.
7. 9. 98	Leverkusen	Erstes Unternehmenstreffen auf Vorstandsebene zum Thema »Zwangsarbeit«.
9. 9. 98	New Jersey	Sammelklage gegen Siemens AG.
11. 9. 98	New Jersey	Sammelklage gegen Fried.Krupp AG Hoesch-Krupp AG, AEG AG, Daimler-Benz AG.
11. 9. 98	Wolfsburg	VW beziffert den firmeneigenen Humanitären Fonds mit 20 Mio. DM.
21. 9. 98		Vergleich der italienischen Versicherungsgesellschaft Generali mit Sammelklägern und WJRO vom 20. 8. 98 in Höhe von 100 Mio US-$ storniert.
22. 9. 98	New Jersey	Sammelklage gegen Rheinmetall AG.
23. 9. 98	New Jersey	Sammelklage gegen VW AG.
23. 9. 98	München	Siemens AG richtet einen Hilfsfonds für ehemalige Zwangsarbeiter ein, dotiert mit 20 Mio. DM.
24. 9. 98	New Jersey	Sammelklage gegen Siemens AG.
28. 9. 98		Bundestagswahl; Sieg der SPD
28. 9. 98	New Jersey	Sammelklage gegen Heinkel Aggregatebau GmbH & Co.
29. 9. 98	Kalifornien	Holocaust Victims Insurance Act (California Senate Bill 1530) in Kraft. Pflicht der Versicherungskommissare zu Lizenzaussetzung für Versicherungsunternehmen im Falle un-

bezahlter Policen von Holocaust-Opfern. (Eingebracht am 10. 2. 1998.)

30. 9. 98	New Jersey	Klage gegen Diehl Stiftung & Co.
2. 10. 98	New York	Sammelklage gegen Württembergische Metallwarenfabrik AG.
8. 10. 98	Washington	US-Congress setzt Public Law 105–246 in Kraft »Nazi War Crimes Disclosure Act« (S.1379/H.R.4007,5 U.S.C. 522). Zur Implementierung des Gesetzes setzte US-Präsident Clinton die Interagancy Working Group (IWG) ein, um landesweit jene Akten zu identfizieren und zur Freigabe zu empfehlen, die u. a. über vermögensspezifische, holocaustbezogene Fragen Aufschluss zu geben versprachen.
13. 10. 98	Washington	»Holocaust Victims Insurance Relief Act of 1998« (H.R. 4826), eingebracht in den US-Kongress von Brad Sherman (Kalifornien); Auskunftspflicht europäischer Versicherungsunternehmen zum Stand der in Europa 1920–1945 gezeichneten Policen.
16. 10. 98	New Jersey	Sammelklage gegen Phillip Holzmann AG, Leonhard-Moll AG, Dyckerhoff & Widmann AG und weitere, unbenannte Firmen.
19. 10. 98		SPIEGEL-Veröffentlichung: »Geheimtreff bei Schröder«. Kontakte im Vorfeld. Der SPIEGEL geht davon aus, dass Justitiare der Unternehmen Fondslösung ablehnten, während Vorstände bereits über einen Fonds nachdächten.
20. 10. 98	Hannover	Treffen des designierten Bundeskanzlers Gerhard Schröder mit Vorstandschefs deutscher Unternehmen, u. a. Bernd Pischetsrieder (BMW), Ferdinand Piëch (VW), Gerhard Cromme (Thyssen) und Rolf-E. Breuer (Deutsche Bank); Henning Schulte-Noelle (Allianz) Gründung einer vorbereitenden Arbeitsgruppe »NS-Entschädigungsklagen« aus Vertretern der Bundesregierung und der Wirtschaft unter der Leitung des designierten Kanzleramtschefs Bodo Hombach. Koalitionsvereinbarung SPD/Grüne sieht Bundesstiftung zur Entschädigung von Zwangsarbeit »unter Beteiligung der deutschen Industrie« vor.
27. 10. 98	New York	Sammelklage gegen Deutsche Bank AG, Dresdner Bank AG, Commerzbank AG.
Okt. 98	New York	Errichtung der International Commission on Holocaust Era Insurance Claims (*ICHEIC*) durch US-Versicherungskommissare, jüdische Opferorganisationen, europäische Versicherungsunternehmen und Israel als Verein nach schweizerischem Recht, um möglicherweise offene Versicherungsansprüche aus der NS-Zeit zu regeln. Boykottdrohungen gegen Allianz und Siemens in USA.
3. 11. 98	New York	Sammelklage gegen Messerschmitt-Boelkow-Blohm GmbH, Daimler-Benz AG.
4. 11. 98	New Jersey	Sammelklage gegen Degussa AG und Degussa Corporation.

9. 11. 98	New York	Sammelklage u. a. gegen Deutsche Bank AG, Dresdner Bank AG.
10. 11. 98	Bonn	Erstes Arbeitskreis-Treffen »NS-Entschädigungsklagen«. Junktim Wirtschaftsfonds/Rechtssicherheit. Eindeutige Position der Industrie, dass sämtliche Aktivitäten der deutschen Unternehmen abhängig sein müssen von einer vorherigen Initiative der Bundesregierung, um einen wirksamen Schutz vor bereits anhängigen sowie zukünftigen Klagen zu erreichen.
12. 11. 98		Sechs europäische Versicherungen sichern Holocaust-Fonds mit 90 Mio $ zu. Der frühere interimistische US-Außenminister Lawrence Eagleburger wird Vorsitzender der ICHEIC.
19. 11. 98	New Jersey	Sammelklagen gegen AGFA-Gevaert AG und BMW AG.
21. 11. 98		Jüdische Organisationen und die israelische Regierung einigen sich auf einen Plan zur Verteilung der 1,25 Mrd. US-$ der Schweizer Großbanken.
22. 11. 98		CBS »Sixty Minutes« Sendung über deutsche Zwangsarbeiter im US-Fernsehen.
27. 11. 98	Bonn	Zweites Arbeitskreis-Treffen »NS-Entschädigungsklagen« in Anwesenheit der Botschafter der USA und Israels. Garantie für Rechtssicherheit kaum möglich. US-Regierung signalisiert aber politischen Willen zur Unterstützung der Bundesregierung.
30.11. – 4.12.98	Washington	Internationale Konferenz zu Nazi-Raubgut. Über 40 Staaten einigen sich auf – nicht-verbindliche – Leitlinien zur Suche und Rückerstattung von so genannter Raubkunst.
3. 12. 98		OLG Köln (Urteil vom 22. 10. 1998, 7 U 222/98) weist als Berufungsinstanz Klage ehemaliger jüdischer KZ-Häftlinge gegen die Bundesrepublik wegen Zwangsarbeit ab. BEG stelle abschließende Regelung für Entschädigungsansprüche wegen NS-Verfolgung dar. OLG: »Für die zu den Verfolgungsmaßnahmen zählende Zwangsarbeit sieht das BEG aber keine Entschädigung vor. Auch existiert keine hier einschlägige Sonderregelung oder völkerrechtliche Abrede.« Hintergrund für BEG-Einschränkungen: Der deutsche Staat war nach Ende der Naziherrschaft bankrott, »eine völlige Entschädigung Verfolgter (stellte) sich als unmöglich (dar).« Das Regelwerk des Entschädigungsrechts »… steht damit als wirksam geltendes Recht dem klägerischen Begehren entgegen … Denn es sieht für Zwangsarbeit als solche keine Entschädigung vor.«
8. 12. 98	Kalifornien	Sammelklage gegen RAS S.p.A., Allianz Insurance Company, Fireman´s Fund und unbenannte Versicherungsunternehmen.
11. 12. 98	New Jersey	Sammelklage gegen Heinkel Apparatebau GmbH & Co.
Dez. 98		Bodo Hombach überträgt Gesamtkoordination zur Vorberei-

		tung des »Versöhnungsfonds der deutschen Wirtschaft« Allianz-Chef Henning Schulte-Noelle, Zuständigkeit für Bereich Industrie Krupp-Chef Gerhard Cromme.
30. 12. 98	New York	Sammelklage gegen 26 benannte Versicherungsunternehmen (u. a. gegen Generali, Allianz, AXA, Winterthur, Basler) sowie weitere, unbenannte Firmen.
1999		Im Verlauf des Jahres 1999 wurden zahlreiche Klagen und Mahnverfahren an deutschen Gerichten gegen verschiedene Firmen aufgrund von Zwangsarbeiterbeschäftigung anhängig gemacht.
Jan. 99		Klagen von über 21 000 ehemaligen polnischen Zwangsarbeitern gegen die Bundesregierung und deutsche Unternehmen durch Kanzlei Dr. Wissgott & Collegen in Deutschland angekündigt; Entschädigungsforderung in Höhe von 7,5 Mrd. DM.
6. 1. 99	Washington	Holocaust Victims Insurance Act (H.R. 126), eingebracht in den US-Kongress von Eliot L. Engel (New York): Auskunftspflicht europäischer Versicherungsgesellschaften zu den zwischen 1920 und 1945 in Europa gezeichneten Versicherungspolicen von Holocaust-Opfern.
6. 1. 99	Washington	Justice for Holocaust Survivors Act (H.R. 271), eingebracht von Louise Slaughter. Klagen auf Schadenersatz gegen Deutschland oder die ehemals von Deutschland besetzten Gebiete während des Zweiten Weltkriegs sollen vom Foreign Sovereign Immunities Act ausgenommen werden, sofern sie innerhalb von zwei Jahren nach Inkrafttreten des Gesetzes anhängig gemacht werden.
8. 1. 99	New Jersey	Sammelklage gegen Dynamit Nobel AG.
11. 1. 99	New York	Sammelklage gegen Deutsche Bank AG, Creditanstalt AG.
15. 1. 99	New York	Sammelklage gegen ThyssenKrupp AG, Ford Motor Co., Siemens AG; Ford Werke AG, VW AG, Volkswagen of America, Wuerttembergische Metallwarenfabrik AG, BMW AG, Henkel KG a. A., DaimlerChrysler AG sowie weitere, unbenannte Firmen.
26. 1. 99	New York	Der im August 1998 zwischen Schweizer Großbanken, Vertretern jüdischer Kläger sowie der WJRO ausgehandelte Vergleich wird offiziell abgeschlossen.
28. 1. 99	New Jersey	Sammelklage gegen DaimlerChrysler AG.
28. 1. 99	New Jersey	Sammelklagen u. a. gegen Bayer AG, BASF AG, Deutsche Bank AG, Hoechst AG, Fried.Krupp AG Hoesch-Krupp, General Motors Corporation, Robert Bosch GmbH, Diehl Stiftung & Co. sowie gegen weitere, unbenannte deutsche und österreichische Unternehmen. Besonderheit: Kläger sind polnische Staatsangehörige.
Feb. 99	Washington	Gespräche Bodo Hombachs und Rolf-E. Breuers mit US-Regierung, WJC und anderen Organisationen über den zu gründenden Fonds der deutschen Wirtschaft.

11. 2. 99	New York	Klage gegen Deutsche Bank AG.
16. 2. 99	Bonn	Gemeinsame Pressekonferenz Bundeskanzler Gerhard Schröder, Gerhard Cromme, Rolf-E. Breuer, Heinrich von Pierer zur Absicht zwölf führender deutscher Unternehmen, eine Stiftungsinitiative ins Leben zu rufen.
17. 2. 99	Indiana	Sammelklage gegen Bayer AG.
19. 2. 99	Kalifornien	Holocaust Victims Insurance Relief Act of 1999 (California Assembly Bill 600) eingebracht: Berichtspflicht für Versicherungsunternehmen, die in Europa vor 1945 Policen verkauft haben; Errichtung eines Holocaust Insurance Registry. In Kraft gesetzt am 10. 10. 1999.
19. 2. 99	New Jersey	Sammelklage gegen BMW AG.
28. 2. 99		An der Stiftungsinitiative beteiligen sich 25 Unternehmen, einschließlich Tochterfirmen, die eigenständig beigetreten sind.
3. 3. 99	New York	Sammelklage gegen Bayerische HypoVereinsbank.
5. 3. 99	Bonn	Treffen Stuart Eizenstat, Bodo Hombach, Ignatz Bubis, Israel Singer.
6. 3. 99	Bonn	Treffen im Bundeskanzleramt unter der Leitung von Hombach und Eizenstat mit Unternehmensvertretern; Diskussion zu Fondsstruktur und Rechtssicherheit.
8. 3. 99	Iowa	Erste mündliche Verhandlung im Fall Iwanowa gegen Ford Werke AG.
9. 3. 99	Bonn	Treffen Hombach mit Klägeranwälten auf Wunsch von Eizenstat.
15. 3. 99	New York	Vergleich zwischen Bank Austria AG und Creditanstalt AG und jüdischen Klägern über 40 Mio. US-$. Behauptete Forderungen der österreichischen Banken gegen deutsche Finanzinstitutionen und Wirtschaftsunternehmen, die als Folge oder im Zusammenhang mit dem »Anschluß« Österreichs bzw. zwischen dem 1. Januar 1938 und dem 31. Dezember 1946 entstanden waren, wurden gleichzeitig an die Kläger abgetreten.
17. 3. 99	Frankfurt	Konstituierung des Koordinierungskreises der Stiftungsinitiative: Manfred Gentz, Sprecher (DaimlerChrysler), Bernd Fahrholz (Dresdner Bank), Michael Jansen (Degussa), Hans-Joachim Neubürger (Siemens), Herbert Hansmeyer (Allianz) sowie einer Rechtsarbeitsgruppe: Klaus Kohler, Sprecher (Deutsche Bank), Henrik-Michael Ringleb (ThyssenKrupp), Eckhart Sünner (BASF), Hans-Viggo von Hülsen (VW).
17. 3. 99	New York	Konsolidierung der Sammelklagen gegen deutsche und österreichische Banken (Dresdner Bank AG, Deutsche Bank AG, Commerzbank AG, Bayerische HypoVereinsbank AG, Creditanstalt AG, Bank Austria AG, Raiffeisen Zentralbank Österreich AG, VIAG AG) sowie gegen 100 weitere, deutsche und österreichische Bankinstitutionen am Southern

		District Court of New York bei Bundesrichterin Shirley Wohl Kram.
31. 3. 99	Kalifornien	Sammelklage gegen Deutsche Bank AG, Dresdner Bank AG, Deutsche Lufthansa AG, Ford Motors Comp., General Motors Corp., VIAG AG und 100 weitere, unbenannte Firmen. Kläger sind u. a. polnische ehemalige Zwangsarbeiter und das Simon Wiesenthal Center.
14. 4. 99	New York	Sammelklage gegen VW AG, ThyssenKrupp AG, Siemens AG sowie gegen weitere, unbenannte Firmen.
19. 4. 99	New York	Treffen von Regierungs- und Bankenvertretern mit New York City Comptroller Alan Hevesi.
20. 4. 99	New York	Sammelklage gegen Siemens AG, DaimlerChrysler AG, ThyssenKrupp AG, Henkel KG a. A.
26. 4. 99	New Jersey	Sammelklage gegen Continental AG.
Mai 99		Erweiterung der Gründungsunternehmen der Stiftungsinitiative auf 16: Hinzu kommen: Deutz AG, RAG AG, Veba AG und Commerzbank AG.
4. 5. 99	New York	Sammelklage gegen ThyssenKrupp AG, DaimlerChrysler AG und Henkel KG a. A, Siemens AG sowie unbenannte Firmen. Kläger sind ehemalige ungarische Zwangsarbeiter mit Wohnsitz in Ungarn und australische Staatsangehörige.
5. 5. 99	Wisconsin	Sammelklage gegen Volkswagen AG.
5. 5. 99	New York	Sammelklage gegen Philipp Holzmann AG.
5. 5. 99	Kalifornien	Sammelklage gegen Allianz Lebensversicherungs AG.
10. 5. 99	New York	Sammelklage gegen Deutsche Bank AG.
11. – 12.05.99	Washington	Erste Plenarsitzung der »Steering Group to Prepare the Foundation Initiative of German Enterprises« unter der Leitung von Eizenstat und Hombach
13. 5. 99	New Jersey	Sammelklage gegen Bayer AG, Hoechst AG, Schering AG.
14. 5. 99	Frankfurt	Anträge beim Landgericht Frankfurt /Main auf Prozesskostenhilfe für 2600 ehemalige polnische KZ-Häftlinge. Die Antragssteller beabsichtigen, die Dresdner Bank AG auf Schmerzensgeld in Höhe von 15 000 DM für jeden Monat der von ihnen erlittenen KZ-Haft zu verklagen.
17. 5. 99	New Jersey	Sammelklagen gegen Adam Opel AG, Alcatel Sel AG, Bayer AG, BASF AG, Beiersdorf AG, Robert Bosch GmbH, Deutsche Lufthansa AG, Diehl Stiftung & Co., Dunlop AG, Durkopp Adler AG, Franz Haniel & Cie., General Motors Corp., Pfaff AG, Heidelberger Zement AG, Henkel AG, Hochtief AG, Hoechst AG, Philipp Holzmann AG, Hugo Boss AG, Leica Camera AG, Magna International Inc., MAN AG, Mannesmann AG, Miele & Co., Optische Werke G. Rodenstock, Rheinmetall Group, Schering AG, Thyssen AG, Varta AG, Wuerttembergische Metallwarenfabrik AG sowie unbenannte deutsche und österreichische Unternehmen.
27. 5. 99	Kalifornien	Sammelklage gegen Deutsche Lufthansa AG, Ford Motor

		Company, General Motors Corporation, VIAG AG sowie namentlich nicht genannte Firmen.
4. 6. 99	Berlin	Verabschiedung des Stiftungskonzepts der Wirtschaft durch den Koordinationskreis.
10. 6. 99	Berlin	Pressekonferenz der Stiftungsinitiative zu ihrem Stiftungskonzept; Gegenpressekonferenz von Witti und Fagan in München. Hauptkritik: Anlehnung der Leistungen an Rentenniveaus führe zu Schlechterstellung der Osteuropäer; Aufspaltung in Zukunfts- und Entschädigungsfonds.
15. 6. 99	New York	Sammelklagen gegen Siemens AG; DaimlerChrysler AG, Bayer AG, ThyssenKrupp AG, BMW AG, Degussa-Hüls AG, Continental AG, Robert Bosch GmbH, Heinkel AG, Hoechst AG, Philipp Holzmann AG; Magna International Inc., MAN AG, Mannesmann AG, Rheinmetall Group, VW AG, Wuerttembergische Metallwarenfabrik AG sowie unbenannte Firmen.
17. 6. 99	Berlin	Erstes Treffen der internationalen Arbeitsgruppe Zwangs- und Sklavenarbeit im Bundeskanzleramt unter der Leitung von Hombach und Eizenstat. Schwerpunkt: Definition der berechtigten Zwangsarbeiter-Gruppen; Leistungskriterien (Bedürftigkeit, Anrechnung früherer Leistungen, Dauer der Zwangsarbeit); Problematisch: Erarbeitung verlässlicher Zahlenangaben über noch lebende Zwangsarbeiter.
22. 6. 99	Bonn	Zweite Plenarsitzung: Definition der Leistungsberechtigten. Diskussion unterschiedlicher Vorschläge zur Rechtssicherheit; »Dritter Weg« der Wirtschaft. Übereinstimmung, dass Stiftung nach deutschem Recht errichtet wird. Zwei Gruppen von Zwangsarbeitern sollen bedacht werden: Zwangsarbeiter, die in KZ oder unter vergleichbaren Umständen inhaftiert waren und jene, die deportiert wurden und unter haftähnlichen Bedingungen in Lagern leben mussten.
30. 6. 99	Maryland	Sammelklage gegen Siemens AG, Bayer AG, BASF AG, BMW AG, Robert Bosch GmbH, Continental AG, Degussa-Hüls AG, Deutsche Bank AG, Dresdner Bank AG, DaimlerChrysler AG, Diehl Stiftung & Co., General Motors Corp., Heinkel AG, Hoechst AG Philipp Holzmann USA Inc., Fried.Krupp AG Hoesch-Krupp, Magna International Inc., MAN AG, Mannesmann AG, Rheinmetall Group, VW AG, Wuerttembergische Metallwarenfabrik AG sowie weitere, unbenannte deutsche und österreichische Unternehmen.
Jul. 99		Wolfgang G. Gibowski Pressesprecher der Stiftungsinitiative.
1. 7. 99	Maryland	Holocaust Victims Insurance Act in Kraft (Maryland House Bill 177), eingebracht am 29. 1. 1999: Auskunftspflicht europäischer Versicherungsunternehmen mit Ausnahme ICHEIC-Teilnehmer über Policen potentieller Holocaust-Opfer.

Sommer 99		»Lawine« von Individualklagen ehemaliger, insbesondere polnischer Zwangsarbeiter in Deutschland; mehr als 1000 Prozesse insbesondere vor Arbeitsgerichten.
13. – 15. 7. 99	Washington	Dritte Plenarsitzung unter der Leitung von Eizenstat und Westdickenberg (AA). Diskussion über die Struktur der Wirtschaftsstiftung auf der Grundlage des Vorschlags der Stiftungsinitiative sowie über »Dritten Weg« in Fragen der Rechtssicherheit: Mit Klarheit über Struktur, Arbeitsweise und Finanzierung der Stiftungsinitiative »Commitment« der US-Regierung, in bilateralem Abkommen mit der Bundesregierung für Rechtssicherheit zu sorgen. Forderungen der osteuropäischen Staaten, die unterschiedlichen Lebenshaltungskosten nicht in Betracht zu ziehen. Claims Conference akzeptiert, dass frühere Zahlungen von Unternehmen angerechnet werden. In Expertengesprächen zu »*legal closure*« Diskussion der Erben-Problematik.
16. 7. 99	Kalifornien	Erste Klage eines ehemaligen US-amerikanischen Kriegsgefangenen wegen Zwangsarbeit während des Zweiten Weltkriegs gegen ein japanisches Unternehmen (Nippon Sharyo Ltd.).
21. 7. 99	Berlin	Otto Graf Lambsdorff löst Bodo Hombach als nunmehr so benannter Beauftragter des Bundeskanzlers für die Stiftungsinitiative deutscher Unternehmen ab.
25. 7. 99	Washington	Holocaust Victims Insurance Relief Act (Washington Senate Bill 5509) in Kraft: Auskunftspflicht von Versicherungsunternehmen zu den zwischen 1920 und 1945 gezeichnete Policen von Holocaust-Opfern mit Ausnahme der ICHEIC-Mitglieder; Einrichtung eines Holocaust Insurance Registry.
27. 7. 99	Kalifornien	California Code of Civil Procedure, Section 354.6 (Senate Bill 1245), eingebracht durch Tom Hayden, in Kraft. Verjährungsfrist für Klagen wegen Zwangsarbeit bis zum 31. Dezember 2010 aufgeschoben.
11. 8. 99	New York	Sammelklage gegen Siemens AG, BMW AG, Adam Opel AG, General Motors Corp., Fried.Krupp AG Hoesch-Krupp. VW AG, BASF, AG, Hoechst AG, Bayer AG, DaimlerChrysler AG, MAN AG.
13. 8. 99	Kalifornien	Klage ehemaliger US-amerikanischer Kriegsgefangener gegen japanische Unternehmen (Mitsubishi, Mitsui, Nippon Steel und Ishihara Sangyo) wegen Zwangsarbeit während des Zweiten Weltkriegs.
20. 8. 99	New Jersey	Sammelklage gegen die Bundesrepublik Deutschland sowie unbenannte deutsche und österreichische Firmen.
23. – 26. 8. 99	Bonn	Vierte Plenarsitzung unter Vorsitz von Lambsdorff und Eizenstat. Beginn der Finanzverhandlungen auf Initiative Eizenstats. Forderungen der Klägeranwälte: Erweiterung des Kreises der Leistungsempfänger; Abschluss des für die Bundesstiftung notwendigen Gesetzgebungsverfahrens als Vor-

		aussetzung für freiwillige Klagerücknahme; Zahlung von mindestens US$ 20 Mrd.
2. 9. 99	Washington	Schreiben des US-Präsidenten Bill Clinton an Bundeskanzler Gerhard Schröder. Vorschlag der Gründung einer einzigen Stiftung »… with both a public funded and an industry funded component. This may prove attractive to all parties.«
3. 9. 99	Florenz	Internationale Tagung am Europäischen Hochschulinstitut auf Einladung der Bundesregierung unter der Leitung von Lutz Niethammer zur Datengrundlage der Zwangsarbeiterentschädigung.
6. 9. 99	Berlin	Gespräch des Bundeskanzlers und seines Beauftragten für die Stiftungsinitiative, Graf Lambsdorff, mit den Vorstandsvorsitzenden der Gründungsunternehmen. Bewertung der Fortschritte der Gespräche zur Realisierung der Stiftungsinitiative. Gemeinsame Bund-Wirtschaft-Stiftung in Aussicht genommen. Die Bundesregierung will dem deutschen Bundestag die Errichtung einer Bundesstiftung vorschlagen, durch die Gerechtigkeitslücken geschlossen werden sollen. Dabei geht es vor allem um Zwangsarbeiter, die im öffentlichen Bereich, z. B. in den Kommunen oder in SS-Betrieben arbeiten mussten. Aufnahme der Gespräche über finanzielle Ausstattung der aus zwei Quellen gespeisten Stiftung.
9. 9. 99	Kalifornien	Sammelklage gegen Deutsche Bank AG, Dresdner Bank AG sowie weitere, unbenannte Kreditinstitute.
13. 9. 99	Berlin	Antwortschreiben des Bundeskanzlers an US-Präsident Clinton. Absage an »Spiegelbild«-Theorie. Ankündigung der Bundesstiftung.
13. 9. 99	New Mexico	Klage ehemaliger US-amerikanischer Kriegsgefangener gegen Kawasaki Heavy Industries Ltd. wegen Zwangsarbeit während des Zweiten Weltkriegs.
13. 9. 99	New Jersey	Abweisung der Sammelklagen gegen Degussa AG und Siemens AG (fünf Sammelklagen zu einer Verfahrenseinheit zusammengefasst) durch Bundesrichter Dickinson R. Debevoise wegen Nicht-Justiziabilität der Ansprüche aufgrund *political question doctrin.*
14. 9. 99	Washington	U.S. House Committee on Banking and Financial Services Hearing unter dem Vorsitz des republikanischen Abgeordneten James A. Leach (Iowa) zu »World War II assets of Holocaust victims«.
29. 9. 99	Washington	US-Repräsentantenhaus verabschiedet Resolution zu Verhandlungen über deutsche Zwangsarbeiterstiftung mit Blick auf die bevorstehende fünfte Plenarsitzung. Stiftungsinitiative soll moralische Verantwortung für Verhalten von Unternehmen während der Nazi-Zeit anerkennen. Eizenstat soll die Verhandlungen in einer Weise führen, die für alle An-

		spruchsberechtigten faire und gerechte Regelung gewährleistet.
30. 9. 99	Berlin	Beitritte zur Stiftungsinitiative im September 1999: 1 Unternehmen. Gesamtzahl: 26.
5. 10. 99	New York	Sammelklage gegen die Bundesrepublik Deutschland, Bayer AG, BASF AG, BMW AG, Robert Bosch GmbH, Continental AG, Degussa AG, Deutsche Bank AG, Dresdner Bank AG, DaimlerChrysler AG, Diehl Stiftung & Co., Ford Motor Company, Ford Werke AG, General Motor Corporation, Heinkel AG, Hoechst AG, VW AG sowie weitere, unbenannte deutsche und österreichische Firmen.
5. – 7. 10. 99	Washington	Fünfte Plenarsitzung unter der Leitung von Eizenstat und Lambsdorff. Deutsches »Angebot« von 6 Mrd. DM (Wirtschaft 4, Bund 2) als Obergrenze der gemeinsamen Stiftung. Große Diskrepanz der Positionen zu Versicherungs- und Bankenfragen.
Okt. 99		Anzeigenkampagnen gegen Daimler, Ford und Bayer in den USA.
10. 10. 99	Kalifornien	Holocaust Victims Insurance Relief Act of 1999 (California Assembly Bill 600) in Kraft: Auskunftspflicht für Versicherungsunternehmen, die in Europa zwischen 1920 und 1945 Policen verkauft haben; Errichtung einer Holocaust Insurance Registry. In Kalifornien tätige, zugelassene Versicherer und mit ihnen verbundene Unternehmen in Staaten, in welchen Holocaust-Verfolgungen stattgefunden haben, müssen umfassend über Vertragsbeziehungen berichten (Name des Versicherungsnehmers, Wohnort, Vertragsverlauf, Zeitpunkt und Höhe der Leistungen, Gerichts- oder gerichtsähnliche Verfahren). Ein Verstoß gegen die Verpflichtung hat sofortigen Lizenzentzug zur Folge. Eingebracht am 19. Februar 1999. Gerling-Konzern, Münchner Rück, Winterthur und Generali klagen, unterstützt von der deutschen und der US-Regierung, gegen das Gesetz.
31. 10. 99		Beitritte zur Stiftungsinitiative im Oktober 1999: 16 Unternehmen. Gesamtzahl: 42 Unternehmen.
3. 11. 99	Berlin	Sitzung des BT-Innenausschusses zum Stand der Verhandlungen.
4. 11. 99	Washington	Schumer-Initiative (H.R. 3254/H.R. 3402/S. 1856) »A bill to authorize Federal district courts to hear civil actions to recover damages or secure relief for certain injuries to persons and property under or resulting from the Nazi government of Germany«. Senator Charles Schumer (New York, Demokratische Partei) stellt mit seinem Kollegen Robert Toricelli aus New Jersey eine Gesetzesvorlage vor, die das Recht auf Schadenersatzklagen im Zusammenhang mit der NS-Zeit gesetzlich festschreibt und solche Klagen bis zum Jahr 2010 ermöglichen soll. Demokratische Senatoren bezeichneten

		die Schumer-Initiative als Reaktion auf das Angebot der deutschen Wirtschaft. Die deutsche Seite schätzt die Schumer-Initiative als gefährlich ein.
6. 11. 99	Washington	Treffen Lambsdorff und Eizenstat, um die ins Stocken geratenen Verhandlungen voranzubringen
15. 11. 99	Kalifornien	Sammelklage gegen Bayer AG, DaimlerChrysler AG, Thyssen Krupp AG, Siemens AG, BASF AG, Hoechst AG sowie weitere, unbenannte Firmen.
16. – 17. 11. 99	Bonn	Sechste Plenarsitzung. Die deutsche Seite erhöht ihr Angebot auf insgesamt 8 Mrd. DM (Bund 3, Wirtschaft 5, wobei deren fünfte Milliarde als »best effort« gilt); Klägeranwälte beharren auf 10 Mrd. DM und mehr.
19. – 20. 11. 99	Warschau	Besuch Lambsdorff in Warschau wegen Zwangsarbeiterentschädigung.
30. 11. 99	Berlin	Beitritte zur Stiftungsinitiative im November 1999: 28 Unternehmen. Gesamtzahl: 70 Unternehmen.
Nov. 99	Stuttgart	Robert Bosch GmbH offiziell Gründungsmitglied der Stiftungsinitiative.
10. 12. 99	Bern	Bericht der Bergier-Kommission über die Flüchtlingspolitik der Schweiz während des Zweiten Weltkriegs.
13. /14. 12. 99		Briefwechsel Clinton/Schröder. Festlegung auf 10 Mrd. DM-Obergrenze und Mechanismus zur Rechtssicherheit: Stiftung sei als ausschließliches Forum für Ansprüche gegen deutsche Unternehmen im Zusammenhang mit der NS-Zeit zu betrachten. Beide Länder wünschen umfassenden und dauerhaften Rechtsfrieden im Interesse ihrer außenpolitischen Beziehungen; In konsensualen und nicht-konsensualen Fällen wird US-Regierung erklären, dass die Abweisung von Klagen im außenpolitischen Interesse der USA läge, obwohl (»though«) dies keinen unabhängigen juristischen Grund für eine Abweisung darstelle.
15. 12. 99	Berlin	Treffen des Bundeskanzlers mit Vorstandsvorsitzenden der Gründungsunternehmen. Besiegelung des Kompromisses.
17. 12. 99	Berlin	Siebte Plenarsitzung. Besiegelung der Grundsatzeinigung. Bundespräsident Rau bittet ehemalige Sklaven- und Zwangsarbeiter im Namen des deutschen Volkes um Vergebung.
22. 12. 99	Frankfurt	Treffen Breuer/Gentz mit den Präsidenten und Vorständen der 15 im Gemeinschaftsausschuss der Deutschen Gewerblichen Wirtschaft zusammengeschlossenen Verbände. Beratung über Hilfe der Verbandsorganisationen bei Umsetzung der Stiftungsinitiative.
27. 12. 99	Berlin	Entwurf eines Gesetzes zur Errichtung der Stiftung »Erinnerung, Verantwortung und Zukunft«.
31. 12. 99	Berlin	Beitritte zur Stiftungsinitiative im Dezember 1999: 79 Unternehmen. Gesamtzahl: 149 Unternehmen. Zugesagter Betrag: rund 2 Mrd. DM.

6. 1. 00	New York	Bundesrichterin Shirley Wohl Kram genehmigt den Vergleich zwischen Bank Austria AG und Creditanstalt AG und jüdischen Klägern vom 15. März 1999
10. – 11. 1. 00	Washington	Expertentreffen zur Allokation der Stiftungsmittel. Streitpunkte u. a. Einbeziehung von Forderungen an Banken und Versicherungen, Einbeziehung deutscher Tochtergesellschaften amerikanischer Mutterkonzerne. Generelle Ablehnung des Gesetzentwurfs der Bundesregierung durch US-Seite.
11. 1. 00	Berlin	Aufruf des Gemeinschaftsausschusses der Deutschen Gewerblichen Wirtschaft an die deutschen Unternehmen zur Beteiligung an der Stiftungsinitiative.
26. 1. 00	Berlin	Bundeskabinett verabschiedet vorläufigen Gesetzentwurf zur Stiftung.
31. 1. 00	Berlin	Beitritte zur Stiftungsinitiative im Januar 2000: 51 Unternehmen. Gesamtzahl: 200 Unternehmen; Zusagen über Zahlungen von rund 2 Mrd. DM.
31. 1. – 1. 2. 00	Washington	Achte Plenarsitzung. Geldallokation durch Kuratorium versus gesetzliches Raster; Zusammensetzung des Kuratoriums; Einbeziehung der Claims gegen Versicherungen in Stiftungsinitiative/Rechtssicherheit; Gemeinsamer Allokationsvorschlag der Osteuropäer: 9 Mrd. DM für Sklaven- und Zwangsarbeit sowie »andere Fälle«, 1 Mrd. DM für Vermögensschäden, Zukunftsfonds, Verwaltungskosten etc.
1. 2. 00	Berlin	Eröffnung des Verbindungsbüros der Stiftungsinitiative im Haus der Deutschen Wirtschaft in Berlin.
9. 2. 00	Washington	Rede Graf Lambsdorff vor dem US-Repräsentantenhaus, Banking Committee Hearing on Holocaust: »There is almost no victims property in Germany which was not, or could not have been reclaimed or compensated.«
16. 2. 00	Berlin	Eizenstat vor dem Innenausschuss des Bundestages; Lambsdorff erklärt dort u. a., US-Regierung zögere, den Rechtsfrieden auch auf US-Muttergesellschaften und andere ausländische Mütter deutscher Unternehmen zu erstrecken. Grund dafür sei die Absicht der Klägeranwälte, diese Konzerne in Amerika und anderen Staaten zu weiteren Fonds zu bewegen.
17. 2. 00	Berlin	Neunte Plenarsitzung unter der Leitung von Eizenstat und Lambsdorff. Offene Punkte: Allokation der Mittel, Rechtssicherheit für die gesamte deutsche Wirtschaft einschließlich Versicherungsunternehmen sowie ausländische Töchter und Mütter.
22. 2. 00	New York	Sammelklage gegen Commerzbank AG und weitere, unbenannte Bankinstitute.
24. 2. 00	Washington	ICHEIC-Verhandlungen über Kooperation mit Stiftung.
25. 2. 00	New York	Scharfe Kritik des World Jewish Congress an deutscher Haltung in den Verhandlungen.

28. 2. 00	Berlin	Beitritte zur Stiftungsinitiative im Februar 2000: 171 Unternehmen. Gesamtzahl: 371 Unternehmen.
7. – 8. 3. 00	Washington	Zehnte Plenarsitzung unter der Leitung von Eizenstat und Lambsdorff: Offene Punkte: Allokation (v. a. Deckung der Versicherungsansprüche aus Vermögensplafonds) und Betrag für sog. »Rest der Welt« (i. e. nicht-jüdische Sklaven- und Zwangsarbeiter außerhalb der fünf MOE-Staaten und Israels), Rechtssicherheit einschließlich Reparationsfrage, Einbeziehung ausländischer Muttergesellschaften und weitere technische Fragen. Versicherungsproblematik wird mit ICHEIC separat verhandelt.
13. 3. 00	Berlin	Erneuter Appell des BDI-Präsidiums an die deutschen Unternehmen, sich der Stiftungsinitiative anzuschließen.
17. 3. 00	Paris	Concorde-Lounge-Meeting (Gentz, Hansmeyer, Singer); »Durchbruch« bei Allokation der Stiftungsmittel.
22. 3. 00	Berlin	Kabinettsbeschluss über Stiftungsgesetz.
22. – 23. 3. 00	Berlin	Elfte Plenarsitzung unter der Leitung von Eizenstat und Lambsdorff: »Durchbruch« bei Allokation der Stiftungsmittel. (8,1 Mrd. DM Zwangsarbeit, 1 Mrd. DM Vermögensschäden, 700 Mio. DM Zukunftsfonds, 200 Mio. DM Verwaltungskosten inkl. Rechtsanwälte; plus zusätzlicher 100 Mio. DM »Zinsen« aus Beiträgen der Unternehmen zur Aufstockung der für Zwangsarbeit bzw. Versicherungsansprüche vorgesehenen Unterplafonds); Entwurf der »Gemeinsamen Erklärung« (Joint Statement) der Verhandlungsteilnehmer, Offene Punkte im Vermögensbereich (non racial property claims/Reparationsproblematik) und bei Rechtssicherheit.
31. 3. 00		Beitritte zur Stiftungsinitiative im März 2000: 698 Unternehmen. Gesamtzahl: 1069 Unternehmen.
14. 4. 00	Minnesota	Holocaust Victims Insurance Relief Act of 2000 (Minnesota Senate Bill 3423) in Kraft: Auskunftspflicht von Versicherungsunternehmen zu den in Europa im Zeitraum 1920–45 gezeichneten Policen von Holocaust-Opfern. Einrichtung eines Holocaust Insurance Registry; Klagemöglichkeit für Holocaust-Opfer bis 31. 12. 2010.
14. 4. 00	Berlin	Erste parlamentarische Lesung des interfraktionellen Gesetzentwurfs zur Errichtung der Stiftung vom 13. 4. 00 (BT-Drucksache 14/3206).
15. 4. 00	Paris	Bericht der Mattéoli-Kommission über jüdisches Eigentum unter Vichy.
30. 4. 00	Berlin	Beitritte zur Stiftungsinitiative im April 2000: 718 Unternehmen. Gesamtzahl: 1787 Unternehmen. Zugesagter Betrag: 2,84 Mrd. DM.
Anfang Mai 2000	Wien	Gründung der Arbeitsgemeinschaft »Plattform Humanitäre Aktion« durch die Wirtschaftskammer Österreichs und die Industriellenvereinigung zur finanziellen Beteiligung am ge-

255

planten Versöhnungsfonds zur Entschädigung von Zwangsarbeitern. Firmen mit mehr als 100 Mitarbeitern sollten
2 Promille ihres Umsatzes von 1999 beisteuern. Im Unterschied zur deutschen Stiftungsinitiative hatte die österreichische Wirtschaft keinen festen Betrag zugesagt.

19. – 30. 5. 00	Berlin	Anzeigenkampagne der Stiftungsinitiative »Wir bedanken uns heute bei …« in überregionalen Zeitungen u. a. Berliner Zeitung, FAZ, Die Welt, Süddeutsche Zeitung, Stuttgarter Zeitung, DIE ZEIT, Rheinische Post, WAZ, Münchner Merkur. Namentliche Nennung von 2048 teilnehmenden Unternehmen in Kombination mit einem von Rolf-Ernst Breuer und Manfred Gentz unterzeichneten nochmaligen allgemeinen Aufruf an die deutschen Unternehmen.
22. 5. 00	Washington	Gespräche Gentz/Eizenstat/Lambsdorff zur Rechtssicherheit. Klärung der »Reparationsfrage«.
25. 5. 00	Berlin	Pressekonferenz Stiftungsinitiative: 2260 Mitglieder, DM 3 Mrd. überschritten inkl. Versicherungsbeiträge.
31. 5. 00	Berlin	Beitritte zur Stiftungsinitiative im Mai 2000: 780 Unternehmen. Gesamtzahl: 2567 Unternehmen. Zugesagter Betrag: über 3 Mrd. DM.
1. – 2. 6. 00	Washington	»Sechs-Augen-Gespräch« Gentz/Lambsdorff/Eizenstat. Konzentration auf »*legal closure*«; signifikante Fortschritte insbesondere mit Blick auf das von den USA abzugebende Statement of Interest.
5. 6. 00	Kalifornien	Konsolidierung der rund 30 Sammelklagen ehemaliger US-amerikanischer Kriegsgefangener, aber auch koreanischer, philippinischer und chinesischer Zivilisten wegen Zwangsarbeit gegen fast 60 japanische Unternehmen (darunter Mitsui, Mitsubishi, Nippon Steel) bei Bundesrichter Vaughn Walker, Northern District Court of California.
7. 6. 00	Berlin	Öffentliche Anhörung des Innenausschusses des Deutschen Bundestages zur geplanten Stiftung (BT-Drucksache 14/3206).
9. 6. 00	Kalifornien	Einstweilige Verfügung des kalifornischen Bundesgerichts gegen »Holocaust Victims Insurance Act« zur Prüfung der Verfassungsmäßigkeit.
12. 6. 00	Washington	»Durchbruch« in den Verhandlungen zur Rechtssicherheit auf Spitzenebene.
14. 6. 00	Stuttgart	Gentz empfiehlt den Vorstandsvorsitzenden der Gründungsunternehmen die Annahme des Verhandlungsergebnisses vom 12. Juni 2000: Ausreichende Rechtssicherheit sei gewährleistet.
21. 6. 00		Gründungsmitglieder begrüßen den erfolgreichen Abschluss der Verhandlungen zur Rechtssicherheit in den USA.
28. 6. 00	Berlin	»peanuts«-Aktion: Eine Gruppe junger Abgeordneter von SPD und Bündnis 90/Die Grünen übergibt Vertretern der Stiftungsinitiative Säcke voller Erdnüsse, um ihren Zorn

		über die schleppenden Beitritte von Unternehmen zum Ausdruck zu bringen.
30. 6. 00	Berlin	Innenausschuss des Bundestages empfiehlt Annahme des durch seine Beschlüsse revidierten Gesetzentwurfs.
30. 6. 00		Beitritte zur Stiftungsinitiative im Juni 2000: 470 Unternehmen. Gesamtzahl: 3037 Unternehmen.
6. 7. 00	Berlin	Der Deutsche Bundestag verabschiedet Gesetz zur Errichtung der Stiftung »Erinnerung, Verantwortung und Zukunft«. 556 von 620 Abgeordneten stimmten für den Gesetzentwurf, 42 votierten dagegen, 22 enthalten sich der Stimme.
10. 7. 00	Stuttgart	Gentz fordert »sauberen Tisch« vor Auszahlungsbeginn.
14. 7. 00	Berlin	Stiftungsgesetz passiert Bundesrat.
17. 7. 00	Berlin	Zwölfte und letzte Plenarsitzung. Unterzeichnung der Gemeinsamen Erklärung und des deutsch-amerikanischen Regierungsabkommens (Berliner Abkommen).
18. 7. 00	Berlin	Der Bund verzichtet auf Beitrag der Länder zum Entschädigungsfonds im Gegenzug für Zustimmung der SPD-Länder zur Steuerreform.
25. 7. 00	Berlin	Bitte der Stiftungsinitiative an die Ministerpräsidenten der Bundesländer, die privatisierten Unternehmen der öffentlichen Hand auf kommunaler und Landesebene zu einem Stiftungsbeitrag zugunsten des Wirtschaftsanteils zu ermächtigen.
31. 7. 00	Berlin	Beitritte zur Stiftungsinitiative im Juli 2000: 524 Unternehmen. Gesamtzahl: 3561 Unternehmen. Zugesagter Betrag: rund 3,2 Mrd. DM.
2. 8. 00	Berlin	Ausfertigung des Stiftungsgesetzes.
4. 8. 00	New Jersey	Multidistrict Litigation (MDL) Transfer Order. Verweisung der meisten gegen deutsche Industrieunternehmen gerichteten Sammelklagen zu Bundesrichter William J. Bassler, United States District Court for the District of New Jersey.
12. 8. 00	Berlin	Stiftungsgesetz tritt in Kraft.
28. 8. 00	Kalifornien	Abweisung der Klage Tibor Deutsch gegen Hochtief AG/Turner Corp. durch Bundesrichter Stephen V. Wilson am United States District Court, Central District of California wegen Nicht-Justiziabilität aufgrund political-question-doctrine. Deutsch geht in Berufung.
31. 08. 00		Konstituierende Sitzung der Stiftung »Erinnerung, Verantwortung und Zukunft« unter dem Vorsitz des deutschen UNO-Botschafters, Dieter Kastrup.
31. 8. 00	Berlin	Beitritte zur Stiftungsinitiative im August 2000: 427 Unternehmen. Gesamtzahl: 3988 Unternehmen. Zugesagter Betrag: 3,2 Mrd. DM
20. 9. 00	Berlin	Zweite Kuratoriumssitzung der Stiftung: Wahl des Stiftungsvorstands (Michael Jansen [Sprecher], Hans-Otto Bräutigam, Avi Primor).
21. 9. 00	Kalifornien	Abweisung der Sammelklagen ehemaliger US-amerikani-

		scher Kriegsgefangener gegen japanische Unternehmen aufgrund des wechselseitigen amerikanisch-japanischen Reparationsverzichts im Friedensvertrag vom 8. September 1951.
30. 9. 00	Berlin	Beitritte zur Stiftungsinitiative im September 2000: 230 Unternehmen. Gesamtzahl: 4218 Unternehmen. Zugesagter Betrag: über 3,2 Mrd. DM.
Seit Ende Sep. 2000	Berlin	Die Stiftungsinitiative schaltet in Dutzenden überregionaler und regionaler Zeitungen Anzeigen mit der Erklärung:»Wir treten bei …«. Aufgrund dieser Kampagne Beitritt von 228 meist kleineren Firmen.
19. 10. 00		Deutsch-amerikanisches Regierungsabkommen tritt nach Notenwechsel in Kraft, der die Übereinstimmung des Stiftungsgesetzes sowie des Statement of Interest mit den im Regierungsabkommen festgelegten Grundsätzen bestätigt.
20. 10. 00	New York	Klägeranwälte stellen bei dem mit Klagen gegen Versicherungsunternehmen befassten Bundesrichter Michael B. Mukasey unter Berufung auf die Berliner Abkommen Antrag auf freiwillige Klagerücknahme.
23. 10. 00	New York	Kläger- und Beklagtenanwälte beantragen unter Berufung auf die Berliner Abkommen die Abweisung der konsolidierten Bankenfälle bei Bundesrichterin Shirley Wohl Kram.
24. 10. 00	Wien	Abkommen zwischen Österreich und sieben Staaten (USA, Ungarn, Tschechien, Polen, Weißrussland, Russland und Ukraine) zur Entschädigung österreichischer NS-Zwangsarbeiter. Einrichtung des österreichischen Fonds »Versöhnung, Frieden und Zusammenarbeit«, dotiert mit 6 Mrd. Schilling (Versöhnungsfonds).
31. 10. 00	Berlin	Beitritte zur Stiftungsinitiative im Oktober 2000: 390 Unternehmen. Gesamtzahl: 4608 Unternehmen. Zugesagter Betrag: 3,3 Mrd. DM.
1. 11. 00		Vergleich des italienischen Versicherungskonzerns Generali mit jüdischen Opferorganisationen und Israel zum Ausgleich offener Versicherungsansprüche und für humanitären Fonds über 100 Mio US-$.
13. 11. 00	New Jersey	Abweisung von 49 Sammelklagen gegen deutsche Industrieunternehmen durch Bundesrichter William G. Bassler, District Court of New Jersey.
27. 11. 00	Wien	Bundesgesetz über den Fonds für freiwillige Leistungen der Republik Österreich an ehemalige Sklaven- und Zwangsarbeiter des NS-Regimes (Versöhnungsfonds-Gesetz) tritt in Kraft.
30. 11. 00	Berlin	Beitritte zur Stiftungsinitiative im November 2000: 376 Unternehmen. Gesamtzahl: 4984 Unternehmen. Zugesagter Betrag: deutlich mehr als 3,3 Mrd. DM.
8. 12. 00	New York	Abweisung der konsolidierten Sammelklagen gegen Versicherungen durch Bundesrichter Michael B. Mukasey, United States Southern District of New York.

22. 12. 00	Berlin	Bundespräsident Johannes Rau bittet 1000 mittelständische Unternehmen um Teilnahme an der Stiftungsinitiative. 66 Unternehmen treten bei.
31. 12. 00	Berlin	Beitritte zur Stiftungsinitiative im Dezember 2000: 493 Unternehmen. Gesamtzahl: 5477 Unternehmen. Zugesagter Betrag: rund 3,4 Mrd. DM.
Ende Dezember 2000		Anzeigenkampagne: »Aufruf an die deutsche Wirtschaft.« Die Präsidenten des BDI, des DIHT und der BDA (Hans-Olaf-Henkel, Hans-Peter Stihl und Dieter Hundt) rufen in Anzeigen in FAZ, Frankfurter Rundschau, Handelsblatt, Süddeutsche Zeitung, Die Welt, Financial Times Deutschland zum Beitritt zur Stiftungsinitiative auf.
17. 1. 01	Washington	Vertrag zwischen Österreich, Claims Conference und den USA über die Entschädigung von Überlebenden des Holocaust (Entschädigungsfonds über die Höhe von 360 Mio US-$). Zusätzlich wird ein Sozialfonds für Renten zugunsten österreichischer Holocaust-Überlebender im Ausland sowie von Härtefällen über 112 Mio US-$ zur Verfügung gestellt.
18. 1. 01	Washington	Agreement between the Government of the United States of America and the Government of France Concerning Payments for Certain Losses Suffered During World War II (Washington Agreement). Infolge von Sammelklagen kollektive Fondslösung französischer Banken im Rahmen eines französisch-amerikanischen Staatsvertrags. Vereinbart wurden Zahlungen an ehemalige Konteninhaber und deren Erben durch zwei Fonds. Für die Beurteilung der Entschädigungsfälle der Banken ist die so genannte Drai-Kommission zuständig. Daneben existiert ein fünfköpfiges Aufsichtsgremium (je zwei französische und US-Regierungsbeamte und ein Klägervertreter).
22. 1. 01	New York	Klage gegen Dresdner Bank AG, Deutsche Bank AG, Vereinigte Industrieunternehmungen AG, Commerzbank AG und Hypobank AG. Die Klage stützt sich auf die im Rahmen des Vergleichs zwischen jüdischen Klägern und österreichischen Banken vom März 1999 abgetretenen, aus der »Anschluß«-Zeit herrührenden vermeintlichen Ansprüche österreichischer Banken gegen deutsche Banken (Gutman-Fall).
24. 1. 01		Dritte Kuratoriumssitzung der Stiftung; u. a. Diskussion zur Fälligkeit des Wirtschaftsbeitrags.
29. 1. 01	New York	Hearing vor Bundesrichterin Wohl Kram In re Austrian and German Banks Holocaust Litigation.
31. 1. 01	Berlin	Beitritte zur Stiftungsinitiative im Januar 2001: 296 Unternehmen. Gesamtzahl: 5773 Unternehmen. Zugesagter Betrag: 3,6 Mrd. DM
11. 2. 01	New York	Klage Michael Hausfelds gegen IBM aufgrund der Verstrickung der Tochtergesellschaft Deutsche Hollerith in den Holocaust.

23. 2. 01	Kalifornien	»Anderman«-Sammelklage in Kalifornien u. a. wegen unbezahlter Versicherungspolicen gegen österreichische Unternehmen, Allianz, RAS.
Ende Februar 01	Berlin	Im Rahmen einer »Nachfass-Aktion« bitten Manfred Gentz und Rolf-Ernst Breuer Unternehmen mit einem Umsatz von mehr als 250 Mio DM um die Erhöhung ihres Beitrags auf 1,5 Promille des Umsatzes.
28. 2. 01	Berlin	Beitritte zur Stiftungsinitiative im Februar 2001: 198 Unternehmen. Gesamtzahl: 5971 Unternehmen.
7. 3. 01	New York	Keine Abweisung der Bankenfälle durch Bundesrichterin Shirley Wohl Kram.
13. 3. 01	Stuttgart	Presseerklärung der Stiftungsinitiative: »Die vollen 5 Mrd. DM sind beisammen.«
14. 3. 01	Berlin	Treffen Bundeskanzler – Stiftungsinitiative: Thema Rechtssicherheit im Vordergrund. Definition, welche Klagen abgewiesen sein müssen, steht an.
14. 3. 01		Der neue US-Außenminister Colin Powell bestätigt gegenüber Bundesaußenminister Fischer das hohe Interesse der USA an Rechtsfrieden für deutsche Unternehmen.
19. 3. 01	New York	Kläberanwälte in den konsolidierten Bankenfällen legen Berufung gegen die Nichtabweisung Krams ein und stellen alternativ Antrag auf »Mandamus«-Entscheidung.
20. 3. 01	New York	Bundesrichterin Wohl Kram lehnt eine Abweisung der Bankenklagen unter Hinweis auf die noch ausstehende Berücksichtigung der Ansprüche gegen österreichische Banken in der deutschen Stiftung abermals ab. Von der Gegenseite wird die Koppelung von Assigned Claims (Gutman-Fall) und Consolidated Claims (Sammelklagen gegen deutsche Banken) zurückgewiesen.
28. 3. 01	New York	Deutsche Bank AG, Dresdner Bank AG, EON AG, Commerzbank AG und Bayerische Hyp stellen Befangenheitsantrag gegen Shirley Wohl Kram und gehen in Berufung.
30. 3. 01	New York	Klage in den USA gegen KarstadtQuelle AG, Hertie Warenhaus und Kaufhaus GmbH, Warenhaus Wertheim GmbH (Wortham-Case).
31. 3. 01	Berlin	Beitritte zur Stiftungsinitiative im März 2001: 200 Unternehmen. Gesamtzahl: 6171 Unternehmen.
4. 4. 01	Berlin	Außerordentliche Kuratoriumssitzung zur Frage des Auszahlungsbeginns. Verabschiedung eines gemeinsamen Appells, die Voraussetzungen für schnelle Auszahlung zu schaffen.
30. 4. 01	Berlin	Beitritte zur Stiftungsinitiative im April 2001: 104 Unternehmen. Gesamtzahl: 6275 Unternehmen.
10. 5. 01	New York	Konditionierte Abweisung der konsolidierten Sammelklagen gegen deutsche Banken durch Bundesrichterin Wohl Kram.
15. 5. 01	New York	Anhörung am Berufungsgericht in Sachen Kram-Urteil.

16. 5. 01	New York	Mandamus-Entscheidung des Berufungsgerichts: Kram muss ihr Urteil in zwei entscheidenden Punkten revidieren.
16. 5. 01	Washington	Annahme eines Gesetzentwurfs durch das US-Repräsentantenhaus (H.R. 1646 Amendment to the Foreign Relations Authorization Act Sec. 214. Report Concerning The German Foundation »Remembrance, Responsibility And The Future«), eingebracht von Louise Slaughter: Berichtspflicht des US-Außenministeriums an den Kongress über Implementation des deutschen Stiftungsgesetzes und des deutsch-amerikanischen Regierungsabkommens, u. a. über die Bearbeitung von Versicherungsansprüchen nach den mit der ICHEIC vereinbarten Richtlinien. Ratifizierung des gleichlautenden Gesetzentwurfs durch den US-Senat erforderlich.
21. 5. 01	New York	Bundesrichterin Wohl Kram revidiert ihr Urteil in den konsolidierten Bankenfällen entsprechend der Mandamus-Anweisung des Berufungsgerichts (Second Circuit), gibt dem Antrag auf Klagerücknahme im Gutman-Fall statt und verweist den Berufungsfall Stanley Garstka an Bundesrichter William G. Bassler.
22. 5. 01		Nach Abweisung aller »Kram-Fälle« hält die Stiftungsinitiative Aussicht auf ausreichende Rechtssicherheit für gegeben. Burt Neuborne zieht seine Berufung gegen das Debevoise-Urteil vom 13. September 1999 zurück.
28. 5. 01	Texas	Holocaust Victims Insurance Act (Texas House Bill 845) in Kraft, das Möglichkeit zur gerichtlichen Geltendmachung von Ansprüchen aus Versicherungspolicen, die in Europa vor 1945 ausgestellt wurden, bis zum 31. 12. 2012 (sic!) eröffnet.
30. 5. 01	Berlin	Feststellung der Rechtssicherheit durch den Deutschen Bundestag.
31. 5. 01	Berlin	Beitritte zur Stiftungsinitiative im Mai 2001: 107 Unternehmen. Gesamtzahl: 6382 Unternehmen.
1. 6. 01	New Jersey	Abweisung des Falles Garstka durch Bundesrichter Bassler.
8. 6. 01	Berlin	Die Stiftungsinitiative überträgt die erste Teilzahlung ihres Beitrags in Höhe von 3,9 Mrd. DM plus 100 Mio. DM an Zinsen an die Stiftung. Zu weiteren Zahlungen siehe oben Anmerkung 252.
8. 6. 01		Der Sprecher der Stiftungsinitiative, Manfred Gentz, bittet in einer letzten Aktion 161 Firmen mit einem Umsatz über 500 Mio. DM um ihren Beitritt zur Stiftungsinitiative. 5 Unternehmen treten bei.
15. 6. 01	Berlin	Stiftung »Erinnerung, Verantwortung und Zukunft« beginnt mit Auszahlungen an ehemalige Zwangsarbeiter.
18. 6. 01	Florida	Klage Ursula Ungaro-Benages, Richterin am U.S. District Court-Southern District of Florida gegen Dresdner Bank AG und Deutsche Bank AG im Zusammenhang mit der »Arisierung« der Firma Orenstein & Koppel in den 30er Jahren.

Ungaro-Benages ist Urenkelin des Firmengründers Benno Orenstein und beansprucht als Erbin einen Teil des Vermögens. Die Klage richtet sich u. a. auf Rückgabe, Rechnungslegung, Herausgabe von Gewinnen, Schadenersatz und Strafschadenersatz.

30. 6. 01	Berlin	Beitritte zur Stiftungsinitiative im Juni 2001: 59 Unternehmen. Gesamtzahl: 6441 Unternehmen.
17. 7. 01	New York	Erste Auszahlung nach Anweisung von Richter Edward J. Korman in Höhe von 43. Mio. US-$ aus dem Schweizer Banken Vergleich vom 13. 8. 1998.
31. 7. 01	Berlin	Beitritte zur Stiftungsinitiative im Juli 2001: 40 Unternehmen. Gesamtzahl: 6481 Unternehmen.
1. 8. 01	Washington	Holocaust Victims Insurance Relief Act (Bill 2693), in den US-Kongress eingebracht von Henry A. Waxman (Kalifornien) und Eliot L. Engel (New York). Substanziell vergleichbar mit kalifornischer Gesetzgebung vom September 1998; Verpflichtung der auf US-Markt tätigen europäischen Versicherungsunternehmen, lückenlos Auskunft zu geben über Versicherungspolicen aus den Jahren 1920–1945, Einrichtung eines Holocaust Insurance Registry bei den National Archives. Hohe Geldstrafe bei Auskunftsversäumnis.
31. 8. 01	Berlin	Beitritte zur Stiftungsinitiative im August 2001: 15 Unternehmen. Gesamtzahl: 6496 Unternehmen.
Sep. 01	Florida	Berufungsgericht bestätigt erstinstanzliches Urteil, wonach der Florida »Holocaust Victims Insurance Act« die »due process clause« verletze.
Sep. 01	Kalifornien	Berufungsgericht bestätigt erstinstanzliches Urteil, wonach der kalifornische »Holocaust Victims Insurance Act« die »due process clause« verletze. Das Gericht untersagt deshalb der kalifornischen Versicherungsbehörde, den in Kalifornien tätigen Versicherungsunternehmen, die der Auskunftspflicht zu »Holocaust-Policen« nicht nachkommen, die Lizenzen zu entziehen.
21. 9. 01	Kalifornien	Abweisung der konsolidierten Klagen ehemaliger ziviler Zwangsarbeiter gegen japanische Unternehmen durch Bundesrichter Vaughn Walker.
30. 9. 01	Berlin	Beitritte zur Stiftungsinitiative im September 2001: 13 Unternehmen. Gesamtzahl: 6509 Unternehmen.
18. 10. 01	New York	Michael Hausfeld stellt im Auftrag mehrerer Opferverbände vor dem US-Bezirksgericht in New York Antrag auf einstweilige Verfügung gegen die US-Regierung, weiter Statements of Interest zugunsten deutscher Unternehmen abzugeben mit dem Vorwurf, die US-Regierung vernachlässige ihre Aufsichtspflicht über die Stiftung im Zusammenhang mit dem missglückten Umtausch der währungsbedingt geminderten ersten Rate an die polnische Partnerorganisation (Zloty-Umtausch) und der Zinsfrage.

19. 10. 01	New York	Richter Jack B. Weinstein (US District Court, Eastern District, New York) lehnt Antrag Hausfelds auf einstweilige Verfügung unter Berufung darauf ab, dass die Stiftung nicht der Rechtsaufsicht eines US-Gerichts unterliege. Er folgte damit dem Antrag der US-Regierung auf Abweisung der Hausfeldklage. Begründung der US-Regierung: US-Zivilgerichte (sog. Artikel III Courts) besitzen keine Aufsichtsautorität über die Beziehungen der USA und der deutschen Stiftung. Diese Beziehungen berühren notwendigerweise außenpolitische Erwägungen nicht nur gegenüber Deutschland, sondern auch gegenüber den übrigen sechs im Kuratorium der Stiftung vertretenen Staaten. Die *political-question-doctrine* untersage es Zivilgerichten, über diese Erwägungen zu urteilen.
31. 10. 01	Berlin	Beitritte zur Stiftungsinitiative im Oktober 2001: 4 Unternehmen. Gesamtzahl: 6513 Unternehmen.
8. 11. 01	Washington	Anhörung vor dem US Repräsentantenhaus Committee on Government Reforms zu Holocaust Insurance Issues. Thematisiert wurden u. a. Prüfverfahren, Listenerstellung zu möglicherweise noch offenen Versicherungspolicen, die Frage der Kosten, die in diesem Zusammenhang entstehen, sowie die Fragen der Anrechnung bisher bereits durch deutsche Versicherer an ICHEIC erbrachter Leistungen auf den im Rahmen der Stiftung vorgesehenen Betrag für die Abgeltung eventuell offener Ansprüche (*insurance claims*) bzw. humanitäre Zwecke (*insurance humanitarian*).
16. 11. 01	New York	Burt Neuborne reicht am Southern District Court of New York bei Richter Jack Weinstein gegen die Gründungsunternehmen der Stiftungsinitiative sowie gegen Bank Austria Creditanstalt und HypoVereinsbank eine mit Klageandrohung verbundene Erklärung ein (Klageentwurf). Er wirft den Gründungsunternehmen der Stiftungsinitiative u. a. vor, die für Versicherungsansprüche und humanitäre Leistungen vorgesehenen 550 Mio. DM nicht voll zur Verfügung gestellt sowie Zinsen nicht gezahlt zu haben, die sich aus der Verzögerung zwischen Zusage des Betrages von 5 Mrd. DM und tatsächlicher Auszahlung im Juni bzw. Oktober 2001 ergäben. Anknüpfungspunkt ist der Wertverlust, der zwischen Zusage und Auszahlung eintrat. Stiftungsinitiative, Bundesregierung und später auch die US-Regierung wenden sich gegen diese Auffassung.
23. 11. 01	Kalifornien	Neue Klage Tibor Deutsch gegen Hochtief/Turner. Der von ihm zuvor mandatierte Rechtsanwalt und Unterzeichner des Joint Statement, Barry Fischer, hatte die ursprünglich Klage ohne Deutsch' Wissen zurückgezogen.
29. 11. 01	New York	Michael Hausfeld korrigiert seine frühere Klage gegen die USA, indem er sie jetzt direkt gegen Botschafter J. D.

		Bindenagel und John Ashcroft, US-Justizminister, adressiert.
30. 11. 01	New York	Klage gegen Hypobank im Zusammenhang mit den *assigned claims.*
30. 11. 01	Berlin	Beitritte zur Stiftungsinitiative im November 2001: 8 Unternehmen. Gesamtzahl: 6521 Unternehmen.
6. 12. 01	Chicago	Nat Shapo, Vorsitzender der National Association of Insurance Commissioners (NAIC) reicht vor Richter Weinstein am US District Court Eastern District of New York in Sachen Hausfeld/United States und Neuborne/Stiftungsinitiative eine Erklärung ein, in der er die aus seiner Sicht von den deutschen Versicherungsgesellschaften nicht eingehaltenen Zusagen anprangert und auf eine Resolution verweist, die die NAIC am 5. September 2001 verabschiedet hat. Darin empfiehlt sie, dass die Einzelstaaten alle erforderlichen Schritte unternehmen sollten, um die Versicherer zu fundamentalen Zugeständnissen zu bewegen. (»Reevaluierung« der »safe harbour« Vorschriften; Hearings über die Verhandlungen zwischen deutscher Stiftung und ICHEIC).
6. 12. 01	New York	Zusatzerklärung Burt Neubornes für das zum 13. 12. 01 anberaumte Hearing. Neuborne empfiehlt bedingte Abweisung der Hausfeldklage wegen *political-question-doctrine,* kündigt aber in derselben Sache (Zloty-Umtausch und Disput über Austrian Assignment) Klagen an, falls keine Einigung zustande kommt. Bestätigt Dissens über Zinszahlung, der auf Meinungsverschiedenheiten über Lesart der Berliner Abkommen vom 17. Juli 2000 beruht, ist aber überzeugt, dass die Stiftungsinitiative wegen der an die Herstellung der Rechtssicherheit geknüpfte, »verspätete Zahlung der Mittel« (*deferred payments*) zur Zahlung substanzieller zusätzlicher Zinsen verpflichtet ist.
20. 12. 01	Florida	Der U.S. District Court gibt dem Antrag von Ungaro-Benages auf »discovery« (Beweiserhebung) teilweise statt. Obwohl die Klage unter das Berliner Abkommen vom 17. Juli 2000 fällt, hat die US-Regierung bis zu diesem Zeitpunkt kein Statement of Interest abgegeben. Ziel der »discovery« ist die Prüfung, ob die Banken ihre Verpflichtungen gegenüber der Stiftung erfüllt haben, was auf die Kontrolle des US-Gerichts über die Stiftung und die Stiftungsinitiative hinausläuft.
20. 12. 01	Washington	Holocaust Victims' Assets, Restitution Policy, and Remembrance Act (S.1876 IS//H.R.3552 IH), eingebracht u. a. von US-Senatorin Hillary Rodham Clinton zur Errichtung einer Stiftung, die sich, befristet bis 30. September 2011, als zentrale Informationsstelle zu Vermögensansprüchen von Holocaust-Opfern und ihren Erben etabliert und die Rückerstattungspolitik unterstützt.

31. 12. 01	Berlin	Beitritte zur Stiftungsinitiative im Dezember 2001: 6 Unternehmen. Gesamtzahl: 6527 Unternehmen.
16. 10. 02	Washington	Abkommen betreffend die Versicherungsansprüche aus der Zeit des Nationalsozialismus (1933–1945) zwischen der Stiftung »Erinnerung, Verantwortung und Zukunft«, dem Gesamtverband der deutschen Versicherungswirtschaft (GDV) sowie der ICHEIC:
1. 12. 02	Berlin	Die Stiftung »Erinnerung, Verantwortung und Zukunft« hat für über eine Million Opfer Leistungen in Höhe von mehr als 3,6 Mrd. DM bereitgestellt.

Die Chronik erhebt keinen Anspruch auf Vollständigkeit. Die Angaben zu den Sammelklagen gegen deutsche Unternehmen beruhen auf den Annexen C und D der Gemeinsamen Erklärung anlässlich des abschließenden Plenums zur Beendigung der internationalen Gespräche über die Vorbereitung der Stiftung »Erinnerung, Verantwortung und Zukunft« vom 17. Juli 2000, BGBl II 2000, S. 1383.

Klagen wurden auch nach Januar 2002 eingereicht. Zu dem bei Drucklegung aktuellen Stand siehe Zweiter Bericht der Bundesregierung über den Stand der Rechtssicherheit für deutsche Unternehmen im Zusammenhang mit der Stiftung »Erinnerung, Verantwortung und Zukunft«, BT-Drucksache 14/9161 vom 16. 5. 2002.

Literaturverzeichnis

Jean-Christoph Ammann, Manfred Pohl u. a. (Hrsg.), Mr. Finanzplatz Business is Movement (= Festschrift Rolf-Ernst Breuer), München, Zürich 2002

Matthias Arning. Späte Abrechnung. Über Zwangsarbeiter, Schlussstriche und Berliner Verständigungen, Frankfurt 2001

Johannes Bähr, Der Goldhandel der Dresdner Bank im Zweiten Weltkrieg, Leipzig 1999

Ralf Banken, Der Edelmetallsektor und die Verwertung konfiszierten jüdischen Vermögens im »Dritten Reich«. Ein Werkstattbericht über das Untersuchungsprojekt »Degussa AG« aus dem Forschungsinstitut für Sozial- und Wirtschaftsgeschichte an der Universität zu Köln, in: Jahrbuch für Wirtschaftsgeschichte 1/1999, S. 135–162

Elazar Barkan, The Guilt of Nations: Restitution and Negotiating Historical Injustices, Washington 2001

Klaus Barwig/Günter Saathoff/Nicole Weyde (Hrsg.), Entschädigung für Zwangsarbeit. Rechtliche, historische und politische Aspekte, Baden-Baden 1998

Michael J. Bazyler, The Holocaust Restitution Movement in Comparative Perspective, in: Berkeley Journal of International Law 20 (2002)

Avi Beker (Hrsg.), The Plunder of Jewish Property during the Holocaust, New York 2001

Wolfgang Benz, Der Wollheim-Prozess. Zwangarbeit für I.G. Farben in Auschwitz, in: Ludolf Herbst/Constantin Goschler (Hrsg.), Wiedergutmachung in der Bundesrepublik Deutschland, München 1989, S. 303–326

Reinhold Billstein, Working for the Enemy: Ford, General Motors, and Forced Labor in Germany during the Second World War, New York 2000

James D. Bindenagel, Erinnerung, Verantwortung und Zukunft. Die Erfüllung des Versprechens von Gerechtigkeit durch würdige Zahlungen, in: Dieter Stiefel (Hrsg.), Die politische Ökonomie des Holocaust. Zur wirtschaftlichen Logik von Verfolgung und »Wiedergutmachung«, München 2001, S. 289–303

Edwin Black, IBM and the Holocaust. The Strategic Alliance between Nazi Germany and America's Most Powerful Corporation, New York 2001

Sandro Blaschke, Der lange Weg zur Entschädigung von NS-Zwangsarbeitern, in: Kritische Justiz 34 (2001), S. 195–208

Karl Brozik, Die Entschädigung von nationalsozialistischer Zwangsarbeit durch deutsche Firmen, in: Klaus Barwig, Günter Saathoff, Nicole Weyde (Hrsg.), Entschädigung für NS-Zwangsarbeit. Rechtliche, historische und politische Aspekte, Baden-Baden 1998, S. 33–47

Lutz Budraß, Die Lufthansa und ihre ausländischen Arbeiter im Zweiten Weltkrieg, Frankfurt 2001 (Deutsche Lufthansa AG Konzernkommunikation)

Bundesministerium der Finanzen in Zusammenarbeit mit Walter Schwarz (Hrsg.), Die

Wiedergutmachung nationalsozialistischen Unrechts durch die Bundesrepublik Deutschland, Bd. I–VI, München 1974–1987

Deutscher Bundestag (Hrsg.), Entschädigung für NS-Zwangsarbeit. Öffentliche Anhörung des Innenausschusses des Deutschen Bundestages am 14. 12. 1989, Bonn 1990

Conference on Jewish Material Claims against Germany, Annual Report 2000

Karl Doehring, Bernd Josef Fehn, Hans Günter Hockerts, Jahrhundertschuld, Jahrhundertsühne. Reparationen. Wiedergutmachung. Entschädigung für nationalsozialistisches Kriegs- und Verfolgungsunrecht, München 2001

Doron Zwangarbeit und Reparationen in: Die Aktiengesellschaft 45 (2000), S. 69 ff.

Rudolf Dolzer, Multilaterale Grundlagen deutscher Reparationspflicht nach 1945, in: Festschrift für Klaus Vogel, Bonn 2000, S. 265–275

Ders., The Settlement of War-Related Claims: Does International Law Recognize a Victim's Private Right of Action. Lessons after 1945, in: Berkeley Journal of International Law 20 (2002), S. 296–341

Christian Duve, Mediation und Vergleich im Prozeß – Eine Darstellung am Beispiel des Special Master in den USA, 1999

Stuart E. Eizenstat, Justice after Confiscation. Restitution of Communal and Private Property in Central and Eastern Europe, in: East European Constitutional Review (6) 1997

Ders., Imperfect Justice. Looted Assets, Slave Labor, and the Unfinished Business of World War II, New York 2003

»Eizenstat-Berichte« Preliminary Study on U.S. and Allied Efforts To Recover and Restore Gold and Other Assets Stolen or Hidden by Germany During World War II, Washington Mai 1997, Coordinated by Stuart E. Eizenstat, Under Secretary of State for Economic, Business, and Agricultural Affairs

U.S. and Allied Wartime and Postwar Relations and Negotiations With Argentina, Portugal, Spain, Sweden, and Turkey on Looted Gold and German External Assets and U.S. Concerns About the Fate of Wartime Ustasha Treasury, Washington Juni 1998, Coordinated by Stuart E. Eizenstat, Under Secretary of State for Economic, Business, and Agricultural Affairs

Gerald D. Feldman, Die Allianz und die deutsche Versicherungswirtschaft, 1933–1945, München 2001

Benjamin B. Ferencz, Lohn des Grauens. Die Entschädigung jüdischer Zwangsarbeiter – Ein offenes Kapitel deutscher Nachkriegsgeschichte, Frankfurt, New York 1981 (Reprint engl. Less Than Slaves: Jewish Forced Labor And The Quest For Compensation, Indiana University Press 2002)

Norbert Frei, Dirk van Laak, Michael Stolleis (Hrsg.), Geschichte vor Gericht. Historiker, Richter und die Suche nach Gerechtigkeit, München 2000

Lothar Gall/Manfred Pohl (Hrsg.), Unternehmen im Nationalsozialismus, München 1998

Ders. u. a., Die Deutsche Bank 1870–1995, München 1995

Manfred Gentz, Es geht um die Anerkennung moralischer Mitverantwortung, in: Personalführung 4 (2002), S. 16 ff

Manfred Gerstenfeld, Jewish War Claims in the Netherlands, in: Jewish Political Studies Review 12 (2000), S. 55–99.

Gesamtverband der deutschen Versicherungswirtschaft, Jahrbuch 1998

Constantin Goschler, Streit um Almosen. Die Entschädigung der KZ-Zwangsarbeiter durch die deutsche Nachkriegsindustrie, in: Dachauer Hefte 2 (1986), S. 175–194

Ders., Wiedergutmachung. Westdeutschland und die Verfolgten des Nationalsozialismus 1945–1954, München 1992 (zugl. Phil. Diss. München 1991)

Christoph Greiner, Die Class Action im amerikanischen Recht und deutscher Ordre Public, Frankfurt, Bern 1998

Neil Gregor, Stern und Hakenkreuz. DaimlerBenz im Dritten Reich, Berlin 1997

Peter Hayes, Big Business and »Aryanization« in Germany, 1933–1939, in: Jahrbuch für Antisemitismusforschung 3 (1994), S. 254–281

Karen Heilig, From the Luxembourg Agreement to Today: Representing a People, 20 Berkeley Journal of International Law (2002)

Michael Hepp (im Auftrag der Stiftung für Sozialgeschichte des 20. Jahrhunderts, Bremen), Deutsche Bank, Dresdner Bank, Gewinne aus Raub, Enteignungen und Zwangsarbeit 1933–1944, Bremen 1998

Ulrich Herbert, Fremdarbeiter, Politik und Praxis des »Ausländer-Einsatzes« in der Kriegswirtschaft des Dritten Reiches, Berlin, Bonn 1999, 3. Auflage

Ders., Zwangsarbeiter im »Dritten Reich« und das Problem der Entschädigung. Ein Überblick, in: Dieter Stiefel (Hrsg.), Die politische Ökonomie des Holocaust. Zur wirtschaftlichen Logik von Verfolgung und Wiedergutmachung, Wien, München 2001, S. 203–238

Ludolf Herbst, Der totale Krieg und die Ordnung der Wirtschaft. Die Kriegswirtschaft im Spannungsfeld von Politik, Ideologie und Propaganda 1939–1945, Stuttgart 1982

Ders., Option für den Westen, München 1986

Ders., Constantin Goschler (Hrsg.), Wiedergutmachung in der Bundesrepublik Deutschland, München 1989

Ders., Das nationalsozialistische Deutschland 1933–1945. Die Entfesselung der Gewalt: Rassismus und Krieg, Frankfurt 1996

Burkhard Heß, Entschädigung für NS-Zwangsarbeit vor US-amerikanischen und deutschen Zivilgerichten, in: Die Aktiengesellschaft 44 (1999), S. 145–154

Hans-Günter Hockerts, Wiedergutmachung in Deutschland, 1945–2000, in: VfZ 49 (2001), S. 167–214

Barbara Hopmann, Mark Spoerer, Birgit Weitz, Beate Brüninghaus, Zwangsarbeit bei Daimler-Benz, Stuttgart 1994

Harold James, Die Deutsche Bank und die »Arisierung«, München 2001

Charles I. Kapralik, Reclaiming the Nazi Loot. A Report on the Work of the Jewish Trust Corporation for Germany, London 1962

Ders., The History of the Work of the Jewish Trust Corporation for Germany, vol. II, London 1971

Stefan Karlen u. a., Schweizerische Versicherungsgesellschaften im Machtbereich des »Dritten Reichs«, 2 Bände, Zürich 2002

Harold Koh, Transnational Public Law Litigation, 100 Yale Law Journal 2347 (1991)

Charles Maier, How to Address the Injustices of the Nazi Era from Historical Perspective, in: The German Remembrance Fund and the Issue of Forced and Slave Labor, Friedrich-Ebert-Stiftung 2001, S. 45–53

Martha Minow, Between Vengeance and Forgiveness. Facing History after Genocide and Mass Violence, Boston 1998

Hans Mommsen, Manfred Grieger, Das Volkswagenwerk und seine Arbeiter im Dritten Reich, Düsseldorf 1996

Ders., The Legacy of the Holocaust and German National Identity (The Leo Baeck Memorial Lecture 42, 1999)

Siegfried Moses, Die jüdischen Nachkriegsforderungen, Tel Aviv 1944, neu herausgegeben von Wolf-Dieter Barz, Münster 1998

Sean D. Murphy (Hrsg.), Nazi-Era Claims Against German Companies, 94 American Journal of International Law 682 (2000)

Peter Novick, The Holocaust in American Life, New York 1999

Ramasastry, Anita, Corporate Complicity: From Nuremberg to Rangoon. An Examination of Forced Labor Cases and Their Impact on the Liability of Multinational Corporations, 20 Berkeley Journal of International Law 91 (2002)

Cornelia Rauh-Kühne, Hitlers Hehler? Unternehmerprofite und Zwangsarbeiterlöhne, in: Historische Zeitschrift 275 (2002), S. 1–55

Raimond Reiter, Tötungsstätten für ausländische Kinder im Zweiten Weltkrieg. Zum Spannungsverhältnis von kriegswirtschaftlichem Arbeitseinsatz und nationalsozialistischer Rassenpolitik in Niedersachsen, Hannover 1993.

Albrecht Randelzhofer, Christian Tomuschat (Hrsg.), State Responsibility and the Individual. Reparation in Instances of Grave Violations of Human Rights, The Hague, London, Boston 1999

Ders., Oliver Dörr, Entschädigung für Zwangsarbeit? Zum Problem individueller Entschädigungsansprüche von ausländischen Zwangsarbeitern während des Zweiten Weltkriegs gegen die Bundesrepublik Deutschland, Berlin 1994

Stefan A. Riesenfeld Symposium 2001, Fifty Years in the Making: World War II Reparation and Restitution Claims, Konferenzbeiträge: 20 Berkeley Journal of International Law (2002)

Randall N. Robinson, The Debt: What America Owes To Blacks, New York 2000

Christoph Safferling, Zwangsarbeiterentschädigung und Grundgesetz. Zur Frage der Verfassungsmäßigkeit des Gesetzes zur Errichtung einer Stiftung »Erinnerung, Verantwortung und Zukunft«, in: Kritische Justiz 34 (2001), S. 208–221

Gabriel Schönfeld, Holocaust Reparations – A Growing Scandal, in: Commentary 110 (2000), S. 25 ff

Mark Spoerer, Zwangsarbeit unterm Hakenkreuz. Ausländische Zivilarbeiter, Kriegsgefangene und Häftlinge im Deutschen Reich und im besetzten Europa, Stuttgart, München 2001

Ders., NS-Zwangsarbeiter im Deutschen Reich. Eine Statistik von 30. September 1944 nach Arbeitsamtsbezirken, in: Vierteljahrshefte für Zeitgeschichte 49 (2001), S. 665–684

Ders., Moralische Geste oder Angst vor Boykott? Welche Großunternehmen beteiligen sich aus welchen Gründen an der Entschädigung ehemaliger NS-Zwangsarbeiter, in: Perspektiven der Wirtschaftspolitik 3 (2002), S. 37–48.

Ralph G. Steinhardt, Anthony A. D'Amato (Hrsg.), The Alien Tort Claims Act:. An Analytical Anthology, New York 1999

Dieter Stiefel (Hrsg.), Die politische Ökonomie des Holocaust. Zur wirtschaftlichen Logik von Verfolgung und Wiedergutmachung, Wien, München 2001

Anne-Marie Slaughter, David Bosco, Plaintiff's Diplomacy, in: Foreign Affairs, September/October 2000, S. 102–116

Jonathan Steinberg, Die Deutsche Bank und ihre Goldtransaktionen während des Zweiten Weltkriegs, München 1999

Beth Stephens, Michael Ratner, International Human Rights Litigation in U.S. Courts, New York 1996

Martin Weinmann (Hrsg.), Das nationalsozialistische Lagersystem, Frankfurt 1999, 3. Auflage (Wiederabdruck von International Tracing Service (ITS), Catalogue of Camps and Prisons in Germany and the Occupied Countries, 1939–1945, Arolsen 1949)

Unabhängige Expertenkommission Schweiz – Zweiter Weltkrieg, Schlussbericht, Bern 2002

Ute Winkler (Hrsg.), »Stiften gehen«. NS-Zwangsarbeit und Entschädigungsdebatte, Köln 2000

Harald Wixforth, Auftakt zur Ostexpansion. Die Dresdner Bank und die Umgestaltung des Bankwesens im Sudetenland 1938/39, Dresden 2001

Richard Wolffe, John Authers, The Victims Fortune. Inside the Epic Battle over the Debts of the Holocaust, New York 2002

Dieter Ziegler, Zur Rolle der Großbanken in der Arisierung im »Altreich«, 1933–1939, in: Dieter Stiefel (2001), S. 117–147

Peer Zumbansen, The Forgetfulness of Noblesse: A Critique of the German Foundation Law Compensating Slave and Forced Laborers of the Third Reich, 39 Harvard Journal on Legislation 1 (2002)

Zwangsarbeit. 14 Beiträge, in: Dachauer Hefte 16 (2000), S. 3–226

Ronald Zweig, German Reparations and the Jewish World. A History of the Claims Conference, London 2001, 2. Aufl.

Quellenverzeichnis

Gesetze – Verträge – Parlamentaria – Urteile

Abkommen über deutsche Auslandsschulden vom 27. Februar 1953 in London, BGBl. II 1953, S. 543 (Londoner Schuldenabkommen)

Abkommen zwischen der Regierung der Bundesrepublik Deutschland und der Regierung der Vereinigten Staaten von Amerika über die Stiftung »Erinnerung, Verantwortung und Zukunft«, BGBl. II 2000, S. 1373

Bundesgesetz zur Entschädigung für Opfer der nationalsozialistischen Verfolgung vom 29. Juni 1956 (Bundesentschädigungsgesetz – BEG), BGBl. I 1956, S. 562

Bundesgesetz zur Regelung der rückerstattungsrechtlichen Geldverbindlichkeiten (BRüG), BGBl. I 1953, S. 734

Bundesministerium der Finanzen (Hrsg.), Entschädigung von NS-Unrecht. Regelungen zur Wiedergutmachung, Bonn 2001.

Bundesverfassungsgericht, Beschluss vom 13. Mai 1996, Akz.Z 2 BvL 33/93, BverfGE 94, S. 315.

Dokumente zur Deutschlandpolitik, Deutsche Einheit, Sonderedition aus den Akten des Bundeskanzleramtes 1989/1990, bearbeitet von Hanns Jürgen Küsters und Daniel Hofmann, München 1998

Dokumente des geteilten Deutschland, hrsg. v. Ingo von Münch, 1968

Gemeinsame Erklärung anlässlich des abschließenden Plenums zur Beendigung der internationalen Gespräche über die Vorbereitung der Stiftung »Erinnerung, Verantwortung und Zukunft«, BGBl. II 2000, S. 1383

Gesetz zum Abschluss der Währungsumstellung vom 17. 12. 1975; BGBl. I 1975, S. 3123

Gesetz zur Errichtung einer Stiftung »Erinnerung, Verantwortung und Zukunft« vom 2. August 2000, BGBl. I 2000, S. 1263

Hearing before the Committee on the Judiciary United States Senate 106. Congress, Second Session on determining whether those who profited from the forced labor of American World War II Prisoners of War once held and forced into labor for private Japanese companies have an obligation to remedy their wrongs and whether the United States can help facilitate an appropriate Resolution, June 28, 2000, S. Hrg. 106–585, Serial No. J-106-94

Legal Issues relating to the Future Status of Germany, prepared for the Committee on Foreign Relations, United States Senate by the Congressional Research Service Library of Congress, Washington 1990

Luxemburger Abkommen vom 10. September 1952, BGBl. II 1953, S. 35

Oberlandesgericht Köln, Urteil vom 22. 10. 1998, 7 U 222/98

Protokoll über den Erlass der deutschen Reparationszahlungen und über andere Maßnahmen zur Erleichterung der finanziellen und wirtschaftlichen Verpflichtungen der DDR, die mit den Folgen des Krieges verbunden sind, vom 22. August 1953, abgedruckt in: Europa-Archiv 8 (1953), S. 5974 f

Vertrag über die abschließende Regelung in bezug auf Deutschland vom 12. September 1990, BGBl. II 1990, S. 1318

Vertrag zur Regelung aus Krieg und Besatzung entstandener Fragen. (sog. Überleitungsvertrag) vom 26. Mai 1952 in der gemäß Liste IV zu dem am 23. Oktober 1954 in Paris unterzeichneten Protokoll über die Beendigung des Besatzungsregimes in der Bundesrepublik Deutschland geänderten Fassung, in: BGBl. II 1955, S. 405

Bundestags-Drucksachen

11/4704	14/3459
11/4705	14/3758
11/6286	14/5787
11/8046	14/6465
12/1973	14/9032
13/4787	14/9161
14/3206	15/283

Statistiken – Unternehmensranglisten

FAZ, Deutschlands größte Unternehmen in Zahlen vom 6. Juli 1999

Statistisches Bundesamt, Volkswirtschaftliche Gesamtrechnungen, Fachserie 18, Reihe 1.3 Konten und Standardtabellen, Hauptbericht 2000

Statistisches Bundesamt, Statistisches Jahrbuch für die Bundesrepublik Deutschland 1999

»Top 500. Die größten Unternehmen in Deutschland« www.welt.de/wirtschaft/ranglisten

UNCTAD, World Investment Report 2001, Genf 2001

US-Urteile und Gerichtsvorlagen

Burger-Fischer v. Degussa AG, 65 F Supp. 2d 248 (D.N.J. 1999)

Cornell et al. v. Assicurazioni Generali S.p.A. et al. 97 Civ. 2262 (MBM) (S.D.N.Y. Dec. 8, 2000)

Dames & Moore v. Regan 453 U.S. 654 (1981)

In re Austrian and German Bank Holocaust Litigation, 250 F. 3d 156 (2d Cir. May 17, 2001)

In re Nazi Era Cases Against German Defendants Litigation, 198 F.R.D. 429 (D.N.J. 2000)

Iwanowa v. Ford Werke AG, 67 F. Supp. 2d 424 (D.N.J. 1999)

In re Austrian and German Bank Holocaust Litigation, 98 Civ. 3938 (SWK) (S.D.N.Y. Mar. 7, 2001)

Declaration of Michael D. Hausfeld in Support of Renewed Motion For Voluntary Dismissal and/or for Reconsideration, dated May 9, 2002, eingereicht in In re Austrian and German Bank Holocaust Litigation, 98 Civ. 3938 (S.D.N.Y.).

Winters et al. vs Assicurazioni Generali S.p.A. et al. 98 Civ. 9186 (MBM) (S.D.N.Y. Dec. 8, 2000)

In re Austrian and German Bank Holocaust Litigation, 250 F. 3d 156 (2nd Cir. May 17, 2001)

Veröffentliche Interviews

113 Candles. An Interview with Israel Singer by Lisa Davidson, in: Yad-Vashem Online Magazine (IV) August 2001

Die Stiftungsinitiative der deutschen Wirtschaft, Annette Pfeiffer im Gespräch mit Manfred Gentz, in: Jean-Christoph Ammann, Manfred Pohl u. a. (Hrsg.), Mr. Finanzplatz Business is Movement (= Festschrift Rolf-E. Breuer), München, Zürich 2002, S. 296–309

Gespräche der Autorin mit

Friedrich Kretschmer, Arend Oetker (BDI); Joachim Milberg (BMW); Manfred Kohlhaussen (Commerzbank AG); Manfred Gentz, Lothar Ulsamer (DaimlerChrysler AG); Rolf-Ernst Breuer, Ingo Hatzmann, Klaus Kohler, Heiner Will (Deutsche Bank AG); Joachim Hesse; Eberhard Posner, Heinrich von Pierer (Siemens AG); Henrik-Michael Ringleb, Ilona Stumm, Gerhard Cromme (ThyssenKrupp AG); Herbert Hansmeyer, Hans Saueressig, Henning Schulte-Noelle (Allianz AG); Bernd Fahrholz; Siegfried Guterman; Manfred Schaudwet, Norbert Schlundt, Christian Willemer (Dresdner Bank AG); Jörg Streitferdt; Uwe-Ernst Bufe (Degussa AG); Tilman Todenhöfer (Robert Bosch GmbH); Michael Jansen, Dieter Kastrup, Günter Saathoff (Stiftung »Erinnerung, Verantwortung und Zukunft«); Eckart Sünner, Dieter Scherf (BASF AG); Karl Starzacher (RAG AG); Wolfgang Gibowski, Gerhard Wahl (Stiftungsinitiative); Michael Ganninger, Manfred Grieger, Hans-Viggo von Hülsen (Volkswagen AG); Otto Löffler, Rainer Tücksen, Marianne Zimmermann (BMF); Martin Seyfarth, John Trenor, Roger Witten (Wilmer, Cutler & Pickering), Gerd Westdickenberg, Michael Geier, Hans-Christian v. Reibnitz (Auswärtiges Amt), Max Stadler (MdB, FDP), Ulla Jelpke (MdB, PDS), Christian Uhl (MdB, CSU), Wolfgang Bosbach (MdB, CDU), Karl Brozik, Israel Singer (Claims Conference), J. D. Bindenagel (US-Regierung) Lothar Evers (Bundesverband Beratung für NS-Verfolgte, Köln); Walther Leisler Kiep; Otto Graf Lambsdorff; Deidre Berger (AJC); Georg Ludwig Braun (DIHK); Jürgen Dormann (Aventis).

Einblick in Akten zur Stiftungsinitiative gaben

Bundesverband der deutschen Industrie; DaimlerChrysler AG; ThyssenKrupp AG Robert Bosch GmbH; Wilmer, Cutler & Pickering

Dokumente

Gesetz
zur Errichtung einer Stiftung
»Erinnerung, Verantwortung und Zukunft«

Vom 2. August 2000

Präambel

In Anerkennung, dass

der nationalsozialistische Staat Sklaven- und Zwangsarbeitern durch Deportation, In-
haftierung, Ausbeutung bis hin zur Vernichtung durch Arbeit und durch eine Vielzahl
weiterer Menschenrechtsverletzungen schweres Unrecht zugefügt hat, deutsche Unternehmen, die an dem nationalsozialistischen Unrecht beteiligt waren, historische Verantwortung tragen und ihr gerecht werden müssen, die in der Stiftungsinitiative der
deutschen Wirtschaft zusammengeschlossenen Unternehmen sich zu dieser Verantwortung bekannt haben, das begangene Unrecht und das damit zugefügte menschliche
Leid auch durch finanzielle Leistungen nicht wiedergutgemacht werden können, das
Gesetz für diejenigen, die als Opfer des nationalsozialistischen Regimes ihr Leben verloren haben oder inzwischen verstorben sind, zu spät kommt, bekennt sich der Deutsche Bundestag zur politischen und moralischen Verantwortung für die Opfer des Nationalsozialismus. Er will die Erinnerung an das ihnen zugefügte Unrecht auch für
kommende Generationen wach halten.

Der Deutsche Bundestag geht davon aus, dass durch dieses Gesetz das deutsch-amerikanische Regierungsabkommen sowie die Begleiterklärungen der US-Regierung und
die gemeinsame Erklärung aller an den Verhandlungen beteiligter Parteien ein ausreichendes Maß an Rechtssicherheit deutscher Unternehmen und der Bundesrepublik
Deutschland insbesondere in den Vereinigten Staaten von Amerika bewirkt wird. Er
hat mit Zustimmung des Bundesrates das folgende Gesetz beschlossen:

§ 1 Errichtung und Sitz

(1) Unter dem Namen »Erinnerung, Verantwortung und Zukunft« wird eine rechtsfähige Stiftung des öffentlichen Rechts errichtet. Die Stiftung entsteht mit dem In-Kraft-
Treten dieses Gesetzes.

(2) Der Sitz der Stiftung ist Berlin.

§ 2 Stiftungszweck

(1) Zweck der Stiftung ist es, über Partnerorganisationen Finanzmittel zur Gewährung von Leistungen an ehemalige Zwangsarbeiter und von anderem Unrecht aus der Zeit des Nationalsozialismus Betroffene bereitzustellen.

(2) Innerhalb der Stiftung wird ein Fonds »Erinnerung und Zukunft« gebildet. Seine dauerhafte Aufgabe besteht darin, vor allem mit den Erträgen aus den ihm zugewiesenen Stiftungsmitteln Projekte zu fördern, die der Völkerverständigung, den Interessen von Überlebenden des nationalsozialistischen Regimes, dem Jugendaustausch, der sozialen Gerechtigkeit, der Erinnerung an die Bedrohung durch totalitäre Systeme und Gewaltherrschaft und der internationalen Zusammenarbeit auf humanitärem Gebiet dienen. Im Gedenken an und zu Ehren derjenigen Opfer nationalsozialistischen Unrechts, die nicht überlebt haben, soll er auch Projekte im Interesse ihrer Erben fördern.

§ 3 Stifter und Stiftungsvermögen

(1) Stifter sind die in der Stiftungsinitiative der deutschen Wirtschaft zusammengeschlossenen Unternehmen und der Bund.

(2) Die Stiftung wird mit folgendem Vermögen ausgestattet:

1. Fünf Milliarden Deutsche Mark, zu deren Bereitstellung sich die in der Stiftungsinitiative der deutschen Wirtschaft zusammengeschlossenen Unternehmen bereit erklärt haben, einschließlich der Leistungen, die deutsche Versicherungsunternehmen der International Commission on Holocaust Era Insurance Claims zur Verfügung gestellt haben oder noch stellen werden.

2. Fünf Milliarden Deutsche Mark, die der Bund im Jahr 2000 zur Verfügung stellt. Der Beitrag des Bundes umfasst die Beiträge von Unternehmen, soweit der Bund Alleineigentümer oder mehrheitlich an diesen beteiligt ist.

(3) Eine Nachschusspflicht der Stifter besteht nicht.

(4) Die Stiftung ist berechtigt, Zuwendungen von Dritten anzunehmen. Sie bemüht sich um die Gewinnung weiterer Zuwendungen. Die Zuwendungen sind von der Erbschaft- und Schenkungsteuer befreit.

(5) Erträge des Stiftungsvermögens und sonstige Einnahmen sind nur im Sinne des Stiftungszwecks zu verwenden.

§ 4 Organe der Stiftung

Organe der Stiftung sind

1. das Kuratorium,

2. der Stiftungsvorstand.

§ 5 Kuratorium

(1) Das Kuratorium besteht aus 27 Mitgliedern. Dies sind

1. der vom Bundeskanzler zu benennende Vorsitzende,

2. vier von den in der Stiftungsinitiative der deutschen Wirtschaft zusammengeschlossenen Unternehmen zu benennende Mitglieder,

3. fünf vom Deutschen Bundestag und zwei vom Bundesrat zu benennende Mitglieder,

4. ein Vertreter des Bundesministeriums der Finanzen,

5. ein Vertreter des Auswärtigen Amts,

6. ein von der Conference on Jewish Material Claims against Germany zu benennendes Mitglied,

7. ein vom Zentralrat Deutscher Sinti und Roma, von der Sinti Allianz Deutschland e. V. und der International Romani Union zu benennendes Mitglied,

8. ein von der Regierung des Staates Israel zu benennendes Mitglied,

9. ein von der Regierung der Vereinigten Staaten von Amerika zu benennendes Mitglied,

10. ein von der Regierung der Republik Polen zu benennendes Mitglied,

11. ein von der Regierung der Russischen Föderation zu benennendes Mitglied,

12. ein von der Regierung der Ukraine zu benennendes Mitglied,

13. ein von der Regierung der Republik Belarus zu benennendes Mitglied,

14. ein von der Regierung der Tschechischen Republik zu benennendes Mitglied,

15. ein von der Regierung der Vereinigten Staaten von Amerika zu benennender Rechtsanwalt,

16. ein vom Hohen Flüchtlingskommissar der Vereinten Nationen zu benennendes Mitglied,

17. ein von der International Organization for Migration nach § 9 Abs. 2 Nr. 6 zu benennendes Mitglied und

18. ein vom Bundesverband Information und Beratung für NS-Verfolgte e. V. zu benennendes Mitglied.

Die entsendende Stelle kann für jedes Kuratoriumsmitglied einen Vertreter bestimmen. Durch einstimmigen Beschluss des Kuratoriums kann eine andere Zusammensetzung des Kuratoriums zugelassen werden.

(2) Die Amtszeit der Kuratoriumsmitglieder beträgt vier Jahre. Scheidet ein Mitglied vorzeitig aus, kann für den Rest seiner Amtszeit ein Nachfolger benannt werden. Die Mitglieder des Kuratoriums können von der entsendenden Stelle jederzeit abberufen werden.

(3) Das Kuratorium gibt sich eine Geschäftsordnung.

(4) Das Kuratorium ist beschlussfähig, wenn mehr als die Hälfte seiner Mitglieder anwesend ist. Es fasst seine Beschlüsse mit einfacher Mehrheit. Bei Stimmengleichheit entscheidet die Stimme des Vorsitzenden.

(5) Das Kuratorium beschließt über alle grundsätzlichen Fragen, die zum Aufgabenbereich der Stiftung gehören, insbesondere über die Feststellung des Haushaltsplans, die Jahresrechnung und über das Vorliegen der Kennzeichen nach § 12 Abs. 1. Es überwacht die Tätigkeit des Stiftungsvorstands.

(6) Über Projekte des Fonds »Erinnerung und Zukunft« entscheidet das Kuratorium auf Vorschlag des Stiftungsvorstands.

(7) Das Kuratorium erlässt Richtlinien für die Verwendung der Mittel, soweit die Verwendung nicht bereits durch dieses Gesetz geregelt ist. Es hat dabei insbesondere darauf hinzuwirken, dass die Partnerorganisationen die Leistungsberechtigungen nach § 11 Abs. 1 Satz 1 Nr. 1 und 2 gleichmäßig ausschöpfen können.

(8) Die Mitglieder des Kuratoriums sind ehrenamtlich tätig; notwendige Auslagen werden erstattet.

§ 6 Stiftungsvorstand

(1) Der Stiftungsvorstand besteht aus dem Vorsitzenden und zwei weiteren Mitgliedern. Mitglieder des Kuratoriums dürfen nicht zugleich dem Vorstand angehören.

(2) Die Mitglieder des Stiftungsvorstands werden vom Kuratorium bestimmt.

(3) Der Stiftungsvorstand führt die laufenden Geschäfte der Stiftung und setzt die Be-

schlüsse des Kuratoriums um. Er ist für die Verteilung der Stiftungsmittel an die Partnerorganisationen und die Bewirtschaftung des Fonds »Erinnerung und Zukunft« verantwortlich. Er überwacht die zweckentsprechende und wirtschaftliche Verwendung der Stiftungsmittel, insbesondere, dass die Partnerorganisationen die Vorgaben dieses Gesetzes und die vom Kuratorium zur Mittelverwendung aufgestellten Richtlinien einhalten. Er vertritt die Stiftung gerichtlich und außergerichtlich.

(4) Das Nähere regelt die Satzung.

§ 7 Satzung

Das Kuratorium beschließt mit einer Mehrheit von zwei Dritteln eine Satzung. Kommt innerhalb von drei Monaten nach der konstituierenden Sitzung des Kuratoriums eine Satzung nicht zustande, schlägt der Vorsitzende eine Satzung vor, die mit einfacher Mehrheit angenommen wird. Das Kuratorium kann die Satzung mit einer Mehrheit von zwei Dritteln ändern.

§ 8 Aufsicht, Haushalt, Rechnungsprüfung

(1) Die Stiftung untersteht der Rechtsaufsicht des Bundesministeriums der Finanzen, ab der zweiten Amtszeit des Kuratoriums der Rechtsaufsicht des Auswärtigen Amts.

(2) Die Stiftung hat rechtzeitig vor Beginn eines jeden Geschäftsjahres einen Haushaltsplan aufzustellen. Der Haushaltsplan bedarf der Genehmigung des Bundesministeriums der Finanzen.

(3) Die Stiftung unterliegt der Prüfung durch den Bundesrechnungshof. Unbeschadet dessen sind die Rechnung und die Haushalts- und Wirtschaftsführung der Stiftung durch das Bundesamt zur Regelung offener Vermögensfragen zu prüfen.

§ 9 Verwendung der Stiftungsmittel

(1) Dem Stiftungszweck gemäß § 2 Abs. 1 dienende Mittel der Stiftung werden Partnerorganisationen zugewiesen. Sie dienen der Gewährung von Einmalleistungen an die nach § 11 Leistungsberechtigten sowie zur Deckung der bei den Partnerorganisationen entstehenden Personal- und Sachkosten. Leistungsberechtigte nach § 11 Abs. 1 Satz 1 Nr. 1 oder Satz 5 können bis zu 15 000 Deutsche Mark, Leistungsberechtigte nach § 11 Abs. 1 Satz 1 Nr. 2 oder Satz 2 bis zu 5000 Deutsche Mark erhalten. Eine Leistung nach § 11 Abs. 1 Satz 1 Nr. 1 oder 2 schließt eine Leistung nach § 11 Abs. 1 Satz 1 Nr. 3 oder Satz 4 oder 5 nicht aus.

(2) Den Partnerorganisationen stehen für Leistungen an von Personenschäden Betroffene gemäß § 11 Abs. 1 Satz 1 Nr. 1 und 2 und § 11 Abs. 1 Satz 2, soweit zum Ausgleich von Zwangsarbeit bestimmt, einschließlich 50 Millionen Deutsche Mark aus Zinseinnahmen insgesamt 8,1 Milliarden Deutsche Mark zur Verfügung. Die Gesamtbeträge werden in folgende Höchstbeträge aufgeteilt:

1. für die für die Republik Polen zuständige Partnerorganisation 1,812 Milliarden Deutsche Mark,

2. für die für die Ukraine sowie die Republik Moldau zuständige Partnerorganisation 1,724 Milliarden Deutsche Mark,

3. für die für die Russische Föderation sowie die Republik Lettland und die Republik Litauen zuständige Partnerorganisation 835 Millionen Deutsche Mark,

4. für die für die Republik Belarus sowie die Republik Estland zuständige Partnerorganisation 694 Millionen Deutsche Mark,

5. für die für die Tschechische Republik zuständige Partnerorganisation 423 Millionen Deutsche Mark,

6. für die für die nichtjüdischen Berechtigten außerhalb der in den Nummern 1 bis 5 genannten Staaten zuständige Partnerorganisation (International Organization for Migration) 800 Millionen Deutsche Mark; die Partnerorganisation muss bis zu 260 Millionen Deutsche Mark von diesem Betrag an die Conference on Jewish Material Claims against Germany abführen,

7. für die für die jüdischen Berechtigten außerhalb der in den Nummern 1 bis 5 genannten Staaten zuständige Partnerorganisation (Conference on Jewish Material Claims against Germany) 1,812 Milliarden Deutsche Mark.

Die Partnerorganisationen müssen mit diesen Mitteln die vorgesehenen Leistungen für alle Personen erbringen, die am 16. Februar 1999 ihren Hauptwohnsitz in ihrem jeweiligen örtlichen Zuständigkeitsbereich hatten und zu diesem Zeitpunkt zu ihrem sachlichen Zuständigkeitsbereich gehörten. Die Partnerorganisationen nach den Nummern 2, 3 und 4 sind auch für die Personen zuständig, die ihren Wohnsitz am 16. Februar 1999 in anderen Staaten hatten, die Republiken der ehemaligen UdSSR waren; es ist jeweils die Partnerorganisation zuständig, aus deren Bereich der Leistungsberechtigte deportiert wurde.

(3) 50 Millionen Deutsche Mark sind zum Ausgleich sonstiger Personenschäden im Zusammenhang mit nationalsozialistischem Unrecht bestimmt. Anträge sind an die in Absatz 2 genannten Partnerorganisationen zu richten. Diese entscheiden über die Begründetheit und Höhe des geltend gemachten Schadens. Über die Höhe der Ausgleichsleistungen entscheidet die in Absatz 6 Satz 2 genannte Kommission entsprechend dem Verhältnis zwischen der Gesamtheit der von den Partnerorganisationen festgestellten Schäden und dem Gesamtbetrag der in Satz 1 genannten Mittel unter Berücksichtigung von § 11 Abs. 1 Satz 5. Die Partnerorganisationen können die in Satz 4 genannte Kommission bitten, Entscheidungen nach Satz 3 einer unabhängigen Schiedsperson zu übertragen. Die Kosten der Schiedsperson hat die Partnerorganisation zu tragen, die Entscheidungen nach Satz 3 nicht selbst treffen will.

(4) Die Mittel der Stiftung sind in Höhe von einer Milliarde Deutsche Mark für Leistungen an im Vermögen Geschädigte bestimmt. Dieser Betrag wird in folgende Höchstbeträge aufgeteilt:

1. 150 Millionen Deutsche Mark für verfolgungsbedingte Vermögensschäden im Sinne von § 11 Abs. 1 Satz 1 Nr. 3,

2. 50 Millionen Deutsche Mark für sonstige Vermögensschäden im Sinne von § 11 Abs. 1 Satz 4,

3. 150 Millionen Deutsche Mark zum Ausgleich unbezahlter oder entzogener und nicht anderweitig entschädigter Versicherungspolicen deutscher Versicherungsunternehmen durch die International Commission on Holocaust Era Insurance Claims einschließlich der in diesem Zusammenhang anfallenden Kosten,

4. 300 Millionen Deutsche Mark für soziale Zwecke zugunsten von Holocaustüberlebenden durch die Conference on Jewish Material Claims against Germany; 24 Millionen Deutsche Mark davon werden an die Partnerorganisation nach Absatz 2 Nr. 6 abgeführt, die diese für soziale Zwecke der in gleicher Weise verfolgten Sinti und Roma verwendet,

5. 350 Millionen Deutsche Mark für den humanitären Fonds der International Commission on Holocaust Era Insurance Claims.

(5) Werden aus den der Stiftung bereitgestellten Mitteln mit Ausnahme der für den Zukunftsfonds bestimmten Mittel weitere Zinseinnahmen erwirtschaftet, so werden hieraus bis zu 50 Millionen Deutsche Mark der International Commission on Holocaust Era Insurance Claims zum Ausgleich von Versicherungsschäden im Sinne von Absatz 4 Satz 2 Nr. 3 für ausländische Tochtergesellschaften deutscher Versicherungsunternehmen sowie für in diesem Zusammenhang anfallende Kosten zur Verfügung gestellt, sobald die Mittel verfügbar sind. Mittel nach Satz 1 und Absatz 4 Satz 2 Nr. 3 können auch für die jeweils andere Zweckbestimmung verwendet werden.

(6) Anträge auf Leistungen aus den in Absatz 4 Satz 2 Nr. 1 und 2 vorgesehenen Mitteln sind unabhängig vom Wohnsitz des Antragstellers an die in Absatz 2 Nr. 6 genannte Partnerorganisation zu richten. Entscheidungen über diese Leistungen werden von einer Kommission getroffen, die bei dieser Partnerorganisation gebildet wird. Die Kommission besteht aus je einem vom Bundesministerium der Finanzen und dem Department of State der Vereinigten Staaten von Amerika zu benennenden Mitglied sowie einem von beiden Mitgliedern zu wählenden Vorsitzenden. Die Kommission bestimmt, soweit dies nicht bereits nach diesem Gesetz oder der Satzung festgelegt ist, ergänzende Grundsätze über Inhalt und Verfahren für ihre Entscheidungen. Die Kommission soll über die eingereichten Anträge innerhalb eines Jahres nach Ablauf der Antragsfrist entscheiden. Für die nach § 19 einzurichtende Beschwerdestelle gelten die Sätze 3 und 4 entsprechend. Kosten der Kommission, der Beschwerdestelle und der Partnerorganisation sind anteilig aus dem Gesamtbetrag nach Absatz 4 Satz 2 Nr. 1 und 2 zu decken. Übersteigt die von der Kommission anerkannte Schadenssumme die nach Absatz 4 Satz 2 Nr. 1 oder 2 verfügbaren Mittel, sind die zu gewährenden Leistungen im Verhältnis zu den verfügbaren Mitteln anteilig zu kürzen.

(7) 700 Millionen Deutsche Mark einschließlich der darauf entfallenden Zinseinnahmen sind für Projekte des Fonds »Erinnerung und Zukunft« zu verwenden. Hieraus können abweichend von dessen Zweckbestimmung 100 Millionen Deutsche Mark zur Verfügung gestellt werden, wenn begründete Forderungen aus Versicherungsansprüchen erhoben werden, die nicht im Rahmen von Absatz 4 Satz 2 Nr. 3 und Absatz 5 befriedigt werden konnten.

(8) Die Partnerorganisationen können in Absprache mit dem Kuratorium innerhalb der Quote für Zwangsarbeiter nach § 11 Abs. 1 Satz 1 Nr. 1, soweit dies in anderen Haftstätten Inhaftierte betrifft, und für Betroffene nach § 11 Abs. 1 Satz 1 Nr. 2 Unterkategorien nach der Schwere des Schicksals bilden und entsprechend abgestufte Höchstbeträge festlegen. Dies gilt auch für die Ansprüche von Erben.

(9) Die Höchstbeträge nach Absatz 1 dürfen zunächst nur in Höhe von 50 vom Hundert für Leistungsberechtigte nach § 11 Abs. 1 Satz 1 Nr. 1 und von 35 vom Hundert für Leistungsberechtigte nach § 11 Abs. 1 Satz 1 Nr. 2 oder Satz 2 ausgeschöpft werden. Eine weitere Leistung bis zu 50 vom Hundert der in Absatz 1 genannten Beträge für Leistungsberechtigte nach § 11 Abs. 1 Satz 1 Nr. 1 und bis zu 65 vom Hundert der in Absatz 1 genannten Beträge für Leistungsberechtigte nach § 11 Abs. 1 Satz 1 Nr. 2 oder Satz 2 erfolgt nach Abschluss der Bearbeitung aller bei der jeweiligen Partnerorganisation anhängigen Anträge, soweit dies im Rahmen der verfügbaren Mittel möglich ist. Die Partnerorganisationen können für Beschwerdeverfahren nach § 19 eine finanzielle Rückstellung in Höhe von bis zu fünf vom Hundert der zugewiesenen Mittel bilden. Soweit die Rückstellung gebildet ist, kann die Auszahlung der zweiten Rate nach Satz 2 vor Abschluss der Beschwerdeverfahren erfolgen. Das Kuratorium ist be-

rechtigt, auf Antrag einzelner Partnerorganisationen eine Erhöhung der nach Satz 1 bestimmten Ratenzahlungen zuzulassen, sofern sichergestellt ist, dass die in Absatz 2 zugewiesenen Mittel nicht überschritten werden.

(10) Leistungen nach § 11 Abs. 1 Satz 1 Nr. 3 mit Ausnahme der Leistungen der International Commission on Holocaust Era Insurance Claims und Leistungen nach § 11 Abs. 1 Satz 4 oder 5 können erst nach Abschluss der Bearbeitung aller bei der zuständigen Kommission anhängigen Anträge erfolgen.

(11) Nach Absatz 2 zugeteilte, aber nicht verbrauchte Mittel sind für Leistungsberechtigte nach § 11 Abs. 1 Satz 1 Nr. 1 und 2 zu verwenden. Werden die nach den Absätzen 2 und 3 vorgesehenen Mittel trotz Ausschöpfung der Höchstbeträge nach Absatz 1 Satz 3 nicht vollständig abgerufen, entscheidet das Kuratorium über deren anderweitige Verwendung. Es hat dabei ebenso wie bei der Verwendung zusätzlicher Mittel insbesondere etwaigen Fehlbedarf einzelner Partnerorganisationen bei der Gewährung von Leistungen nach § 11 Abs. 1 Satz 1 Nr. 1 und 2 auszugleichen. Trotz vollen Schadensausgleichs nicht in Anspruch genommene Mittel nach Absatz 4 Satz 2 Nr. 1 und 2 fließen der Conference on Jewish Material Claims against Germany und nach Absatz 4 Satz 2 Nr. 3 der International Commission on Holocaust Era Insurance Claims zu. Das Kuratorium kann eine Überschreitung der Höchstbeträge nach Absatz 1 Satz 3 zulassen, wenn alle Partnerorganisationen Leistungen nach Maßgabe dieser Höchstbeträge gewähren konnten.

(12) Aus den Mitteln der Stiftung sind Personal- und Sachkosten zu tragen, soweit sie nicht von den Partnerorganisationen gemäß Absatz 1 Satz 2 zu übernehmen sind. Zu den von der Stiftung zu tragenden Kosten gehören auch Aufwendungen für Rechtsanwälte und Rechtsbeistände, die durch ihr Tätigwerden zugunsten der nach § 11 Leistungsberechtigten zur Errichtung der Stiftung beigetragen oder auf andere Weise ihr Zustandekommen gefördert haben, insbesondere, indem sie an den multilateralen Verhandlungen, welche der Errichtung der Stiftung vorausgegangen sind, teilgenommen haben oder indem sie zwischen dem 14. November 1990 und dem 17. Dezember 1999 Klage für nach § 11 Leistungsberechtigte erhoben haben. Auf Leistungen im Sinne des Satzes 2 besteht kein Rechtsanspruch. Über die Verteilung eines Betrages, den das Kuratorium festlegt, entscheidet eine Schiedsperson, die von der Stiftung benannt wird, anhand von Richtlinien, die das Kuratorium beschließt und veröffentlicht. Anträge für die in Satz 2 vorgesehenen Leistungen sind von den Rechtsanwälten und Rechtsbeiständen selbst und in eigenem Namen innerhalb von acht Monaten nach Veröffentlichung der Richtlinien an die Stiftung zu richten. Ihnen müssen Unterlagen beigefügt sein, die die geltend gemachten Aufwendungen belegen. Jeder Rechtsanwalt und Rechtsbeistand gibt im Antragsverfahren eine Erklärung ab, dass er mit dem Erhalt einer Leistung nach Satz 2 auf die Geltendmachung von Forderungen gegen seine Mandanten verzichtet. Er ist verpflichtet, seine Mandanten davon zu unterrichten, dass er auf die Geltendmachung von Forderungen verzichtet hat.

(13) Für anhängige Rechtsstreitigkeiten, die in diesem Gesetz geregelte Tatbestände betreffen, werden Gerichtskosten nicht erhoben.

§ 10 Mittelvergabe durch Partnerorganisationen

(1) Die Gewährung und die Auszahlung der Einmalleistungen an die nach § 11 Leistungsberechtigten erfolgen durch Partnerorganisationen. Die Stiftung ist insoweit weder berechtigt noch verpflichtet. Das Kuratorium kann eine andere Art der Auszahlung

beschließen. Die Partnerorganisationen sollen mit geeigneten Verfolgtenverbänden und örtlichen Organisationen zusammenarbeiten.

(2) Die Stiftung und ihre Partnerorganisationen sorgen innerhalb von zwei Monaten nach In-Kraft-Treten des Gesetzes für eine angemessene Bekanntmachung der nach diesem Gesetz möglichen Leistungen für alle in Betracht kommenden Gruppen von Leistungsberechtigten in den jeweiligen Wohnsitzländern. Diese beinhaltet insbesondere Informationen über die Stiftung und ihre Partnerorganisationen, die Leistungsvoraussetzungen und Anmeldefristen.

§ 11 Leistungsberechtigte

(1) Leistungsberechtigt nach diesem Gesetz ist, wer

1. in einem Konzentrationslager im Sinne von § 42 Abs. 2 Bundesentschädigungsgesetz oder in einer anderen Haftstätte außerhalb des Gebietes der heutigen Republik Österreich oder einem Ghetto unter vergleichbaren Bedingungen inhaftiert war und zur Arbeit gezwungen wurde,

2. aus seinem Heimatstaat in das Gebiet des Deutschen Reichs in den Grenzen von 1937 oder in ein vom Deutschen Reich besetztes Gebiet deportiert wurde, zu einem Arbeitseinsatz in einem gewerblichen Unternehmen oder im öffentlichen Bereich gezwungen und unter anderen Bedingungen als den in Nummer 1 genannten inhaftiert oder haftähnlichen Bedingungen oder vergleichbar besonders schlechten Lebensbedingungen unterworfen war; diese Regelung gilt nicht für Personen, die wegen der überwiegend im Gebiet der heutigen Republik Österreich geleisteten Zwangsarbeit Leistungen aus dem österreichischen Versöhnungsfonds erhalten können,

3. im Zuge rassischer Verfolgung unter wesentlicher, direkter und schadensursächlicher Beteiligung deutscher Unternehmen Vermögensschäden im Sinne der Wiedergutmachungsgesetze erlitten hat und hierfür keine Leistungen erhalten konnte, weil er entweder die Wohnsitzvoraussetzungen des Bundesentschädigungsgesetzes nicht erfüllte oder aufgrund seines Wohnsitzes oder dauernden Aufenthalts in einem Gebiet, mit dessen Regierung die Bundesrepublik Deutschland keine diplomatischen Beziehungen unterhielt, nicht imstande war, fristgerecht Herausgabe- oder Wiedergutmachungsansprüche geltend zu machen, oder weil er die Verbringung einer außerhalb des Deutschen Reichs in den Grenzen von 1937 verfolgungsbedingt entzogenen, dort nicht mehr auffindbaren Sache in die Bundesrepublik Deutschland nicht nachweisen konnte oder Nachweise über die Begründetheit von Ansprüchen nach dem Bundesrückerstattungsgesetz und dem Bundesentschädigungsgesetz erst aufgrund der deutschen Wiedervereinigung bekannt und verfügbar wurden und die Geltendmachung der Ansprüche nach dem Gesetz zur Regelung offener Vermögensfragen oder nach dem NS-Verfolgtenentschädigungsgesetz ausgeschlossen war oder soweit Rückerstattungsleistungen für außerhalb des Reichsgebietes entzogene Geldforderungen mangels Feststellbarkeit abgelehnt worden sind und hierfür Leistungen weder nach den Gesetzen zur Neuordnung des Geldwesens, dem Bundesentschädigungsgesetz, dem Lastenausgleichsgesetz oder dem Reparationsschädengesetz beantragt werden konnten; das gilt auch für andere Verfolgte im Sinne des Bundesentschädigungsgesetzes; Sonderregelungen im Rahmen der International Commission on Holocaust Era Insurance Claims bleiben unberührt.

Die Partnerorganisationen können im Rahmen der ihnen nach § 9 Abs. 2 zugewiesenen Mittel Leistungen auch solchen Opfern nationalsozialistischer Unrechtsmaßnahmen, insbesondere Zwangsarbeitern im landwirtschaftlichen Bereich, gewähren, die nicht zu einer der in Satz 1 Nr. 1 und 2 genannten Fallgruppen gehören. Diese Leistungen dürfen vorbehaltlich § 9 Abs. 8 nicht zu einer Minderung der für Leistungsberechtigte nach Absatz 1 Satz 1 Nr. 1 vorgesehenen Beträge führen. Die in § 9 Abs. 4 Satz 2 Nr. 2 vorgesehenen Mittel sind zum Ausgleich von Vermögensschäden bestimmt, die im Rahmen von nationalsozialistischen Unrechtshandlungen unter wesentlicher, direkter und schadensursächlicher Beteiligung deutscher Unternehmen verursacht wurden und nicht aus Gründen nationalsozialistischer Verfolgung zugefügt worden sind. Die in § 9 Abs. 3 genannten Mittel sollen in Fällen medizinischer Versuche oder bei Tod oder bei schweren Gesundheitsschäden eines in einem Zwangsarbeiterkinderheim untergebrachten Kindes gewährt werden; sie können in Fällen sonstiger Personenschäden gewährt werden.

(2) Die Leistungsberechtigung ist vom Antragsteller durch Unterlagen nachzuweisen. Die Partnerorganisation hat entsprechende Beweismittel hinzuzuziehen. Liegen solche Beweismittel nicht vor, kann die Leistungsberechtigung auf andere Weise glaubhaft gemacht werden.

(3) Kriegsgefangenschaft begründet keine Leistungsberechtigung.

(4) Leistungen der Stiftung sind von der Erbschaft- und Schenkungsteuer befreit.

§ 12 Begriffsbestimmungen

(1) Kennzeichen für andere Haftstätten im Sinne von § 11 Abs. 1 Nr. 1 sind unmenschliche Haftbedingungen, unzureichende Ernährung und fehlende medizinische Versorgung.

(2) Deutsche Unternehmen im Sinne der §§ 11 und 16 sind alle Unternehmen, die ihren Sitz im Gebiet des Deutschen Reichs in den Grenzen von 1937 hatten oder in der Bundesrepublik Deutschland haben, sowie deren Muttergesellschaften, auch wenn diese ihren Sitz im Ausland hatten oder haben. Deutsche Unternehmen sind ferner außerhalb der Grenzen des Deutschen Reichs von 1937 gelegene Unternehmen, an denen in der Zeit zwischen dem 30. Januar 1933 und dem In-Kraft-Treten dieses Gesetzes deutsche Unternehmen nach Satz 1 unmittelbar oder mittelbar mit mindestens 25 vom Hundert beteiligt waren.

§ 13 Antragsrecht

(1) Leistungen nach § 11 Abs. 1 Satz 1 Nr. 1 oder 2 oder Satz 2 oder 5 sind höchstpersönlich und als solche zu beantragen. Ist der Leistungsberechtigte nach dem 15. Februar 1999 verstorben oder werden Leistungen nach § 11 Abs. 1 Nr. 3 oder Satz 4 beantragt, sind der überlebende Ehegatte und die noch lebenden Kinder zu gleichen Teilen leistungsberechtigt. Leistungen können, wenn der Berechtigte weder Ehegatten noch Kinder hinterlassen hat, zu gleichen Teilen auch von den Enkeln oder, falls auch solche nicht mehr leben, von den Geschwistern beantragt werden. Wird auch von diesen Personen kein Antrag gestellt, sind die in einem Testament eingesetzten Erben antragsberechtigt. Sonderregelungen im Rahmen der International Commission on Holocaust Era Insurance Claims bleiben unberührt. Das Leistungsrecht kann nicht abgetreten oder gepfändet werden.

(2) Juristische Personen sind nicht leistungsberechtigt. Sie können als Vertreter ihrer nach diesem Gesetz berechtigten Anteilseigner Anträge stellen, soweit sie von diesen jeweils bevollmächtigt werden. Ist eine religiöse Gemeinde oder Organisation unter

wesentlicher, direkter und schadensursächlicher Beteiligung deutscher Unternehmen in ihrem Vermögen geschädigt worden, gilt für sie oder ihren Rechtsnachfolger Satz 1 nicht.

§ 14 Antragsfrist

Anträge können nur innerhalb von acht Monaten nach In-Kraft-Treten des Gesetzes bei der zuständigen Partnerorganisation gestellt werden (Ausschlussfrist). Für den Zuständigkeitsbereich der Partnerorganisation nach § 9 Absatz 2 Nr. 6 wird abweichend eine Antragsfrist von zwölf Monaten festgelegt. Das Kuratorium kann in begründeten Fällen auch für andere Partnerorganisationen eine Verlängerung der Antragsfrist auf bis zu einem Jahr zulassen. Solange eine Partnerorganisation noch nicht beauftragt wurde, sind Anträge innerhalb der Frist unmittelbar an die Stiftung zu richten. Anträge, die unmittelbar bei der Stiftung oder bei unzuständigen Partnerorganisationen eingehen, werden an die jeweils zuständige Partnerorganisation weitergeleitet. Sonderregelungen im Rahmen der International Commission on Holocaust Era Insurance Claims bleiben unberührt.

§ 15 Berücksichtigung anderer Leistungen

(1) Die Leistungen sollen den Leistungsberechtigten für erlittenes nationalsozialistisches Unrecht zugute kommen und dürfen nicht zur Minderung von Einkünften aus der Sozialfürsorge und dem Gesundheitswesen führen.

(2) Frühere Leistungen von Unternehmen zum Ausgleich von Zwangsarbeit und anderem nationalsozialistischen Unrecht, auch wenn sie über Dritte gewahrt wurden, werden auf Leistungen nach § 9 Abs. 1 angerechnet. Sonderregelungen im Rahmen der International Commission on Holocaust Era Insurance Claims bleiben unberührt.

§ 16 Ausschluss von Ansprüchen

(1) Leistungen aus Mitteln der öffentlichen Hand einschließlich der Sozialversicherung sowie deutscher Unternehmen für erlittenes nationalsozialistisches Unrecht im Sinne von § 11 können nur nach diesem Gesetz beantragt werden. Etwaige weitergehende Ansprüche im Zusammenhang mit nationalsozialistischem Unrecht sind ausgeschlossen. Das gilt auch, soweit etwaige Ansprüche kraft Gesetzes, kraft Überleitung oder durch Rechtsgeschäft auf einen Dritten übertragen worden sind.

(2) Jeder Leistungsberechtigte gibt im Antragsverfahren eine Erklärung ab, dass er vorbehaltlich der Sätze 3 bis 5 mit Erhalt einer Leistung nach diesem Gesetz auf jede darüber hinausgehende Geltendmachung von Forderungen gegen die öffentliche Hand für Zwangsarbeit und für Vermögensschäden auf alle Ansprüche gegen deutsche Unternehmen im Zusammenhang mit nationalsozialistischem Unrecht sowie auf gegen die Republik Österreich oder österreichische Unternehmen gerichtete Ansprüche wegen Zwangsarbeit unwiderruflich verzichtet. Der Verzicht wird mit dem Erhalt einer Leistung nach diesem Gesetz wirksam. Die Entgegennahme von Leistungen für Personenschäden gemäß § 11 Abs. 1 Satz 1 Nr. 1 oder 2 oder Satz 2 oder 5 bedeutet nicht den Verzicht auf Leistungen nach diesem Gesetz für Versicherungs- oder für sonstige Vermögensschäden gemäß § 11 Abs. 1 Satz 1 Nr. 3 oder Satz 4 und umgekehrt. Satz 1 gilt nicht für Forderungen aus nationalsozialistischen Unrechtsmaßnahmen, die ausländische Mutterunternehmen mit Sitz außerhalb der Grenzen des Deutschen Reichs von 1937 begangen haben, ohne dass diese einen Zusammenhang mit dem deutschen

Tochterunternehmen und dessen Verstrickung in nationalsozialistisches Unrecht haben konnten. Satz 1 gilt auch nicht für etwaige Ansprüche auf Herausgabe von Kunstwerken, sofern der Antragsteller sich verpflichtet, diesen Anspruch in Deutschland oder dem Land, in dem das Kunstwerk weggenommen worden ist, geltend zu machen. Dieser Verzicht umfasst auch den Ersatz von Kosten für die Rechtsverfolgung, soweit § 9 Abs. 12 nichts anderes vorsieht. Das Verfahren wird im Einzelnen durch die Satzung geregelt.

(3) Weitergehende Wiedergutmachungs- und Kriegsfolgenregelungen gegen die öffentliche Hand bleiben hiervon unberührt

§ 17 Bereitstellung der Mittel

(1) Die Stiftung stellt den Partnerorganisationen die Mittel nach Maßgabe des § 9 Abs. 2 und 3 vierteljährlich entsprechend des nachgewiesenen Bedarfs zur Verfügung. Ihre Verwendung wird von der Stiftung in angemessener Weise überprüft.

(2) Die erstmalige Bereitstellung der Stiftungsmittel setzt das In-Kraft-Treten des deutsch-amerikanischen Regierungsabkommens betreffend die Stiftung »Erinnerung, Verantwortung und Zukunft« sowie die Herstellung ausreichender Rechtssicherheit für deutsche Unternehmen voraus. Das Vorliegen dieser Voraussetzungen stellt der Deutsche Bundestag fest.

§ 18 Auskunftsersuchen

(1) Die Stiftung und ihre Partnerorganisationen sind berechtigt, von Behörden und anderen öffentlichen Einrichtungen Auskünfte einzuholen, die zur Erfüllung ihrer Aufgaben erforderlich sind. Eine Auskunftserteilung unterbleibt, soweit besondere gesetzliche Verwendungsregelungen entgegenstehen oder die schutzwürdigen Interessen des Betroffenen das Allgemeininteresse an der Auskunftserteilung überwiegen.

(2) Die eingeholten Auskünfte dürfen nur für die Erfüllung des Stiftungszwecks, personenbezogene Daten eines Antragstellers nur für das Verfahren zur Leistungsgewährung nach § 11 verwendet werden. Die Verwendung dieser Daten für andere Zwecke ist zulässig, wenn der Antragsteller ausdrücklich zustimmt.

(3) Antragsteller nach diesem Gesetz können von Unternehmen in Deutschland, bei denen oder deren Rechtsvorgängern sie Zwangsarbeit geleistet haben, Auskunft verlangen, soweit dies zur Feststellung ihrer Leistungsberechtigung erforderlich ist.

§ 19 Beschwerdeverfahren

Bei den Partnerorganisationen sind unabhängige und keinen Weisungen unterworfene Beschwerdestellen einzurichten. Das Verfahren vor den Beschwerdestellen ist kostenfrei. Kosten des Antragstellers werden nicht erstattet.

§ 20 Inkrafttreten

Dieses Gesetz tritt am Tag nach der Verkündung in Kraft.

Das vorstehende Gesetz wird hiermit ausgefertigt und wird im Bundesgesetzblatt verkündet.

Berlin, den 2. August 2000

Für den Bundespräsidenten
Der Präsident des Bundesrates
Kurt Biedenkopf

Der Bundeskanzler
Gerhard Schröder

Der Bundesminister der Finanzen
Hans Eichel

Der Bundesminister des Auswärtigen
J. Fischer

Abkommen
zwischen der Regierung der Bundesrepublik Deutschland
und der Regierung der Vereinigten Staaten von Amerika
über die Stiftung »Erinnerung, Verantwortung und Zunkunft«

Die Regierung der Bundesrepublik Deutschland
und
die Regierung der Vereinigten Staaten von Amerika

in der Absicht, die Beziehungen zwischen ihren beiden Staaten im Geist der Freundschaft und der Zusammenarbeit zukunftsorientiert zu gestalten und aus der Vergangenheit herrührende Fragen erfolgreich zu klären,

in der Erkenntnis, dass die Bundesrepublik Deutschland in Fortsetzung alliierter Gesetzgebung und in enger Abstimmung mit Opferverbänden und interessierten Regierungen in beispielloser Weise umfassende und umfangreiche Restitution und Entschädigung an Opfer der nationalsozialistischen Verfolgung geleistet hat,

in Anbetracht der historischen Ankündigung des Bundeskanzlers und deutscher Unternehmen vom 16. Februar 1999, in der die Unternehmen ihre Absicht erklärten, eine Stiftung zur Entschädigung von Zwangsarbeitern und anderen Menschen zu gründen, denen von deutschen Unternehmen während der Zeit des Nationalsozialismus und des Zweiten Weltkriegs Leid zugefügt wurde,

in Anbetracht dessen, dass die beteiligten Unternehmen mit der Stiftungsinitiative auf die moralische Verantwortung der deutschen Wirtschaft, die aus der Beschäftigung von Zwangsarbeitern, aus Vermögensschäden auf Grund von Verfolgung und aus jeglichem anderen Unrecht während der Zeit des Nationalsozialismus und des Zweiten Weltkriegs resultiert, eine Antwort geben wollen,

in Anerkennung des legitimen Bedürfnisses deutscher Unternehmen nach umfassendem und andauerndem Rechtsfrieden in dieser Angelegenheit sowie ferner in Anerkennung der Tatsache, dass dieses Bedürfnis für die Errichtung der Stiftung von grundlegender Bedeutung war, in Anbetracht der Tatsache, dass die beiden Regierungen erklärt haben, sie begrüßten und unterstützten die Stiftungsinitiative,

in Anbetracht der Tatsache, dass die Bundesrepublik Deutschland und deutsche Unternehmen sich inzwischen auf die Errichtung einer einzigen Stiftung »Erinnerung, Verantwortung und Zukunft« (»Stiftung«) geeinigt haben, die nach deutschem Bundesrecht als Einrichtung der Bundesrepublik Deutschland gegründet und aus Beiträgen der Bundesrepublik Deutschland und der deutschen Unternehmen finanziert wird,

in der Erkenntnis, dass die deutsche Wirtschaft eingedenk ihrer beträchtlichen Beiträge zu der Stiftung weder gerichtlich noch anderweitig aufgefordert werden sollte und dass von ihr auch nicht erwartet werden sollte, weitere Zahlungen auf Grund des Einsatzes von Zwangsarbeitern oder auf Grund von Unrecht zu leisten, das aus der Zeit des Nationalsozialismus und dem Zweiten Weltkrieg herrührt und deutschen Unternehmen zur Last gelegt wird,

in der Erkenntnis, dass es im Interesse beider Seiten liegt, eine gütliche Beilegung dieser Streitfragen ohne Konfrontation und ohne Rechtsstreit zu erzielen,

in der Erkenntnis, dass beide Seiten zur Förderung ihrer außenpolitischen Interessen einen umfassenden und andauernden Rechtsfrieden anstreben,

in dieser Hinsicht in Anbetracht des Schreibens des Beraters des Präsidenten der Vereinigten Staaten für Fragen der nationalen Sicherheit und der Beraterin des Präsidenten der Vereinigten Staaten vom 16. Juni 2000 und des Schreibens des außen- und sicherheitspolitischen Beraters des Bundeskanzlers der Bundesrepublik Deutschland vom 5. Juli 2000, die als Kopien veröffentlicht worden sind,

in partnerschaftlicher Zusammenarbeit und in Abstimmung mit anderen beteiligten Parteien und Regierungen mit dem Ziel, deutsche Unternehmen dabei zu unterstützen, breite Zustimmung zu der Gesamtsumme und den Zugangskriterien der Stiftung zu erreichen und umfassenden und andauernden Rechtsfrieden zu schaffen,

in Anbetracht der Tatsache, dass die Stiftung eine breite Berücksichtigung der Opfer und eine weitreichende Beteiligung der Unternehmen gewährleisten wird, wie sie durch Gerichtsverfahren nicht möglich wären,

in der Überzeugung, dass die Stiftung einen schnellstmöglichen Mechanismus für gerechte und schnelle Zahlungen an nunmehr betagte Opfer bereitstellen wird,

in dem Bewusstsein, dass die Stiftung alle geltend gemachten oder künftig möglicherweise geltend gemachten Ansprüche gegen deutsche Unternehmen aus der Zeit des Nationalsozialismus und dem Zweiten Weltkrieg abdeckt und dass es im Interesse beider Vertragsparteien läge, wenn die Stiftung die einzige rechtliche Möglichkeit und das ausschließliche Forum für die Behandlung dieser Ansprüche wäre, eingedenk der Tatsache, dass sich die Vertragsparteien über die vergangenen 55 Jahre hinweg dafür eingesetzt haben, die Folgen der Zeit des Nationalsozialismus und des Zweiten Weltkriegs durch politische Maßnahmen und regierungsamtliches Handeln zwischen den Vereinigten Staaten und der Bundesrepublik Deutschland zu bewältigen,

in Anbetracht der Tatsache, dass dieses Abkommen und die Errichtung der Stiftung das Ergebnis dieser Bemühungen darstellen,

in der Erkenntnis, dass die deutsche Regierung im Deutschen Bundestag einen Gesetzentwurf zur Errichtung der Stiftung eingebracht hat –

sind wie folgt übereingekommen:

Artikel 1

(1) Die Vertragsparteien vereinbaren, dass die Stiftung »Erinnerung, Verantwortung und Zukunft« alle geltend gemachten oder künftig möglicherweise geltend gemachten Ansprüche gegen deutsche Unternehmen aus der Zeit des Nationalsozialismus und dem Zweiten Weltkrieg abdeckt und dass es in ihrem Interesse läge, wenn die Stiftung die einzige rechtliche Möglichkeit und das ausschließliche Forum für die Regelung dieser Ansprüche wäre.

(2) Die Bundesrepublik Deutschland ist bereit sicherzustellen, dass die Stiftung die Öffentlichkeit hinsichtlich ihres Bestehens, ihrer Ziele und der Verfügbarkeit von Mitteln in angemessenem Umfang unterrichtet.

(3) Die Grundsätze für die Arbeit der Stiftung sind in Anlage A festgelegt. Die Bundesrepublik Deutschland versichert, dass die Stiftung unter der Rechtsaufsicht einer deutschen Regierungsbehörde stehen wird; jede Person kann die deutsche Regierungsbehörde ersuchen, Maßnahmen zu ergreifen, um die Einhaltung der für die Stiftung geltenden gesetzlichen Vorschriften zu gewährleisten.

(4) Die Bundesrepublik Deutschland erklärt sich damit einverstanden, dass Versicherungsansprüche, für welche die von der International Commission on Holocaust Era Insurance Claims (»ICHEIC«) beschlossenen Verfahren zur Bearbeitung von Ansprüchen gelten und die gegen deutsche Versicherungsunternehmen geltend gemacht werden, von den Unternehmen und dem Gesamtverband der deutschen Versicherungswirtschaft auf der Grundlage dieser Verfahren sowie auf der Grundlage weiterer Verfahren zur Bearbeitung von Ansprüchen, die die Stiftung, die ICHEIC und der Gesamtverband der deutschen Versicherungswirtschaft vereinbaren können, behandelt werden.

Artikel 2

(1) Die Vereinigten Staaten werden in allen Fällen, in welchen den Vereinigten Staaten mitgeteilt wird, dass ein Anspruch nach Artikel 1 Absatz 1 vor einem Gericht in den Vereinigten Staaten geltend gemacht wurde, ihre Gerichte durch eine Interessenerklärung (Statement of Interest) nach Anlage B und im Einklang mit dieser auf andere Weise, die sie für angemessen halten, davon unterrichten, dass es im außenpolitischen

Interesse der Vereinigten Staaten läge, wenn die Stiftung die einzige rechtliche Möglichkeit und das ausschließliche Forum für die Regelung von Ansprüchen wäre, die gegen deutsche Unternehmen – wie in Anlage C festgelegt – geltend gemacht werden, und dass die Abweisung solcher Fälle in ihrem außenpolitischen Interesse läge.

(2) Die Vereinigten Staaten werden sich in Anerkennung der Bedeutung der Ziele dieses Abkommens, einschließlich des umfassenden und andauernden Rechtsfriedens, frühzeitig und nach besten Kräften bemühen, auf eine Weise, die sie für angemessen halten, diese Ziele gemeinsam mit den Regierungen der Bundesstaaten und der Kommunen zu verwirklichen.

Artikel 3

(1) Mit diesem Abkommen soll die Errichtung der Stiftung ergänzt und ein umfassender und andauernder Rechtsfrieden für deutsche Unternehmen in Bezug auf die Zeit des Nationalsozialismus und den Zweiten Weltkrieg gefördert werden.

(2) Dieses Abkommen lässt einseitige Beschlüsse sowie zwei- oder mehrseitige Vereinbarungen, welche die Folgen des Zweiten Weltkriegs und des Nationalsozialismus behandelt haben, unberührt.

(3) Die Vereinigten Staaten werden keine Reparationsansprüche gegen die Bundesrepublik Deutschland erheben.

(4) Die Vereinigten Staaten ergreifen geeignete Maßnahmen zur Abwehr jeglicher Infragestellung der Staatenimmunität der Bundesrepublik Deutschland in Bezug auf Ansprüche, die gegen die Bundesrepublik Deutschland bezüglich der Folgen des Zweiten Weltkriegs und des Nationalsozialismus gegebenenfalls geltend gemacht werden.

Artikel 4

Die Anlagen A, B und C sind Bestandteil dieses Abkommens.

Artikel 5

Dieses Abkommen tritt an dem Tag in Kraft, den die Vertragsparteien durch Notenwechsel vereinbaren.

Geschehen zu Berlin am 17. Juli 2000 in zwei Urschriften in deutscher und englischer Sprache, wobei jeder Wortlaut gleichermaßen verbindlich ist.

Für die Regierung	Für die Regierung
Der Bundesrepublik Deutschland	der Vereinigten Staaten von Amerika
Wolfgang Ischinger	John Kornblum

Anlage A

Grundsätze für die Arbeit der Stiftung

Artikel 1 Absatz 3 des Abkommens sieht vor, dass die Grundsätze für die Arbeit der Stiftung in Anlage A festgelegt werden. In dieser Anlage werden wesentliche Elemente der Stiftung aufgeführt, die die Grundlage der gegenseitigen Verpflichtungen der Vertragsparteien in diesem Abkommen bilden.

1. Im Stiftungsgesetz wird ausgeführt werden, dass der Zweck der Stiftung darin besteht, über Partnerorganisationen Zahlungen an diejenigen zu leisten, denen als Zwangs- oder Sklavenarbeiter im öffentlichen oder privaten Sektor oder von deutschen Unternehmen während der Zeit des Nationalsozialismus Leid zugefügt wurde, und dass innerhalb der Stiftung ein Fonds »Erinnerung und Zukunft« gebildet wird. Es wird ausgeführt werden, dass die dauerhafte Aufgabe des Fonds »Erinnerung und Zukunft« darin besteht, Projekte zu fördern, die (a) der Völkerverständigung, der sozialen Gerechtigkeit und der internationalen Zusammenarbeit auf humanitärem Gebiet dienen, (b) den Jugendaustausch fördern und die Erinnerung an den Holocaust und die Bedrohung durch totalitäre, unrechtmäßige Regime und Gewaltherrschaft wach halten und (c) auch den Erben der Verstorbenen nutzen.

2. Das Stiftungsgesetz wird ein Kuratorium vorsehen, dessen Mitglieder zu gleichen Teilen von der deutschen Regierung und deutschen Unternehmen sowie von anderen Regierungen und Vertretern der Opfer benannt werden; hiervon ausgenommen ist der Vorsitzende, der eine Persönlichkeit von internationalem Ansehen ist und vom Bundeskanzler der Bundesrepublik Deutschland benannt wird. Das Kuratorium kann nach vier Jahren verkleinert werden; ein ausgewogenes Mitgliederverhältnis wird jedoch, soweit dies angemessen ist, erhalten bleiben. Das Kuratorium wird mit einer Mehrheit von zwei Dritteln eine Satzung beschließen. Die gesamte Arbeitsweise der Stiftung wird transparent sein, und die Satzung und ähnliche Verfahren werden veröffentlicht werden.

3. Das Stiftungsgesetz wird vorsehen, dass die Stiftung der Prüfung durch den Bundesrechnungshof unterliegt und dass auch alle Partnerorganisationen einer Rechnungsprüfung unterliegen.

4. Das Stiftungsgesetz wird vorsehen, dass Personen, die in einem Konzentrationslager im Sinne des Bundesentschädigungsgesetzes (BEG) oder in einer anderen Haftstätte oder einem Ghetto unter vergleichbaren Bedingungen inhaftiert waren und zur Arbeit gezwungen wurden (»Sklavenarbeiter«), zum Erhalt von bis zu 15 000 Deutsche Mark pro Person berechtigt sein werden. Das Stiftungsgesetz wird ferner vorsehen, dass Personen, die aus ihrem Heimatland in das Gebiet des Deutschen Reiches in den Grenzen von 1937 oder in ein von Deutschen besetztes Gebiet deportiert wurden und haftähnlichen oder besonders schlechten Lebensbedingungen unterworfen waren (»Zwangsarbeiter«) und die nicht in der vorstehenden Begriffsbestimmung eingeschlossen sind, zum Erhalt von bis zu 5000 DM pro Person berechtigt sein werden. Die Partnerorganisationen werden ferner berechtigt sein, die ihnen für Zahlungen an Zwangsarbeiter zugewiesenen Mittel für andere zu verwenden, die während der Zeit

des Nationalsozialismus zur Arbeit gezwungen wurden. Diese anderen Zwangsarbeiter können bis zu 5000 DM pro Person erhalten. Leistungsberechtigt im Sinne des Stiftungsgesetzes werden nur die Überlebenden selbst sein sowie die unter Nummer 8 bestimmten Erben derjenigen, die nach dem 15. Februar 1999 verstorben sind. Ferner werden Opfer, die »Personenschäden aufgrund anderer, nicht zwangsarbeitsbezogener Unrechtshandlungen« erlitten haben, darunter, jedoch nicht begrenzt auf, medizinische Versuche und Kinderheimfälle, zum Erhalt von Zahlungen im Rahmen des für diesen Zweck zugewiesenen Betrags berechtigt sein. Opfern von medizinischen Versuchen und Kinderheimfällen wird Vorrang vor allen anderen Opfern nicht zwangsarbeitsbezogener Unrechtshandlungen gewährt. Die Berechtigung eines Opfers, Leistungen wegen »Personenschäden aufgrund anderer, nicht zwangsarbeitsbezogener Unrechtshandlungen« zu erhalten, wird nicht davon berührt werden, ob er oder sie auch Leistungen aufgrund von Zwangsarbeit erhält. Bei den für »Personenschäden aufgrund anderer, nicht zwangsarbeitsbezogener Unrechtshandlungen« zugewiesenen Mitteln wird es sich um eine eigenständige Zuweisung handeln. Die Partnerorganisationen werden Anträge auf Zahlungen aus dem für »anders verursachte Personenschäden« zugewiesenen Betrag entgegennehmen, prüfen und bearbeiten. Auf Ersuchen einer Partnerorganisation wird der unter Nummer 11 genannte Vermögensausschuss einen unabhängigen Schiedsrichter zur Prüfung und Bearbeitung der an die jeweilige Partnerorganisation gerichteten Anträge bestellen. Der zugewiesene Betrag wird an jede Partnerorganisation verteilt, sodass jeder Antragsteller, dessen Antrag bewilligt wurde, einen Betrag entsprechend der ermittelten Quote aus dem Gesamtbetrag für alle Antragsteller erhält, deren Anträge aufgrund »anders verursachter Personenschäden« bewilligt wurden. Die Entscheidungen der Partnerorganisationen oder der gegebenenfalls zu bestellenden Schiedsrichter werden auf vom Kuratorium bewilligten einheitlichen Normen beruhen. Das Stiftungsgesetz wird vorsehen, dass alle Kosten im Zusammenhang mit der Prüfung und Bearbeitung von Anträgen, darunter jene im Zusammenhang mit einem gegebenenfalls gewählten Schiedsrichter, aus dem jeder Partnerorganisation zugewiesenen Betrag beglichen werden. Nicht verbrauchte Mittel der Fallgruppe Zwangsarbeit, die einer Partnerorganisation entsprechend dem als Anlage zu der Gemeinsamen Erklärung beigefügten Verteilungsplan zugewiesen wurden, werden wieder der Fallgruppe Zwangsarbeit zufließen, mit dem Ziel, für ehemalige Sklaven- und Zwangsarbeiter unabhängig von ihrem Wohnort ein gleiches Zahlungsniveau zu erreichen. Das Kuratorium wird befugt sein, über den persönlichen Höchstbetrag hinausgehende Zahlungen zu bewilligen, sofern die Umstände dies rechtfertigen.

5. Das Stiftungsgesetz wird vorsehen, dass es einem Sklaven- oder Zwangsarbeiter nicht möglich sein wird, für denselben Schaden beziehungsweise dasselbe Unrecht Zahlungen sowohl von der Stiftung als auch vom österreichischen Fonds für Versöhnung, Frieden und Zusammenarbeit zu erhalten.

6. Das Stiftungsgesetz wird vorsehen, dass Personen, die im Zuge rassischer Verfolgung während der Zeit des Nationalsozialismus Vermögensverluste oder -schäden erlitten haben, die unmittelbar durch deutsche Unternehmen verursacht wurden, berechtigt sind, Leistungen im Rahmen des unter Nummer 11 dargelegten Auszahlungssystems zu erhalten. Leistungsberechtigt werden nur Personen sein, die keine Leistungen nach dem BEG oder dem Bundesrückerstattungsgesetz (BRückG) erhalten

konnten, weil sie die Wohnsitzvoraussetzungen nicht erfüllt haben oder ihre Ansprüche nicht fristgerecht geltend machen konnten, weil sie in einem Gebiet lebten, zu dessen Regierung die Bundesrepublik Deutschland keine diplomatischen Beziehungen unterhielt, Personen, deren Ansprüche nach dem BEG oder BRückG abgewiesen wurden, weil rechtskräftige Nachweise erst nach der deutschen Wiedervereinigung verfügbar wurden, sofern diese Ansprüche nicht durch Gesetze über Restitutions- und Ausgleichsleistungen nach der Wiedervereinigung abgedeckt wurden, und Personen, deren rassisch bedingte Vermögensansprüche in Bezug auf bewegliches Vermögen nach dem BEG oder BRückG abgewiesen wurden oder abgewiesen worden wären, weil der Anspruchsteller zwar nachweisen konnte, dass ein deutsches Unternehmen für die Einziehung oder die Beschlagnahme des Vermögens verantwortlich war, jedoch nicht nachweisen konnte, dass das Vermögen in das damalige Westdeutschland verbracht wurde (wie gesetzlich gefordert) oder dass, im Fall von Bankkonten, eine Ausgleichszahlung abgelehnt wurde oder worden wäre, weil die Summe nicht mehr ermittelt werden konnte, und entweder (a) der Anspruchsteller nunmehr beweisen kann, dass das Vermögen in das damalige Westdeutschland verbracht wurde, oder (b) der Ort, an dem sich das Vermögen befindet, unbekannt ist.

7. Das Stiftungsgesetz wird, indem der Betrag von 50 Millionen DM zur Verfügung gestellt wird, einen möglichen Ausgleichsmechanismus für jegliches nicht rassisch bedingte Unrecht deutscher Unternehmen bieten, das unmittelbar zu Vermögensverlusten oder -schäden geführt hat. Die Stiftung wird solche Fälle dem unter Nummer 11 genannten Ausschuss zur Prüfung und Bearbeitung vorlegen. Alle für Leistungen in Vermögensangelegenheiten zugewiesenen Mittel werden innerhalb dieser Fallgruppen vergeben.

8. Das Stiftungsgesetz wird vorsehen, dass Erben, die berechtigt sind, Leistungen nach den Nummern 6 und 7 zu erhalten, Ehegatten oder Kinder sind. Sind weder das Opfer noch dessen Ehegatte oder Kinder vorhanden, können Enkel, sofern sie noch am Leben sind, Zahlungen nach diesen Nummern erhalten; ist dies nicht der Fall, können Geschwister, sofern sie noch am Leben sind, diese Zahlungen erhalten; sind weder Enkel noch Geschwister vorhanden, kann der jeweilige im Testament genannte Begünstigte diese Zahlungen erhalten.

9. Das Stiftungsgesetz wird vorsehen, dass alle Entscheidungen betreffend die Leistungsberechtigung auf der Grundlage einer vereinfachten Nachweispflicht zu treffen sind.

10. Das Stiftungsgesetz wird vorsehen, dass juristische Personen im Namen von Einzelpersonen Ansprüche geltend machen dürfen, wenn diese Einzelpersonen eine Vollmacht erteilt haben. Das Stiftungsgesetz wird ferner vorsehen, dass in Fällen, in denen eine bestimmbare Religionsgemeinschaft Schäden oder Verluste an kollektivem Vermögen, das nicht individuelles Vermögen ist, erlitten hat, die unmittelbar durch Unrechtshandlungen eines deutschen Unternehmens verursacht wurden, ein ordnungsgemäß ausgewiesener gesetzlicher Rechtsnachfolger bei dem unter Nummer 11 genannten Ausschuss Zahlungen beantragen kann.

11. Das Stiftungsgesetz wird die Einrichtung eines aus drei Mitgliedern bestehenden Ausschusses für Vermögensfragen vorsehen (Nummern 6 und 7). Die Bundesrepublik

Deutschland und die Vereinigten Staaten von Amerika werden je ein Mitglied benennen; diese beiden Mitglieder werden einen Vorsitzenden benennen. Für die erste Sichtung der Anträge wird im Wesentlichen ein Sekretariat verantwortlich sein. Das Stiftungsgesetz wird vorschreiben, dass der Ausschuss vereinfachte Verfahren, darunter vereinfachte und beschleunigte interne Beschwerdeverfahren, schafft. Der Ausschuss wird nicht befugt sein, ein Verfahren wiederaufzunehmen, das von einem deutschen Gericht oder Verwaltungsorgan bereits endgültig entschieden wurde beziehungsweise bei rechtzeitiger Antragstellung hätte entschieden werden können, es sei denn, dies ist unter Nummer 6 vorgesehen. Sämtliche Kosten des Ausschusses werden aus den Mitteln bestritten, die für Vermögensansprüche zugewiesen wurden; diese Mittel unterliegen der Rechnungsprüfung.

12. Das Stiftungsgesetz wird vorsehen, dass der unter Nummer 11 genannte Ausschuss die ihm zugewiesenen Mittel auf der Grundlage einer Quotenregelung verteilen wird.

13. Das Stiftungsgesetz wird deutlich machen, dass der Erhalt von Zahlungen aus den Mitteln der Stiftung das Anrecht der Zahlungsempfänger auf Einkünfte aus der Sozialfürsorge oder anderen öffentlichen Leistungen unberührt lässt. Frühere Leistungen deutscher Unternehmen zum Ausgleich von Zwangsarbeit oder anderem Unrecht aus der Zeit des Nationalsozialismus, auch wenn sie über Dritte gewährt wurden, werden angerechnet; frühere staatliche Leistungen werden jedoch nicht angerechnet.

14. Das Stiftungsgesetz wird vorsehen, dass jede Person, die einen Antrag auf Leistungen aus Mitteln der Stiftung stellt, bei Erhalt einer Zahlung von der Stiftung erklären muss, dass sie auf alle weiteren Ansprüche gegen deutsche Unternehmen aus der Zeit des Nationalsozialismus und auf alle Ansprüche aufgrund von Arbeit oder Vermögensschäden aus der Zeit des Nationalsozialismus gegen die deutsche Regierung verzichtet. Dieser Verzicht schließt den Erhalt von Leistungen nach dem Stiftungsgesetz für andere Schadensarten, zum Beispiel andere Personenschäden oder Vermögensverlust oder eine Kombination dieser Umstände, nicht aus. Dieser Verzicht wird einen Antragsteller ferner nicht daran hindern, eine Klage gegen eine bestimmte deutsche Stelle (d. h. eine staatliche Stelle oder ein Unternehmen) bezüglich der Rückgabe eines ganz bestimmten Kunstwerks anzustrengen, sofern die Klage in der Bundesrepublik Deutschland oder dem Land, in dem das Kunstwerk weggenommen wurde, erhoben wird, vorausgesetzt, dass es dem Antragsteller nicht gestattet wird, mehr oder anderes als die Rückgabe dieses bestimmten Kunstwerks zu erwirken.

15. Das Stiftungsgesetz wird vorsehen, dass jede Partnerorganisation ein internes Beschwerdeverfahren schafft.

16. Das Stiftungsgesetz wird vorsehen, dass die Stiftung die angebotenen Leistungen und das Antragsverfahren in angemessenem Umfang öffentlich bekannt machen muss. Form und Inhalt einer solchen Bekanntmachung werden vom Kuratorium in Absprache mit den Partnerorganisationen festgelegt.

17. Das Stiftungsgesetz wird bestimmen, dass Anträge bei den Partnerorganisationen innerhalb von mindestens acht Monaten nach Erlass des Stiftungsgesetzes zulässig sind.

18. Das Stiftungsgesetz wird die Stiftung und ihre Partnerorganisationen ermächtigen, Auskünfte von deutschen Behörden und anderen öffentlichen Stellen einzuholen, die zur Erfüllung ihrer Aufgaben erforderlich sind, soweit dem nicht besondere gesetzliche Verwendungsregelungen oder die berechtigten Interessen der betroffenen Personen entgegenstehen.

19. Das Stiftungsgesetz wird spätestens dann in Kraft treten, wenn der Stiftung die Mittel zur Verfügung stehen.

Anlage B

Elemente einer Interessenerklärung (Statement of Interest) der Regierung der Vereinigten Staaten von Amerika

[Hinweis der Autorin: Der jeweils vollständige Text der Statements of Interest ist auf der homepage der Regierung der Vereinigten Staaten von Amerika unter www.state.gov abrufbar.]

Nach Artikel 2 Absatz 1 werden die Vereinigten Staaten in allen anhängigen und künftigen Fällen, in denen den Vereinigten Staaten mitgeteilt wird, dass ein Anspruch gegen deutsche Unternehmen aus der Zeit des Nationalsozialismus und dem Zweiten Weltkrieg geltend gemacht wurde, rechtzeitig und unabhängig von der Zustimmung des Klägers/der Kläger zu der Abweisung eine Interessenerklärung zusammen mit der förmlichen außenpolitischen Erklärung des Außenministers und der Erklärung des stellvertretenden Finanzministers Stuart E. Eizenstat zu Protokoll geben.

Die Interessenerklärung wird Folgendes deutlich machen:

1. Wie aus seinem Schreiben vom 13. Dezember 1999 hervorgeht, ist der Präsident der Vereinigten Staaten zu dem Schluss gekommen, dass es im außenpolitischen Interesse der Vereinigten Staaten läge, wenn die Stiftung das ausschließliche Forum und die einzige rechtliche Möglichkeit für die Regelung aller gegen deutsche Unternehmen aufgrund deren Tätigkeit in der Zeit des Nationalsozialismus und im Zweiten Weltkrieg geltend gemachten Ansprüche ist; dazu gehören unter anderem Ansprüche aufgrund von Sklaven- und Zwangsarbeit, Arisierung und medizinischen Versuchen, in Kinderheimfällen, anderen Fällen von Personen- und Vermögensschäden oder -verlusten, darunter Bankguthaben und Versicherungspolicen.

2. Die Vereinigten Staaten sind daher der Auffassung, dass alle geltend gemachten Ansprüche über die Stiftung und nicht über Gerichte verfolgt werden sollen (oder für den Fall, dass die Mittel der Stiftung erschöpft sind, hätten rechtzeitig verfolgt werden sollen).

3. Wie der Präsident in seinem Schreiben vom 13. Dezember 1999 erklärte, läge eine Klageabweisung, die die außenpolitischen Interessen der Vereinigten Staaten berührt,

im außenpolitischen Interesse der Vereinigten Staaten. Die Vereinigten Staaten werden eine Abweisung aus jedem gültigen Rechtsgrund empfehlen (wobei nach dem amerikanischen Rechtssystem die Entscheidung bei den amerikanischen Gerichten liegt). Die Vereinigten Staaten werden erläutern, dass es im Zusammenhang mit der Stiftung im dauerhaften, großen Interesse der Vereinigten Staaten liegt, Bemühungen um eine Abweisung aller Klagen gegen deutsche Unternehmen in Bezug auf den Nationalsozialismus und den Zweiten Weltkrieg zu unterstützen. Die Vereinigten Staaten werden ihr außenpolitisches Interesse an einer Klageabweisung umfassend erläutern, wie unten dargelegt.

4. Zu den Interessen der Vereinigten Staaten gehört das Interesse an einer gerechten und umgehenden Regelung der mit diesem Klagen verbundenen Fragen, um den Opfern des Nationalsozialismus und des Zweiten Weltkriegs zu Lebzeiten ein gewisses Maß an Gerechtigkeit zu verschaffen, das Interesse an der Förderung der engen Zusammenarbeit unseres Landes mit unserem wichtigen europäischen Verbündeten und Wirtschaftspartner Deutschland, das Interesse an der Wahrung der guten Beziehungen zu Israel und zu anderen Staaten West-, Mittel- und Osteuropas, aus denen viele derjenigen kommen, denen während der Zeit des Nationalsozialismus und des Zweiten Weltkriegs Leid zugefügt wurde, sowie das Interesse an der Erlangung von Rechtsfrieden in Bezug auf gegen deutsche Unternehmen aufgrund deren Tätigkeit in der Zeit des Nationalsozialismus und im Zweiten Weltkrieg geltend gemachte Ansprüche.

5. Die Stiftung ist das Ergebnis der Bemühungen über ein halbes Jahrhundert hinweg, Opfern des Holocaust und der nationalsozialistischen Verfolgung schließlich Gerechtigkeit zu verschaffen. Sie ergänzt umfangreiche frühere deutsche Entschädigungs-, Restitutions- und Rentenprogramme für Handlungen im Zusammenhang mit der Zeit des Nationalsozialismus und dem Zweiten Weltkrieg. Über die vergangenen 55 Jahre hinweg haben sich die Vereinigten Staaten um die Zusammenarbeit mit der Bundesrepublik Deutschland bemüht, um die Folgen der Zeit des Nationalsozialismus und des Zweiten Weltkriegs durch politische Maßnahmen und regierungsamtliches Handeln zwischen den Vereinigten Staaten und der Bundesrepublik Deutschland zu bewältigen.

6. Da sich an der Stiftung nicht nur die Bundesregierung und deutsche Unternehmen beteiligen, die während der Zeit des Nationalsozialismus bereits bestanden, sondern auch deutsche Unternehmen, die während der Zeit des Nationalsozialismus nicht bestanden, ist eine umfassende Berücksichtigung der Sklaven- und Zwangsarbeiter sowie anderer Opfer möglich.

7. Die Kläger in diesen Fällen sehen sich zahlreichen rechtlichen Hürden gegenüber, dazu gehören unter anderem Justiziabilität, Völkersitte (international comity), Verjährungsfristen, Fragen der gerichtlichen Zuständigkeit, Zuständigkeitsablehnung (forum non conveniens), schwierige Beweislage sowie die Zulassung einer bestimmten Erbengruppe. Die Vereinigten Staaten nehmen hier zur Begründetheit der von den Klägern oder Verteidigern vorgebrachten Rechtsansprüche oder -ausführungen nicht Stellung. Die Vereinigten Staaten vertreten nicht die Auffassung, ihre politischen Interessen wären selbst ein eigenständiger Rechtsgrund für eine Abweisung; sie werden jedoch betonen, dass die politischen Interessen der Vereinigten Staaten für eine Abweisung aus jedem gültigen Rechtsgrund sprechen.

8. Die Stiftung ist fair und gerecht angesichts: (a) des fortschreitenden Alters der Kläger, der Notwendigkeit, ihnen rasch und unbürokratisch zur Lösung zu verhelfen sowie der Tatsache, dass verfügbare Mittel besser für die Opfer als für Rechtsstreitigkeiten ausgegeben werden sollen; (b) der finanziellen Ausstattung, der Mittelzuweisung, der Auszahlung der Mittel und der Zugangsberechtigungskriterien der Stiftung; (c) der schwierigen rechtlichen Hürden, denen sich die Kläger gegenübersehen, und der Ungewissheit ihrer Prozessaussichten und (d) – im Lichte der besonderen Schwierigkeiten, die sich aus den von Erben geltend gemachten Ansprüchen ergeben, – der Programme im Zukunftsfonds zum Nutzen von Erben und anderen.

9. Struktur und Arbeitsweise der Stiftung werden rasche, unparteiische, würdige und einklagbare Zahlungen gewährleisten (oder haben sie gewährleistet); ihr Bestehen, ihre Ziele und die Verfügbarkeit von Mitteln sind in angemessenem Umfang bekannt gemacht worden; die Arbeitsweise der Stiftung ist offen und rechenschaftspflichtig.

Anlage C

Bestimmung des Begriffs »deutsche Unternehmen«

Der Begriff »deutsche Unternehmen« im Sinne des Artikels 1 Absatz 1 und des Artikels 2 Absatz 1 wird in den §§ 12 und 16 des Gesetzes zur Errichtung der Stiftung »Erinnerung, Verantwortung und Zukunft« wie folgt bestimmt:

1. Unternehmen, die ihren Sitz im Gebiet des Deutschen Reiches in den Grenzen von 1937 hatten oder in der Bundesrepublik Deutschland haben, sowie deren Muttergesellschaften, auch wenn diese ihren Sitz im Ausland hatten oder haben;

2. Unternehmen außerhalb des Gebiets des Deutschen Reiches in den Grenzen von 1937, an denen in der Zeit zwischen dem 30. Januar 1933 und dem Inkrafttreten des Gesetzes zur Errichtung der Stiftung »Erinnerung, Verantwortung und Zukunft« deutsche Unternehmen nach Satz 1 unmittelbar oder mittelbar finanziell mit mindestens 25 Prozent beteiligt waren.

3. Der Begriff »deutsche Unternehmen« umfasst nicht ausländische Muttergesellschaften mit Sitz außerhalb des Gebiets des Deutschen Reiches in den Grenzen von 1937 bei Klagen, in denen die einzige vorgebrachte Beschwerde, die auf nationalsozialistisches Unrecht oder den Zweiten Weltkrieg zurückgeht, in keinem Zusammenhang steht mit dem deutschen Tochterunternehmen und dessen Beteiligung an nationalsozialistischem Unrecht, es sei denn, der/die Kläger hat/haben einen Antrag auf Urkundenvorlage (discovery request) gestellt, von dem die Vereinigten Staaten durch den Beklagten schriftlich mit Kopie an den/die Kläger in Kenntnis gesetzt wurden und mit dem von dem deutschen Tochterunternehmen oder in Bezug auf das deutsche Tochterunternehmen Urkunden über dessen Handlungen im Zweiten Weltkrieg oder in der Zeit des Nationalsozialismus angefordert werden.

Berger/Nolan-Steiner, Briefwechsel
vom 16. 6. 2000/5. 7. 2000

(Übersetzung)

Weißes Haus   16. Juni 2000
Washington D.C.

Sehr geehrter Herr Steiner,

wir stehen nunmehr kurz vor der Vollendung einer historischen Leistung, die ohne die
staatsmännische Führung des Bundeskanzlers nicht möglich gewesen wäre. Wir haben
uns auf einen geschlossenen Fonds im Umfang von 10 Milliarden DM geeinigt, um
aus der Zeit des Nationalsozialismus resultierende Ansprüche aufgrund von Zwangs-
oder Sklavenarbeit sowie jeglichem anderen Unrecht, das deutsche Unternehmen begangen haben, abzugelten. Wir haben uns ferner auf die genaue Aufteilung der 10 Milliarden DM auf die verschiedenen Fallgruppen sowie den Zukunftsfonds verständigt.
Wir haben die schwierige Reparationsfrage inzwischen gelöst. Dieses Schreiben ver-
deutlicht den zwischen den Parteien geführten Schriftwechsel und legt die endgültige
Haltung der amerikanischen Regierung zur Frage der Rechtssicherheit dar.
  Wir möchten im Namen des Präsidenten bekräftigen, dass Präsident und Regierung
sich, wie in dem vorgeschlagenen Regierungsabkommen vorgesehen, dem andauernden und umfassenden Rechtsfrieden für deutsche Unternehmen in Bezug auf gegen-
wärtige und künftige Fälle sowie in Bezug auf einvernehmliche und strittige Anträge
auf Klageabweisung verpflichtet fühlen. Wir haben zugestimmt, uns im Abkommen
dazu zu verpflichten, vor Gerichten der Vereinigten Staaten eine Interessenerklärung
(Statement of Interest) der Vereinigten Staaten zu Protokoll zu geben, in welcher unter
anderem das außenpolitische Interesse der Vereinigten Staaten an einer Klageabweisung erklärt wird. Dies wurde im Schreiben des Präsidenten an den Bundeskanzler
vom 13. Dezember erwähnt. Der Bundeskanzler akzeptierte das Schreiben als Grundlage für Rechtssicherheit und erklärte:»Die Zusage der US-Regierung, in allen laufenden und künftigen Gerichtsverfahren auf ihre außenpolitischen Interessen hinzuweisen und auf Klageabweisung hinzuwirken, begrüße ich nachdrücklich.«
  Wir haben diese Verpflichtung inzwischen erweitert, um den deutschen Unternehmen noch größere Sicherheit vor künftigen Klagen zu geben. Diese erweiterten Ga-

rantien listen wir im Folgenden auf und geben im Anschluss unsere Versicherungen im Namen des Präsidenten ab.

- Wir haben den Wortlaut der Interessenerklärung – wie durch Graf Lambsdorff gegenüber dem Stellvertretenden Minister Eizenstat erbeten – deutlicher gestaltet.
- Wir haben die Formulierungen im Entwurf der Interessenerklärung – wie von deutschen Unternehmen vorgeschlagen – deutlicher gestaltet, indem wir über das Schreiben des Präsidenten hinausgegangen sind und die Formulierung, es läge im außenpolitischen Interesse der Vereinigten Staaten, dass die Stiftung als einzig zuständige Stelle für Ansprüche gegen die deutsche Wirtschaft »betrachtet werden soll«, nunmehr durch die Formulierung ersetzt, dass die Stiftung die einzig zuständige Stelle »sein soll«.
- Auf eigene Initiative haben wir zur Erhärtung unserer Interessenerklärung erklärt, der Präsident sei zu dem Schluss gekommen, dass die Abweisung von Klagen gegen deutsche Unternehmen im außenpolitischen Interesse der Vereinigten Staaten läge, anstatt lediglich allgemein zu erklären, dass sie im außenpolitischen Interesse der Vereinigten Staaten läge.
- Ebenfalls auf eigene Initiative werden wir dafür sorgen, dass die Außenministerin eine formelle außenpolitische Erklärung der Vereinigten Staaten abgibt, in der unser großes Interesse daran betont wird, dass die deutsche Stiftung die einzig rechtliche Möglichkeit und das ausschließliche Forum in Bezug auf Ansprüche ist, und in der die Abweisung von Klagen gegen deutsche Unternehmen im Zusammenhang mit der Zeit des Nationalsozialismus, die diese Initiative gefährden könnten, nachhaltig befürwortet wird. Hiermit wird eine Erklärung des Stellvertretenden Ministers Eizenstat einhergehen, derzufolge diese Verhandlungen, die zu dem Regierungsabkommen geführt haben, die Fortsetzung von Bemühungen der Regierung der Vereinigten Staaten über 55 Jahre hinweg darstellen, mit der deutschen Regierung zusammenzuarbeiten, um die Folgen des Nationalsozialismus und des Zweiten Weltkriegs zu bewältigen.

Wir möchten unsere Versicherungen im Namen des Präsidenten hinzufügen. Wir haben mit Ihnen zusammengearbeitet, um diese historische deutsche Initiative zu entwickeln. Wir wollen keinerlei Maßnahmen ergreifen, durch die anhängige oder künftige Verfahren fortgeführt werden. Es liegt vielmehr im dauerhaften und vorrangigen Interesse der Vereinigten Staaten, Bemühungen zur Erreichung einer Abweisung aller Fälle aus der Zeit des Zweiten Weltkriegs zu unterstützen, und die Vereinigten Staaten werden entsprechend handeln. Ein anderes Vorgehen würde die gesamte Stiftungsinitiative bedrohen, der wir alle, einschließlich des Präsidenten und des Bundeskanzlers, soviel Zeit und Mühe gewidmet haben. Wir werden in unserer Interessenerklärung und im Regierungsabkommen erklären, dass sich die Vereinigten Staaten im Laufe der vergangenen 55 Jahre bemüht haben, mit Deutschland zusammenzuarbeiten, um die Folgen der Zeit des Natibnalsozialismus und des Zweiten Weltkriegs im Wege politischer und staatlicher Maßnahmen der Vereinigten Staaten und Deutschlands zu bewältigen. Da der Präsident der Auffassung ist, dass dies im dauerhaften und vorrangigen Interesse der Vereinigten Staaten liegt, wird das Ministerium der Justiz vor Gericht erklären, dass die Abweisung aller Fälle in unserem außenpolitischen Interesse liegt; es wird die Klageabweisung aufgrund jeglichen gültigen Rechtsgrunds zustimmend empfehlen, der im Rechtssystem der Vereinigten Staaten von den Gerichten der Vereinigten Staaten zu bestimmen ist. Ferner werden die Vereinigten Staaten in den Gerichten der Vereinigten Staaten keine rechtliche Position zu anhängigen oder künftigen Fällen beziehen, wodurch eine Klageabweisung ausgeschlossen würde; stattdessen werden sie die realen rechtlichen Hürden deutlich machen, denen sich die Kläger gegenübersehen.

Wir bitten um Ihre Bestätigung im Namen der deutschen Regierung und der deutschen Unternehmen, dass diese wichtige Frage durch diese Versicherungen gelöst ist.

Mit freundlichen Grüßen

Samuel R. Berger
Berater des Präsidenten für Fragen der nationalen Sicherheit

Beth Nolan
Beraterin des Präsidenten

Seiner Exzellenz
Herrn Michael Steiner
Außen- und Sicherheitspolitischer Berater
Bundeskanzleramt

Berlin

(Übersetzung)

Bundeskanzleramt   Berlin, den 5. Juli 2000
Außen- und Sicherheitspolitischer
Berater des Bundeskanzlers

Lieber Sandy,

haben Sie vielen Dank für das Schreiben vom 16. Juni, das Sie gemeinsam mit der Rechtsberaterin des Präsidenten, Beth Nolan, im Anschluss an unsere Telefonate und die Gespräche zwischen Graf Lambsdorff, Dr. Gentz und dem Stellvertretenden Finanzminister Eizenstat in Washington am 12. Juni am mich gerichtet haben. Das Schreiben spiegelt zutreffend die Absprachen zwischen Graf Lambsdorff, der Stiftungsinitiative der deutschen Wirtschaft und Herrn Eizenstat wider. Ich möchte Ihnen auch für Ihren persönlichen Einsatz bei der Lösung der schwierigen Fragen im Zusammenhang mit dem Rechtsfrieden für die deutsche Wirtschaft im Rahmen der Stiftungsinitiative danken. Wir waren uns der verfassungsrechtlichen Probleme auf der amerikanischen Seite durchaus bewusst.

Ich bin beauftragt worden, Ihnen mitzuteilen, dass die nunmehr erreichte Verständigung über dauerhafte und umfassende Rechtssicherheit für deutsche Unternehmen vor Klagen in den Vereinigten Staaten, die sich auf Verstrickung deutscher Unternehmen in Unrecht der NS-Zeit oder des 2. Weltkrieges beziehen, sowohl von der Bundesregierung als auch von den deutschen Unternehmen der Stiftungsinitiative angenommen wird.

Der Bundeskanzler betrachtet den persönlichen Einsatz des Präsidenten der Vereinigten Staaten als entscheidend für das Zustandekommen der Bundesstiftung. Die nunmehr erreichte Verständigung hat das wichtigste Hindernis für die Fertigstellung des Stiftungsgesetzes beseitigt, das voraussichtlich am 6. Juli vom Deutschen Bundestag verabschiedet werden wird. Die Bundesregierung hält an dem Ziel fest, mit der Auszahlung von Entschädigungen an ehemalige Zwangsarbeiter vor dem Ende dieses Jahres zu beginnen.

Nach dem Inkrafttreten des Gesetzes über die Stiftungsinitiative wird es wesentlich von den Anwälten der Kläger und den amerikanischen Richtern abhängen, dass dieses Ziel erreicht werden kann. Die deutsche Seite wird alle Anstrengungen unternehmen, die notwendigen Vorbereitungen einschließlich des Abschlusses von Vereinbarungen mit den Partnerorganisationen zu treffen, so dass mit den Auszahlungen begonnen werden kann, sobald die anhängigen Verfahren abgewiesen worden sind.

Mit freundlichen Grüßen

Michael Steiner

Seiner Exzellenz
dem Berater des Präsidenten der Vereinigten Staaten
für Fragen der nationalen Sicherheit
Herrn Samuel R. Berger
Weißes Haus

Washington, D.C.

Bundesgesetzblatt Jahrgang 2000 Teil II Nr. 34, ausgegeben zu Bonn am 27. November 2000

Auswärtiges Amt   Berlin, den 19. Oktober 2000

Verbalnote

Das Auswärtige Amt beehrt sich, gegenüber der Botschaft der Vereinigten Staaten von Amerika auf Artikel 5 des Abkommens zwischen der Regierung der Bundesrepublik Deutschland und der Regierung der Vereinigten Staaten von Amerika über die Stiftung »Erinnerung, Verantwortung und Zukunft« Bezug zu nehmen.

Die Regierung der Bundesrepublik Deutschland ist der Auffassung, dass das »Gesetz zur Errichtung einer Stiftung Erinnerung, Verantwortung und Zukunft«, das am 12. August 2000 verkündet und durch die Schreiben des Beauftragten des Bundeskanzlers der Bundesrepublik Deutschland, Otto Graf Lambsdorff, an den stellvertretenden Finanzminister der Vereinigten Staaten, Stuart E. Eizenstat, vom 7. Juli, 11. Juli und 14. Juli näher erläutert und ausgelegt wurde, in vollem Umfang mit Anlage A des Abkommens im Einklang steht.

Auf der Grundlage dieses Verständnisses stimmt die Regierung der Bundesrepublik Deutschland zu, dass das Abkommen im Einklang mit Artikel 5 heute, an dem Tag, an dem die Bundesrepublik Deutschland den Notenwechsel mit den Vereinigten Staaten von Amerika durchführt, in Kraft tritt.

Das Auswärtige Amt benutzt diesen Anlass, die Botschaft der Vereinigten Staaten erneut seiner ausgezeichneten Hochachtung zu versichern.

An die
Botschaft der Vereinigten Staaten von Amerika

Berlin

(Übersetzung)

Botschaft der Vereinigten Staaten von Amerika   Berlin, den 19. Oktober 2000

Die Botschaft der Vereinigten Staaten von Amerika beehrt sich, gegenüber dem Auswärtigen Amt auf Artikel 5 des Abkommens zwischen der Regierung der Vereinigten Staaten von Amerika und der Regierung der Bundesrepublik Deutschland über die Stiftung »Erinnerung, Verantwortung und Zukunft« Bezug zu nehmen.

Die Vereinigten Staaten sind der Auffassung, dass das »Gesetz zur Errichtung einer Stiftung Erinnerung, Verantwortung und Zukunft«, das am 12. August 2000 verkündet und durch die Schreiben des Beauftragten des Bundeskanzlers der Bundesrepublik Deutschland, Otto Graf Lambsdorff, an den stellvertretenden Finanzminister der Vereinigten Staaten, Stuart E. Eizenstat, vom 7. Juli, 11. Juli und 14. Juli näher erläutert und ausgelegt wurde, in vollem Umfang mit Anlage A des Abkommens im Einklang steht.

Auf der Grundlage dieses Verständnisses stimmen die Vereinigten Staaten zu, dass das Abkommen im Einklang mit Artikel 5 heute, an dem Tag, an dem die Vereinigten Staaten den Notenwechsel mit der Bundesrepublik Deutschland vollziehen, in Kraft tritt.

Die Botschaft der Vereinigten Staaten von Amerika benutzt diesen Anlass, das Auswärtige Amt der Bundesrepublik Deutschland erneut ihrer ausgezeichneten Hochachtung zu versichern.

Bundesgesetzblatt Jahrgang 2000 Teil II Nr. 34, ausgegeben zu Bonn am 27. November 2000

Gemeinsame Erklärung
anlässlich des abschließenden Plenums zur
Beendigung der internationalen Gespräche über die Vorbereitung
der Stiftung »Erinnerung, Verantwortung und Zukunft«

Die Regierungen der Republik Belarus, des Staates Israel, der Republik Polen, der Russischen Föderation, der Tschechischen Republik und der Ukraine,

die Regierungen der Bundesrepublik Deutschland und der Vereinigten Staaten von Amerika,

die deutschen Unternehmen, die die Initiative zur Errichtung einer Stiftung ins Leben gerufen haben und denen sich inzwischen Tausende weiterer deutscher Unternehmen angeschlossen haben, und

als weitere Beteiligte die Conference on Jewish Material Claims against Germany Inc. und die unterzeichneten Anwälte –

eingedenk des Vorschlags, den deutsche Unternehmen am 16. Februar 1999 dem Bundeskanzler der Bundesrepublik Deutschland unterbreitet haben, zum Ausgang des Jahrhunderts ein »abschließendes humanitäres Zeichen aus moralischer Verantwortung, Solidarität und Selbstachtung« zu setzen,

in Anerkennung der Absicht der Regierung der Bundesrepublik Deutschland und deutscher Unternehmen, die moralische und historische Verantwortung zu übernehmen, die sich aus dem Einsatz von Sklaven- und Zwangsarbeitern, aus im Zuge rassischer Verfolgung erlittenen Vermögensschäden und aus anderem Unrecht aus der Zeit des Nationalsozialismus und dem Zweiten Weltkrieg ergibt,

mit Genugtuung feststellend, dass der Präsident der Bundesrepublik Deutschland in einer Erklärung am 17. Dezember 1999 jenen, die unter deutscher Herrschaft Sklaven- oder Zwangsarbeit leisten mussten, seine Achtung erwiesen, ihr Leid und das ihnen zugefügte Unrecht anerkannt und im Namen des deutschen Volkes um Vergebung gebeten hat,

erklären Folgendes:

1. Alle Beteiligten begrüßen und unterstützen die Stiftung »Erinnerung, Verantwortung und Zukunft« und erklären ihre Zustimmung zu den Elementen der Stiftung, ein-

schließlich des beigefügten Verteilungsplans (Anlage B). Die Interessen der ehemaligen Zwangsarbeiter, der anderen Opfer sowie der Erben wurden gebührend berücksichtigt. Gemessen an den Umständen halten alle Beteiligten das Gesamtergebnis und die Verteilung der Stiftungsmittel für gerecht gegenüber den Opfern und ihren Erben. Die Stiftung eröffnet die Perspektive, dass Zahlungen geleistet werden, selbst wenn der Schädiger 55 Jahre nach dem Ende des Krieges nicht mehr feststellbar ist oder nicht mehr existiert. Die Stiftung dient ferner dazu, über bisherige Leistungen Deutschlands hinaus Mittel für Zwangsarbeiter zur Verfügung zu stellen.

2. Angesichts des fortgeschrittenen Alters der betroffenen Opfer liegt das humanitäre Hauptziel der Stiftung »Erinnerung, Verantwortung und Zukunft« darin, sobald wie möglich Ergebnisse vorzuweisen. Alle Teilnehmer werden mit der Stiftung in einer kooperativen, fairen und unbürokratischen Weise zusammenarbeiten, um sicherzustellen, dass die Zahlungen die Opfer zügig erreichen.

3. Zahlungen sind an die Antragsteller im Namen der Stiftung »Erinnerung, Verantwortung und Zukunft« unabhängig von ihrer Rasse, Religion und Staatsangehörigkeit zu leisten. Soweit die Beteiligten selbst Mittel vergeben, werden sie ihre Entscheidungen auf der Grundlage der im deutschen Stiftungsgesetz festgelegten Zugangskriterien treffen und auch hierbei Gerechtigkeit üben.

4. Die beteiligten Regierungen und andere Beteiligte verfahren wie folgt:

(a) Die Regierung der Bundesrepublik Deutschland (»Deutschland«) und die deutschen Unternehmen tragen jeweils 5 Milliarden DM zur Stiftung »Erinnerung, Verantwortung und Zukunft« bei.

(b) Deutschland und die Regierung der Vereinigten Staaten von Amerika (»Vereinigte Staaten«) werden ein Regierungsabkommen unterzeichnen. Dieses Abkommen enthält die von den Vereinigten Staaten eingegangene Verpflichtung, dazu beizutragen, einen umfassenden und andauernden Rechtsfrieden für deutsche Unternehmen herbeizuführen.

(c) Die Regierungen der beteiligten mittel- und osteuropäischen Staaten und Israels werden die zur Herbeiführung eines umfassenden und andauernden Rechtsfriedens erforderlichen besonderen Maßnahmen im Rahmen ihrer innerstaatlichen Rechtssysteme durchführen.

(d) Wird dem Ersuchen um die unter Buchstabe e genannte Verweisung stattgegeben, so ist der Beitrag der deutschen Unternehmen in Höhe von 5 Milliarden DM zur Stiftung fällig und an diese zahlbar; Zahlungen der Stiftung werden beginnen, sobald alle vor Gerichten in den Vereinigten Staaten anhängigen Klagen gegen deutsche Unternehmen, die sich aus der Zeit des Nationalsozialismus oder dem Zweiten Weltkrieg ergeben, einschließlich derjenigen, die in den Anlagen C und D aufgeführt sind, von den Gerichten bindend abgewiesen worden sind (dismissal with prejudice). Der erste Teil des 5 Milliarden DM umfassenden Beitrags der deutschen Regierung wird der Stiftung bis zum 31. Oktober 2000 zur Verfügung gestellt. Der Rest des deutschen Beitrags wird der Stiftung bis zum 31. Dezember 2000 zur Verfügung gestellt. Die Beiträge der deutschen Regierung werden unmittelbar, nachdem sie der Stiftung zur Verfügung gestellt worden sind, zugunsten der Stiftung Zinserlöse erzielen. Die deutsche Regierung kann einen Teil ihrer Leistung den Partnerorganisationen für bestimmte Anlaufkosten vorab zukommen lassen, bevor die Klagen endgültig abgewiesen sind. Die deutschen Unternehmen stellen Vorauszahlungen in angemessener Höhe zur Verfügung, um die Öffentlichkeit hinsichtlich der bevorstehenden Verfügbarkeit der Stiftungsmittel in angemessenem Umfang zu unterrichten. Die Mittel der deutschen Unternehmen werden weiterhin entsprechend dem Zeitplan auf eine Weise zusammengetragen, dass sichergestellt ist, dass damit vor und nach ihrer Übergabe an die Stiftung Zinserlöse in Höhe von mindestens 100 Millionen DM erzielt werden.

(e) Die Anwälte der beklagten deutschen Unternehmen und die Anwälte der Kläger (wobei jede Seite versucht, zumindest eine deutliche Mehrheit der jeweiligen Anwälte der Beklagten und der Kläger zusammenzubringen) haben bei dem Multidistrict Litigation Panel Ersuchen eingereicht, um eine Verweisung der in den Anlagen C und D aufgeführten Klagen auf Bundesgerichtsebene unter geeigneten Umständen an einen für beide Seiten akzeptablen Bundesrichter zu erwirken, damit die weiteren, in dieser gemeinsamen Erklärung vorgesehenen Schritte durchgeführt werden können und um die Umsetzung der Ziele des Regierungsabkommens im Wege einer bindenden Abweisung (dismissal with prejudice) der verwiesenen Klagen und aller später erhobenen Klagen, die im Nachgang hierzu entsprechend verwiesen werden, zu erleichtern.

(f) Deutschland wird umgehend einen vorbereitenden Ausschuss für die Stiftung einrichten. Der vorbereitende Ausschuss wird, nach Absprache mit den Vertretern der Opfer, die unter Buchstabe d vorgesehene Öffentlichkeitsarbeit vor der förmlichen Errichtung der Stiftung leisten und in Absprache mit den Partnerorganisationen die Sammlung der Anträge auf Zahlungen durch die Partnerorganisationen vorbereiten.

(g) Die Anwälte der Kläger werden Anträge oder Vereinbarungen bezüglich einer bindenden Abweisung (dismissal with prejudice) aller von ihnen eingereichten und vor Gerichten in den Vereinigten Staaten anhängigen Klagen gegen deutsche Unternehmen, die sich aus der Zeit des Nationalsozialismus oder dem Zweiten Weltkrieg ergeben, darunter die in Anlage C genannten, einreichen. Sie werden ferner zusammenarbeiten, um eine bindende Abweisung (dismissal with prejudice) aller weiteren Klagen dieser Art, darunter die in Anlage D genannten, zu erwirken.

(h) Deutschland und die Vereinigten Staaten werden die Regierungsvereinbarung in Kraft setzen, und die Vereinigten Staaten werden daraufhin, wie darin vorgesehen, die Interessenerklärung (Statement of Interest) zu Protokoll geben.

(i) Die deutsche Regierung wird deutsche Unternehmen dazu ermutigen, ihre Archive in Bezug auf die Zeit des Nationalsozialismus und den Zweiten Weltkrieg zu öffnen.

Geschehen zu Berlin am 17. Juli 2000
in einer Urschrift, Abschriften werden den Beteiligten zur Verfügung gestellt.

gez. W. N. Gerassimowitsch   gez. Benjamin Shalev
Für die Regierung der Republik Belarus   Für die Regierung des Staates Israel

gez. Jerzy Kranz
Für die Regierung der Republik Polen

gez. V. A. Koptelzew
Für die Regierung der Russischen
Föderation

gez. Jirí Šittler
Für die Regierung der Tschechischen
Republik

gez. Oleksandr Maidannyk
Für die Regierung der Ukraine

gez. Stuart E. Eizenstat
Für die Regierung der Vereinigten
Staaten von Amerika

gez. Dr. Otto Graf Lambsdorff
Für die Regierung der Bundesrepublik
Deutschland

gez. Dr. Manfred Gentz
Für die Stiftungsinitiative deutscher
Unternehmen

gez. Israel Miller gez. Gideon Taylor
Für die Conference on Jewish Material
Claims against Germany Inc.

gez. Lawrence Kill
Linda Gerstel
Lawrence Kill
für Anderson, Kill & Olick, P.C.

gez. Stephen A. Whinston
gez. Edward W. Millstein
Edward W. Millstein
Stephen A. Whinston
für Berger and Montague, P.C.

gez. Richard E. Shevitz
Irwin B. Levin
Richard E. Shevitz
für Cohen & Malad, P.C.

gez. Michael D. Hausfeld
Michael D. Hausfeld
für Cohen, Milstein, Hausfeld & Toll,
P.L.L.C.

gez. Carey D'Avino
Carey D'Avino

gez. Edward Fagan
Edward Fagan
für Fagan & Associates

gez. Barry Fisher
Barry Fisher
für Fleishman & Fisher

gez. Dennis Sheils
Dennis Sheils
Robert Swift
für Kohn, Swift & Graf, P.C.

gez. Morris A. Ratner
Morris A. Ratner
für Lieff, Cabraser,
Heimann & Bernstein, L.L.P.

gez. Martin Mendelsohn
Martin Mendelsohn
für Verner, Liipfert, Bernhard,
Mc Pherson and Hand

gez. Deborah M. Sturman
gez. Melvyn I. Weiss
Deborah M. Sturman
Melvyn I. Weiss
für Milberg, Weiss, Bershad,
Hynes & Lerach, L.L.P.

gez. J. Dennis Faucher
J. Dennis Faucher
für Miller, Faucher, Cafferty & Wexler,
L.L.P.

gez. Burt Neuborne
Burt Neuborne
New York University School of Law

gez. Myroslaw Smorodsky
Myroslaw Smorodsky

gez. Melvyn Urbach
Melvyn Urbach

gez. Stanley M. Chesley
Stanley M. Chesley
für Waite, Schneider, Bayles & Chesley

gez. Michael Witti
Michael Witti

Anlage A
zu der Gemeinsamen Erklärung anlässlich des abschließenden Plenums zur Beendigung der internationalen Gespräche über die Vorbereitung der Bundesstiftung »Erinnerung, Verantwortung, Zukunft«, Berlin, 17. Juli 2000

Bestimmung des Begriffs »deutsche Unternehmen«

Der Begriff »deutsche Unternehmen« wird in den §§ 12 und 16 des Gesetzes zur Errichtung der Stiftung »Erinnerung, Verantwortung und Zukunft« wie folgt bestimmt:

1. Unternehmen, die ihren Sitz im Gebiet des Deutschen Reiches in den Grenzen von 1937 hatten oder in der Bundesrepublik Deutschland haben, sowie deren Muttergesellschaften, auch wenn diese ihren Sitz im Ausland hatten oder haben;

2. Unternehmen außerhalb des Gebiets des Deutschen Reiches in den Grenzen von 1937, an denen in der Zeit zwischen dem 30. Januar 1933 und dem In-Kraft-Treten des Gesetzes zur Errichtung der Stiftung »Erinnerung, Verantwortung und Zukunft« deutsche Unternehmen nach Satz 1 unmittelbar oder mittelbar finanziell mit mindestens 25 Prozent beteiligt waren.

3. Der Begriff »deutsche Unternehmen« umfasst nicht ausländische Muttergesellschaften mit Sitz außerhalb des Gebiets des Deutschen Reiches in den Grenzen von 1937 bei Klagen, in denen die einzige vorgebrachte Beschwerde, die auf nationalsozialistisches Unrecht oder den Zweiten Weltkrieg zurückgeht, in keinem Zusammenhang steht mit dem deutschen Tochterunternehmen und dessen Beteiligung an nationalsozialistischem Unrecht, es sei denn, der/die Kläger hat/haben einen Antrag auf Urkundenvorlage (discovery request) gestellt, von dem die Vereinigten Staaten durch den Beklagten schriftlich mit Kopie an den/die Kläger in Kenntnis gesetzt wurden und mit dem von dem deutschen Tochterunternehmen oder in Bezug auf das deutsche Tochterunternehmen Urkunden über dessen Handlungen im Zweiten Weltkrieg oder in der Zeit des Nationalsozialismus angefordert werden.

Anlage B

zu der Gemeinsamen Erklärung anlässlich des abschließenden Plenums zur Beendigung der internationalen Gespräche über die Vorbereitung der Bundesstiftung »Erinnerung, Verantwortung und Zukunft« Berlin, 17. Juli 2000

ARBEIT	Zugewiesener Betrag (in Milliarden DM)	Betrag (in Milliarden DM)	Betrag für Arbeit in Prozent	Gesamtprozentsatz	Zusätzliche Mittel (in Milliarden DM)	Zugewiesener Betrag mit zusätzlichen Mitteln[1a] (in Milliarden DM)	Prozentsatz des aus zusätzlichen Mitteln gezahlten Betrags für Arbeit	Zusätzliche Mittel Bemerkungen
Sklavenarbeit	3,630 DM				0,100 DM			Schweizerischer Fonds
Zwangsarbeit	4,420 DM							
Kapital für Sklaven- und Zwangsarbeit		8,050 DM		80,50 %				
Mittelzuweisungen (Sklavenarbeit und Zwangsarbeit zusammengenommen)								
Partnerorganisationen:[1]								
Claims Conference[2]	1,812 DM		22,51 %			1,812 DM	22,37 %	
Republik Polen	1,796 DM		22,31 %		0,050 DM	1,812 DM	22,37 %	Zinserträge für MOE

Ukraine	1,709 DM		21,22 %		1,724 DM	21,29 %	
Russische Föderation	0,828 DM		10,28 %		0,835 DM	10,31 %	
Republik Belarus	0,687 DM		8,54 %		0,694 DM	8,56 %	
Tschechische Republik	0,419 DM		5,21 %		0,423 DM	5,22 %	
Übriges Osteuropa & übrige Welt (einschließlich Sinti und Roma)[3]	0,800 DM		9,94 %		0,800 DM	9,88 %	
Andere Fälle von Personenschäden[4]		0,050 DM	0,50 %				
Gesamtkapital für Arbeit		**8,100 DM**	81,00 %	**8,250 DM**			
Gesamtkapital für nichtarbeitsbezogene Massnahmen; Zukunftsfonds und Verwaltung		**1,000 DM**	10,00 %				
Bankforderungen	0,150 DM						
andere Vermögensschäden/ Öffnungsklausel[5]	0,050 DM						
Banken/humanitäre Zahlungen	0,300 DM						
Versicherungsansprüche[6]	0,150 DM			0,050 DM			Zinserträge
Versicherungen/humanitäre Zahlungen/ICHEIC	0,350 DM						
Zukunftsfonds		**0,700 DM**	7,00 %				

ARBEIT	Zugewiesener Betrag (in Milliarden DM)	Betrag (in Milliarden DM)	Betrag für Arbeit in Prozent	Gesamtprozentsatz	Zusätzliche Mittel (in Milliarden DM)	Zugewiesener Betrag mit zusätzlichen Mitteln[1a] (in Milliarden DM)	Prozentsatz des aus zusätzlichen Mitteln gezahlten Betrags für Arbeit	Zusätzliche Mittel Bemerkungen
Programme für Erben[7]								
Reserve für Versicherungsansprüche[8]	0,100 DM							
Verwaltung		**0,200 DM**		**2,00 %**				
Gesamtkapital für nichtarbeitsbezogene Massnahmen; Zukunftsfonds und Verwaltung		**1,900 DM**			**1,950 DM**			
Gesamtkapital der Stiftung		**10,000 DM**		**100 %**				

1 Die Beträge für die Stiftung jedes Landes (Republik Polen, Ukraine, Russische Föderation, Republik Belarus und Tschechische Republik) werden unter Zugrundelegung desselben Schlüssels (keine Prozentsätze) wie in dem Vorschlag der MOE-Staaten vom 31. Januar berechnet.

1a Die Beträge spiegeln die Umwidmung zusätzlicher Mittel wider.

2 Der Betrag beinhaltet Zahlungen an 120 800 Sklavenarbeiter.

3 Schließt bis zu 260 Millionen DM ein, die von der Claims Conference an jüdische Sklaven- und Zwangsarbeiter verteilt werden.

4 Andere Fälle von Personenschäden (z. B. medizinische Versuche und andere Fälle).

5 »Öffnungsklausel« (ansonsten nicht erfasste Vermögensschäden).

6 Schließt die ICHEIC-Verwaltungskosten ein. Versicherungsansprüche, die 150 Millionen DM überschreiten, werden aus Mittelzuweisungen aus Zinsträgen (50 Millionen DM) befriedigt. Versicherungsansprüche, die 200 Millionen DM überschreiten, werden aus der Reserve des Zukunftsfonds von 100 Millionen DM befriedigt.

7 10 % (mindestens) des Zukunftsfonds sind für Programme für Erben vorzusehen.

8 Reserve für Versicherungsansprüche für den Fall, dass die tatsächlichen Ansprüche 200 Millionen DM übersteigen.

Anlage C

Liste der Klagen gegen deutsche Unternehmen in Bezug auf den Zweiten Weltkrieg und die Zeit des Nationalsozialismus, von denen bekannt ist, dass sie vor Gerichten der Vereinigten Staaten anhängig sind, und die von den an den Verhandlungen beteiligten Anwälten der Kläger eingereicht wurden

[Liste von 55 Fällen, nicht abgedruckt]

Anlage D

Liste der Klagen gegen deutsche Unternehmen in Bezug auf den Zweiten Weltkrieg und die Zeit des Nationalsozialismus, von denen bekannt ist, dass sie vor Gerichten der Vereinigten Staaten anhängig sind, und die von den an den Verhandlungen nicht beteiligten Anwälten der Kläger eingereicht wurden

[Liste von 13 Fällen, nicht abgedruckt]

Clinton – Schröder, Briefwechsel
zur Grundsatzeinigung vom 13./14. 12. 1999

Chancellor Schroeder
federal Republic of Germany

Berlin, Germany   December 13, 1999

Dear Chancellor Schroeder,

Thank you for your letter of December I calling on the two of us to work together and conclude negotiations creating a German Foundation to assist former Nazi-era slave and forced laborers and others who suffered at the hands of German banks, insurance companies, and other German companies during the Nazi-era. I agree that the historic initiative of German companies must be brought to a successful conclusion before the end of this year.

We have sought to find solutions to the remaining issues in order to allow a successful and just resolution for former forced and slave laborers and others who suffered at the hands of German banks, insurance companies, and other German companies during the Nazi-era through the creation of a German foundation for their benefit. Your leadership and courageous personal effort and those of Count Lambsdorff have brought us to the point at which settlement is imminent. Deputy Secretary Eizenstat and other senior members of my Administration have worked assiduously to move the initiative forward.

Deputy Secretary Eizenstat was intensively engaged this past week with the plaintiffs' attorneys with whom he has dealt to move them closer to the German offer. On Sunday, he reported to Count Lambsdorff that they, the Conference for Jewish Material Claims Against Germany, the Central and Eastern European Governments, and the Government of Israel would agree to settle at DM 10 billion. This is a tremendous step to finally settle all claims we have been discussing. It will establish for the first time a flat sum and ceiling agreed by all participants in this process. This counteroffer is a firm commitment for settlement of which we both could be proud, allowing payments that would reach surviving forced and slave laborers and others who suffered at the hands of German banks, insurance companies, and other German companies during the Nazi-era, and fulfill the moral aims of the German government and companies.

As part of our ongoing discussions regarding the Foundation, we have also found a mechanism to provide the legal peace desired by the German government and German companies in the American market. First, the executive agreement between our governments (providing that the United States will file statements of interest in pending and future suits against German companies on Holocaust claims) will state, as the German Government and companies have requested, among other things, that the Foundation should be regarded as the exclusive remedy for all claims against German companies arising out of the Nazi-era. It will state further that both our countries desire all embracing and enduring legal peace to advance our foreign policy interests. Second, also responding to German Government and companies' requests, in both the executive agreement and our statement of interest we would state in both consensual and nonconsensual cases, all of which touch upon foreign policy interests of the United States, that dismissal of such suits would be in the foreign policy interests of the United States, though this may not in and of itself constitute an independent legal ground for dismissal. I know that achieving legal peace has been a paramount concern of the German companies. The unprecedented steps the United States Government is willing to take understores the desire both countries share in obtaining all embracing and enduring legal peace.

It has been a long, hard road to come as far as we have in these negotiations. Both of us have invested substantial time and energy – our own and that of our senior representatives. Both Governments have invested substantial time and energy. We have undertaken this in response to the German companies and because we both believe in the historical and moral significance of bringing a sense of justice to former slave and forced laborers and others who suffered at the hands of German banks, insurance companies, and other German companies during the Nazi-era. We can help restore a measure of human dignity to those who suffered and survived.

As a next step, I would be pleased to send Deputy Secretary Eizenstat and the United States team to Germany this week to meet with Count Lambsdorff and the other participants to finalize our agreement on the settlement amount. We look forward to working on an expedited basis to resolve the remaining issues including the scope of the Foundation.

German-American relations are based on our common commitment to human dignity coming from a shared history of democracy for over fifty years. This unique German initiative, reaching out to the victims of this century's most horrible tragedy, will convey dramatically to the entire world your nation's commitment to justice and human rights. It will allow our countries to enter the new millennium together determined to protect the inviolability of human dignity.

Sincerely

[gez.]
William Clinton

Bundesrepublik Deutschland   Berlin, den 14. Dezember 1999
Der Bundeskanzler

Seiner Exzellenz
dem Präsidenten der
Vereinigten Staaten von Amerika
Herrn William J. Clinton

Washington, D.C.

Sehr geehrter Herr Präsident,
[hdschr.] Lieber Bill,

vielen Dank für Ihr Schreiben vom 13. Dezember 1999 zur Bundesstiftung für ehemalige NS-Zwangsarbeiter.

In meinem letzten Schreiben hatte ich Ihnen meine große Besorgnis geschildert, dass die Stiftungsinitiative angesichts der unrealistischen finanziellen Forderungen seitens der Klägeranwälte und der noch offenen Fragen zur Rechtssicherheit letztlich noch scheitern könnte. Ich bin Ihnen dankbar, dass Sie sich dieser politisch äußerst bedeutsamen Angelegenheit persönlich angenommen haben und entscheidende Impulse für einen von allen Beteiligten tragbaren Konsens gegeben haben.

Die Bundesregierung ist bereit, den von Ihnen dargestellten Vorschlag zu akzeptieren und zu unterstützen. Ich verhehle nicht, dass diesem Entschluss eine intensive Diskussion vorausging. Unter Abwägung aller Aspekte haben wir uns entschlossen, die finanzielle Ausstattung der Bundesstiftung auf insgesamt 10 Mrd DM aufzustocken.

Für diesen Entschluss waren insbesondere zwei Aspekte ausschlaggebend: Zum ersten ist der von deutscher Seite bereitzustellende Betrag von 10 Mrd DM abschließend. Mit diesem Betrag werden sämtliche Leistungen der Bundesstiftung – für NS-Zwangsarbeite, für Vermögensschäden sowie für den Zukunftsfonds – finanziert. Auch die übrigen im Zusammenhang mit der Bundesstiftung anfallenden Kosten sind eingeschlossen. Weitere Forderungen, wie sie gestern von Seiten der Klägeranwälte erhoben wurden, werden deshalb von der Bundesregierung gemeinsam mit der US-Regierung eindeutig zurückgewiesen.

Zweites zentrales Argument für Ihren Vorschlag sind die in den letzten Tagen erreichten deutlichen Verbesserungen bei der Rechtssicherheit. Die Zusage der US-Regierung, in allen laufenden und künftigen Gerichtsverfahren auf ihre außenpolitischen Interessen hinzuweisen und auf Klageabweisung hinzuwirken, begrüße ich nachdrücklich. Gleiches gilt für die Bereitschaft der US-Regierung, das Statement of Interest unabhängig von der Haltung der Kläger abzugeben. Ich gehe im Übrigen davon aus, dass mit diesem Konsens den legislativen und administrativen Schritten gegen deutsche Unternehmen die Grundlage entzogen ist und die US-Regierung für die Aufhebung der Maßnahmen auf Bundes- und Staatenebene sorgt.

Nur auf dieser Basis ist ein Konsens zur Gründung der Bundesstiftung erreicht. Ich begrüße Ihren Vorschlag, diesen Grundkonsens in den kommenden Tagen mit den übrigen Beteiligten in Berlin formell zu besiegeln und öffentlich vorzustellen.

Die Verständigung über die Bundesstiftung ist vor allem ein bedeutsames Zeichen der Humanität und Verantwortung für die NS-Opfer am Ende dieses Jahrhunderts. Die Bundesregierung ist dafür bis an die Grenzen ihrer Möglichkeiten gegangen. Sie wird deshalb jede weitere Forderung entschieden ablehnen. Ich bin mir auch der erheblichen Anstrengungen der US-Regierung bewußt. Ihnen persönlich, Ihrer Regierung und insbesondere unseren beiden Sonderbeauftragten, Stuart Eizenstat und Otto Graf Lambsdorff, bin ich für das besondere Engagement in dieser Sache sehr dankbar.

Mit freundlichen Grüßen
[hdschr.] Gerhard Schröder

UNIVERSITY OF PORTSMOUTH LIBRARY

Fusionsbedingte Umfirmierungen der Gründungsunternehmen

Gründungsunternehmen	Fusion aus	Datum
Allianz AG		
BASF AG		
Bayer AG		
BMW AG		
Commerzbank AG		
DaimlerChrysler AG	Daimler-Benz AG und Chrysler Corporation	11 / 1998
Degussa-Hüls AG	SKW Trostberg AG (Tochter VIAG) und Degussa-Hüls AG zu Degussa AG	10 / 2000
	Degussa AG und Hüls AG (VEBA-Tochter) zu Degussa-Hüls AG	2 / 1999
Deutsche Bank AG		
Deutz AG		
Dresdner Bank AG		
Hoechst AG	Hoechst AG und Rhône-Poulenc zu Aventis AG	12 / 1999
RAG AG		
Robert Bosch GmbH		
Siemens AG		
VEBA AG	VIAG und VEBA zu E.on AG	6 / 2000
ThyssenKrupp AG	Zusammenschluss aller Geschäftsbereiche zu ThyssenKrupp AG	
	(aus Fried.Krupp AG Hoech-Krupp und Thyssen AG)	3 / 1999
	Krupp Hoesch Stahl AG und Thyssen Stahl AG zu Thyssen Krupp Stahl AG	9 / 1997
Volkswagen AG		

Götz Aly
Macht   Geist   Wahn
Kontinuitäten deutschen Denkens
Band 13991

»Götz Aly ist ein brillanter und verdienstvoller
Historiker der deutschen Schandjahre zwischen 1933
und 1945. Seine Maxime (...) ›Wer sucht, der findet‹
ist nicht akademisch, sondern bissig-investigativ;
und er kann schreiben und Emotionen wecken.
Deswegen greift man mit Interesse zu seinem Band,
den der sorgfältig recherchierende Polemiker gerade
vorgelegt hat. Man wird nicht enttäuscht.«
Die Woche

»Als Journalist und Historiker zerstört Aly
manche liebgewonnene Legende. Besonders delikat
sind seine Funde in der Abteilung ›Ostforschung‹
er deutschen Historikerzunft. (...) Wir dürfen
von dem Historiker Aly sicher auch weiterhin
Aufsehenerregendes erwarten.«
Süddeutsche Zeitung

Fischer Taschenbuch Verlag

Wege in die Gewalt
Die modernen politischen Religionen
Herausgegeben von Hans Maier
Band 14904

Um die Gewaltexplosionen des 20. Jahrhunderts erklären zu können, ist eine Auseinandersetzung mit der quasi-religiösen Faszinationskraft moderner Ideologien unerlässlich.

Omer Bartov, Philippe Burrin, Peter Krüger, Hermann Lübbe und andere renommierte Fachleute aus dem In- und Ausland diskutieren diesen neuen ideengeschichtlichen Interpretationsansatz, der nach den Wurzeln totalitärer Gewalt fragt.

Fischer Taschenbuch Verlag

Robert Antelme
Das Menschengeschlecht
Aus dem Französischen von Eugen Helmlé
Band 14875

Ein einzigartiges Zeugnis, das in der französischen Literatur
als Standardwerk über die Lager, die Deportation und die
systematische Menschenvernichtung gilt. Robert Antelme,
ein Gefährte von Maguerite Duras, berichtet über Leben
und Sterben im deutschen Konzentrationslager. Sein Retter
war der junge François Mitterand, der spätere französische
Staatspräsident.

»Der Text verweigert jene Betroffenheit, die
beim Leser die Illusion des Mitleidens und damit
ein gutes Gewissen zu erzeugen vermag,
letztlich aber bloß eine Form der Abwehr ist.«
Jochen Hieber, Frankfurter Allgemeine Zeitung

»Eine Pflichtlektüre.«
Rainer Stephan, Süddeutsche Zeitung

Fischer Taschenbuch Verlag

fi 14875 / 1